KB196624

교양인간관계론

교양인간관계론

주삼환 옮김
앤 엘리슨 지음

한국학술정보㈜

역자 서문

초등학교 시절 은사님께서 '사람 人' 자를 가르쳐 주실 때 人字는 작대기 두 개로 만들어졌다고 하시면서 작대기 하나만으론 서지 못하여 또 하나의 작대기가 있어야 사람이 되듯이 인간이란 이 세상에서 혼자서는 살아갈 수 없고 남과 어울려 살아가야 한다고 말씀하시던 게 생각난다. 인간은 아무리 똑똑해도 혼자서 우뚝 서기는 극히 어렵다는 것이었다. 코흘리개 초등학교 3학년이었던 우리들에게 나름대로 알아듣기 쉽게 인간관계의 중요성을 강조하셨던 것인데 그때는 그 깊은 뜻을 이해하지 못했으나 '人'자는 쉽게 배울 수 있었고 이 글자를 볼 때마다 두 개의 작대기가 받쳐 주고 있는 또는 지게를 받쳐 놓은 모습을 연상하게 되었다(물론 '人' 자는 한 사람을 나타내는 상형문자이다).

그러나 성격 탓인지 성장하여 사회생활을 하면서 사람을 많이 사귀지 못하고 소수 특정인들과의 관계 속에서 살아가면서 인간관계의 중요성을 절감하고 있다. 남들은 서로 관계를 잘 맺으면서 쉽게 살아가는데 나는 어쩌면 어렵게, 바보스럽게, 곧장 가지 못하고 빙빙 돌아서 인생행로를 걷고 있는지도 모른다. 그래서 언젠가 한 학기의 人間關係論 강의를 끝내면서 인간관계를 원만히 못 하는 사람으로부터 인간관계론을 배우게 된 수강생은 불행하고 가르친 나 자신도 미안하게 생각한다고 고백한 적이 있다.

시간적으로 볼 때 인간은 사람 사이의 관계와 관계 속에서 관계를 맺으면서 태어나, 관계 속에서 배우고, 놀고, 생활하고, 물리적으로는 언젠가 영원히 헤어져 관계가 끊어지는 것 같지만 정신적으로는 영원히 관계가 지속되면서 살아간다. 공간적으로도 나와 가장 가까운 '나'로부터 시작하여 부모, 형제, 가족, 친척, 친구, 직장인, 사회·국가·국제, 우주로까지 확대하면서 관계를 맺고 살아간다. 마치 연못에 돌을 던지면 그 떨어진 자리로부터 파문이 퍼져 나가듯이, 인간관계의 폭도 넓어진다. 인간이라면 어쩔 수 없이 인간과 관계를 맺지 않을 수 없다. 관계를 맺을 바에는 좋은 관계를 맺어야 한다. 좋은 관계를 맺는 사람은 성공적으로 이 세상을 사는 것이다. 인간관계에서 실패하는 사람은 인생 전체를 실패하는 것이다. 인간은 인간이란 숲에서 영향을 주고받으며 살기 때문이다.

그래서 동·서양을 막론하고 인간관계를 중요한 교육목표와 도덕률로서 강조해 왔다. 동양의 三綱五倫도 현대적 의미의 인간관계론이다. 서양의 인간관계 기술(interpersonal skills)이나 意思疏通, 社會化, 社會性도 결국은 인간관계이다. 특히 우리나라의 관계를 나타내는 호칭은 다 혈족적인 밀접한 관계로 되어 있다. 전혀 모르는 운전기사까지도 '아저씨', '아주머니'이고, 동네 사람들도 모두 '할아버지', '할머니', '형', '아우'로 불린다. 서양의 '당신(you)', '그이(he)', '그녀(she)', '그들(they)'로는 도저히 느낄 수 없는 진한 혈족관계로 호칭되고 있다. 그만큼 관계의 중요성을 인식하고 있는 것이다. 자유주의 서양에서는 느슨한 인간관계 때문에 생긴 이혼과 가출, 문제아가 심각한 문제가 되고 있다. 서양에서 부부간에 그렇게도 뜨겁던 사랑이 쉬이 식는 이유는 무엇인가? 쉬이 단 솥이 쉽게 식는 법이다. 능률과 효과를 자랑하던 서양기업들이 동양의 경영방식에서 배우고자 하는 것은 무엇인가? 모두가 진하고 끈끈한 인간관계이다. 서양의 부부 사이와 가족사회가 흔들리니까 서양사회 전체가 흔들리지 않겠는가? 그러기에 家和萬事成, 修身齊家治國平天下(가화만사성, 수신제가치국평천하)라 하지 않았던가?

그리고 산업화, 기계화, 물질주의의 팽배로 인한 비인간화, 인간소외, 아노미 현상 등으로 인간관계의 중요성은 더욱 강조되고 있다. 복잡한 현대사회에서 인간관계론은 많은 도움을 주리라 믿는다. 이 책은 올바른 '나(I)'를 심는 일(서론, 1장, 2장)로부터 시작하여 감정처리(3장), 의사소통(4장), 문제해결(5장), 변화대처(6장), 가치갈등(7장), 진로와 직업, 직장에서의 인간관계(8, 9, 10장), 이성관·결혼·가족관계(11, 12, 13, 14장)로 이어져 마지막으로 죽음과 인간관계(15장)까지를 다루고 있다. 지금까지 우리나라에서의 '인간관계론'은 대체로 경영학·행정학 측면과 또 한쪽은 심리학 측면에서 전문적으로 연구·강의되어 온 것 같다. 그러나 이 책은 교양으로서의 전반적인 인간관계를 다루고 있다. 그래서 특정학문 분야보다는 대학 학부 정도의 교양인으로서의 인간관계론이라고 해도 좋을 것이다. 그래서 학생이 아닌 직장인, 일반인으로서도 한번 읽어 보면 좋을 것이다. 그러나 전공과목에서도 이 책을 먼저 다루거나 부교재 또는 과제로 다루고 나서 보다 더 깊은 수준으로 들어가면 좋을 것이다.

이 책은 쉽게 쓰였고 또 쉽게 번역하려고 애썼다. 중간 중간 네모 안의 연습문제를 실제로 해 보고 또 각 장의 마지막에 제시된 연습문제에 답하는 동안에 많은 인간관계 경험과 실습을 할 수 있으리라 믿는다. 특히 소집단을 이루어 공동으로 해결하도록 된 연습문제를 통하여 인간관계 개선과 기술향상의 좋은 기회를 갖게 될 것이다. 교재로 다루어질 경우 좀 부담이 되겠지만 연습문제가 과제로라도 꼭 다루어지길 희망한다.

이 책은 역자가 약 4, 5년간 이 책의 원서를 가지고 교육학과, 간호학과, 교육대학원에서 강의해 본 경험과 그동안의 학생들의 좋은 반응에 용기를 얻어 1년간의 노력에 의하여 번역되었다. 동양과 서양 사이에 문화의 차이라는 바다가 가로놓여 있어 이해에, 또 바꿔 놓기에 어려움이 있으나 사람과 사람 사이라는 근본적인 人間關係의 철칙에는 역시 공통점이 더 많다. 이 책을 읽는 동안 독자 여러분의 인간관계 이해와 개선, 기술 향상에 도움이 되었으면 한다. 또 그동안 인간관계론을 수강해 준 학생과 독자 그리고 저자·역자·출판자 간의 인간관계도 더욱 좋아지길 기대한다.

주삼환(朱三煥)

저자 서문

　바람직한 인간관계의 형성을 위해서 시간·상호작용·사람들이 있어야 한다. 보다 많은 사람들이 다른 사람으로부터 사랑받는 사람이 되기 위하여 많은 시간을 보낸다면 인간관계가 더욱 만족스럽게 형성될 것이다. 당신은 **인간적인** 시간을 갖길 원하는가?

　인간적인 시간을 갖는다(taking)는 것은 결정하는 일과 선택하는 일을 포함하고, 베풀어 주고 또 베풂을 받고 도움을 주고받는다는 것을 의미하며, 또한 책임감이 따른다는 의미가 있다. 즉 그것은 결정을 하고 개인적인 결정에 대한 결과를 수용한다는 의미이다.

　인간적인 **시간**(time)을 갖는다는 것은 개인적인 참여(involvement)를 포함한다. 즉 그것은 타인에게 다가가서 이해의 다리를 놓는 것이다. 바쁜 세상에서 시간이 아주 중요하다는 것은 알지만 그것은 시간을 바친다는 것을 의미한다. 비록 즉각적인 만족을 얻기보다 지속적이고 장기적인 목적 때문에 만족감이 늦어진다 할지라도 시간을 바치고 참여하기 위해서는 개인적으로 헌신적인 노력이 요구된다.

　인간적인(human) 시간을 갖는다는 의미는 생활에 대한 느낌과 관심에 관련되는 측면이다. 그것은 자신과 타인에 대한 관심이다. 인간다움은 또한 인간관계의 기회를 대담하게 포착하고, 자신과 타인을 믿고, 문제해결에 도움이 되지만 알려지지 않는 사람을 밝혀내고, 인간이 만물 중에서 가장 건설적일 수 있는 동시에 가장 파괴적일 수 있다는 것을 아는 것이다.

인간적인 시간을 갖는다는 것(taking time to be human)은 아마도 학생들이 강의 중에 적어 낸 몇 가지 말을 여기에 인용해 보면 가장 잘 요약될 것이다. 이 학생들은 이 책을 골자로 한 인간관계론 강의를 받은 사람들이다.

> 나는 **내가** 되려고 한다! 이것은 행복한 일이다. 나는 내가 성장하고 있다고 느끼며 이에 만족한다. 나는 나를 알고 있다고 생각한다. — 그러나 내가 당신에게 이것을 어떻게 표현할 수 있겠는가?
>
> 이번 수업은 아주 많이 도움이 됐다. 왜냐하면 나로 하여금 관계를 알도록 했기 때문이다. **타인**은 이제 나에게 더 중요하게 되었다. 나의 생활은 타인과의 만남 때문에 더욱 재미있게 되었다.
>
> 우리 가족들은 좋다. 가족들이 흩어질지도 모른다고 생각하면, 단지 가족들이 있는 것만으로도 감사할 일이다. 우리 아빠와 엄마는 처음 20년 동안은 외로웠다. — 그들은 이제 나를 필요로 한다. 나는 나를 필요로 하는지를 알지 못했다. 그러나 이제는 알 수 있을 것 같다. — 사람은 강요받고 살 수 없다. 나는 부모님들이 나를 독립시키기를 **원한다**.
>
> 나는 자유롭다. 누구도 나를 억압하지 않는다. 이것이 아주 좋다. 내가 집을 떠나기 전에는 느끼지 못한 감정이다. 책임 못 지는 자유가 아니고 나 자신이 성장하게 되는 자유이다.
>
> 나는 다른 사람에게 접근하면서 살고 싶다. 나는 배움으로 인해서나 말하는 것으로 인해서 너무 바쁘게 되는 것을 원하지 않는다. 그러나 **사람들과의 관계**는 지속적이며 보람을 주고 있다.

나는 이 책을 쓰면서 이러한 학생들의 생각을 긍정적으로 보았다. 학생들은 바람직한 인간관계를 알고자 했고, 찾으려 했고, 타인과 관계를 맺고자 노력하였다. 이들 학생을 가르치는 일은 아주 보람이 있었다. 나는 이 책이 교사와 학생의 바람직한 인간관계 형성을 위한 상호간의 경험에 도움이 되길 바란다.

나는 지난 15년 동안 내가 가르친 인간관계론 수업에 참여해 준 수많은 학생들에게 이 자리를 빌려 감사한 마음을 표하고 싶다. 이들은 그들 자신에게, 또 그의 동료들에게, 그리고 나에게도 진정한 스승이었다. 나는 그들로 인해서 나 자신에 대하여 아주 많은 것을 알았고, 그들의 개인적인 성장을 촉진시킬 수 있는 기회를 가졌다고 생각한다. 그 학생들은 이 책을 쓸 수 있도록 자극을 주었고, 이 책의 내용과 방향의 결정에 기여하였다. 8장에서 10장까지의 직장 생활과 관련된 부분을 집필하는 일에는 많은 사람들과 회사들이 큰 도움을 주었다. 나는 특히 솔직하고 올바른 도움을 준 다음과 같은 사람들과 회사에 대하여 감사하고 싶다.

B. K. *Goodrich*사의 W. T. Duke.
Lincoln 생명보험회사 David Hopper.
미국금전등록기사의 R. E. Ludwig.
*Shewin - Williams*사의 E. B. Stadler.

2판의 여러 곳에서는, 다음과 같은 분들이 큰 도움을 주었다. Milwaukee Area Technical College의 Edward J. Gunderson; Tarrant County Junior College, South의 Donald Hankins; Lake City Community College의 William J. Jacobs; Danville Community College 의 V. George Jones; Motlow State Community College의 Rick A. Kribs; Dover Business College의 Toni Powers: Oklahoma State Tech 의 Gayle D. Webb, 그리고 Nancy Indiana Vocational Technical

College의 Zeller 등 여러 분께 감사드린다.

특별히, 나는 나를 이해하고 격려해 준 미국 Minnesota 주의 Moorhead Tech Institute의 동료들, 변변치 못한 원고에 솔직한 비평과 의견을 제시해 주신 분들, 어려움을 참고, 충고와 함께 협력해 주신 Prentice－Hall 출판사의 편집진들, 그리고 거친 원고를 잘 정리해 준 유능한 Darby Geiszler에게 감사드리고 싶다.

훌륭한 삽화를 그려 준 Gary Baune에게는 무엇보다도 더 감사를 드려야 할 것 같다. 그의 재치와 창의성 있는 재능은 아주 돋보였으며, 이 책의 가치를 더욱 높여 주었다.

개정판을 내는 일이 쉽지는 않았다. 저자가 보다 적절한 표현의 단어를 찾으려고 노력하면서 저자 자신의 완벽주의와 때로는 좌절과 싸우는 동안에, 남편 Ed와 딸 Besty, Becky는 계속 저자를 자극하고 격려하고 지원해 주었다. 남편과 딸들은 자신들의 생활형태를 바꾸면서 이 책을 쓰도록 도와주었고 끊임없는 격려를 해 주었다. 이 책에 사랑과 이해의 분위기가 배어들었다면 이는 모두 남편과 두 딸 덕분이다. 이들이 없었다면 이 책은 세상에 나오지 못했을 것이다.

앤 엘린슨(Ann Ellenson)

목 차

서론: 인간적이란 의미

여러분이 이 책을 읽기 시작하면 다음과 같은 문제에 대한 의문을 갖게 될 것이다. "이 책은 무엇에 관한 책인가? 나에게 도움이 되는 인간관계를 어떻게 배울 수 있는가?" 이 책은 여러분에게 도움이 되는 다음과 같은 구체적인 정보와 내용으로 구성되어 있다.

1. 인간행동에 관한 개념들을 실제적이고 일상적인 직장, 가정, 사회생활에서의 대인관계에 적용할 수 있도록 도와준다.
2. 자신의 장점을 알고 계발할 수 있게 함으로써 타인과의 관계에서 긍정적인 자아의식을 개발하도록 도와준다.
3. 소집단 경험을 통해서 집단역동관계(group dynamics)에 참여하도록 도와준다.
4. 여러분의 앞날에 잠재가능성의 신장은 물론 고용주 또는 피고용인의 기대라는 측면에서 직업선택을 고려할 수 있도록 도와준다.
5. 일상적인 생활의 한 부분인 지원적인 관계성(supportive‐relationships)의 중요성을 인식하도록 도와준다.
6. 여러분의 장래 목적을 위해서는 물론 '지금 여기(here and now)'의 생활에 적용되는 인간관계의 개념을 통합할 수 있도록 도와준다.

주요한 용어에 관한 용어해설(glossory)이 이 책의 마지막 부분에 제시되었다. 여러분이 잘 알지 못하는 용어나 개념이 발견되면 이런 용어들을 명확하게 정의해 놓은 용어해설을 참고하는 게 좋을 것이다.

각 장을 통해서 여러분은 구체적인 문제를 적용해 볼 수 있는 기회를 갖게 될 것이다. 여러분이 각 장에 제시된 일련의 문제가 나올 때마다 — 잠깐 멈춰서 — 그 문제들을 생각해 보고, 여러분 자신의 상황과 이 문제를 관련시켜 보도록 하라. 가끔 여러분은 다른 사람들에게 여러분의 답(reactions)을 말하고 그들로부터 정보를 얻기 위하여 소집단을 만들어 의견을 나눌 것을 권하고 싶다. 이러한 경우에, 반드시 의견일치(agreement)가 필요한 것은 아니지만 다른 사람들의 견해가 타당하다면 받아들여야 한다는 것을 알아야 한다. 집단역동활동을 통해서 여러분은 자신에 관한 새로운 관점과 정보를 얻게 될 것이고, 그러면 여러분 자신의 입장을 상당히 명료화할 수 있게 될 것이다.

기록(newsprint)이 필요하다면, 여러분 자신의 생각과 아이디어를 적을 수 있는 커다란 백지를 사용하는 것도 좋을 것이다. 그리고 나서 여러분의 생각을 적은 이 종이를 벽이나 칠판에 붙여 놓고 학급의 다른 학생들에게 여러분의 생각을 알려 줄 수 있을 것이다.

이 책은 여러분에게 곧바로 손쉬운 해답을 주지는 않는다. 그러나 여러분이 노력하기만 하면 여러분 자신이 제기하는 문제에 대한 답을 발견할 수 있는 정보를 찾을 수 있게 될 것이다. 이러한 문제에는 다음과 같은 질문이 포함될 수 있다. "나는 누구인가? 나는 왜 그러한 방식으로 행동했는가? 나는 인생을 어디로 이끌어 가고 있는가? 나는 어떻게 내 꿈과 목적을 성취할 수 있는가? 내 꿈과 목적이 무엇인지 나는 알고 있는가? 나는 내가 싫어하는 일에 빠져들고 있는 것은 아닌가? 대인관계는 어떠한가? — 나는 타인을 필요로 하는가 아니면 타인에게 접근하기를 싫어하고, 친밀한 관계에 빠져드는 모험을 싫어하는가? 나는 무엇을 할 수 있는가? 나를 보살펴 주는 사람은 누구인가?"

여러분은 자신에게 이러한 질문을 해 본 적이 있는가? 가끔씩 거의 모든 사람들은 이러한 질문을 해 왔고, 여러분이 지금 겪고 있는 것과 똑같은 좌절과 갈등을 여러분의 친구들이 경험하고 있다는 것을 여러분이 알게 되었을 때 놀라지 않겠는가? 이 책을 통해서 여러분은 쉽고 간단한 답을 찾지는 못한다. 그러나 이 책은 복잡한 문제해결을 하려 할 때 여러분이 이미 가지고 있는 잠재능력을 발휘할 수 있도록 해 주는 정보를 제공해 줄 것이다.

I. 자각의 형성

인간적으로 된다는 것에 대한 자각의 형성(building personal awareness)은 우리가 할 수 있는 가장 흥미롭고 매력적인 일 중의 하나이다. 그러나 그것은 가장 어려운 연구와 내성(內省)을 필요로 하는 영역 중의 하나이기도 하다. 인간행동 중에서 몇 가지 모순점을 생각해 보라. 우리는 자신의 이름을 타인에게 부담 없이 말하지만 자신의 '정체(identity)'에 대해서는 심각하게 생각한다. 우리는 자신의 못난 점과 결점을 쉽게 지적하지만 자신이 갖고 있는 좋은 점에 대해서는 대수롭지 않게 생각한다. 우리는 우정, 소속감, 그리고 사랑을 추구하지만 반면에 다른 사람에 대해서는 우리들이 알지 못하도록 스스로 자신의 주변에 담을 쌓는다. 우리는 말을 많이 하지만 정말로 의미 있는 내용은 말하지 않는다. 우리는 자신이 향유하고자 하는 삶의 방향에 대하여는 알지만 그 목적을 어떻게 달성하는지에 대하여는 알지 못한다. 우리는 우리 사회의 생산적인 구성원이 되기를 원하면서도 가난과 권태와 불만족의 공포가 유령과 같이 우리 앞에 나타나고 있다는 것도 사실이다.

우리는 대조적인 세계에 살고 있다. 우리는 가난과 궁핍을 싫어하면서도, 많은 사람들이 전에 없을 만큼 사치를 즐기고 자신의 개인적인 필요와 욕구를 충족시킬 수 있는 기회를 향유하고 있다. 급속하게 발전하는 기술공학(technology)은 인간을 전에 없이 바쁘게 만들고 있으며 삶을 풍요하게 하고 있다. 그러나 이러한 풍요에도 불구하고 우리 자신은 물론 이웃과 직장동료와 다른 국가에 대해서 더욱더 이해의 폭을 넓히지 못하는 것 같다. 우리는 놀라운 양극화 현상을 보아 왔다. '세대차(generation gap)'는 유행어가 되어 버렸고, 종족 간의 분쟁은 끊이지 않고 있으며 전쟁과 갈등은 여전히 극에 달하고 있고, 우리 주변은, 이해는 없고 시끄러운 소음으로 가득 차 있다.

이해의 부족을 해결하기란 결코 쉬운 일이 아니다. 그러나 우리는 먼저 보편적인 인간성에 관한 몇 가지 기본적인 개념을 설정함으로써 이 문제에 접근할 수 있다. 인간의 기본적 본성과 인류의 한 부분으로서의 개인에 대한 이해는 모든 인간관계 연구에 있어서 본질적인 문제이다.

[그림 서-1] 인간은 대조와 모순과 갈등의 세계에서 생활하고 있다

1. 여러분은 인간이 근본적으로 선과 사랑을 지향한다고 생각하는가? 아니면 악과 파괴를 지향한다고 생각하는가?
2. 인간은 근본적으로 이성적인 결정을 할 수 있다고 생각하는가? 아니면 할 수 없다고 생각하는가?
3. 여러분은 자신의 행동이 주로 외적인 요인(운명, 환경 등)에 의해 결정된 다고 보는가? 아니면 자신의 결정에 자신이 책임져야 된다고 보는가?

Ⅱ. 인간의 본성

철학자, 심리학자, 인류학자, 종교지도자 등을 포함한 모든 사람들이 수 세기 동안 인간의 본성에 대하여 토론해 왔다. 그러나 모든 사람이 다 받아들일 수 있는 간단한 하나의 유일한 대답은 없다.

1. 인간은 선한가 아니면 악한가?

인간의 본성에 대한 성선설과 성악설의 논쟁은 수 세기 동안 계속되어 왔다. 17세기 프랑스 철학자 파스칼(Pascal)은 개인과 사회는 천사가 되려고 하나 결국 짐승이 되고 만다고 하였다. 그 당시의 이러한 생각은 인간이 선천적으로 선하기보다는 악하다는 생각에서였으나 최근에는 사랑과 평화에 대한 인간의 바람은 인간의 기본적 본성 중의 한 부분으로 강조되고 있다.

이러한 두 가지 관점을 지지하는 어떤 증거가 있는가? 한편 우리는 전쟁, 폭력, 타인에 대한 비인간성의 기록을 근거로 하여 인간의 기본적 본성을 악하고 파괴적이라는 결론을 내릴 수 있다. 폭력, 반정부적 폭력행위, 범죄가 역사상 유례없이 증가일로에 있는 현상을 보아 왔다. 텔레비전, 책, 영화, 일간신문 등은 파괴와 폭력행위가 얼마든지 있을 수 있는 평범한 일인 것처럼 다루고 있다. 만일 우리가 선의 기회(opportunity for good)가 표현되기를 원한다면 '법과 질서'를 위해서 통제해야 한다고 생각한다.

다른 한편, 다양한 민족에 대하여 조사해 온 인류학자들의 연구

결과를 보면 인간에게 공격성이 존재하지 않을 수도 있다는 가능성을 말해 준다. 심리학자 매슬로우(Abraham Maslow)는 "이것은…… 대부분의 파괴본성과 공격성이 대개 문화에 의하여 결정된다는 근본적인 사실을 확신할 수 있다. ……이들은 결코 악한 사람들이 아니다. 북미의 인디언(Northern Blackfoot Indian)들은 자존심이 있고 건강하며 늘씬한 몸매를 갖고 있으며 자기가치를 존중하는(self - valuing) 집단이다.

공격성은 단순히 나쁘고 창피한 것이며 미친 사람에게나 있는 것으로 이들은 보았다."라고 적고 있다.[1] 다른 심리학자나 인류학자들도 이와 유사한 연구결과를 보고하였다.

1971년에 필리핀 반도의 우림지역(rain forest)에는 석기시대의 종족인 원시인들이 살고 있는 것이 보고되었다. 타사데이족(Tasadays)이라 불리는 이 종족은 '문명세계'에 노출되지 않은 상태에서 고립된 채로 500년에서 1000년가량 살아왔다. 연구자들은 다음과 같은 사실을 통해서 이들에게 무기가 존재하지 않았다고 증명하였다.

> 이들은 덫을 놓았지만 사냥은 하지 않았으며 전쟁이란 단어 자체를 알지 못했다. 몇 명의 학자들은 인간을 동물이나 죽이고 죽음에 생활의 기반을 두는 호미노이드(hominoid)로 생각하였다. 인간의 조상인 크로마뇽(Cro - Magnon)인은 종종 살생을 하였고 인간을 그의 제물로 생각하였다. 그의 후손인 우리는 천성적으로 살생을 즐겨 하였다. 그리고 대부분 문명국가 사람들의 행위는 우리의 모습을 그대로 닮았다. 그러나 가장 단순한 생활을 하고 가장 자연의 모습에 가까운 타사데이족(Tasadays)은 점잖고 인정이 많았다.[2]

---

1) ABRAHAM H. MALSLOW, *Motivation and Personality*, 2nd ed.(New York: Harper & Row, Publishers, Inc., 1970), pp.124 - 125.

2) KENNETH MACLEISH, "The Tasadays: Stone Age Cavemen of Mindanao", *National Geographic*, 142, no.2(August 1972), p.242.

앨포트(Gordon Allport)는 말하기를 "거의 모든 정상적인 인간은 근본적으로, 또 선천적으로 전쟁과 파괴를 싫어한다. 인간은 이웃과 평화롭게 서로 친하게 살고 싶어 한다. 즉 인간은 증오하거나 증오받으며 살기보다는 사랑하고 사랑받으며 살고 싶어 한다. …… 실제로 전쟁이 늘어나고 있다 하더라도 인간의 소망은 평화이며, 증오심이 지배적이라 하더라도 인간이 중요시하는 가치는 사랑"이라고 하였다.[3]

우리가 우리 자신의 삶을 돌아볼 때, 인간이 가장 행복할 때는 사랑을 하고 착하게 살 때이며, 가장 불행할 때는 적대적이고 공격적으로 살 때라는 사실에 대부분의 사람들은 동의한다. 배반, 전쟁, 고문, 파괴, 그리고 비인간성이 팽배한 세계에서 이러한 감정을 비현실적인 것이라 할 수 있는가? 우리는 이러한 반대되는 두 관점을 좁힐 수 있는가?

인간은 선과 악의 양면을 공유하고 있으며, 선과 악의 어느 방향으로든 기울어질 수 있는 가능성을 갖고 있다는 결론으로 하나의 절충안을 생각해 볼 수 있다. 인간은 원래부터 절대적으로 선하지도 절대적으로 악하지도 않다. 그러나 인간은 상당한 수준까지 교육이 가능하고 '형성가능한' 존재이다. 인간이 잔인하고, 이기적이고, 호전적인지, 아니면 친절하고, 사랑하고, 평화로운지 여부는 주로 우리가 교육받는 문화의 환경에 따라 달라질 것이다.

---

3) GORDON ALLPORT, *The Nature of Prejudice*(Reading, Mass.: Addison-Wesley Publishing Co., Inc., 1954), p.xiv.

2. 인간은 이성적인가 아니면 비이성적인가?

　우리는 이성에 의해서 행동하는가 아니면 변덕에 의해서 비이성적으로 행동하는가? 충분한 정보와 사례를 살펴볼 때, 금세기 대부분의 사회조직은 인간이 자신을 규제할 수 있고 자신의 국가와 자신의 미래 방향을 통제할 수 있는 책임 있는 결정을 내릴 수 있다는 신념에 근거하여 운영되고 있다. 그렇지만 우리는 종종 자신의 타고난 양식과 합리성을 의심하게 된다.

　인간을 묘사해 보라는 요청을 받을 때, 우리는 관용, 친절, 점잖음 등의 용어를 생각하기도 한다. 즉 우리는 인간을 야망, 지성, 이성 등으로 묘사하는 것과 마찬가지로 게으름, 어리석음, 비이성 등으로도 묘사한다. 최근 10년 동안의 에너지 소비와 천연자원의 이용을 생각해 보라. 이 경우에 당신은 이성적인 것으로 보겠는가 아니면 비이성적인 것으로 보겠는가? 우리는 너무나 비합리적으로 행동하거나 또는 '합리적'으로 행동하는 사람의 행동 중에서 몇 가지 기준에 의해서 본뜬 것을 보는데, 지나치게 오도된 소위 '합리적인' 사람에 관한 이야기를 직접 듣기도 하고 신문을 통해서 너무나 자주 읽게 된다.

　인간의 합리성에 대한 우리의 신념은 때에 따라 약화되는 경우도 있지만 완전히 저버리지는 않는다. 비록 환경의 영향에 의하여 인간의 이성과 상식지향의 자연적 경향성이 왜곡되는 경우가 있다 할지라도 이성과 상식을 지향하는 자연적 경향이라고 대부분의 현대 심리학자들은 믿는다. 때때로 사람들은 거짓 정보에 의하여 오도되고, 대중전달매체로부터의 반복적인 자극에 의해 자신을 잃어버리고, 일상의 복잡한 상황에 의해 압도되며, 문화적 배경에 의해 제한을 받을 수 있다. 인간은 객관적인 사실이나 과거의 교훈을 망각하고 자신을 믿고 있는 것에만 집착하게 되기도 한다.

최근에 미국은 자아 성찰과 가치에 관한 문제에 봉착하였다. 즉 전보다도 더 우리는 우리의 미래가 이성적인 선택을 하는 인간의 능력에 달려 있다고 믿고 있다. 또한 우리는 더 좋은 세계를 창조하고, 자신의 일상생활을 이해하고, 알려지지 않은 비밀을 캐고, 치료가 불가능했던 것을 치료하고, 장기적인 이익을 위해 이성과 통제를 사용하며, 타인과 조화롭게 살기 위하여 끊임없이 노력을 하고 있다. 확실히 이러한 것은 잠재적으로 합리적이고 이성적인 민족의 표상이 된다. 그러나 종종 우리는 비합리적이기도 하다. 즉 우리는 종종 이기적이고, 맹목적이며, 타인이나 미래를 생각하지 않고 목전의 목적만을 추구하기도 한다. 그러나 우리는 보다 복잡한 목표를 달성하기 위해 단순한 목표를 사용하고 자신의 물리적 환경이나 사회적 관계의 의미 있는 질서를 확립하기 위해 노력하는 건설자이기도 한다.

3. 인간의 행동은 운명에 의한 결정인가, 아니면 자기 책임인가?

인간은 자유의지를 갖고 있으며 자유의지에 의하여 결정을 하고 자기 자신의 행동방향을 선택할 수 있다는 가정하에 대부분의 사람들은 일상생활을 해 나간다. 이러한 자유는 '사실'인가 아니면 '착각'인가? 인간은 운명의 기로에 있는가?

고대 그리스 때부터 운명론에 대한 확고부동한 신념이 있었다.

오늘날의 많은 사람들도 모든 일들이 사전에 결정되며, 인간은 결정된 일을 변경시킬 수 없다는 결정론을 신봉한다. 그러나 우리의 법과 정의 체계는 자신의 행동을 책임지는 개인의 능력을 반영한다. 만일 모든 일들이 사전에 결정된다고 한다면, 누가 자신의 행동을 책임질 수 있겠는가?

분명히 인간이 통제할 수 없는 일과 상황이 있다. 그리고 그러한 사실을 받아들이는 것은 필요하다. 그러나 매일 우리가 접하는 대부분의 결정들은 **자신이** **개인적으로 책임져야** 하는 선택을 포함한다. 두 가지 관점 중에서 어느 쪽이 옳다고 딱 잘라서 말하는 것은 곤란하다. 물론 여러분은 앞으로의 결과와 관련되고 이에 영향을 주는 외부 상황과 환경을 알기만 하면, 자신의 행동을 의식적으로 선택할 수 있을 것이다. 이러한 상황에서 인간은 "일이 그렇게 되리라는 것은 예상할 수 있었어", "일이 어떻게 될 것인가는 두고 봐야 알아", "모든 일에는 다 이유가 있어, 운명으로 받아들여!"라고 평상시에 말한다.

사람이 어떤 행동이나 결정을 하지 않으면 안 될 때 "나는 선택을 하지 못하겠어."라고 말하는 경우가 있다. 그러나 대부분의 경우에, 사람들은 선택을 한다. 즉 우리는 자유의지를 행사하며, 우리가 내린 결정은 바로 **우리 자신**의 결정이며 '운명'에 의한 것은 아니다.

이 책에서 저자는 개인의 행위와 결정에 대한 **자기 자신**의 책임을 강조한다. 이러한 책임감은 자아(self)와 자신의 강점과 약점을 아는 데서 나온다. 저자는 개인적인 의사결정에 대하여 '자신이 거듭 책임져야 함을(reowning)' 말하고, 그리고 나서 여러분을 돌보고 있는 타인의 지원과 강화의 중요성을 강조하고, 모든 사람들이 "나

는 ……을 선택한다." "나는 ……을 하겠다." "나는 ……을 할 수
있다."는 자신감을 갖게 하고자 한다. 이 책은 대부분의 사회인들
이 자유롭게 선택을 하고, 어느 정도의 객관성과 합리성을 갖고 문
제를 평가하며, 인간은 전적으로 조건화되고 미리 예정된 방식에
의해서만 반응하지 않는다는 입장을 취한다. 저자는 사람들로 하여
금 자신이 갖고 있는 강점에 대해서 더 많이 알고, 그러한 강점에
근거해서 인간관계를 맺도록 도우려 한다. 세상에서 혼자 살 수 있
는 사람은 없다. 모든 사람은 다 타인과의 관계를 필요로 한다. 이
책은 이러한 점에 관심을 두고 있다.

> 모습이 어떠할지라도 나는 인간이다. 나는 움직이고 생각하고 느끼고
> 시간을 소비한다. 나는 내가 이해할 수 없는 우주에 살고 있는 특이한 존
> 재이다. 나는 사람에게 말을 한다. 나는 감각과 마음과 몸, 그리고 공간과
> 시간과 환경의 제한을 받고 산다. 나를 제한하고 있는 몇 가지를 알고 있
> 다. 그러나 내가 모르는 것이 더 많다. 나는 숲 속에서 방황하는 사람을
> 좋아하고, 저 앞에서 이따금 반짝거리는 불빛을 보고, 전에 거닐던 오솔길
> 을 따라 한없이 걷다 보면 앞에 넓은 들이 펼쳐져 있음을 알게 된다. 나
> 는 내가 어디서 왔으며 어디로 가고 있는지를 분명히 알고 싶고, 이보다
> 먼저 도대체 내가 왜 존재하며 어디에 존재하며 어디로 떠돌고 있는지 알
> 고 싶다.[4]

연습문제

1. 인간세계에 존재하는 것으로 여러분이 찾아볼 수 있는 대조적
   인 것에는 어떤 것이 있는가?

---

4) N. M. BERRILL, *Man's Emerging Mind*(New York: Dodd, Mead & Company, 1955),
   p.1.

2. 지난날에 여러분이 "그러나 나는 그것을 피할 수밖에 없었어!" 아니면 "그러나 나는 어떤 선택도 할 수 없었어!"라고 말한 적이 있나 생각해 보라. 있었다면 그것이 옳았던 말이었는가? 어떤 선택이 더 좋았을까? 개인적인 책임을 논할 때 '나'라는 말을 넣기가 곤란하지 않았는가? (예를 들어, "차가 말을 듣지 않아." 대신에 "나는 차를 다룰 수 없어."라든지, "그것이 어디로 도망갔어." 대신에 "나는 그것을 잃어버렸어." 등과 같이) 이러한 경우 여러분은 '자신'의 행동(처신)을 편하다고 느끼는가 불편하다고 느끼는가?

3. 두세 사람씩 집단을 이루어 여러분이 이번 강좌에서 배우고 싶은 문제를 토의해 보라. 그리고 그 문제를 적어서 제출하라. 그러면 교수는 여러분의 관심사를 알고 이를 참고할 것이다.

제1장 남과 더불어 사는 나

> 인간은 자의든 타의든 생의 모든 단계에서 타인과 더불어 산다 — 어렸
> 을 때는 부모와 함께, 청소년이었을 때는 친구들과 함께, 성인이 되어서는
> 배우자와 함께, 장년이 되어서는 관련 직장에 소속되어, 퇴직 후에는 퇴직
> 자 모임에 소속되어 산다 — 죽을 때까지.
> 인간은 타인을 필요로 한다. 사랑하기 위해서 필요로 하고 사랑받기 위
> 해서 필요로 한다. 타인이 없다면, 인간은 홀로 버려진 갓난아기와 같이
> 성장도 못 하고, 발전도 못 하고, 미쳐서 결국에는 황천길을 택하게 될 것
> 이다.
>
> 버스카그리아(Leo Buscaglia)[1]

인간관계는 타인과의 상호작용의 과정이다. 이는 자신과 타인에
대하여 더 많은 것을 알고, 상호간의 수용과 성장을 촉진함으로써
발전된다. 긍정적인 인간관계의 기술은 인간으로 하여금 이들이 생
산적으로 협동하고 효과적으로 배울 수 있는 분위기에서 타인과
의사소통하도록 돕는다.

1장에서는 전반적인 상호 의존의 과정을 알아보고, 성격발달에
관한 몇 가지 관점을 고찰한 뒤, 몇 가지 인생관에 대하여 알아보
려고 한다.

---

1) LEO BUSCAGLIA, Love(Thorofare, N.J.: Charles B. Slack, Inc., 1972), p.55.

I. '나', '타인', 그리고 상호 의존성

지난 몇 년 동안에 걸쳐 자아에 대한 연구에 상당한 관심이 있었다. 많은 연구에서 이러한 관심은 오래전부터 있었으며 사회에서 긍정적인 인간화의 힘이 되고 있다. 어떤 사람들은 자아에 대한 지나친 강조를 '자기중심(me)'의 발상이라 규정하고 자기중심적이고 불건전한 나쁜 것으로 보기도 한다.

인간관계의 연구에서, 자신의 자아에 대하여 더 많은 관심과 이해를 갖는 것은 타인과 더 좋은 관계를 맺는 데 있어 가장 먼저 필요한 것이다. 만일 인간관계 연구를 '나'만을 강조하는 것으로 본다면, '타인'만을 연구하는 것과 마찬가지로 일방적인 것이라 할 수 있다. 질적으로 긍정적인 자기 존재와 타인과의 상호작용 모두를 강조하는 상호 의존성은 건전하고 자신감에 넘치는 긍정적인 자아개념으로부터 출발한다. 그러나 여기서 끝나지는 않는다.

인간은 타인을 필요로 하고 타인과의 관계를 필요로 한다. 「크래커 공장(Cracker Factory)」이라는 소설을 쓴 레베타-버딧트(Joyce Rebeta-Burditt) 여사는 "사랑과 감사로 — 온정과 격려의 물결은 나로 하여금 즐거운 생활을 할 수 있게 한다."고 했으며, 덧붙여서 "사람은 고립된 섬이 아닌데도 어느 정도는 독불장군"[2]이라고 하였다.

강이나 개울에서 아무도 없이 혼자 튜브를 타고 있다고 생각해 보라. 홀로 떠내려가는 동안 타인의 도움을 구할 수가 없다. 그렇지만 이리저리 떠밀려 상처를 입을 수도 있으며, 뾰족한 돌, 보이

---

2) JOYCE REBETA-BURDITT *The Cracker Factory*(New York: Macmillan, Inc., 1977), Copyright 1977 by Joyce Rebeta-Burditt.

지 않는 장애물, 급류, 기타 여러 가지 요인들로 인해서 고생을 할 수도 있다.

[그림 1-1] 이 세상에 고독한 섬에 사는 사람은 없지만 많은 사람들이 튜브 속에 갇혀 있는 수가 있다. ―조이스 레베타 버딧트

1. 여러분은 누구로부터 생활을 즐겁게 하는 데 필요한 지원과 격려를 받고 있는가?
2. 여러분은 누구에게 지원과 격려를 주고 있는가? 그리고 어떻게 주고 있는가?
3. 여러분은 타인으로부터 지원과 격려를 받기 위해 어떤 방식으로 행동하려 하는가? 여러분은 자신이 이러한 지원과 격려를 받으려는 것에 대해서 어떻게 생각하는가?

만일 튜브에 당신이 알고 있는 어떤 사람과 같이 있었다면, 그와 함께 나아갈 항로를 상의할 수도 있었을 것이다. 만일 그 강이나 물의 흐름, 장애물 등에 대하여 알고 있는 사람이 있었다면, 더 도움이 될 수 있었고 안내와 격려를 받을 수도 있었을 것이며, 심지어는 격려를 받을 수도 있었을 것이다. 든든한 지원을 받는 관계 속에서 타인과 함께 강이나 바다를 여행하는 것은 그 여행을 혼자 하는 것보다 더 기분 좋고 행복한 여행이 될 것이다. 어느 정도 서로 독립적이면서 상호 의존하는 것은 서로를 만족스럽게 한다.

타인과 관련해서 자기 자신의 존재를 알려고 하는 것은 인간관계를 이해하는 데 있어 첫 단계이다. 변화는 불가피하게 일어나고 있으며, 그럼으로써 우리는 변화의 관점에서 자신을 알 필요가 있다. 로저스(Carl Rogers)는 "훌륭한 생활은 존재의 상태가 아니라 만드는 과정(PROCESS)이며, 운명이 아니라 헤쳐 나가는 것이다."라고 말하였다.[3] 여러분이 하고자 하는 모든 것을 하는 것은 끊임없이 만드는 연속적인 과정이며, 이로 인해서 여러분 자신을 알게 되고 알차게 하는 것이다. 다음에는 성격발달의 문제를 전반적으로 고찰해 보고, 이를 인간행동 및 타인과의 관계를 연구하는 데 적용시켜 보려고 한다.

Ⅱ. 성격에 대한 관점과 성격발달

성격에 대한 정의 및 연구와 관련된 많은 학파가 있다. 적응에 가장 큰 비중을 두어 성격의 기능을 강조하는 학파가 있는데, 이 학파는 자신의 환경에 적응하는 능력이 성격의 가장 중요한 측면

---

3) CARL R. ROGERS, *On Becoming A Person*(Boston: Houghton Mifflin Company, 1961), Sentry ed., p.186.

이라고 주장한다.

성격을 행동으로 보는 관점이 있는데, 이들은 학습과 조건화를 가장 중요한 것으로 본다. 이러한 관점을 중시하는 학파에 속하는 사람들에 의하면, 인간은 과거 경험의 결과로 인해서 특정한 상황에서 특정한 방식으로 반응한다고 주장한다. 성격은 타고난다(predetermined)고 보는 또 다른 관점도 있는데, 이 학파는 인간의 정서적이고 정신적 생활이란 전혀 우연의 결과가 아니고 오히려 인간이 알거나 알지 못하는 특정한 원인과 힘의 결과라고 주장한다.

이 책은 최근에 아주 널리 받아들여지고 있는 관점으로서, 성격을 단편적으로 보려는 것이 아니라 인간의 성격을, 습득된 것은 물론 유전적인 것을 함께 강조하는 포괄적인(in totality) 것으로 보는 관점이다. 이러한 관점은 전인적 성격의 본질로서 자신과 타인에 대한 사랑과 존경을 강조한다. 프랭클(Frankl), 매슬로우(Maslow), 로저스(Rogers), 메이(May), 앨포트(Allport), 그리고 프롬(Fromm) 등은 인간은 스스로 자신의 삶의 방향을 결정하는 데 도움이 되는 자유의지를 갖는다는 공통된 신념을 갖고 있다. 이들은 성격의 '인간적' 측면을 강조하며, 인간은 배우고, 추리하고, 평가하고, 자신이 행할 행동을 선택하는 능력을 갖고 있다고 믿는다. 인간은 본능적으로 행동하는 동물과는 차이가 있으며, 완전히 프로그램화되어 돌아가거나 단추(button)만 눌러서 사람을 불러내는 기계와는 다르다. 대부분의 상황에서 인간은 이성적인 선택에 의하여 행동할 수 있다고 본다.

이러한 관점은 또한 불변하는 정적인 특성이 아니라 복잡하게 지속적으로 변화하는 성격의 성장이란 측면에서 강조한다. 그래서 인간은 자신의 생활에 대한 '의미'와 목적을 가질 필요가 있으며,

최대한으로 자신의 잠재가능성을 발전시키기 위하여 궁극적인 목적을 가질 필요가 있다고 믿는다.

1. 성격의 발달

성격의 차이는 유전, 환경, 경험이란 세 가지 주요 요인의 결과로 형성된다. 이러한 요인에 의해서 독특한 인간으로 성장한다.

(1) 유전(heredity): 사람은 어머니의 태내에서 부모로부터의 유전형질을 받게 된다. 그리고 이 유전은 여러분의 모든 행동 및 발달의 잠재가능성을 갖고 있다. 여러분은 신체적 특성뿐만 아니라 특정한 기술과 능력까지도 유전 받는다. 그러나 유전은 그러한 잠재가능성과 능력을 가지고 여러분이 무엇을 할 것인가를 결정하거나 예언하지는 못한다. 유전된 인간의 잠재가능성과 능력은 집을 짓는다든지, 어린이를 양육한다든지, 아니면 사회가 우리에게 해주기를 바라는 수많은 어떤 일을 하는 방법을 본능적으로 알게 해주지는 못한다. 이러한 것을 아는 데는 학습이 반드시 따라야 한다. 계발된 능력(ability)과 유전된 능력(capacity)의 개념을 이해하고 이들의 차이점을 구분할 필요가 있다. 유전된 능력은 타고난 잠재력과 가능성을 말하고 계발된 능력은 유전된 능력에 기초하여 계발된 기술이나 적성을 말한다.

예를 들어, 야구선수의 계발된 능력은 좋은 순발력, 신체적인 재주, 지구력 등과 같은 어떤 유전된 능력에 기초하여 형성된다. 그러나 이러한 유전된 능력은 또한 노련한 자동차 운전사, 골프선수, 숙련된 컴퓨터워드 등과 같은 다른 활동에도 쓰일 수 있다. 사람이 자신의 유전된 능력을 야구나 육상으로 계발하든지 아니면 워드기술로 계발하든지 하는 것은 당사자가 원하는 바에 의해 결정된다. 야구나 골프와 관련된 유전인자가 있다든지, 전공과 관련된 유전인자가 있다든지, 아니면 어떤 능력을 계발하기 위해서는 어떤 유전인자가 따로 있어야 한다는 근거는 없다. 잠재능력(유전된 능력)은 유전되고, 계발된 능력과 기술은 학습되고 계발될 뿐이다.

(2) 환경(environment): 자신의 성격은 자신이 살고 있는 환경의 영향을 받는다. 여러분이 자란 나라가 미국이냐 브라질이냐, 지역이 대도시냐 소도시냐 농촌이냐, 집안의 사회경제적 지위가 상이냐 중이냐 하이냐, 집안이 화목하냐 그렇지 못하냐, 당신의 형제가 많으냐 적으냐 등의 수많은 조건들은 여러분이 살고 있는 환경이 된다. 그리고 이러한 각각의 영향력을 문화적 요인 또는 하위 문화적인 요인이라 할 수 있다.

> 문화는 대개 사람이 갖게 되는 경험, 처리해야 하는 좌절과 경험, 요구되는 품행 수준을 결정한다. 모든 문화는 나름대로의 독특한 가치, 도덕, 생활방식을 갖는다. 그리고 어린이의 양육에 있어서의 규칙과 가족성원들 간의 관계를 규정한다. 문화는 사람의 성격에 영향을 주어 사람이 갖추어야 할 특성들을 규정하는데, **특정한 문화의 구성원들에게 전형적인 성격특성을 습득시키는 과정을 사회화(SOCIALIZATION)라 한다.**[4]

인간은 적절하고 수용가능한 행동과 타인과 상호작용하는 방법을 학습한다. 그리고 이러한 학습은 자신의 사회적 · 문화적 환경을 통해서 이루어진다. 신생아는 '옳음'과 '그름'이 무엇인가를 알지 못하지만 성장하면서 자신의 행동에 의해 상과 벌을 받게 되고, 이

---

4) CLIFFORD T. MORGAN and RICHARD A. KING, *Introduction to Psychology*(New York: McGraw-Hill Book Company, 1971), p.383.

러한 과정을 거치면서 '선'과 '악'을 알게 되어 자신의 행동이 옳은가 그른가를 알게 된다.

"초기의 사회적 경험의 질이 나중의 사회적 성공과 실패에 영향을 준다는 것은 분명하다."고 피쿠나스(Justin Pikunas)는 말했다.[5] 유아기의 중요한 사회화의 기관은 가정이지만, 나이가 들면서 동료집단이 더 영향을 주게 된다. 인간은 자신이 '집단의 한 성원'이라고 느끼게 하는 외적인 요인이 있음을 느낀다. 자신의 주변 환경은 자신의 성격발달에 영향을 주는 주요한 요인이다.

사람들은 모든 나라의 국민들이 어떤 일반적인 가치나 태도를 가진 것으로 생각한다. 그 국민들은 '자기 나라 국민의 이상'을 이야기하고, 공통적으로 '자기 나라의 개국 조상들'을 존경하고, '자기 나라의 생활방식'을 토론한다. '그 나라' 문화 속에는 다양한 하위(부분)문화(subculture)가 존재하고, 이 하위문화는 종교, 종족, 인종, 지리, 직업 등에 따라 나누어진다. 문화적인 것과 하위문화적인 환경적 특성들은 성격발달을 연구할 때 고려해야 하는 중요한 요인들이다.

(3) 경험과 학습(experience and learning): 환경은 자신이 살고 있는 곳이고, 경험은 자신의 주변에서 자신과 관련해서 **발생하는 일**이다. 사람마다 다르겠지만, 자신의 일상적인 경험에 의하여 성격과 인생관이 형성된다.

인간은 자신이 갖게 되는 경험을 마음속에 축적한다. 그리고 그러한 경험에 대한 반응은 인간이 나중에 어떻게 앞으로의 일에 대처할 것인가를 결정하는 데 도움이 된다. 인간은 자신의 경험을 타

---

5) JUSTIN PIKUNAS, Human Development: A Science of Growth(New York: McGraw - Hill Book Company, 1969), p.90.

인도 알고 있는 객관적 사실로 인정하고, 타인들도 자신과 동일한 사실적 경험을 할 것이라고 기대하며, 더 나아가 어떤 일이나 사물을 '자기 방식대로' 보는 경향이 있다.

그러나 과거경험에 대한 자신의 해석은 옳지 않을 수도 있다. 그리고 자신이 그릇된 해석을 했다고 인정하기는 쉽지 않다. 인간은 때때로 어떤 견해가 단순히 자신의 관점과 일치하지 않는다는 이유로 문제의 이면을 제외시키거나 보지 못하는 경향이 있다.

자신을 돌아볼 수 있는 어떤 거울이 필요한지를 생각해 보고, 여러분도 그 거울이 필요한가를 생각해 보기 바란다. 여러분이 올바른 안목을 갖고 세상을 보기까지는 다른 모든 사람들이 현상을 제대로 보지 못한다고 생각하기 쉽다. 즉 여러분이 올바른 세상을 보고 나서야 자신의 안목이 얼마나 왜곡되었었는지 알게 될 것이다. 자신을 돌아보지 않고 자신의 잘못을 시정하지 않는다면, 여러분은 세상을 계속 왜곡된 방식으로 보게 될 것이다.

여러분의 과거경험, 그러한 경험에 대한 자신의 해석, 그리고 자신과 세상에 대하여 가지고 있는 가정 등은 모두가 여러분의 참조체제(frame of reference)가 된다. 그리고 이러한 참조체제는 여러분이 나머지 세상 모든 것들을 보는 창이 된다.

[그림 1-2] 인간은 사물을 일정한 방식으로 처리함으로써 정형화하는 경향이 있다

여러분의 참조체제는 여러분의 관점을 수정하면서 계속 변한다. 종종 여러분의 개인적인 경험세계는 자신이 이해할 수 있는 '현실'에만 초점을 두게 된다. 예를 들어, 여러분은 매일 뉴스매체를 통해서 폭력과 증오의 증거를 보지만 이러한 '현실'과는 거리를 두고 떨어져 지낸다. 여러분은 그러한 일이 있는 것을 알지만, 여러분에게 그러한 일이 일어나지는 않는다. 그렇지만 여러분이 강도나 깡패를 만나거나 아니면 누구와 말다툼을 하는 상황이 되면, 폭력과 증오를 현실로 경험하게 된다. 이전에 여러분은 이러한 '현실'과 무관하고 별로 영향받지 않았다 하더라도, 이제는 이러한 현실이 여러분과 상당한 관련을 갖게 된다. 여러분의 참조체제는 이러한 경험으로 인해서 이제 변하게 될 것이다.

같은 인간으로 태어나 우리가 우리 주변의 현상에 대하여 다른 가치를 갖고 다른 지각을 하게 되는 것은 우리가 다른 문화를 갖고 다른 경험을 하기 때문이다. 우리가 다른 나라나 국내의 다른 지역으로 이주하게 되면, 자신의 생각을 그곳의 지배적인 문화형태에 맞도록 재빨리 조절하게 된다. 그곳 사람들이 한 가지 방식으로 생각하고, 행동하고, 처신한다고 생각하는 것은 유치하고 비논리적인 생각이다. 그렇지만 인간은 어떤 방식으로 생각하고, 행동하고, 처신함으로써 안도감을 갖게 되는 경향이 있다. 때로는 변화하고 변화를 생각하는 것이 불편한 것일 수도 있다. 그러나 다양한 문화와 대인관계로 특징지어지는 오늘의 세계에서 우리는 자신의 행동을 타인과 관련시켜 인식하게 되고, 인간관계란 제각기 다른 많은 사람들과 관련된 문제라는 것을 알 필요가 있다.

사람은 자신의 잠재력을 갖고 태어난다. 사람은 또한 자신의 능력을 계발하고, 자신의 환경에 의해 사회화되며, 경험에 의해 학습이 촉진된다. 비록 자신의 인식과 경험이 항상 변화한다고 할지라도, 모든 사람은 제각기 공통된 방식으로 정형화된다. 그리고 이러한 행동이나 습관은 자신의 참조체제를 통해서 '정상적'이고 '올바른' 행동으로 되기도 한다. 인간은 더 좋은 관점을 갖기 위해서 자신의 행동을 멈추고 재평가할 필요가 있다.

1. 여러분은 자신의 행동이나 타인의 행동으로 인해 일을 망치게 되었다고 느낀 어떤 상황을 생각할 수 있는가? 사회화는 여러분으로 하여금 그렇게 느끼게 한 요인이었는가?
2. 여러분에게 흔히 있는 것으로 생각되는 자신의 습관 중에 몇 가지를 열거해 보라. 여러분이 전혀 의식하지 못하는 가운데 나타나는 몇 가지 정형화된 행동이 있는가? (여러분은 항상 어떤 길을 따라 걸어가거나 운전을 해서 집에 가는가? 옷을 입거나, 음식을 먹거나, 청소하는 데서 그러한 습관이 발견되는가를 생각해 보라?) 이러한 예를 다른 사람과 함께 논의해 보라. 여러분은 무엇을 배웠는가?
3. 다음과 같은 것을 실험해 보라. 두 손을 모아 당신의 무릎에 놓으라. 그리고 여러분의 손을 보아라. ― 오른쪽 손이 왼쪽 손 위에 있는가? 아니면 그 반대인가? 손을 반대로 놓아 보라. 기분이 어떤가? 첫 번째 방식은 '나쁜' 것인가? 두 손으로 자연스럽게 팔짱을 껴 보라. 아래로 낀 팔과 위로 낀 팔의 위치를 바꿔 보라. 서툴다고 느끼는가? 당신이 '옳다'고 생각하는 일의 방식과 다른 사람이 옳다고 생각하는 방식을 비교해 보라. '정상적인' 행동이 상대성을 갖는다는 것을 다른 데에다 응용할 수 있겠는가?

Ⅲ. 형성의 과정(a process of becoming)

성격은 고정적이고, 견고하며, 불변하는 하나의 형태나 특성이 아니다. 앨포트(Gordon Allport)는 "성격은 완성된 어떤 산물이라기보다는 이행적(transitive) 변화의 과정이라 설명한다. 성격은 어느정도의 안정된 특성을 갖는 반면 연속적인 변화의 특성도 함께 갖는다. 즉 성격은 자신의 주요한 관심사인 하나의 인간으로 형성되는 변화과정"6)이라 하였다. 성격이 이행적 과정이라는 말은 성격이 어떤 상태에서 다른 상태로 이동하고, 움직이며, 바뀐다는 것을 의미한다. 예를 들어 여러분이 자신의 성격을 수정하고 변화시키기를 원한다면 여러분은 그렇게 할 수 있다. 그리고 여러분이 좋아하지 않는 자신의 모습을 발견했을 때 여러분은 그 모습을 변화시킬 수 있다. 이러한 변화는 성격의 피상적인 측면뿐만 아니라 여러분이 타인과 함께 이야기할 때 연출하는 태도까지도 포함된다. 여러분이 말한 내용과 말하는 방법이 타인의 기분을 상하게 했다고 생각될 때, 여러분은 여러 가지의 해결방안을 취할 수 있다. 즉 여러분은 "그들은 너무 소심해, 내가 장난치려고 한 것을 알았으면 좋았을 텐데!"라고 말함으로써 그 문제를 해결할 수 있다. 아니면 여러분은 "나는 그냥 습관대로 말한 것뿐인데, 그들이 안 받아 주면 할 수 없지 뭐!"라든지 "나는 자주 실언을 한단 말이야, 나도 이제 신중히 생각해 보고 나서 말을 해야 될 것 같아!"라고 말할 수 있다. 다른 여러 가지의 해결방안이 있지만, 중요한 것은 이런 문제가 모두 자기 탓이라는 점이다. 인간은 자신에 대한 것을 많이 알고 자신의 결점을 고치기를 원한다면, 자신의 자아개념과 성격을 변화시킬 수 있다.

물론 때에 따라서 받아들여질 수 없는 성격의 측면을 변화시키

---

6) GORDON ALLPORT, *Becoming: Basic Considerations for a Psychology of Personality* (New Haven: Yale University Press, Inc., 1955; Paperback: Colonial Press Inc., 1960), p.19.

는 것은 단순히 타인과 대화하는 방식을 바꾸는 것보다 훨씬 더 중요한 문제이다. 예를 들어, **타인을 헐뜯는 대신에 자신의 행동에 대한 책임감을 배운다면**, 성격 수정과 성장에 큰 발전을 보게 된다. 또한 목적의 수정과 성공과 실패에 대한 현실적인 평가를 꼭 해야 하고 상당한 노력이 필요하다.

자신의 성격의 많은 변화는 일상적인 생활과 경험의 과정을 통해서 자신이 알지 못하는 사이에 점진적으로 이루어진다. 여러분이 만일 자신의 1년 전, 2년 전, 3년 전 또는 그 이전, 아니면 1주 전, 12주 전, 바로 전날의 성격을 말해 보라는 요청을 받는다면 여러분은 아마 의식적이든 무의식적이든 많은 변화가 있었다는 것을 알게 될 것이다. 마치 2, 3년 전에 찍은 사진을 보고서 외적인 변화를 알 수 있듯이 성격의 변화를 쉽게 발견할 수 있을 것이다. 그러한 변화를 피상적이기보다는 아주 명백하게 알 수 있다.

사람의 속은 어떠한가? 사람의 외모가 변화하는 속도와 같이 그렇게 변하는가? 여러분이 육체적으로는 같은 사람으로 그대로 있을지라도, 사람의 자아개념과 성격은 자신이 가지고 있는 성공과 실패, 칭찬과 꾸중, 행복했던 때와 슬펐던 때, 개인적인 경험과 유행에 의한 경험, 사람과 장소 등에 따른 경험에 의해서 영향받는다.

해리스(Thomas Harris) 박사는 「자기긍정 – 타인긍정(I'm OK – You're OK)」이라는 책에서 녹음기에 비유해서 사람의 과거경험을 논하고 있다.

이 연구 결과에서 얻을 수 있는 또 다른 결론은 인간의 두뇌가 태어나서부터 죽을 때까지의 모든 경험을 테이프에 기록하는 고성능 녹음기와 같이 작동한다는 점이다…… 너무 단순화시켰는지 모르지만, 녹음기는 기억과정을 설명하는 데 가장 유용하다. 중요한 요점은 녹음이 되면 녹음재생은 본래의 것과 똑같이 재생된다(역주: 이 말은 사람이 어떤 경험을 하

면 머릿속에서 지워지지 않고 남아 있다는 것을 비유한 것이다).[7]

해리스는 사람이 과거경험뿐만 아니라 그러한 경험과 관련된 느낌까지도 기록한다고 설명하고 있다. 이러한 모든 기록은 그 사람의 자아개념에 의식적·무의식적으로 영향을 준다는 것이다.

1. 수용과 성장

인간이 자신을 현실적으로 알 수 있게 될 때, 수용과 성장이란 두 가지 단계를 거치게 된다. 수용의 단계에서, 여러분은 자신에게 수정과 변화를 필요로 하는 어떤 측면이 있음을 인정해야 한다. 그러나 여러분에게는 변화불가능한 어떤 측면이 있다는 것도 인정해야 한다. 여러분은 과거의 경험을 과거의 것으로 인정하면서도, 그러한 경험이 여러분에게 미치는 영향도 고려해야 한다. 여러분은 과거경험을 토대로 해서 **성장**해야 할 것이다.

불행을 느끼는 많은 사람들은 자신의 **현재의 모습**(as they are)뿐만이 아니라 앞으로의 **가능성**(as they can be)의 측면조차도 수용하지 못했기 때문이다. 성장하기 위해서는 '나도 할 수 있다(as－I－can－be)'는 태도와 함께 '나도 이제 잘하고 있다(as－I－am－right－now)'는 태도가 있어야 한다. 만일 여러분이 '지금의 나(as－I－am－now)'에 대해 확인하는 정도에서 그쳐 버리면, 침체되어 성장할 수 없게 된다.

때때로 타인의 기대가 여러분의 의욕을 북돋아 준다. 타인의 격

---

7) THOMAS A. HARRIS, *I'm OK-You're OK*(New York: Harper & Row, Publishers, Inc., 1969), p.9.

려와 강화는 목적을 설정하고 한 개인으로 계속 성장하게 하는 데 있어서 아주 긍정적인 요인들이다. 그렇지만 여러분이 건전한 자아개념에 기초해서 타인의 기대를 받아들이지 못하고 그러한 기대에 압도당해 버린다면, 여러분은 성장하지 못한다. 그리고 타인들의 목적성취가 자신의 목적과 부합되지 못할 경우에 여러분은 실망감을 느낄 것이다.

그렇지만 종종 타인들의 기대가 여러분의 기대와 일치할 수도 있다. 그래서 그들과의 인간관계에 있어 당신은 타인들로부터 고립되지 않고 정신적으로도 건강하게 지낼 수 있다. 타인의 기대와 자신의 기대가 부합된다면, 타의에 의해서가 아니라 자의에 의해서 성장하고 완성된 인간이 될 수 있을 것이다. 그리고 타인의 기대를 자신의 기대에 조화시킴으로써, 당신이 타인의 기대에 따라 살기를 원할 수도 있을 것이다.

수용은 자기 자신에 대한 자신의 인정뿐만 아니라 타인의 성격에 비추어 타인을 인정하는 것도 포함한다. 타인에 대한 진실한 수용은 타인을 귀찮고 답답하게 생각해서가 아니라 그들에게 개성과 개인적 표현을 허락함으로써 그들과의 결속을 도모하게 된다. 그리고 진실로 타인을 수용한다는 것은 여러분이 단순히 그들에게 동의하는 것이 아니라 견해차를 인정하면서 그들을 이해하려고 노력하는 것이며, 자신의 이익을 위해 타인을 **등쳐먹는** 등의 타인을 농간하는 것은 더욱더 아니다.

자아와 타인에 대한 수용은 그들에 대한 신뢰감과 인정감이 수반된다. '단서적 자극(stroking)'이란 이러한 긍정적인 신뢰감과 인정감을 말하는 단서이다. 어떤 사람이 여러분을 수용해 주거나 관심을 보여 줄 때, 여러분은 그러한 수용을 직접적인 신체적 접촉과 언어적·비언어적 표현을 통해 느낀다. 어떤 사람이 여러분에게 "좋은 직장을 잡았구나." "나는 너를 좋아해."라고 말한다든지 아니면 어떤 사람이 여러분을 수용하고 있다는 느낌을 받게 되면, 여러분은 긍정적인 '단서적 자극'을 받고 있는 것이다. 여러분이 살아가는 동안 받은 '단서적 자극'의 양과 형태는 여러분으로 하여금 자신과 타인에 대한 태도형성에 도움을 주게 된다.

Ⅳ. 인생관(outlook on life)

해리스(Harris)는 자신과 타인에 관련해서 가질 수 있는 네 가지 기본적인 입장과 관(outlooks)을 정했는데, 이는 다음과 같다.

1. 자기부정 – 타인긍정(I'm Not OK – You're OK)
2. 자기부정 – 타인부정(I'm Not OK – You're Not OK)
3. 자기긍정 – 타인부정(I'm OK – You're Not OK)
4. 자기긍정 – 타인긍정(I'm OK – You're OK)

여러분이 이들 네 가지 입장 중에서 어느 입장을 갖고 있느냐는 여러분이 과거에 받은 '단서적 자극'의 양과 형태에 의해서 주로 결정된다. 해리스(Harris) 박사는 "'자기부정 – 타인긍정'은 초기 아동기에 나타나는 보편적 입장으로서, 영아기나 유아기에 가장 많이 발견된다."고 하였다.[8] 유아기의 어린이는 5살이 될 때까지 타인에 의해 보살핌을 받고, 물건을 쥐어 줘야 하고, 음식을 먹여 줘야 하

---

8) *Ibid*., p.43.

며, 옷을 입혀 줘야 생존할 수 있다. 즉 유아기에는 '단서적 자극'을 받는다. '자기부정 – 타인긍정'의 사람들은 타인에게 의존적이며, 타인에게서 인정과 승인을 필요로 한다. "이 단계의 사람들에게 있어서 '가장 훌륭한 사람들'은 타인의 승인(인정)을 많이 얻는 사람들이다. 즉 이들은 산을 오르는 것(역주: 타인의 승인을 얻는 것)에 몰두하나, 산의 정상에 오르고 나면 올라야 될 또 다른 산을 만나게 된다."[9]

자기부정의 사람은 자신의 노력이 충분하지 않았다고 느끼는 경향이 있으며, 자신이 하는 모든 일들을 모호하고 귀찮은 것으로 생각함으로써 여전히 자기부정의 태도가 지속된다. 어쨌든, 이들은 타인들이 자기보다 항상 훌륭하다고 생각하는 태도, 즉 타인을 긍정하지만 자신을 부정하는 태도가 지속된다. 기본적으로 이 입장의 사람들은 우울하고, 축 늘어지고, 소외되고, 능력이 없다고 느끼는 사람들로서, 자기비하로 인해 타인과의 관계 형성을 위해 시간을 보내려고 하지 않는다.

이러한 입장의 사람들은 긍정적인 단서적 자극이 없게 되면, '자기부정 – 타인부정'으로 태도가 바뀌게 된다. 보통의 어린이들에게 있어, 이러한 일들은 5살 이후에 있게 된다. 두 번째 시기에 들어서면서 대부분의 어린이들은 걸어 다니고, 기어오르며, 어떤 일에 몰두하기 시작하며, 이제는 보살펴 주거나 물건을 집어서 줄 필요가 없게 된다. 만일 부모가 냉정하고 쌀쌀맞게 대하면, 이는 어린이에게 굉장한 충격이 된다. "단서적 자극은 완전히 끊어지고……두 번째 시기에 타인의 도움을 받지 못하여 포기와 곤란의 상태가 지속되면, 어린이는 자기부정 – 타인부정의 상태에 들어가게 된다.

---

9) *Ibid.*, p.46.

이 단계에서 어린이는 포기하게 되고 생활에 대한 희망은 없게 된다. 그는 재미없이 그럭저럭 생활하게 되며, 결국에는 정신적으로 극도의 자포자기 상태에 빠지게 된다."[10] 이 상태에서 사람들은 생활을 무의미한 것으로 생각하고, 위축되며, 태어났기 때문에 어쩔 수 없이 산다고 생각하며, 의미 없이 시간을 보내게 된다.

세 번째로, '자기긍정 – 타인부정'의 단계는 어린이가 부모들의 차가운 태도로 인해서 호전적으로 바뀌는 상황이다. 해리스(Harris)는 이 단계를 '범죄적' 단계라 규정하였다. 여기서 자신에 대한 긍정적 인식은 타인에 의한 단서적 자극이 아니라 자기 자신에 의한 단서적 자극의 결과이다. 해리스(Harris)는 "이러한 단서적 자극은 어린이가 고통스런 상처로 인해 고생하는 동안에 생긴다."고 하였다.[11]

> 어린이는 상처가 아물게 되는 동안 "누워 있으면서 자신의 상처를 만지작거린다." 그리고 혼자 안도감을 경험한다. ……그리고 알았다는 듯이, "혼자 내버려 두라면 두라지. 나는 참아낼 수 있어." ……그러면서 어린이는 호전성을 경험하게 되고, 생존을 경험하게 된다. 이러한 어린이들에 있어, **자기긍정 – 타인부정**(I'M OK – YOU'RE NOT OK)의 생각은 살아남기 위한 결정이다. 그가 자신이나 사회를 위해서도 비극적인 것은 내적(inward)으로 세상을 보기를 계속 싫어하게 된다는 것이다. 그는 자신의 주변에서 일어나는 일들에 대하여 객관적으로 보는 눈을 잃어버려 항상 '타인의 잘못된 점'만을 보며, 이러한 결점을 '그들의 전부'라 생각한다.

이러한 사람들은 타인과 거리를 두고, 타인을 불신하고, 의심하며, 타인과의 관계를 끊어버리는 데 시간을 보낸다.

네 번째로, '자기긍정 – 타인긍정'은 가장 소망스런 입장이다.

---

10) *Ibid.*, p.47.
11) *Ibid.*, pp.48 – 49.

처음의 세 관점과 네 번째의 관점 사이에는 질적인 차이가 있다. 처음 세 관점은 초기에 있을 수 있는 무의식적인 것이다. **자기부정 – 타인긍정**(I'M NOT OK – YOU'RE OK)은 처음 단계의 관점으로서 대부분 사람들의 전 생애 동안 계속 지속된다. **처음 세 관점은 감정에 기초하고, 네 번째 관점은 생각과 신념과 자신감 있는 행동에 기초한다.** 처음 세 관점은 '어째서 그런가(WHY?)'라는 질문과 관련되고, 네 번째 관점은 '왜 안 되는가(WHY NOT?)'라는 질문에 관련된다. **인간은 새로운 관점으로 빨려 들어가지 않는다. 인간이 스스로 하는 결정에 의해서 새로운 관점으로 옮겨 간다.** ……그러므로 자신의 가치와 타인의 가치를 알게 되는 상황에 반복해서 접함으로써, 초기에 긍정적인 생활을 하도록 도움을 받는 어린이는 행복한 어린이라 할 수 있다.

……궁극적으로 자기긍정 – 타인긍정(I'M OK – YOU'RE OK)이 감정이 아니라 관점이라는 것을 이해하는 것은 아주 중요하다. 어린이 시절의 부정적(NOT OK) 경험의 기록들은 현재의 결정에 의해 지워지지 않는다. 손쉬운 해결책은 긍정적(OK) 산출을 연출한 기록들을 수집하는 방법에 관한 것이다. ……자기긍정 – 타인긍정(I'M OK – YOU'RE OK)이 효력 있는 이유는 즉각적인 즐거움이나 평온이 기대되지 않기(NOT) 때문이다. 개인적이고 사회적인 파란(storms)은 우리가 새로운 입장을 취하려 할 때 즉각적으로 해소되지 않을 것이다. 어린이들은 즉석커피, 30초에 만들어지는 케이크, 위산과다의 즉각적인 해결 등과 같은 즉각적인 결과를 원한다. 그러나 성인들은 인내와 신념이 필요하다는 것을 이해할 수 있다. 우리는 **자기긍정 – 타인긍정**의 입장을 취한다고 해서 즉각적인 **긍정**(OK)의 느낌을 보장할 수 없다.

우리는 옛날의 기록에 민감해야 되지만, 우리가 새로운 방식으로 살려고 하는 신념을 결정하는 방식으로 다시 연출하려 할 때 옛날 경험 기록을 재현할 수 있다. 그리고 이러한 재현은 시간이 지나서(IN TIME) 일상생활에서 새로운 결과와 새로운 행복을 가져올 수도 있을 것이다.[12]

이러한 관점의 사람들은 타인과의 '자유로운 관계형식(game – free)'에 시간을 바치고자 하고, 문제를 건설적으로 해결하는 능력을

---

12) *Ibid.*, pp.50 – 53.

가지며, 생활을 건전하고 행복하게 영위한다. 대부분의 사람들은 인간이 많은 자기 시간을 잠재적으로 건전한 '자기긍정－타인긍정'의 입장을 취하면서 생활한다고 생각하고자 할 것이다. 그러나 우리는 때에 따라서 다른 입장에 빠져서 생활한다는 것을 인정한다. 자신의 행동에 대하여 더 많이 알고 더 많은 개인적인 책임감을 가짐으로써, 우리는 의식적으로 자신의 생활을 긍정적이고 만족스러운 방향으로 이끌 수 있다. 그러나 이렇게 하기 위해서는 더 많은 노력과 이해와 의욕을 필요로 한다.

여러분은 어떠한 생활관과 인생관을 갖고 있는가? 여러분은 자기부정－타인긍정의 입장을 갖고 있는 '다수의 사람들' 중의 한 사람에 속하는가? 아니면 현명하게 과거의 기록을 경청하고, **부정적** 경험의 기록을 수정함으로써, 자신과 타인을 모두 다 진실하게 받아들이는 상태에 있는가? 자아와 타인에 대한 상호간의 수용은 완전을 의미하지 않으며, 완전은 거의 모든 사람이 부담감을 갖고 있고 성취하기 어렵다고 생각하는 것이다. 상호 수용에 대한 인간관계는 건전한 자기신뢰감을 수반하게 된다. 여기에는 **자신**을 평범한 사람으로 알고, 자신의 능력을 파악하고, 타인과의 관계를 수용하려고 하는 여러분의 태도가 필요하다. 그러나 이것만으로는 충분하지 못하다. 여러분은 또한 타인도 역시 **긍정적**인 태도를 갖고 있다는 것을 느낄 필요가 있다. 왜냐하면, 여러분은 혼자 사는 것이 아니기 때문이다. 건전한 방식으로 타인을 신뢰해 주고, 그 사람의 독특한 가치를 인정해 주는 것은 타인과 행복하고 의미 있는 관계를 형성하는 또 다른 방식이 될 것이다.

V. 요 약

인간관계는 타인들과 상호작용하는 과정이다. 그리고 긍정적인 인간관계기술은 사람들로 하여금 그들이 생산적으로 협동하면서 일하고 효과적으로 학습할 수 있는 분위기에서 타인과의 의사소통을 가능하게 해 준다. 상호 의존성은 긍정적인 인간관계 계발에 있어서 중요한 요인이다. 성격발달에 관하여는 다양한 관점이 있다. 이 책에서는 전반적인 성격에 필수적인 것으로 자신과 타인에 대한 사랑과 존경을 강조한다. 유전, 환경과 경험은 성격 차에 영향을 주는 주요한 요인이다. 성격은 移行(transitions), 성장, 변화가 포함되는 과정이다. 어떤 사람이 일생 동안에 경험하는 단서적 자극의 양과 형태에 의해서 결정되는 인생관은 (1) 자기긍정 - 타인긍정, (2) 자기부정 - 타인부정, (3) 자기긍정 - 타인부정, (4) 자기부정 - 타인긍정 등 네 가지이다. 자신과 타인에 대한 상호간의 수용은 건전한 인간관계가 형성되는 토대가 된다.

[그림 1-3] 자신과 타인을 독특하고 가치 있는 사람으로 수용하라.

연습문제

1. 여러분의 관점에서, 여러분의 성격을 형성하는 데 있어 가장 중요한 역할을 한 것은 유전, 환경, 경험 중에서 어느 것인가?
2. 형성의 과정(a process of becoming)으로서의 성격은 무엇을 의미하는가?
3. 자기긍정 – 타인긍정의 관점이 나머지 세 가지 관점과 어떠한 차이가 있는가?

다음의 연습문제를 풀기 위해서는 소집단의 형성이 필요하다.

4. 큰 백지에다 여러분이 생활하면서 지원과 격려가 된 다양한 행동, 단어, 표현 중 몇 가지를 열거해 보고, 또 반대되는 효과를 준 행동, 단어, 표현 등도 열거해서 다음과 같이 적어 보라.

지원과 격려(가 되었다)   눈물(을 흘렸다)
            ┆   ┆

다 적었으면 그 백지를 벽이나 칠판에다 걸어 놓고 나서, 이러한 개념들을 개방성과 관련해 도움이나 지원이 된 교실 분위기와 연결시켜 토론을 해 보라.

5. 개인적으로 여러분이 어떤 기술이나 능력을 개발하는 것과 관련된 잠재능력을 열거해 보라. 그리고 나서 여러분이 생각하기에 자신에게 가치 있고, 행복하며, 이익이 되었던 최근 몇

년 동안에 일어난 일들을 세 가지 정도로 해서 이름을 적어
보라. 그다음에는 집단을 이루어 타인과 함께 이야기해 보라.

6. 여러분이 자신에 대해서 더 좋은 감정을 갖도록 하기 위해서
   지금 변화시키고자 노력하는 일들을 열거해 보라. 그리고 이
   러한 변화를 도모하기 위해 첫 단계로 해야 되는 일들에 대해
   서 타인과 상의해 보라.

제2장 내가 바라는 나

   처음에, 나는 나 자신의 경험 이외에 아무것도 알지 못하는 한 사람에
불과했다.
   그런데 내가 여러 가지 일들을 알게 되면서, 두 가지 모습의 내가 되었
다. 하나의 모습은 보통의 여자들이 그랬듯이, 소년들이 사과구이(roasting
apples)를 하면서 창문 옆 공터에서 불장난하는 것을 무섭다고 한 나의
모습이며, 또 하나의 다른 모습은 소년들이 어머니 심부름으로 상점에 갔
을 때, 뛰어나가 좋아라 하고 소년들이 갖고 놀던 불(火)과 사과를 대신
내가 갖고 노는 모습이었다.
   그처럼 나는 두 가지 모습을 갖게 되었다.
   하나는 내가 싫어하는 어떤 일을 항상 하고 있는 모습이며, 나머지 하
나는 내가 그러한 일을 싫어한다고 항상 말하는 모습이다. 나에게 있어 이
러한 양면적인 모습은 너무나 많다.

                                              바리 스티븐스(Barry Stevens)[1]

   여러분은 "나는 누구인가?"라는 물음에 답하기에 스스로 갈등을
느껴 본 적이 있는가? 많은 사람들은 이러한 갈등의 경험이 있다.
종종 여러분은 "해야만 하는가? 아니면 하지 말아야 하는가?" "나
는 그 일을 하지 못한다 ─ 그러나 나는 그 일을 하길 원한다." "나
는 이 일을 어떻게 처리할 수 있는가? 나는 그 일을 시작하기 전에

---

1) CARL R. ROGERS, and BARRY STEVENS, *Person to Person: The Problem of
   Being Human*(Moab, Utah: Real People Press, Pocket Book Ed. 1967) p.1.

어떤 사람에게 말하고 싶어 ― 그러나 나는 말하지 않는 편이 좋아." 등과 같이 어떤 일이 있을 때, 머릿속을 스쳐 지나가는 '말들'이 있을 것이다. 이와 같이 모든 인간은 자신에 대하여 몇 가지 질문을 하고 모순된 감정을 갖게 된다.

Ⅰ. 자아개념

타인과의 관계 형성에 영향을 주는 가장 중요한 요인 중의 하나는 자신의 자아개념이다. 자신의 자아개념은 자신의 특별한 측면으로서, 어떤 일을 평가하고 여과하며 그러한 일들을 자기 자신의 경험에 비추어 평가하는 참조체제(frame of reference)의 역할을 한다. 자아개념은 당신이 어떤 사람이며, 어떻게 행동하고, 생활 주변에 어떻게 반응하는지에 관한 것을 알려 준다. 즉 여러분의 모습과 당신이 할 수 있는 모든 것을 알려 주며 하나의 연속적인 과정이다. 자아개념은 또한 인간의 핵심적인 부분(the core and center)이며, 인간이 일상생활에서 표현한 모든 반응의 산물이고, 자아에 대한 자신의 개념이다. ― 즉 자아개념은 인간이 한 개체로서의 자신에 대해 갖는 상(이미지: image)이다.

메이(Rollo May)는 "자아란 단순히 한 사람이 수행하는 다양한 역할들의 총합이 아니라, 자신이 수행해야 할 역할들에 대해서 아는 능력으로 보통 사람이 볼 수 있는 측면과 함께 소위 자신의 또 다른 '측면'을 아는 것을 포함한다."[2]고 하였다. 인간이 어떻게 자

---

2) ROLLO MAY, *Man's Search for Himself*(New York: W.W. Norton & Company, Inc.,

신을 아느냐 하는 것은 인간이 어떻게 타인을 아느냐 하는 것과 똑같이 중요한 문제이다. 어떤 사람들은 우리보다 크거나 아니면 작고, 늙었거나 아니면 젊으며, 기타 많은 다른 '측정척(measuring-stick)'에 의해 평가된다. 인간은 자아란 참조체제를 통해서 타인을 본다.

인간의 자아개념 발달에 관련해서 알고 있어야 될 몇 가지 중요한 요점이 있는데 이는 다음과 같다.

(1) 자아개념은 획득되는 것이다. 인간은 자아상(self-image)을 갖고 태어나는 것이 아니라, '현실적인 나(I)'와 '이상적인 나(me)'에 대한 그림을 그리면서 점차적으로 자신에 대한 지각을 갖게 된다. 즉 이러한 과정은 점진적인 성장과정이다. 즉 어린이는 '이상적인 나(me)'와 '이상적이지 않은 나(not me)'에 대하여 점진적으로 배운다. 손가락과 발가락이 내 몸의 일부라는 인식에서부터 '이상적인 나'는 행동과 행동의 결과에까지 확대된다고 이해하기까지, 이 모든 일들은 자아개념을 획득하는 부분적인 과정이다. 젊은이들의 자아개념은 계속해서 변화한다. 즉 사춘기 동안에는 아주 많은 변화가 일어난다. 피쿠나스(Pikunas)는 "미래의 불확실성 때문에 확정적인 목표의 수립이 어렵게 된다. 그렇지만 사춘기의 문제나 갈등 등은 성인기에 자아개념이 확고해지면서 해결된다. 사춘기 종반에 자아개념의 부분을 형성하는 가치나 태도는 비교적 지속적인 행동의 조직인 자(organizers of behavior)로 남게 되는 경향이 있다."[3]고 하였다.

1953; paperback: Signet Books, 1967), p.80.

3) JUSTIN PIKUNAS, *Human Development: A Science of Growth*(New York: McGraw-Hill Book Company, 1969), p.95.

(2) 의미 있는 타인은 자신의 자아개념 형성에 영향을 준다. 의미 있는 타인이란 용어는 자신의 생활에 아주 중요하고 영향력 있는 사람들을 가리킨다. 인간은 자신의 생활주변에서 의미 있는 타인들의 대접을 어떻게 받는가에 의하여 그 자신이 자기 자신을 어떻게 보는가에 아주 강력한 영향을 받는다.

> 여러 사람들과의 상호작용을 통해서 인간은 자신이 사랑을 받고 있는지 아니면 받지 못하고 있는지, 수용되고 있는지 아니면 거부되고 있는지, 성공할 것인지 아니면 실패할 것인지, 존경을 받고 있는지 아니면 그렇지 못한지를 배우게 된다. 인간은 자신이 별로 중요하지 않게 생각하는 사람들에게서는 ─ 비록 그들이 교사, 부모, 사회사업가, 상담자, 성직자, 아니면 율법사(유태의 rabbi)라 할지라도 ─ 아무것도 배우지 못한다. 의미 있는 타인들만이 자신의 자아개념 형성에 큰 영향을 준다.[4]

인간은 별로 친하지 않은 친구가 자신에 대하여 어떻게 생각하는지에 대하여 별로 관심을 두지 않는다. 그러나 자기 주변에 있는 친한 친구, 상급책임자, 기타 '영향력 있는' 사람들이 자신에 대하여 어떻게 말하는가 하는 것에 대하여는 대개 상당한 관심을 갖고 지켜본다. 이것은 바로 자신의 자아개념 발달을 결정하는 의미 있는 타인과의 관계 속에서 있었던 경험에 대한 해석이다. 즉 만일 당신의 친구가 여러분에게 "너는 그들에게 중요한 사람이지만, 그들의 행동은 네가 중요하지 않다는 것을 보여 주고 있어."라고 말해 준다면, 여러분은 어떻게 생각하고 믿어야 하겠는가? 그들이 그렇게 중요하지 않다는 말은 오히려 그러한 말과 어떻게 그들이 우

---

4) ARTHUR W. COMBS, DONALD L. AVILA, and WILLIAM W. PURKEY, "Self-Concept: Product and Producer of Experience?" in *Helping Relationships: Basic Concepts for the Helping Professions*(Boston: Allyn and Bacon, Inc., 1971), pp.39-51.

리에게 영향력을 주는지에 대한 우리 자신의 가정(假定)이요, 지각
이요, 느낌에 해당되는 것이다.

  (3) 자아개념은 종종 자신의 외부로까지 확대된다. 자신이 가보로
생각하는 자동차, 자전거, 전축, 기타 소유물에 대한 소유의식
(ownership)을 생각해 보라. 어떤 사람들은 그 소유물을 자신의 손
이나 팔과 같이 자기 자신의 한 부분으로 생각할 것이다. 그래서
"내 차에 손대면 안 돼 ─ 차가 긁히면 어떻게 하려고 그래!", "내
전축은 그 누구에게도 빌려 줄 수 없어!"라고 말하기도 한다. 여러
분은 어떤 사람이 '자신의' 의자나 자전거나 책상에 손을 댔다고
해서 화내는 사람을 본 적이 있는가? 이러한 예는 사람들이 **자아**를
어떤 소유물에까지 확대시켜 생각하는 경우이다.
  '깡패'집단이나 다른 특정 조직에서의 집단의식(membership)은
특정집단의 정체를 다른 집단과 구별시켜 주는 데까지 확대된다.
그리고 어떤 사람이 자기 주변의 어떤 물건이나 사람과 하나가 되
는 것으로 느끼는 것을 동일시라고 부른다. 가족이나 집단 내에서
의 **동일시**는 구성원 중에 어느 한 사람이 다쳤을 때 나머지 사람들
모두가 함께 아픔을 느끼기도 한다.
  물론 자아개념의 동일시에는 위험이 따르기도 한다. 즉 사람을
너무 강력하게 묶어 놓음으로써 건전하지 못한 의존성이 길러질
수 있는 가능성이 있다. 대개 나이를 먹고 경험을 하고 성숙하게
되면서, 사람들은 이러한 형태의 동일시에 초연해지고 덜 의존하게
되기도 한다. 그리고 한편으로는 확고한 자아의식이 생겨 소속감에
근거한 자신의 모습을 확보하고, 다른 한편으로는 건전한 자조자립
(self ─ sufficiency)의 모습을 갖추게 되기도 한다.

(4) 자아개념은 자체가 강화되는 경향이다. 인간은 자아에 대한 관점에 있어 선택적으로 되는 경향이 있다. 즉 인간은 자신의 색안경을 통해서 자신을 보는 경향이 있으며, 그러한 색안경은 인간이 자신에 대해서 갖는 관점과 일치하지 않는 관점을 거부하게 된다.

> 자아에 대하여 적극적인 관점을 가진 사람들은 세상(the world)의 일과 사람들과 관련해서 성공적인 경험을 하는 방식으로 처신하는 경향이 있다. 또한 이들이 세상으로부터 받는 피드백(feedback)은 개인적인 생활과 공공생활을 행복하고 효과적으로 만들기도 한다. 그리고 이러한 성공은 사람으로 하여금 더 고매한 감정을 갖도록 한다. 순환적인 효과는 반대의 방향으로도 똑같이 적용된다. 못마땅한 감정을 갖는 사람은 못마땅한 방식으로 행동한다. 자신을 긍정적인 방식으로 보는 사람은 그렇지 않은 사람들보다 인생을 더 멋있게 살 수 있으며, 행복하고 효과적인 생활을 하며 그렇게 지낼 가능성은 훨씬 더 많아질 것이다.[5]

사람의 자존심(self-esteem)이 업무성취에 미치는 효과를 지적한 많은 연구들이 있다. 가장 널리 알려진 연구는 로젠탈(Rosenthal)과 쟈곱슨(Jacobson)이 수행한 '학급에서의 피그말리언 효과(Pygmalion in Classroom)'라는 것이다.[6] 이들 연구자들은 분류표시(labeling)와 측정결과를 통해 '자성예언(self-fulfilling prophecy)'이란 용어를 만들어 냈다. 이들에 의하여 학생과 교사 모두는 특정한 학생들에 대한 가상적인 기대를 통해서 자신들의 행동을 계속 강화하려 하는 경향이 있다는 것이다. 이 측정에서 '높은 성취'의 잠재력을 가진 집단으로 규정되었던 학생들은 '평균'이나 '평균 이하'의 집단보다

---

5) ARTHUR W. COMBS, DONALD L. AvILA, and WILLIAN W. PURKEY, *Helping Relation ships: Basic Concepts for the Helping Professions*(Boston: Allyn and Bacon, Inc., 1971), pp.147-148.

6) ROBERT ROSENTHAL and LENORE JACOBSON, *Pygmalion in the Classroom*(New York: Holt, Rinehart & Winston, 1968), pp.72-97.

더 좋은 성취를 보여 주는 집단으로 나타났다. 비록 후에 이루어진 연구에 대한 타당성이 똑같은 결과를 보여 주지는 못했지만, 학교에서 어린이에게 항상 따라다니는 '영리한 아이', '지진아', '학습이 곤란한 아이', 기타 이름의 꼬리표가 갖는 효과는 상당한 것이었다.

'촌뜨기', '집중력이 없는 사람', '개구쟁이', '인재' 또는 '귀여운 천사' 등과 같이 타인을 분류 조사하고 이에 따른 어떤 기대를 하면서 생활하는 경향이 있는 사람들을 한번 생각해 보라. 그들의 행동은 긍정적이거나 아니면 부정적인 보상에 의해 강화되어 왔다. 만일 어떤 특정인이 타인의 관심을 얻을 수 있는 유일한 방식이 부정적인 행동을 통해서 가능하다면, 사람들은 무의식적으로 그러한 관심을 얻으려 노력할 것이다. 왜냐하면, 관심을 무시하거나 전혀 관심을 얻지 못하는 것보다 부정적인 관심을 얻는 것이 더 쉽기 때문이다.

반면에, 다행스럽게도 타인을 믿고 현실적이고 긍정적인 기대로 타인을 지원해 주는 사람들은 자신들이 전에 시도해 보지 않았던 일들을 시도하고 있다는 것을 발견하게 될 수도 있을 것이다. 그래서 그들은 '기대된' 방식으로 자신들에 대하여 생각하기 시작할 것이고, 더 성공적인 방식으로 된다면 긍정적인 순환적 효과까지도 강화될 것이다.

자기 자신이 어느 정도만큼 일을 할 수 있다고 '보는' 사람은 그 정도만큼 일하는 경향이 있으며, 교사/상급자/부모/친구 등도 그 정도만큼 일하기를 기대하기 시작한다. 그래서 강화적인 순환관계가 형성된다. 인간은 자신과 타인이 자기 자신에 대해서 갖고 있는 가정(assumptions)을 강화해 주는 방식으로 행동하는 경향이 있다. 자신이 성공할 수 있다고 믿는 사람들은 대개 더 많이 성공하게 될 것이다. 사람은 자기가 자신을 어떻게 보느냐에 기초해서 자성예언을 설정하고, 자성예언에 대해 자신이 어떤 일을 성취할 수 있는지 미리 결론을 내리는 데까지 진전된다.

1. 여러분이 느끼기에 타인이 여러분에게 어떤 기대를 하고 있다고 생각하는지 몇 가지를 열거해 보라. 이러한 기대는 여러분에게 어떤 영향을 미치는가? 여러분에게 별명이 있다면, 그러한 별명에 미묘한 기대가 함축되어 있지는 않은가?
2. 자신의 외적인 측면에까지 확대되고 있는 여러분 자신에 대한 몇 가지 예를 들어 보라.
3. 자신의 자아개념을 강화해 주는 효과를 갖고 있는 자성예언의 긍정적인 측면과 부정적인 측면에 관련된 몇 가지 예를 들어 보라. 그러한 예가 있으면 여러 사람들과 의견을 나눠 보고 자신의 행동과 관련시켜 비교해 보라. 부정적인 자성예언을 제거하기 위한 몇 가지 방안을 모색해 보라.
4. 여러분이 전에 할 수 없다고 믿었던 것을 다른 사람들이 할 수 있다고 믿어 준다는 사실을 알고 그 일을 시도해 본 경험이 있는가? 결과는 어떠했는가? 여러분의 생활에서 몇 명의 의미 있는 타인이 갖는 영향을 다른 사람과 논의해 보라.

Ⅱ. 역할과 자아개념

어떤 사람이 여러분에게 "당신은 누구인가?"라고 물었을 때, 여러분은 어떻게 대답하겠는가? 여러분은 자신의 이름을 댈 수도 있고 직업이나 타인(딸/아들/어머니/아버지)과의 관계, 기타 여러 가지의 가능한 대답을 할 수도 있을 것이다. 이 모든 것은 질문에 대한 대답이 될 수 있겠지만, 가장 적절한 대답은 주변 상황에 따라 달라질 것이다.

여러분은 매일 한 인간으로서 서로 다른 여러 가지 역할을 수행하고 있다. 즉 사람은 여러 사람의 틈바구니 속에서 자신을 학생, 방 친구, 딸, 아들, 어머니, 아버지, 형제, 고용주 등의 역할을 수행하는 것으로 생각할 것이다. 이러한 경우에 여러분은 다른 사람이 아니면서도 경우에 따라 자신의 성격을 다르게 사용하며, 다른 측면의 성격을 보여 주게 된다.

사회학자들은 역할이란 말을 자신이 속한 다양한 사회적 상황에서 어느 정도 표준화된 행동의 형태를 의미하는 것으로 사용한다. 그렇다고 이러한 표준화가 아주 고정적인 것은 아니다. 즉 이는 행동의 허용한계를 설정해 주는 일반적 지침에 불과하다. 예를 들어, 별로 친하지 않은 친구들에 대한 역할은 아주 친한 친구들에 대한 역할과는 다르다. 만일 여러분이 버스 옆자리에 앉은 잘 알지 못하는 사람에게 자신의 개인적인 사생활을 말해 주고 그 사람의 사생활을 캐물으려고 한다면, 그 사람은 금방 몹시 못마땅해 할 것이다. 반면에, 여러분이 저녁에 절친한 친구를 만나서 날씨 얘기나 하고 간단한 사무적인 얘기나 한다면, 그 친구는 자신들의 긴밀한 우정에 금이 가지 않았나 의심하기 시작할 것이다.

확실히 여러 가지 상황 속에서 만나는 수많은 사람들과 함께 살아가기 위해서는, 여러 가지의 역할 수행은 필수적이다. 더욱이, 모든 사람들은 수행해야 되는 역할을 자신의 성격에 맞추기도 한다. 예를 들어, 어떤 사람들은 천성적으로 아주 외향적이다. 그래서 별로 친한 관계가 아닌데도 그들은 다른 사람들보다 더 개방적으로 말을 나눈다. 반면에 어떤 사람들은 천성적으로 다소 과묵하기 때문에 친구들과도 얘기가 적은 편이다. 그러나 과묵한 사람일지라도 모르는 사람보다는 친구에게 말을 더 잘하고, 외향적인 사람도 친구들보다는 모르는 사람을 대할 때 처신을 조심한다. 그러므로 모든 사람들은 수많은 역할을 갖게 되는데, 이러한 역할은 대개, 사회적 기대에 의해 결정되지만 세부적인 것은 역할 수행자의 개인적인 성격에 의해 결정된다.

어떠한 역할을 수행하는 데에도 '거짓되고' 인위적인 것은 없다. 역할 수행의 형태는 인간이 자신이 속한 각각의 상황에 자신의 성격을 자연적으로 적응시키는 것에 불과하다. 거짓이란 전혀 딴 문제이다. 예를 들어, 학생 대 학생의 관계에서 여러분이 보여 주는 역할은 학생 대 교사의 관계에서 보여 주는 역할과는 상당히 다르다. 대부분의 학생들은 자신의 공부에 대해서 친구들과 얘기할 때보다는 교사들과 얘기할 때 더 진지하게 대한다. 이것은 아주 당연한 것이다. 그러나 여러분은 가장 중요한 것이 교사가 가르치는 수업이라는 것을 알면서도 교사에게 공부에 대해 자주 묻는 형태의 학생들을 볼 수도 있을 것이다. 그러한 행동은 분명히 거짓된 것임에 틀림없다. 왜냐하면 그러한 행동을 자주 보이는 학생은 부자연스러운 방식으로 역할을 과장해서 보여 주기 때문이다.

인간의 행동은 상황의 기대에 근거를 두기 때문에, 행동은 때에 따라 다를 수도 있을 것이다. 즉 각각의 역할은 다른 형태의 행동을 필요로 하기 때문에 학생으로서의 행동과 방 친구로서의 행동은 다를 수 있다. 그러므로 사람들이 다른 상황에서 여러분을 관찰하게 되면, 그들은 그때마다 여러분을 다르게 '볼' 것이다. 그리고 그들의 기대와 반응 또한 인간이 자신을 어떻게 '보느냐'에 영향을 줄 것이다.

인간은 어떤 기관 내에서의 자신의 역할에 대하여 아주 만족스럽게 느끼는 경우가 있다. 그리고 그러한 역할을 적절하게 수행하면, 사회 내에서 '정상적'인 것으로 인정받고, 그로 인해서 일종의 사회적인 보상을 얻게 된다는 것을 이해한다. 인간은 자신의 역할을 만족스럽게 수행하려고 노력하며, 개인적으로 계속 성장하려 하며, 현 사회에서의 자신의 임무를 다함으로써 만족감을 얻으려 노력한다. 그렇지만 인간은 사회체제 내에서 갈등을 느끼고, 정신적으로 아주 비참하다는 것을 느끼기도 한다. 그리고 속에 있는 공포와 고통의 감정을 은폐하고 미소를 보여 주기 위해 가면을 쓰고 치장을 하며 살아간다. 대부분의 사람들은 자신이 자기 나름대로 그러한 역할을 규정하고, 그 당시의 삶의 상황에 대한 지각을 정의하며 살아가고 있다는 것을 알게 된다. 다행히도 이러한 것들은 규칙적인 자신의 경험이라기보다는 가끔씩 있는 일이다.

---

1. 다음의 문장을 가능한 한 신속하게 완성시켜라.
   "나는 _____이다."
   "나는 _____이다."
   "나는 _____이다."
   "나는 _____이다."

2. 여러분이 작성한 문장은 여러분의 어떤 점을 적고 있는가?

3. 여러분은 매일매일 어떤 역할을 수행한다고 생각하는가? 이러한 역할들은 서로 어떻게 다른가? 여러분은 다른 상황에서보다 더 '진실(real)'하게 되는 어떤 그런 상황이 있는가? 있다면 왜 그런가?

4. 여러분으로 하여금 갈등을 느끼게 하는 역할상황을 적어 보라. 어떤 요소들 때문에 그러한가? 여러분은 이러한 상황을 어떻게 다루겠는가?

Ⅲ. 자아개방(self - disclosure)

우리는 사람들이 여러 가지 역할을 수행하는 데 상급책임자, 피고용인, 학생, 교사, 아버지, 어머니, 아들, 딸, 방 친구 또는 이웃 사람들 역할의 뒷전에 놓여 있는 진실한 면모를 알지 못하면서, 직장, 가정, 이웃 등과 같이 사회체제에 머무르는 얼마 동안 단지 몇 사람만을 알고 지낼 수 있다는 것을 기억할 필요가 있다. 즉 집단 내의 여러 사람들 중에서 하나가 되어, 신체적으로는 접촉하지만 타인들을 진실로 알지 못하고, '타인들이 자신을 알아주기'를 바라면서도 '군중 속의 고독'을 맛보게 된다. 종종 사람들이 여러 가지 활동, 행동, '단결', 바쁜 업무를 통하여 필사적으로 '고독감'을 극복하려 하지만, 사람이 자기 자신의 '자아'를 알지 못하고 타인이 자신을 알아주기를 바라기만 한다면, 사람들은 자신이 더욱더 고독하다고 느끼게 될 것이다.

인간이 자기 자신을 안다는 것은 무엇을 의미하는가? 시드니 쥬라드(Sidney Jourard)는 자아의 개방에 대해서 광범위하게 저술을 하였다. 「투명한 자아(The Transparent Self)」라는 그의 저작에서, 그는 "개방이라는 것을 비밀을 없애고, 명백히 하고, 보여 주는 것을 의미하였다. 자아의 개방은 자신의 입장을 명백히 밝히고, 자기 자신을 남에게 보여 줌으로써, 타인이 자신을 알 수 있도록 하는 행위"[7]라고 적고 있다. 이것은 사람이 느끼고, 원하고, 생각하고, 믿고, 평가하고, 근심하고, 미래를 꿈꾸고, 경험했던 것 등의 보다 주관적인 문제에 대해서 타인과 의견을 교환하는 것을 의미한다. 그

---

7) SIDNEY M. JOURARD, *The Transparent Self*(New York: D. van Nostrand Company, 1971), 19.

리고 사람은 상대방이 자신을 개방하고 타인과 함께 의견을 교환하려 하면, 그 사람의 자아에 대해서 알 수 있게 된다. 만일 어떤 사람이 자신이 느끼고, 원하고, 생각하는 것을 상대방에게 알도록 해 준다면, 그것은 상대방에게 자신을 개방하는 가장 직접적인 방식이 된다.

많은 사람들에게 있어서 자신의 자아를 타인에게 공개한다고 생각하는 것은 놀랍고 무서운 것일 수도 있다. 포웰(John Powell)은 「왜 나는 타인에게 내가 누구라고 말하기를 두려워하는가?」라는 책 이름에 나온 질문에 대해서 다음과 같은 진술로 답하고 있다. 즉 "왜냐하면 만일 내가 누구인지에 대해서 말하면, 다른 사람들은 나의 부정적인 측면을 알고서 나를 좋아하지 않을 것이기 때문이다. 이것이 내가 두려워하는 이유의 전부이다."[8]라고 말하고 있다. 이것은 아주 솔직한 감정이다. 거절과 조롱에 대한 두려움과, 남이 나를 초라하고 어리석고 바보천치라고 인식하면 어쩌나 하는 것 등에 대한 두려움 때문에 '나에 관한 것들'을 타인에게 공개하지 못하게 된다. 그러나 다른 사람들이 어떤 사람에 대하여 모른다면 어떻게 그를 진실로 사랑하고 깊이 돌볼 수 있겠는가? 그리고 다른 사람들이 나를 잘 알지 못한다면 어떻게 나를 깊이 돌볼 수 있겠는가?

조해리 창(Johari Window)은 원래 자아개방(self-disclosure)과 피드백(feedback)이란 두 가지 중요한 개념을 명료화하기 위하여 조셉 루프트(Joseph Luft)와 해리 잉햄(Harry Ingham)이란 두 명의 심리학자에 의해 개발된 개념으로, 두 사람의 이름을 본떠서(Joe + Harry = Johari) 조해리 창이라 명명되었다.[9] 자아개방은 어떤 사람이 다

---

8) John Powell, *Why Am I Afraid To Tell You Who I Am*(Illinois: Argus Communications, 1969).

른 사람과 정보와 감정을 공유할 수 있을 만큼 신뢰수준이 높아질 때 가능하게 된다. 신뢰수준이 더 높아지고, 어떤 사람이 기꺼이 모험을 감행하려고 하면 할수록, 사람은 더욱더 자아를 공개할 것이다. 피드백은 타인들이 우리를 개방적이고 수용적이라 지각하고 이해할 때 일어난다. 그러면 타인들은 우리에 대한 자신들의 지각을 말해 주고, 우리가 그들에 대해서 어떤 영향을 갖는지를 말해 주게 된다. 또한 신뢰수준이 높아진다는 것은 생각을 공유하고 모험을 감행하는 정도가 높다는 것을 의미한다.

[그림 2 – 1]은 조해리 창에 있어 네 가지 부분, 사분도 또는 '유리 창(panes)'을 보여 주는데, 네 가지 부분은 **공개적 부분**(open), **맹목적 부분**(blind), **비공개적 부분**(hidden)과 **미지적 부분**(unknown)이다.

창틀의 크기와 형태는 상호 신뢰의 수준과 피드백 및 자아의 개방을 교환하는 정도에 따라 결정된다. 나 자신의 경우에 비추어 설명하고자 한다.

첫 번째 **공개적 부분**은 내가 나 자신에 대해서 알고 동시에 타인이나 자신에 대해서 아는 경우를 말한다. 이 부분은 우리가 보통 지식이라고 생각하는, 모든 사람이 자유롭게 알고 있는 정보에 해당된다. 내가 만일 여러분과 처음 대면하게 되면, 여러분은 내가 이 책의 역자라는 것 이외에도 나에 대한 어떤 정보를 가지고 있을 것이다. 즉 나의 모습을 보고서 여러분은 대략적인 나의 나이, 키, 몸무게, 눈의 색깔, 기타 신체적인 것에 관한 정보를 얻을 수 있을 것이다. 그리고 우리가 다 같이 알고 있는 친구가 있다면, 그 친구가 여러분에게 말한 정보와 내가 그 친구를 알고 있다는 정보도 여

---

9) Joseph Luft, *Group Process: An Introduction to Group Dynamics*(출판지 미상: Mayfield Publishing Company, 1963, 1970).

기에 포함될 것이다.

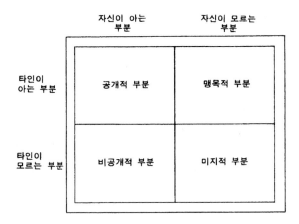

	자신이 아는 부분	자신이 모르는 부분
타인이 아는 부분	공개적 부분	맹목적 부분
타인이 모르는 부분	비공개적 부분	미지적 부분

[그림 2-1]에서 [그림 2-7]까지는 주 9)에서 밝힌 책에서 따온 것임.

두 번째 **맹목적 부분**은 내가 나 자신에 관하여 알지 못하지만 타인이 나에 관하여 알고 있는 정보들에 해당된다. 사람은 '자신이 모르는 맹점(blind spots)'을 갖고 있는데, 이러한 정보들이 여기에 해당된다. 즉 자신이 알고 있지 못하지만 자신이 갖고 있는 이상한 버릇, 특이한 체질 등이 여기에 속한다. 내가 맨 처음 학생들에게 이 내용을 가르치면서 있었던 일로 기억나는 일이 있다. 그때 뒷줄에 앉은 젊은 학생이 자신의 머리를 위아래로 끄덕이고 있기에 이상해서, 내가 "이제 그만, 창우 학생! 왜 머리를 끄덕였는지 말해 보세요!"라고 물었더니, 창우 학생이 대답하기를 "선생님이 '……라는 점에서'라고 말씀할 때마다 50원씩만 벌면 큰돈 벌겠어요."라고 말한 적이 있고, 또 다른 학생도 "저도 선생님이 '됐어'라고 말씀할 때마다 50원씩만 벌면 큰돈 벌겠어요."라고 말한 적이 있다. 이 일은 우습기도 했지만, 한편으로는 내가 나 자신에(말버릇에) 대하여

'전혀 몰랐던' 일들을 새로이 알 수 있게 해 준 계기가 되었다.

이 부분에는 아주 사소한 습관, 평상시 자주 쓰는 언어(예를 들면, 어험, 알겠어요, 좋았어!), 틀에 박힌 버릇, 비언어적 특징 등이 여기에 포함된다. 사람이 자신의 이러한 면모에 대하여 알 수 있는 방법은, 자신이 어떤 타인과 신뢰하는 관계를 형성함으로써 그 사람이 자신을 세밀하게 보살펴 주고, 이러한 면모를 자신에게 말해 주는 것이다. 이러한 역할을 하는 타인은 자신에게 **피드백**을 주고 있는 것이다.

비공개적 부분은 내가 나 자신에 대하여 알고 있으나 타인이 알고 있지 못한 것들을 나타낸다. 여러 가지 이유에서 나는 이러한 정보를 타인에게 알려 줄 수 없다. 즉 나는 타인이 알지 못하도록 그러한 정보들을 '숨겨' 놓는다. 이러한 정보는 내가 아침밥을 몇 시에 먹었느냐 하는 등의 대수롭지 않은 정보에서부터 나만이 알고 있는 내가 무서워하는 것, 두려워하는 것, 내가 남 몰래 지은 죄, 그리고 자신의 행동과 관련된 아주 중요한 정보에 이르기까지 다양하다. 나는 내가 믿지 못하는 사람들에게는 이러한 정보를 절대로 알려 주지 않을 것이다. 왜냐하면, 나 자신을 타인에게 공개한다는 것은 타인으로부터 공격받을 위험이 있고 약점 잡히기 십상이기 때문이다. 즉 나는 나를 공개함으로써 타인이 나를 이용해 먹을지도 모른다는 두려움을 갖고 있고, 그래서 나에 대한 공개를 꺼려한다. 그렇지만 위험부담이 없고, 또 아주 사소하다는 것을 알게 되면, **여러분**이 나에게 얼마나 '의미 있는' 사람인가에 따라, 그리고 우리들 사이에 존재하는 신뢰수준에 따라 내가 감수하려는 위험부담의 정도는 달라질 것이다.

네 번째의 **미지적** 부분은 자기 자신에 대하여 자신도 타인도 모두 모르는 부분이다. 수많은 정보가 사람이 전혀 알 수 없는 심층부에 있다. 그러나 어떤 사람들은 심리치료, 충격적인 경험, 어떤 우발적인 사건 등을 통해서 전에 전혀 알지 못했던 정보들 중의 몇 가지를 알아낼 수 있다고 믿는다. 그리고 다른 정보들도 아주 극적인 통찰(insight)을 통해서 알아낼 수 있을 것 같다.

자아의 공개와 피드백 과정이 **미지적** 부분에서 **공개적** 부분으로 새로운 정보의 이동을 촉진시키기도 한다. 이러한 경우는 우리가 '번쩍(light-bulb)' 하거나 '아하(aha)!' 하는 순간에 일어난다. 즉 갑작스런 어떤 일로 해서 우리는 새로운 의미를 이해하고 깨닫게 된다. 이러한 경우를 **통찰**(insight)이라 부른다[그림 2-2].

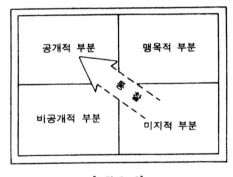

[그림 2-2]

공개적 부분의 경계는 내가 스스로 피드백을 요청하고[그림 2-3], 자아를 공개함으로써[그림 2-4] 점점 커진다는 것을 주목하라. 즉 내가 타인에게 나에 대한 그들 자신의 지각을 말해 주기를 간청하여 피드백을 받음으로써, **맹목적** 부분은 줄어들고 **공개적** 부분은 증가하게 된다. 또한 내가 자아를 공개함으로써 **비공개적** 부분은 줄어들고 공개적 부분은 늘어나게 된다. 그리고 자아개방과 피드백

두 가지가 모두 있는 상황이 되면, 나 자신의 **공개적** 부분은 양쪽 방향으로 증가하게 된다[그림 2 – 5].

초기의 관계에서 **공개적** 부분은 아주 좁았다. 즉 공통적으로 알고 있는 부분은 가장 좁았다[그림 2 – 6]. 그러나 관계가 좋아지고 신뢰수준이 증가되면서, 나는 더 많이 자아를 공개하면서 타인들에 대하여 개방적으로 되었고, 내가 전에 나에 대해서 알지 못했던 정보를 타인들이 나에게 피드백시킴으로써 공개적 부분은 넓어졌다[그림 2 – 7].

두 사람 사이에 있는 신뢰성, 개방성, 그리고 수용성의 수준은 앞으로 있을 수 있는 자아개방과 피드백의 정도를 결정하는 데 있어 아주 중요하다. 내가 타인을 더 많이 신뢰하면 할수록, 나는 나만이 알고 있는 개인적이고, 사적이고, 조심스러운 일들을 더 많이 얘기하려 할 것이다. 또한 내가 더 많이 수용적이고 개방적일수록 타인들은 나에 대한 자신들의 지각과 내가 그들에 대해서 어떠한 영향을 갖는지에 대하여 더 많이 말해 줄 것이다.

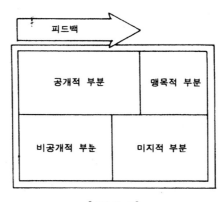

[그림 2-3]

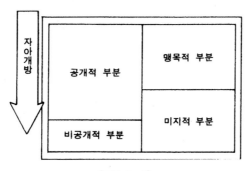

[그림 2-4]

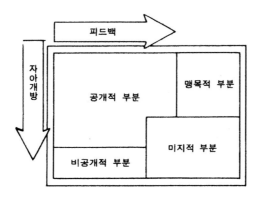

[그림 2-5]

[그림 2-6]

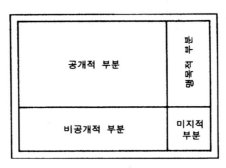

[그림 2-7]

자신에 대한 여러분의 개념은 아주 개인적인 것이다. 즉 그것은 여러분이 인간관계기술을 긍정적으로 정립하느냐 부정적으로 정립하느냐 하는 기초가 된다. 사람들이 자기 자신을 어떻게 보느냐 하는 것은 주로 (1) 인간이 자신의 현재 모습을 어떻게 보느냐, (2) 타인이 자신을 어떻게 보고 있다고 생각하느냐, (3) 이상적인 나는 어떠해야 한다고 보느냐, 즉 앞으로 나는 어떻게 되고 싶은가 등에 의해 결정된다.

자기 자신에 대한 절대적이고, 완벽하며, 완전한 이해는 아마 필요하지도 않고 또 가능하지도 못하다. 그러나 사람은 자기 나름의 공포, 꿈, 즐거움, 의심, 목적, 기타 자신을 독특하고 특별한 사람으로 만드는 수많은 요인들에 대해서 보다 많이 이해하기 위해 노력할 수 있다. 타인을 개방적으로 대하고, 모험을 감행하고 또 모험에 대해서 알고 있고, 자아개방과 피드백을 공유하며, 타인에게 접근하는 것 등은 여러분으로 하여금 인간이해를 위한 탐색을 계속하도록 도와줄 것이다.

만일 여러분이 자신을 좋아하지 않는다면, 여러분이 타인을 좋아하기는 더 어려울 것이다. 레어(Jess Lair)는 이러한 문제를 그의 책인 「나는 의심하지 않는가…… 당신 또한 의심하지 않는가」에서 예리하게 지적하고 있다.

내가 만난 사람들 중에서 스스로를 행복하다고 생각하는 소수의 사람들은 다른 사람들과 크게 다를 바가 없었다. 그들은 단지 있는 그대로 행복했고, 그들의 얼굴과 몸짓은 이러한 모습을 보여 주었다. 즉 그들의 얼굴은 관대하고 만족해 보였으며, 그들의 몸짓은 자연스러워 보였다.

여기서 나는 자신의 모든 행복, 평화, 만족, 그리고 평온 등이 자신을 수용하는 데서 시작된다는 것을 알았다. 자신의 생활을 보다 평화롭고 만족스럽게 보내려면 무엇보다도 먼저 자기 자신을 수용해야 한다.

어린 시절을 되돌아보면 나는 부족했다는 것을 느낀다. 나는 일들이 그릇된 방향으로 진행되고 있다는 것을 느낄 수 있었다. 철부지 어린 마음에서 볼 때, 그것은 나에게 어떤 잘못이 있었기 때문이었다. 내가 더욱더 과거의 내 모습을 두려워하게 되면서, 나는 나의 참모습이 아닌 타인의 모습으로 행세해야만 했다.

그러나 당신과 나는 자신의 기나긴 생활에서 결코, 도피할 수 없는 평범한 사람이고, 그러한 사람은 또한 바로 우리 자신이다. 여러분은 만일 인간이 자신의 전 삶을 타인과 함께 보내려 한다면, 인간은 서로 친구가 되어야 한다고 생각할 것이다. 그렇지만 불행하게도, 대부분의 사람들은 친구가 되어서 사는 것이 아니라 미워하고, 경멸하고, 무서워하면서 살고 있다. 그리고 사람을 미워하고, 경멸하고, 무서워하는 것은 다름 아닌 나 자신이다. 내가 만났던 사람들 중에서 어느 누구도 완전히 자신이 일해 온 방식에 만족해하는 사람은 없었다. 대부분의 사람들은 참을 수 없이 가능한 한 빠른 변화를 원하는 몇 가지 일 또는 많은 일들을 갖고 있었다. 그리고 그들이 느끼는 고통, 슬픔, 그리고 두려움이 자신들의 얼굴에 쓰여 있었다.

　나는 내 주변에 높은 담을 쌓고, 그래서 사람들이 나의 참모습을 보지도 발견하지도 못하게 해야겠다는 것을 느꼈다. 타인으로부터 나의 내면적 자아를 숨기는 과정에서 나는 그 내면적 자아를 나로부터 숨겨야 했고, 그래서 내 주변에서 나를 구해 줄 수 있는 사람들에게까지 더욱더 높은 담을 쌓아야만 했다.10)

모든 일은 자아에 대한 건전한 수용으로부터 시작된다. 그리고 이러한 수용은 점잖음(gentleness)과 터프함(toughness)의 조합에 의하여 이루어진다. 점잖음은 당신 자신을 돌봄으로써 당신이 타인에게 주려고 하는 것을 가질 수 있다는 점에서 당신에게 좋은 것이다. 또한 터프한 것은 방해가 되지만 변화시킬 수 있고, 그래서 이 것과 관련하여 해야 될 당신 자신의 일을 인정하는 것이다. 자아의 수용과 성장은 평생을 통하여 이루어지는 과정이고, 사람들로 하여금 타인과 더 풍요롭고 풍족한 상호작용과 관계를 맺을 수 있도록 해 주는 것이다.

---

10) JESSE LAIR, *Ain't I a Wonder……and Ain't You a Wonder, too*(출판지 미상 Doubleday & Company, Inc., 1969, 1972),으로부터 요약2.

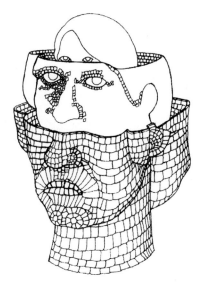

인간은 자신의 주변에 담을 쌓는다. 그러면
서 인간은 타인이 자신을 알아주길 바란다.

Ⅳ. 요 약

　자아개념은 타인과의 관계에 영향을 주고 있는 가장 중요한 요
인 중의 하나이다. 자아개념은 객관적으로 여러분이 누구이며, 자
신의 주변상황에 여러분이 어떻게 반응하며, 여러분이 현재 하고
있는 일상적인 일에 대한 표현과 관련된다. 자아개념은 획득되고,
자신의 생활에서 의미 있는 타인들의 영향을 받으며, 종종 자신의
외적인 측면으로까지 확대되며, 계속 강화되는 경향이 있다. 역할
은 인간이 접하는 다양한 사회적 상황에 의해 다소 표준화된 행동
형태이다. 역할은 인간 생활의 가장 자연스러운 부분으로서, 만일

역할이 사람의 진실한 면을 나타내지 못한다면 그것은 거짓된 것이 될 수도 있다. 조해리(Johari) 창(窓)에 있어서 네 부분 혹은 사분도는 (1) **공개적 부분**, (2) **맹목적 부분**, (3) **비공개적 부분**, (4) **미지적 부분**이다. 정보는 피드백, 자아개방, 통찰의 과정을 거쳐 **공개적 부분**으로 이동한다. 자기 자신에 대한 자아개념은 아주 개인적인 것이고, 긍정적 또는 부정적 인간관계의 기술을 형성하는 기초가 된다. 여러분의 현재 모습을 좋아하게 되면 타인을 좋아하기는 훨씬 더 쉬워질 것이다.

연습문제

1. [그림 2 - 8]에서 여러분은 25개의 정사각형이 그려져 있는 그림(grid)을 볼 수 있다. 백지에다가 [그림 2 - 9]와 똑같은 그림을 그린 다음 25개의 정사각형으로 잘라라. 그런 다음에 정사각형이 25개인지를 확인해 보아라. [그림 2 - 9]에서 여러분은 25개의 특성을 열거하고 있는 기록 표를 볼 수 있다. 각각의 정사각형에 1에서 25까지의 번호를 기록하라. 그다음번호가 부여된 각각의 특성들에 여러분의 견해를 반영하여 [그림 2 - 8]에다가 25개의 특성번호를 각각 분류해 보라. 여기서 각각의 줄(column)은 '가장 나에 해당된 것(Most like me)'으로부터 '가장 나에 해당되지 않는 것(Most unlike me)'에 이르기까지 다양한 명칭을 갖고 있다는 것에 주목해야 한다. 여러분은 그림에 있는 각각의 정사각형에 한 가지 특성만을 적용할 수 있다. 즉 여러분은 어떤 한 가지 특성이 여러분에게 가장 많이

해당되는지, 어떤 두 가지 특성이 그다음으로 많이 해당되는지 등과 같은 방식으로 결정해야만 한다. 여러분은 특성번호의 배열이 여러분 자신의 관점을 만족스럽게 나타냈다고 생각될 때까지 계속 배열을 조절해야 한다. 여러분이 만족스럽게 배열했다고 생각하면, [그림 2-9]의 "나는 나를 어떻게 보고 있는가(내가 나를 보는 바, How I See Me)"의 아래에 있는 점수판에다가 [그림 2-8]의 각 줄(column)에 딸린 순서번호 (Ⅰ~Ⅸ)를 기록하라.

다음에는, [그림 2-8]에다 배열해 놓은 [그림 2-9]의 특성번호를 적은 정사각형의 배열을 치워 버려라. 그리고 나서, 여러분을 잘 알고 있는 어떤 사람에게 부탁하여 그 사람이 여러분을 보는 관점을 배열해 달라고 요청해 보라. 단 그 사람에게는 여러분이 기록한 것을 보여 줘서도 안 되고, 여러분이 자신에 대해서 어떻게 평가했는가를 말해 줘서도 안 된다. 그 사람으로 하여금 여러분이 앞서 했던 방법과 똑같은 방식으로 실시하도록 가르쳐 주고, 그 사람이 여러분의 특성에 대하여 만족스럽게 평정했다고 느낄 때까지 [그림 2-9]의 특성이 적힌 번호의 배열을 조절하도록 하라. 그 사람이 다 끝마쳤으면 [그림 2-8]에 있는 줄(column)의 번호를 [그림 2-9] 중에서 '타인은 나를 어떻게 보는가(타인이 나를 보는바, How Others see Me)' 아래의 점수판에 적어라.

마지막으로, 전과 같이 [그림 2-8]에 배열해 높은 [그림 2-9]의 특성번호를 적은 정사각형의 배열을 치워 버려라. 그러고 나서 '나는 내가 어떻게 되기를 원하는가(앞으로 내가 되고 싶어 하는 바, How I Would Like To See Me)' 하는 관

점에서 자기 자신의 특성을 배열해 보라. 앞에서 밟은 절차와
똑같이 해서 [그림2－9]의 맨 마지막 점수판에 [그림 2－8]에
있는 줄(column)의 번호를 위와 같은 방식으로 적어라.

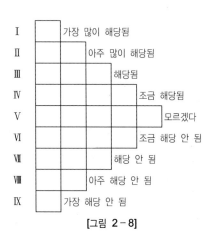

[그림 2－8]

　[그림 2－9]의 점수판에 적은 [그림 2－8]의 줄(column) 숫자를
비교해 보라. 여러분이 자신을 보는 관점과 타인이 여러분을 보는
관점과 여러분이 앞으로 되고 싶어 하는 관점들에 적힌 번호가 상당
히 비슷한가, 아니면 아주 큰 차이가 있는가? 여러분은 이 연습문제
를 통해서 무엇을 배웠는가? 여러분이 배운 것을 여러 다른 사람들
과 함께 이야기해 보고, 여러분이 발견한 것을 이들과 비교해 보라.

특성	내가 나를 보는 바	타인이 나를 보는 바	앞으로 내가 되고 싶어 하는 바
1. 야망 있다			
2. 근심에 차 있다			
3. 조심성 없다			
4. 비판적이다			
5. 방어적이다			
6. 의존적이다			
7. 남을 지배하려 한다			
8. 다정하다			
9. 행복하다			
10. 정직하다			
11. 머리가 좋다			
12. 책임감이 없다			
13. 질투가 많다			
14. 게으르다			
15. 귀엽다			
16. 변덕스럽다			
17. 조직적이다			
18. 인기가 있다			
19. 자신감이 있다			
20. 이기적이다			
21. 신경질적이다			
22. 수줍어한다			
23. 고집이 세다			
24. 신뢰할 만하다			
25. 이해심이 있다			

[그림 2-9]

2. 다음의 질문에 응답하고(옳으면 '옳다'에 ○표, 그르면 '그르
   다'에 ×표), 여러분이 응답한 내용을 84페이지에 제시한 정답
   과 비교해 보시오.

옳다 그르다 a. 역할극(role playing)은 항상 거짓된 것이고 피해

야 될 것이다.

옳다 그르다 b. 의미 있는 타인(significant others)은 영화배우나 유명한 정치인을 말한다.

옳다 그르다 c. 의미 있는 타인이 말하는 것을 우리가 어떻게 해석하느냐 하는 것은 그들이 사용하는 말보다 더 중요하다.

옳다 그르다 d. "당신이 내 차에 손대면, 나는 당신의 얼굴을 확 긁어 놓겠어."라고 말하는 것은 자아를 너무 확대해서 보는 데서 오는 으름장(bumper sticker)에 해당된다.

옳다 그르다 e. 사람은 타인과의 관계에 있어서 항상 자신을 개방하고 있어야 한다.

밑줄 친 부분에다가 다음의 내용이 공개적 부분, 비공개적 부분, 맹목적 부분 중에서 어느 경우에 해당하는지를 적어 보라.

_____ f. 피고용인이 자신의 고용주에게 더 많은 도움이 있어야 되는 일인데도 너무나 많은 부수적인 일이 더 부과되고 있다고 말해 주었다.

_____ g. 병철이는 갑자기 크게 화를 냈다. 그러나 그는 자신이 왜 화를 냈는지 설명할 수 없었다.

_____ h. 영희는 자신의 방 친구가 자기보고 털털하고 지저분하다고 생각한다는 것을 알지 못하고 있다.

_____ i. 동우는 숙제가 너무 많다고 생각하지만 선생님에게 말씀드리는 것을 주저하고 있다.

3. 여러분이 조금 아는 사람으로부터 아주 여러분에게 의미 있다고 생각되는 사람까지를 포함해서, 여러분이 알고 있는 세 사람에 대하여 조해리 창에 창틀의 크기와 형태를 그려 보라.

   a. 여러분은 이들 세 사람에 대해서 얼마나 자아를 개방할 것인가를 어떻게 결정하는가?

   b. 여러분이 그전보다 타인과 공개적인 관계를 맺고 있다면, 어떤 일로 인해서 비공개적 부분과 맹목적 부분이 공개적인 부분으로 바뀌게 되었는가?

4. 소집단을 만들어라, 그리고 본 장의 끝 부분에서 인용한 레어(Jess Lair)의 말을 다시 읽어 보라. 여러분의 반응은 어떠한가, 즉 여러분은 이러한 말에 동의하는가, 동의하지 않는가? 사람들이 자신에게 어떤 일이 있을 때 자신에 대해서 어떻게 느끼는지를 자신들의 몸짓이나 얼굴 표정을 통해서 어떻게 보여 주는가? 자아개념을 개선하는 데 있어 변화는 어떻게 긍정적인 요인이 될 수 있는가? 우리는 어떤 형태의 '담'을 자신의 주변에 쌓으려 하는가? 우리는 그러한 '담'과 관련하여 어떤 일을 할 수 있는가?

5. 각자 단어, 그림, 색연필 또는 크레용, 사진 또는 잡지를 오린 것, 기타 여러분이 사용할 수 있는 것 등을 활용하여 85페이지에 있는 [그림 2 – 10]의 '꽃'의 부분 부분을 완성해 보라.

   1이라고 쓰인 곳에는 여러분의 강점, 긍정적 자질, 성공한 일, 기타 여러분 자신에 대해서 흡족했던 일과 같이, 자기 자신의 좋은 점들에 대하여 써 넣어라.

   2라고 쓰인 곳에는 여러분이 자신에게서 개선하고, 변화시키고, 더욱더 좋게 만들고 싶은 점들을 써 넣어라.

3이라고 쓰인 곳에는 여러분이 생각하기에 타인들이 여러분을 어떻게 보고 있는지와 관련된 점들에 대하여 써 넣어라.

4라고 쓰인 곳에는 여러분이 자신을 어떻게 보고 있는지와 관련된 점들을 써 넣어라.

5라고 쓰인 곳에는 여러분의 미지적 부분, 즉 미래에 대한 아름다운 꿈, 여러분이 두려워하는 일 또는 여러분이 가지고 있는 의문점 등과 관련된 내용들을 써 넣어라.

이상 5가지 부분을 둘러싼 점 찍힌 부분에는 여러분이 이러한 점들을 갖춤으로써 타인에게 자신을 공개하고 스스로는 편안함을 느낄 수 있다고 생각하는 자질, 특성, 성격 등과 관련된 것들을 써 넣어라.

이 꽃의 줄기와 뿌리를 보아라. 여러분은 여러분 자신을 돌보기 위해서 어떤 일을 해야 하는가? 즉 여러분은 자신이 성장하고, 꽃피우고, 가능한 한 가장 긍정적인 사람이 되기 위해서 어떻게 해야 하는가? 여러분은 성장하고 양육을 받는 과정에서 도움을 받을 수 있는 타인을 어떻게 찾을 것인가? 줄기와 뿌리에는 이러한 물음에 대한 응답을 적어라.

이러한 일을 다 했으면, 소집단을 만들고 자신의 '꽃'에 대해서 의견을 교환해 봐라. 그리고 여러분은 자아를 개방하길 원하는지, 그리고 개방을 원한다면 언제 할 것인지를 결정해야 한다는 것을 염두에 두어야 한다. 만일 여러분이 이러한 연습문제로 해서 불편한 마음을 가졌다면, 연습문제에 관하여 서로 토의하기 전에 편안함과 불편함과 관련된 여러분 자신의 문제와 느낌에 대하여 대화를 나눠도 좋다. 그렇지 않고 여러분이 그대로 '진행'하고자 한다면, 그렇게 해도 좋다. 그리고 서로 다른 사람과 교환해 볼 것인가 아닌가 하는 결정은 집단 모든 구성원들의 의견을 존중해 줘서 해야만 한다.

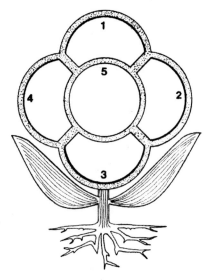

[그림 2-10] 내가 가꾸어야 할 나

6. 여러분 자신의 꽃에 대한 의견교환을 마치면, 집단 내에 있는 타인에게 피드백을 제공하라. 여러분은 다음과 같이 말하면서 시작할 수도 있을 것이다. 즉 "내가 너의 꽃에서 처음으로 본 것들 중에 하나는 ……이다." 또는 "너에 대하여 내가 지각한 것은 ……이기 때문에, 네가 ……라고 말해서 나는 참 놀랐다." 또는 "나는 네가 ……에 대해서 말한 것은 참 좋았다. 즉 그것은 나에게 네가 ……했었다는 것을 말해 주었어."와 같이 말을 시작할 수 있을 것이다.

7. 이러한 연습문제를 해 봄으로써 여러분의 조해리(Johari) 창은

어떤 방식으로 변화했는가? 이전의 조해리 창과 이후의 조해리 창을 그림으로 그려 보라. 여러분은 여러분 자신과 타인에 대해서 무엇을 배웠는가?

정 답

a. (그르다). 표준화된 형태의 행동이나 처신은 거짓된 것이 아니라는 것을 생각해 보라. 즉 여러분은 자신이 피고용인, 학생 또는 친구의 역할을 연출할 때와 아들이나 딸의 역할을 연출할 때 다른 측면의 성격을 보여 준다.

b. (그르다). 여러분에게 의미 있는 타인은 여러분 자신의 사적인 생활에 중요하고 영향력 있는 사람들이다.

c. (옳다). 때때로 "행동은 말보다 더 우렁차다." 그리고 만일 여러분의 해석이 실제적인 말과 다르게 될 경우, 그러한 해석은 더 중요하게 된다.

d. (옳다). 사람들은 대개 자가용 자동차와 같은 그러한 소유물에다 자아를 확대하여 생각한다. 그래서 자신의 자가용을 훼손하는 것을 그 사람은 자신의 자아개념을 '훼손하는' 것과 동등하게 본다.

e. (그르다). 적절성, 신뢰와 개방성의 수준, 모험 감행 등은 자아개방과 관련하여 상식적으로 고려해야 할 것들이다.

f. 이러한 정보는 공개적 부분에 해당된다. 왜냐하면 이것은 자신과 타인 모두에게 알려졌기 때문이다. 즉 전에 이것은 비공개적 부분이었다. 그러나 자아개방은 비공개적 부분에 변화를 주었다.

g. 이러한 정보는 미지적 부분에 해당된다. 왜냐하면 병철이가 왜 화를 냈는지 아무도 알지 못하기 때문이다.

h. 이러한 정보는 영희에게는 맹목적 부분이다. 그리고 영희의 방 친구에게는 비공개적 부분이다. 영희의 방 친구가 영희에게 여러 번 피드백을 제공하면, 이것은 공개적 부분이 된다.

i. 이러한 정보는 동우에게는 비공개적 부분이고, 선생님에게는 맹목적 부분이다.

제3장 감정의 동물인 인간, 나

　나는 화가 날 때, 나 자신에게서 일어나는 모든 종류의 변화를 의식한다. 즉 나의 심장은 뛰고 머리는 달아오르고 힘이 불끈 솟아 오름을 느낀다. 비록 안정상태를 유지하려 해도, 나는 거의 무의식 적으로 주먹이 불끈 쥐어지고, 이가 악물리며, 눈이 가늘어지며, 목 소리가 변하게 된다. 내심으로 나는 분노를 느끼고 방어적이게 된 다. 그리고 종종 내가 생각하기에 나를 기분 나쁘게 했던 것들이나 사람들에게 보복하고자 하는 마음이 자주 일어난다.

　사랑은 지지적이고 명쾌하며 행복한 감정, 즉 따스하고 내심에서 우러나오며 친근한 아주 '기분 좋은' 감정이다. 나를 괴롭힐 만큼 나쁜 일이 아니고, 바깥 날씨가 흐리고 어두침침하다 할지라도, 사 랑은 마음속에서 일어나는 감정이기 때문에 나로 하여금 항상 웃 음을 잃지 않게 한다. 또한 사랑은 묘한 감정이어서, 내가 사랑을 받고 있거나 주고 있다고 느낄 때 내 주변의 모든 사람들은 더욱더 선하게 보인다.

　공포란 무엇인가? 내 배를 얼음처럼 차가운 손으로 갑자기 움켜 쥔 것 같은 으슬으슬한 감정이다. 내 마음은 너무나 격동해서 온몸, 머리끝까지 억압하는 공포의 감정, 즉 아주 지독하게 무서운 감정에 압도되기도 한다. 나는 때에 따라서 공포의 감정으로 인해 아주 위축되고 무기력하게 된다. 그러나 어떤 때는 공포의 감정으로 해서 내가 전에 달리 시도할 수 없었던 행동을 하게 되기도 한다.

분노(anger), 사랑(love), 그리고 공포(fear)에 대한 여러분의 관점과 몇 명의 내 제자들이 앞에서 언급한 세 가지 감정에 관련된 관점 사이에 유사성이 있는가? 비록 우리가 이러한 정서(emotions)를 느껴 왔음에도 불구하고, 이러한 정서를 정확하게 밝히고 기술하기에는 종종 어려움이 따른다. 정서(emotions)와 감정(feelings)은 자신을 이해하고 타인과의 관계 이해를 위한 통합 부분이다. 또한 감정을 인식하고 표현하는 것은 자신의 인간다움과 관련된 가장 강력한 두 가지 측면이다.

인간이 정서와 감정을 갖는다는 것은 자연스럽고, 정상적이며, 심리적으로 건강한 것이다. 그런데 인간은 왜 종종 자신의 감정표현을 주저하고, 감정을 다루기에 곤란을 느끼는가? 이러한 문제와 관련시켜 이 장에서는 정서의 발달과 관련된 몇 가지 기본적 요소를 고찰하고, 문제되는 정서들의 처리방법을 살펴보고, '정서적 경품권 (emotional trading stamps)'의 수집에 대하여 살펴본 다음, 마지막으로 감정표현을 위한 몇 가지 제안점에 대하여 알아보기로 한다.

I. 정 서

사람들은 대개 정서의 경험을 감정(feelings)이라 생각한다. 많은 정서들은 또한 신체 내의 다양한 화학적 변화를 포함하기 때문에,

우리는 정서를 생리학적인 것으로 볼 수 있다. 그렇지만 이러한 신체적인 반응은 정서를 경험할 때 자동적으로 나타난다. 그래서 인간은 정서의 생리학적인 측면을 거의 통제할 수 없게 된다. 예를 들어, 사람은 자신이 화가 났을 때, 자신의 심장더러 더 빨리 뛰라고 말할 수는 없다. 이것은 저절로 일어나는 현상이기 때문이다. 이러한 이유 때문에, 이 장에서는 정서를 심리학적인 관점에 국한하여 논의하고자 한다.

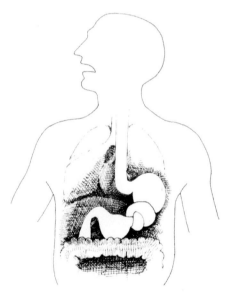

[그림 3-1] 정서는 사람의 내부기관에도 영향을 준다. 여러분은 자신의 배 속이 이유 없이 '꽉 막히는 것 같은 느낌을 가져 본 적이 있는가?

사람은 분노, 기쁨, 슬픔, 무서움 또는 혐오 같은 특정한 감정이나 정서를 경험한다. 그렇지만 인간은 또한 기분(mood)이라고 하는 보다 일반적인 종류의 정서를 경험하기도 한다. 기분은 흔히 타인에게 명확하게 지각된다. 즉 우리는 "오늘 재홍이한테 잘못 보이면 안 좋아, 재홍이가 오늘 저기압 상태야." 또는 "오늘 그 시험을 마치고 선생님을 찾아뵐까 봐, 선생님은 오늘 기분이 아주 좋아 보여." 등과 같이 말할 때가 있다. 자신의 기분은 일반적인 감정의 색조(feeling tone)이고 자신의 정서에 상당한 영향력을 갖는다. 만일 자신의 기분이 나쁜 상태이면, 어제의 기분 나빴던 일로 해서 오늘도 공연히 화를 낼 수도 있을 것이다. 반면에 오늘의 기분이 좋으면 전에 있었던 부정적인 정서도 말끔히 사라질 것이다.

1. 정서의 발달

정서는 유쾌한 것일 수도 있고 불쾌한 것일 수도 있고, 마음에 드는 것일 수도 있고 안 드는 것일 수도 있으며, 괴로운 것일 수도 있고 즐거운 것일 수도 있다. 아주 어린 나이에 가장 기본적인 두 가지 정서는 기쁨과 슬픔이다. 갓난아기들은 울음의 세계에 접어들게 되면 수개월이 지나는 동안은 주기적으로 울음에 의해서 자신의 흥분상태를 계속 표현하려 한다. 아기에게 있어서 울음은 최초의 유일한 정서표현의 방법이다. 그러나 2~3주 정도가 지나면, 아기는 자신의 정서적 표현을 미소, 까르르 웃는 것(gurgling), 기타 애기들이 즐거울 때 내는 소리 등과 같은 방법을 통해 기쁨의 정서를 표현하는 쪽으로 발전한다. 기쁨과 슬픔 두 가지 정서로부터, 여러 가지 다양한 정서반응들이 분화된다. 예를 들어, 어린이는 손이 미치지 못하는 곳에 장난감이 놓여 있어 갖고 놀지 못하거나, 생리적 욕구가 충족되지 않거나, 침대가 너무 비좁을 때나, 기타 이와 비슷한 다른 상황에서 욕구좌절과 심각한 고통을 경험하기도 한다.

사람은 세상을 알게 되면서, 타인의 행동을 재현하고 모방하거나 자신의 경험을 통해서 공포, 분노 또는 기쁨과 같은 정서를 배우게 된다. 곧이어 인간은 어떤 형태의 가져올 수 있는 결과를 알게 된다. 예를 들어, 만일 기질적인 울화가 계속되면, 어떤 형태의 행동을 나타내기 시작할 것이며, 이러한 형태의 행동은 수용될 수 없다는 것을 자신이 알게 될 때까지 그 행동은 계속될 것이다.

인간이 성장함에 따라, 자신의 부모나 기타의 다른 역할 모델이 되는 사람들은 우리들에게 어떤 정서는 자제하고 어떤 정서는 타인에게 자유롭게 표현하도록 가르쳐 준다. 처벌과 보상은 정서적 행동형태의 발달에 있어 아주 중요한 요인들이다. 거의 모든 인간들은 신체적인 것이든 사회적인 것이든 간에 어떤 종류의 처벌을 자초할 수도 있는 정서들을 회피하도록 배워 왔고, 회피하려고 노력하고 있다.

2. 정서표현의 변화

어린이와 성인의 정서적 표현방법을 비교해 보자. 대개 어린이들은 자신들의 정서표현에 있어 훨씬 더 개방적이고 자유스럽다. 그러나 어린이가 성숙하면서, 정서표현의 방법은 수정되고 변화된다. 그래서 어린이는 주변의 사회적 환경에 비추어 자신의 정서를 '표현한다'. 어린이가 더 성장하게 되면, 과격한 표현(outbursts)은 줄어든다. 왜냐하면, 어린이들은 성숙된 성인과 같이 '행동하기'를 원하고, 성인들이 울음이나 싸움과 같은 과격한 형태의 표현을 좋아하지 않는다는 것을 알기 때문이다.

당황한 어린이는 정서를 서둘러 극복하려 하지만 어린이와 똑같은 정서를 청년이 경험하게 되면 어린이와는 다른 방식으로 그 일을 수습하려 든다. 분노, 욕구좌절, 그리고 실망 등은 종종 위축되고 당분간 지속될 수 있는 '나쁜 분위기' 속에서 흔히 나타난다. 이것은 또한 일시적으로 걱정을 증가시키고 '자존심을 상하게' 한다. 왜냐하면, 젊은이들은 공포, 분노, 의심, 죄의식 등과 같이 자신이 느끼는 다양한 정서와 억제되어야 하는 정서 사이에서 쉽게 맹목적으로 표현하기 때문이다. 결과적으로 사람들은 자기 자신과 자기 자신의 정서적 능력을 확신하지 못하게 된다. 즉 자신의 지적인 능력이 증가되고 타인에 대하여 더 많이 알게 되면, 인간은 자신의 정체성(self identity)과 타인과의 관계에 대하여 더 많이 생각하고 의문을 갖게 된다.

[그림 3-2] 이 사람의 감정을 묘사할
수 있는 제목을 정해 보라.

이 단계에서 어떤 사람들은 단순히 자신들이 원하는 것을 얻기 위한 시도로 자신들의 정서표현의 방법을 변화시키고자 한다. 예를 들어, 기질적으로 울화는 '말 안 하는 것(silent treatment)'이나 '내 주변의 어느 누구도 나를 사랑하지 않는다(Nobody – around – here – loves – me)'는 배타적인 증후군 또는 입을 삐쭉거리는 식의 행동으로 변하게 된다. 만일 어떤 사람이 정서적 표현과 통제 사이의 균형을 이룰 수 있는 형태의 정서적 능력을 갖출 수 있다면, 그 사람은 한편으로는 자신의 정서를 강력하게 건설적인 방식을 통해서 자유롭게 표현할 수 있을 것이고, 다른 한편으로는 자기 자신과 타인에게 파괴적이고 해가 되는 정서나 표현을 통제할 수 있게 될 것이다.

---

1. 다음의 문장을 가능한 한 빨리 완성해 보라.

사람은＿＿＿＿＿＿＿＿＿＿＿＿＿＿＿＿＿＿＿＿＿＿＿＿＿＿할 수 있다.

울음은＿＿＿＿＿＿＿＿＿＿＿＿＿＿＿＿＿＿＿＿＿＿＿＿＿＿＿이다.

나는 화가 날 때,＿＿＿＿＿＿＿＿＿＿＿＿＿＿＿＿＿＿＿＿＿＿한다.

공포는＿＿＿＿＿＿＿＿＿＿＿＿＿＿＿＿＿＿＿＿＿＿＿＿＿＿된다.

나는＿＿＿＿＿＿＿＿＿＿＿＿＿＿＿＿＿＿＿＿＿＿＿할 때 불안하다.

2. 자신의 감정표현에 대하여 배운 것을 요약하는 문장을 간단히 써 보라.

---

3. 정서의 영향

정서는 여러분에게 어떠한 영향을 미치는가? 여러분은 화나거나, 두렵거나, 신경질이 날 때 어떤 느낌을 갖는가? 여러분이 이러한 정서를 경험할 때, 여러분의 신체적 반응은 여러분 자신의 '감정'

에 관련된다. 화가 날 경우에, 여러분의 신체는 행동으로 변화된다. 즉 숨을 가쁘게 내쉰다든지, 심장이 빨리 뛴다든지, 근육이 수축된 다든지, 온몸의 피가 빨리 순환됨으로써 체온이 뜨거워지는 것을 느낄 수 있을 것이다. 여러분은 이러한 경우에 "속이 터질 것만 같아!" 아니면 "머리가 빠개지는 것 같아!"라고 말했을 것이다.

여러분은 자신의 신체더러 싸울 준비를 하라고 말할 수가 없다. 왜냐하면, 여러분의 몸은 심장으로 연결되는 신경조직을 통해서 자동적으로 자극을 받기 때문이다. 즉 여러분의 부신선은 자극을 받고, 부신호르몬이 혈관 속으로 방류되며, 그 결과로 인해서 힘이 생기고 행동은 민첩하게 된다. 또한 이러한 변화는 자신의 '감정'에 영향을 주고, 분노와 정서와 관련된 원인이 되기도 한다. 마찬가지로 다른 정서들도 신체적인 반응을 수반하게 된다. 그리고 이러한 변화는 자동적이고 인간이 느끼는 정서의 한 부분이 된다.

다음과 같은 상황을 생각해 보라. 즉 화창한 여름 날 여러분이 어떤 호숫가 후미진 곳으로 작은 카누(canoe)를 타고 낚시를 하러 가고 있었다. 그런데 갑자기 여러분이 가고자 하는 반대 방향에서 다가오는 동력선의 소리가 들려오고, 그 배는 아주 빠른 속도로 여러분의 주변을 스쳐서 지나가는 것이다. 그래서 여러분의 카누는 거의 전복될 위험이 있는 상태이다. 배는 계속 여러분 곁으로 돌진해 달려오고, 그 배의 기관사인 소녀의 키가 너무 작아서 타륜(steering wheel, 역주: 배의 운전대)의 윗부분을 보기 위해서는 의자에 올라서야만 한다는 것을 여러분이 알게 되었다. 이러한 상황에서 여러분은 어떤 감정을 경험하겠는가? 어떤 감정인지를 열거해 보고, 그러한 감정에 대해서 다른 사람들과 얘기를 나눠 보라. 만일 여러분이 지금 당장 그 배의 기관사인 소녀에게 말을 전할 수 있다면, 여러분은 무어라 말을 할 수 있겠는가? 여러분은 차나 비행기나 자전거를 타고 이와 유사한 상황에 처해 본 적이 있는가? 그때에 여러분은 어떻게 행동하였는가?

이제는 다음과 같은 상황을 생각해 보라. 여러분이 그날의 낚시를 그만두기로 결정하고 질주했던 동력선이 정박하고 있는 호숫가로 카누의 노를 저어 간다. 그리고 여러분은 거기서 구급차 한 대가 도착한 것을 보고, 여러분 옆으로 질주했던 동력선을 운전했던 어린 소녀가 들것을 뒤따라 구급차에 타는 것을 보게 된다. 여러분이 호숫가에 도착했을 때, 여러분은 그녀의 아버지가 호수에서 갑자기 심장마비를 일으켰고, 불과 열 살밖에 안 된 소녀였음에도 자기 아버지를 호숫가로 옮겨 올 수 있었고 거기서 구급차를 불렀다는 것을 알게 되었다. 이러한 경우에 여러분의 감정은 어떻겠는가? 앞서의 감정이 변했는가? 이러한 경우에 대해서 다시 얘기를 나눠 보라.

이 짧은 이야기는 감정에 관련된 몇 가지 문제를 설명해 준다.

(1) 감정은 인간의 내부적인 측면에 영향을 준다. 대개 모든 사람들은 이러한 경험을 밝힐 수 있거나, 이미 있었던 이와 유사한 '위기일발(close – call)'의 경험을 회상할 수가 있다. 그리고 이러한 경험들로 인해 생겼던 내적인 감정을 기억할 수가 있다. 사람들이 자신이 나눈 악수와 자신이 가졌던 심장의 고동에 대해서 이야기를 할 때, 그 사람들은 감정에 의해 생겨난 힘(energy)에 대한 내적인 신체상의 반응에 관하여 말하고 있는 것이다. 그리고 이러한 감정들은 자신들에 있어 아주 진실한 것들이다.

(2) 인간은 온화한 것에서부터 아주 강력한 것에 이르기까지 다양한 수준의 감정을 종종 경험한다. 감정의 강도는 자신이 해야 할

것을 감정과 관련시켜 결정하도록 돕는다. 즉 사람이 온화한 감정을 경험할 때의 반응은 아주 강력한 감정을 경험할 때와는 상당히 다르다.

(3) 때때로 일차적인 감정은 이차적인 감정에 의해 가리어진다. 사람들은 앞서의 상황과 관련하여 다양한 감정을 경험했을 것이다. 그러나 가장 공통적인 감정은 공포와 분노의 감정일 것이다. 대부분의 사람들에게 있어, 인간의 일차적인 감정은 충돌에 대한 공포, 전복에 대한 공포, 익사에 대한 공포 등과 같은 공포의 감정이다. 그리고 이차적인 분노의 감정은 일차적인 공포의 감정을 대신할 수도 있을 것이다. 만일 여러분이 앞서의 동력선을 운전한 소녀에게 어떤 말을 할 수 있었다면, 여러분은 아마도 "이 바보 같은 계집애야!" (아니면 '더 지독한' 말로!), "너 죽으려고 환장했어." "야……같은 놈아" 또는 그 사람을 꾸짖는 다른 쌍말을 했었을 것이다. 이러한 진술문들을 살펴보면, 이는 감정의 진술이며 감정의 표현이 아니라는 것을 알 수 있다. 사람은 종종 자신이 경험하고 있는 감정을 밝히고 명명하기가 어렵다는 것을 알게 된다. 그래서 그 대신에 사람들은 이러한 감정을 보다 진실한 감정을 포함하는 진술문, 의견, 비난 등의 말로 바꾸고자 한다.

(4) 감정은 일시적인 것이다. 즉 사람이 새로운 정보를 알고 새로운 경험을 하게 되면서 감정은 변한다. 우리가 보통 감정이 변화되고 수정된다고 할 때, 이러한 말은 어느 한 감정이 또 다른 감정보다 "더 좋다"고 하는 것을 암시하지는 않는다. 인간은 새로운 정보에 접함으로써 자신의 분노와 관련된 감정일지라도 그것은 관심과 찬미의 감정으로도 변화될 수 있다.

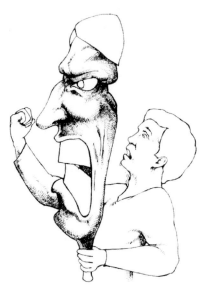

[그림 3-3] 여러분은 화를 냄으로써 보다 일차적인 감정을 '숨긴' 적이 있는가? 여러분이 불쾌하게 생각하고 싫어하는 사람에게 말을 거는 데는 어떤 모험이 포함되는가?

1. 여러분의 정서와 깊게 관련된 최근의 경험을 생각해 보라. 그리고 나서 여러분 자신의 감정을 기술해 보라. 어떠한 방식으로 그러한 감정들이 자신의 신체에 영향을 주었는가? 여러분은 그러한 감정을 어떻게 표현하고 다루었는가?

2. 부적절한 감정표현을 해서 여러분이 주변 상황을 다루는 데서 문제와 어려움을 갖게 되었던 때를 생각해 보라. 여러분은 어떤 방법으로 자신의 감정표현을 개선하려고 하였는가?

3. 감정표현과 관련하여 여러분은 어떤 '메시지(message)'들을 배워 왔는가? 이것은 여러분에게 어떤 영향을 주었는가?

Ⅱ. 곤란을 느끼는 정서의 처리

어떤 정서들은 다른 정서들보다 더욱더 곤란을 야기한다. 이러한 정서에는 공포, 불안, 분노, 그리고 적개심과 사랑이 있는데, 이들 정서는 흔히 경험하는 것이고 복합적인 반응으로 나타난다.

1. 공포(fear)

모든 사람들은 공포의 정서를 경험한다. 이는 여러 가지 형태로 나타나며, 여러 가지 목적을 갖게 되고, 여러 가지 반응을 불러일으킨다. 공포와 불안을 구별하는 것은 아주 중요하다.

> 공포는 불쾌감과 관련된 감정이다. 실제적인 고통을 수반하기도 하며 실패와 고독에 대한 공포와 같은 다른 종류의 근심을 수반하기도 한다. 때로는 공포의 근원을 이해할 수 없는 경우도 있다. 그러므로 이러한 공포를 불안이라고 부른다.[1)

사람들은 공포의 정서를 위험이 다가오고 있다는 일종의 경계의 형태로 느낄 것이다. 이러한 경계는 외적인 '단서적 자극'의 형태를 취할 수도 있으며, 여러분 자신이 학습한 것을 반영하기도 한다. 예를 들어, 만약 여러분이 총기를 소지한 강도와 마주쳤다면 여러분은 아마도 기겁을 하며 놀랄 것이다. 이러한 공포의 감정은 외적인 힘에 의해서 야기된다. 또는 여러분이 알고 있는 어떤 사람이

---

1) WILBERT JAMES MCKEACHIE and CHARLOTTE LOCKNER DOYLE, *Psychology*, 2nd ed.(Reading: Addison-Wesley Publishing Co. Inc., 1970) n 211.

불에 타 죽었다는 사실로 인해서 여러분은 불만 보아도 공포를 느끼게 될지도 모른다. 이러한 경우에 여러분은 과거경험의 결과로 해서 공포를 경험하는 것이다. 때로는 사람들은 공포를 학습하지 말아야 한다. 예를 들어, 여러분이 어린아이였을 때에 혼자 떨어져 있거나 어둠 속에 있게 되었을 경우에 여러분은 두려움을 겪었을 것이다. 그러나 여러분은 성장하게 되면서 그러한 공포에서 벗어나려고 매우 노력했을 것이다.

사람들이 위협이나 공포라고 생각하는 많은 상황들은 사회적인 성격을 띠는 경향이 있다. 즉 집단에서 소외되었을 때의 공포, 거절과 조롱당할 때의 공포 등이 그러한 것들이다. 사람들은 나이가 들면서, 사회적 상황과 관련하여 더 많은 '공포'를 느끼고 단순한 신체적 위험에는 별로 공포를 느끼지 않는 것 같다.

공포의 반응들은 경험을 통해서뿐만 아니라 보기(example)나 현상을 통해서도 학습된다. 즉 여러분이 천둥소리를 두렵다고 생각하는 것은 과거에 여러분의 형과 누이와 부모가 천둥소리가 두렵다고 생각하는 것을 목격한 적이 있기 때문에 그럴 수도 있다. 여러분은 타인이 모욕과 거절을 받는 상황을 목격한 경험이 있을 것이고, 그래서 여러분은 자신에게는 그러한 경우가 결코 일어나지 않도록 해야겠다고 맹세했을지도 모른다. 또한 여러분은 어떤 사람이 자신의 어떤 행동 때문에 처벌을 받는 것을 목격했을 것이고, 그러한 처벌에 대한 여러분 자신의 공포가 여러분으로 하여금 그러한 행동을 하거나 유사한 처벌을 받는 것을 멀리하게 하였을지도 모른다.

공포는 건설적인 것이 될 수 있다. 즉 거의 모든 사람들이 위험과 모험을 접하기 때문에, 여러분이 자신의 위험 상황에서 어떻게 반응하고 자신의 행동이 어떤 결과를 초래할지에 대하여 알게 된다면 여러분은 해로운 결과를 어느 정도 모면할 수도 있다. 이러한 경우의 공포를 '건전한 공포'라 한다. 예를 들어, 여러분이 입고 있는 옷에 불이 붙었을 경우 양팔을 휘저으며 불을 끄려고 안절부절 못한다면, 불은 꺼지지 않고 더욱 번지게 될 것이다. 그러나 대부분의 사람들은 이러한 사실을 알고 있으면서도 상황이 그런 행동을 요구할 때 이러한 지식을 적용하는 사람은 드물다.

여러분이 앞으로 일어날지도 모르는 상황에 대해서 미리 대비할 수는 없을 것이다. 그러나 자신의 특정한 '공포상황'과 관련된 원인과 반응에 대한 보다 일반적인 지식은 여러분으로 하여금 당황하지 않고 그러한 상황을 처리할 수 있도록 하는 건설적인 접근을 가능하게 해 준다. 여러분을 압도하는 상황 또한 항상 있기 마련이지만 대부분의 경우에 있어 여러분이 공포를 인식할 수 있고 어떤 행동이 기대되는지 그리고 어떤 행동을 취해야 하는지를 알 수 있다면, 여러분은 건설적으로 그 상황에 반응할 수 있다.

2. 불안(anxiety)

사람들이 자신의 공포의 근원에 대해서 알지 못하는 경우, 그 사람은 불안을 경험하고 있는 것이다. 메이(Rollo May)는 자신의 저서인 「인간의 자아에 대한 탐색(Man's Search for Himself)」에서 다음과 같이 말하고 있다.

불안은 '사로잡히고', '압도되는' 감정으로 격렬해질수록 일반적으로 우리의 지각은 희미하고 모호해진다. 불안은 미약하게 일어날 수도 있고 강력하게 일어날 수도 있다. 불안은 어떤 중요한 사람을 만나기 전의 약한 긴장일 수도 있고, 자신의 미래가 좌우되는 시험을 앞에 두고 합격 여부가 불확실할 경우에 있을 수 있는 염려일 수도 있다. 불안은 또한 비행기 사고로 사랑하는 사람이 목숨을 잃지나 않았는지 혹은 아이가 무사히 집에 돌아올 것인지에 대한 소식을 애타게 기다리면서 이마에 맺힌 구슬땀을 닦을 때 경험하는 무시무시한 공포일 수도 있다. 사람들은 여러 가지 방식으로 불안을 경험한다. 즉 그러한 경험은 가슴이 '찢어지는' 듯한 것일 수도 있고, 가슴을 조이는 것일 수도 있으며, 일상적으로 당황하는 것일 수도 있다. 또한 사람들은 불안을 눈앞이 캄캄해질 때의 감정이나, 무거운 물건이 자신들을 짓누를 때의 감정 혹은 어린이가 길을 잃어버렸을 때 느끼는 감정과 같은 것이라 말하고 있다.

실로 불안은 형태와 강도가 다양하다. 왜냐하면, 불안은 자신의 생존을 위협하는 요인들과 자신의 목숨과 동일시하는 어떤 가치에 대한 인간의 기본적인 반응이기 때문이다. ……그리고 불안을 야기하는 것은 경험의 양이 아니라 바로 경험의 질이다.[2]

때때로 약간의 불안은 건설적일 수 있다. 즉 약간의 불안은 인간에게 어떤 일이 잘못되었는지에 대하여 충고를 해 줄 수 있다. 시험합격 여부에 대한 불안은 사람으로 하여금 더 열심히 공부할 수 있게 해 주며, 취업에 대한 불안은 사람으로 하여금 자신의 직업선택을 재평가할 수 있도록 해 준다. 이러한 경우에 여러분은 불안을 자신의 이익을 위한 실질적인 도구(working tool)로 전환시킬 수 있을 것이다. 이러한 경우의 불안을 우리는 '정상적인' 불안이라 부를 수 있을 것이다. 이러한 불안은 실제 존재하며, 인간이 이러한 불안에 직면하게 될 때, 큰 어려움 없이도 다룰 수 있는 것들이다.

그러나 너무나 빈번한 불안은 인간의 일반적인 정서적 능력에

---

2) ROLLO MAY, *Man's Search for Himself*(New York: W. W. Norton & Co., Inc., 1967), pp.34 - 35.

해를 끼친다. 인간은 또한 애매하고 불확실한 몇 가지 위험과 위협을 느낀다. 즉 여러분은 직장을 못 구할 수도 있고, 어떤 특정한 사람은 초대받지 못할 수도 있으며, 여러분이 자동차 사고를 당할 수도 있고, 지구상의 생태학적 조건 때문에 모든 인류가 멸망에 직면할 수도 있다. 그리고 대부분의 이러한 불안들은 자신이나 다른 인간들이 상황을 통제할 수 없는 것으로 지각하고, 그러한 상황을 이해하고 대처하는 능력을 결여했다고 느끼는 것에서 기인한다.

약간의 불안은 아주 긍정적인 것으로서, 인간으로 하여금 생산된 에너지를 동원하고 이용할 수 있도록 해 준다. 운동 코치가 경기나 경쟁에서 선수들에게 동기를 부여하기 위하여 불안이나 긴장이 조성된 상황을 이용하는 경우를 생각해 보라. 취업을 위한 면접에서 첫인상을 좋게 보이려 하는 데서 오는 불안은 사람들로 하여금 의상과 용모에 세심한 관심을 기울이게 하고 보다 완벽하게 자신의 이력서를 작성하도록 해 준다.

그렇지만 불안의 정도가 너무 크면 이는 효과적인 기능의 수행과 업무 대처에 장애가 될 수 있다. 그리고 불안으로 인한 수면 부족과 집중력의 분산, 소화불량, 기타 이와 관련된 신체적인 증상 등은 대인간의 상호작용에 나쁜 영향을 줄 수도 있다.

3. 분노와 적개심(anger and hostility)

분노, 적개심과 관련된 많은 다른 용어들이 있다. 분개, 증오, 그리고 공격성 등은 모두가 분노와 적개심의 정도를 의미한다. 분노는 아주 정상적인 정서로서, 분노의 감정을 부정하는 것은 인간성의 부정일 수 있다. 사람이 초조하게 되거나 위협을 받거나 불공평하게 취급되면, 대개 분노하게 되고 적개심을 갖게 된다. 그리고 인간은 현실적이거나 가상적인 적에 대항하여 싸움으로써 자신을 보호하고자 한다.

그러나 성숙해짐에 따라 자신들의 분노를 자제하거나, 최소한 '수용가능한' 방식으로 분노를 표현할 줄 알아야 한다. 그리고 사람들이 분노의 정서를 이해하지 못한다면, 그 사람들은 자신의 분노를 자제하는 데 있어 파괴적인 완력을 파괴적인 욕설로 대신하는 정도에 그칠 것이다. 여러분은 화가 나서 해 버린 말로 인해서 많은 모욕과 경멸과 창피를 받은 경험이 있을 것이다. 사람들이 파괴적인 분노가 물리적인 완력을 통해서만 터져 나온다고 생각하는 것은 잘못이다. 왜냐하면 욕설도 아주 강력하며 파괴적인 것이 될 수 있기 때문이다.

물론 아주 객관적인 입장에서 분노의 정서를 생각한다는 것은 어려운 일이다. 즉 인간이 보복적인 태도나 비난적 태도를 관련시키지 않고 자신의 분노 정서를 표현한다는 것은 어려운 일이다. 대부분의 사람들은 "나 아주 화났어." 또는 "그게 참 나를 미치게 만드는구면." 등과 같이 단순하게 말하기보다는, "당신 말이야! 내 흠을 잡는데, 당신은 뭐 완벽해?"라든지, 아니면 "당신은 나에게 유감 있어! 그리고 당신 나한테 이 정도밖에 대해 줄 수 없나?" 등과 같이 비비꼬아서 말하는 경향이 있다. 사람들은 의당 자신의 개인적인 감정을 갖기 마련이다. 그러나 분노의 감정이 어떠한 것인지를 알고 나서, 스스로가 타인에게 '상처를 주거나', '복수하려는' 감정에서 탈피하려 든다면 이것은 분노와 관련된 정서적 능력에 있어 아주 바람직한 일이다.

분노는 건설적으로 이용될 수 있다. 사람들은 가난, 차별, 공해, 낭비적인 에너지 소비, 불평등, 그리고 자신이 바로잡아야만 하겠다고 생각하는 기타의 조건들에 대해서 상당한 분노를 느끼는 경우가 있다. 개개인의 관점으로서, 분노가 정상적인 정서이고 그래서 그것이 반드시 파괴적인 것이 아니라고 인식하는 것은 사람들로 하여금 자신이 느끼는 정서를 이해하고 그래서 그것을 건설적으로 표현하도록 해 준다.

분노는 불합리하게 될 때 큰 문제가 된다. 이러한 경우에, 적대적인 감정은 통제되지 않고, 보통 가까이에 있는 사람들에게 보복적인 행동을 하게 된다. 분노를 표출하는 것은 습관적인 것이 될 수 있다. 왜냐하면 분노의 표출로 인해서 인간은 긴장된 상태에서 일시적으로 해방될 수 있기 때문이다. 이러한 경우의 사람들은 일이 조금이라도 잘못되거나, 계획을 망치거나, 기타 일상생활에서 일이 잘 풀리지 않으면 지나치게 분노를 표출하는 경향이 있다. 즉 일이 조금만 막혀도 그것은 위기가 되고 재난이 된다. 이러한 사람들은 버스가 5분만 늦거나, 자신들의 축구팀이 시합에서 지거나, 교통이 혼잡할 때 자기 차선으로 어떤 사람이 조금만 끼어들어도 미친 듯이 화를 낸다. 이러한 형태의 분노는 화를 내는 당사자에게는 물론 주변 사람들에게까지 아주 해로운 것이 된다. 즉 직장동료들, 배우자, 자식들, 그리고 친구들 모두는 속죄양(scapegoating)의 모양으로 심한 욕구좌절을 경험하게 되고, 종종 불합리하고 불행한 삶을 살게 된다.

사람은 자기 자신의 분노를 이해하고 또 성공적으로 표현하는 방법을 배워야 하는 것은 물론, 타인의 분노를 이해하고 수용하는 방법도 배워야 한다. "네가 나를 괴롭힌 만큼 나도 너를 괴롭히겠다."하는 식의 고양이와 쥐의 싸움에 여러분이 휘말려 들면 결국에 여러분도 패배자가 되고 만다.

4. 사랑(love)

아마도 '사랑'이란 단어만큼 아주 다양하게 의미가 변화되면서 오용되고 남용되어 온 낱말은 없을 것이다. 즉 사람들은 "나는 빈 대떡을 너무너무 좋아해(I love pizza)!", "너는 여름을 무척 좋아하지 않니(Don't you just love summertime)?" "나는 정말로 가고 싶어(I'd love to go)!", "나는 너를 사랑해(I love you)!" 등과 같이 사랑이란 말을 좋은 데는 다 사용하고 있다.

사랑이란 단어의 피상적인 사용을 멀리하고 사랑과 관련된 진실한 정서를 살펴보면, 정의(definition)의 차이를 좁히는 데는 여전히 어려움이 있다. 프롬(Erich Fromm)은 자신의 저서인 「사랑의 기술 (The Art of Loving)」이란 책에서, 사랑이란 인간에게 있는 적극적인 힘을 사용해서 우리를 타인과 분리시키는 벽을 허물어 버린다고 적고 있다. 프롬은 또한 사랑은 인간을 결합시키며, 인간으로하여금 고립감(isolation)과 격리감(separateness)을 극복하도록 도와주며, 자기 자신의 본연의 모습을 찾고, 자신의 고결한 모습을 갖게 해 준다고 지적하였다.[3]

---

3) ERICH FROMM, *The Art of Loving*(New York: Harper & Row, Publishers Inc., 1956; paperback: Bantam Books, 1970), p.17.

[그림 3-4] 이 사람은 자신의 감정
을 표현하기 위해 지금
뭐라 말했을 것이라 생
각하는가?

프롬은 사랑을 인간의 감상적인 측면에서가 아니라 전체적인 측
면에서 논의하면서, 다섯 가지 형태의 사랑을 제시하였는데 이는
다음과 같다.

(1) 대등한 사랑(love of equals): 이러한 형태의 사랑은 '우애와
같은 사랑(brotherly love)'이라고 불리며, 가장 보편적이고 기본적인
형태의 사랑이다. 이러한 사랑에는 타인에 대한 책임감, 보살핌, 존
경, 이해 등과 타인을 보다 발전시키고자 하는 소망이 포함된다.
비록 대등한 사람들 간의 사랑이라고는 하지만, 인간은 사랑의 욕
구를 추구하는 데 있어 항상 서로 '대등한' 것은 아니며, 서로가 도
움을 필요로 하기 때문에 이번에는 내가 도와주고 다음번에는 상
대방이 도와주는 관계이다.[4] 이러한 사랑은 독점적인(exclusive) 것

---

4) *Ibid.* pp.39-40.

이 아니고, 보편적인(universal) 것이다. 즉 이것은 어떤 사람이 단순히 상대방이 인간이라는 이유로 해서 그 사람에게 제공하는 형태의 사랑이다.

(2) **무조건적인 사랑**(unconditional love): 프롬이 '모성애와 같은 사랑(motherly love)'이라 부른 무조건적인 사랑에는 어린이가 살아서 성장하는 데 필요로 하는 어버이의 보살핌과 책임감이 포함된다. 이는 또한 살아서 존재한다는 것 그 자체가 좋은 것이라는 느낌과 같은 감정 전달이 포함된다. 모성애 같은 사랑의 질과 태도는 무의식중에 전달된다. 즉 어머니가 삶에 애착을 갖고 있으며, 자녀를 사랑하는 데서 행복을 느끼게 되면, 이러한 어머니의 감정은 자녀에게 무의식적으로 전달된다.

이러한 형태의 사랑은 사랑을 주고받는 것이 **대등하지 않다**(unequals)는 점에서 우애와 같은 사랑과는 다르다. 즉 어머니는 항상 도움을 주기만 하고 자녀는 항상 도움을 받기만 한다. 그리고 진실한 모성애 같은 사랑에 있어 가장 어려운 문제는 언젠가는 자녀가 부모의 품 안에서 떠나간다는 것을 인정하고 받아들이는 것이다. 왜냐하면, "자녀는 계속 성장해야 하며, 이는 어머니의 배 속과 품에서 떠난다는 것을 의미한다. 그리하여 그 자녀는 결국에 독립된 하나의 완전한 인간이 되게 된다. 모성애 같은 사랑의 본질은 바로 자녀가 계속 성장할 수 있도록 하는 보살핌이며, 또한 이것은 자녀가 부모에게서 독립하게 되기를 원하는 것을 의미한다."[5]

아무런 조건 없이 어떤 타인이 행복하게 되기를 바라는 바람 또한 진실한 모성애와 같은 사랑이다. 많은 부모들은 자녀가 자신의 품 안을 떠나는 것을 별로 원치 않는다. 그러나 떠나보냄으로(분리

---

5) *Ibid.*, p.43.

됨)써 자녀가 하나의 독립된 인간으로 되고 계속 성장하도록 돌보는 것은 무조전적인 사랑의 표상(epitome)이 된다.

(3) **이성 간의 사랑**(erotic love): 이러한 형태의 사랑은 대개 독점하려는 사랑이다. 프롬은 이러한 종류의 사랑에 대해서, "이것은 타인과 결합해서 하나가 되려고 하는 강렬한 사랑이라 했다. 그래서 성격상 보편적인 사랑이 되지 못하고 독점하려는 형태의 사랑이 된다. 이러한 사랑은 아마도 가장 믿을 수 없는(deceptive) 형태의 사랑일 것이다."[6]

이성 간의 사랑은 성적인 결합을 포함하며, 결혼을 통해서 이러한 관계는 절정에 이른다. 여기에는 헌신적이고 자발적으로 인생의 경험을 나누고자 하는 태도가 필요하다. 그리고 신체적인 결합은 이성 간의 사랑에서 있게 되는 결혼생활과 관련된 여러 부분 중에서 한 부분에 해당된다. 만일 신체적인 결합의 욕구가 사랑에 의해 동기화되지 않는다면, 그러한 결합은 생리학적인 욕구의 방출에 불과하다.

이성 간의 사랑에는 의지(will)가 포함된다. "어떤 사람을 사랑한다는 것은 단순히 강렬한 감정이 아니라, 일종의 결정이고 판단이며 약속인 것이다. 즉 사랑은 단순한 감정 이상의 것이기 때문에, 사람들은 서로를 영원히 사랑하기로 약속하는 것이다. 감정은 생기기도 하고 때로는 없어져 버리기도 한다. 자신의 행위가 판단이나 결정과 무관하다면, 이성 간의 사랑이 영원히 지속되리라는 것을 어떻게 판단할 수 있겠는가?"[7]

이성 간의 사랑은 소유하고자 하는 것이 아니라 독점하려고 하

---

6) *Ibid.,* p.44.

7) *Ibid.,* p.47.

는 것이다. 여기에는 헌신적이고 인생의 경험을 같이하려는 태도가 필요하며, 신체적인 결합은 사랑에 기반을 둔다. 또한 이성 간의 사랑은 단순한 감정을 넘어 의지를 수반하는 결정을 포함한다.

(4) 자신에 대한 사랑(self-love): 사람들은 종종 타인을 사랑하는 것은 덕이고 자신을 사랑하는 것은 악이라고 생각한다. 그리고 오래전부터 자신에 대한 사랑을 이기심이나 자만심 등과 관련시키는 경향이 있다. 그렇지만 앞에서 자아상(self-image)에 대하여 논의한 바대로, 우리는 건전한 방향으로 자기 자신을 존중할 줄 알아야 한다. 그렇다면 이것은 모순인가? 그러나 절대 모순이 아니다.

> 성서에서 언급된 "네 이웃을 네 몸과 같이 사랑하라"는 말은 자기 자신의 고결함과 특이함을 존중해야 한다는 말이다. 자기 자신에 대한 사랑과 이해는 타인에 대한 존경과 사랑과 이해와 구별시킬 성질은 아니다. 자기 자신에 대한 사랑은 타인에 대한 사랑과 불가분의 관계에 있다.[8]

사람은 자신을 사랑할 것인지 타인을 사랑할 것인지에 대하여 갈등할 필요가 없다. 왜냐하면, 이들 두 가지는 양립가능한 태도이기 때문이다. 즉 타인을 사랑하기 위해서는 먼저 자신을 사랑할 줄 알아야 한다는 것은 너무나 당연한 일이다. 역으로, 우리가 타인을 사랑할 수 있다면, 우리는 또한 자기 자신도 사랑할 수 있을 것이다.

이기심이란 무엇인가? 만일 사람들이 자기 자신을 사랑한다는 것(보살핌, 존중, 책임감, 이해 등에 근거하여 자기 자신의 생활을 행복하게 보내는 것)의 의미를 정확히 이해한다면, 사람들은 자신에 대한 사랑과 이기심이 정반대의 말이라는 것을 알 수 있을 것이다. 이기적인 사람들은 자기 자신에만 관심을 갖고, 타인에 대한 진실

---

8) *Ibid.,* p.49.

한 감정을 갖고 있지 못하며, 모든 일을 자신의 이익과 관련시켜서 판단하려고 하는 사람들이다. 프롬은 "이기적인 사람들은 타인을 사랑할 수 없을 뿐만 아니라, 자기 자신도 사랑할 수 없다. 그러나 진실로 사람을 사랑할 줄 아는 사람들은 자기 자신과 타인을 모두 사랑할 수 있다."고 말하고 있다.[9]

(5) 신에 대한 사랑(love of God): 앞에서 우리는 사랑이 분리 (separateness)의 불안을 극복하고자 하는 필요에 기인하고 있다고 지적한 바 있다. 종교적인 사랑 또한 분리의 불안을 극복하고자 하는 필요에 기인한 것이다.

> 지배적인 서양의 종교체제에 있어, 신에 대한 사랑은 본질적으로 신에 대한 신앙과, 신은 존재하고 정의로우며 사랑을 베푼다는 것에 대한 신앙과 똑같은 것이다. 신에 대한 사랑은 또한 본질적으로 정신적인 경험을 통해 가능하다. 동양의 종교와 신비주의에 있어 신에 대한 사랑은 유일성 (oneness)에 대한 강한 감정경험이며, 이러한 사랑의 표현은 일상적인 생활과 밀접하게 관련되어 있다.[10]

나이와 지역에 관계없이 사람들은 우주를 이해하고, 종교적인 사랑을 통해서 자신들의 삶에 의미를 부여하려고 노력해 왔다. 즉 신에 대한 사랑을 통해서 사람들은 자신의 생활에 더 많은 의미를 부여하려고 한다.

지금까지 언급된 것들이 다섯 가지 형태의 기본적인 사랑 관계라면, 사람들은 왜 사랑을 '문제되는 정서'로 들고 있는가? 그 이유는 사랑에 대하여 간단하게 살펴보는 데 있어서, 이러한 형태의 사

---

9) *Ibid.*, p.51.
10) *Ibid.*, p.67.

랑이 나타나는 이상적인 상황만을 알아보았다는 점이다. 그러나 사랑은 항상 이러한 방식으로 나타나지 않는다. 우리는 파괴적이고, 병적이며, '유사(類似)한' 사랑의 예를 많이 목격해 왔다. 만일 사랑이 지나친 소유욕이나 사랑하는 사람을 '오냐 오냐' 해서 나약하게 만드는 방식으로 변화된다면, 이것은 문제가 된다. 즉 어떤 관계를 다스리고 통제하는 수단으로 사랑을 사용한다면, 그러한 사랑은 왜곡될 것이고 나아가 문제가 되는 정서로 변질될 것이다.

신경증적(neurotic) 사랑은 타인을 사랑하는 것보다는 타인에게서 '사랑을 받으려는' 것과 관련된 것으로, 이익은 '사랑을 달라는 (gimme)' 형태의 태도이며 자기 자신의 이익만을 구하는 데 관심이 있다. 이러한 구걸하는 형태의 사랑은 불가능한 것은 아니지만 충족되기가 어렵다. 왜냐하면 한 가지가 충족되면 또 다른 새로운 형태의 사랑을 계속 구걸할 것이기 때문이다. 그래서 거짓된 사랑은 결국 실망과 쓰라린 고통만을 남겨 주게 될 것이다. 유사사랑 (pseudo love)은 밝은 달빛, 장미, 영원한 축복 등에 의해서 연상되는 '감상적(sentimental)'이고 '낭만적(romantic)'인 사랑이라 할 수 있다. 이러한 형태의 환상적인 사랑은 영화, 연가(love songs), 연애소설 등을 통한 간접적인 경험에 의해 추구될 수 있을 것이다. 이러한 관계에 있는 연인들은 환상적인 꿈의 세계에 빠져서 현실적인 대인간의 접촉을 소홀히 한다.

사랑을 주제로 하여 수많은 책들이 쓰였다. 그러나 이러한 간단한 논의로 해서 사랑이 결코 철저하게 분석되는 것은 아니다. 오히려 이러한 책들은 독자들에게 몇 가지 상이한 사랑의 현실을 소개하는 것으로 생각할 수 있다. 타인을 사랑하고 이들에게서 사랑을 받는 것은 아주 개인적인 문제이다. 즉 모든 사람들은 나름대로 사랑을 경험해야만 한다. 건설적이고 효과적인 사랑은 실천과 인내를 필요로 한다. 이것은 또한 단순히 사랑의 올바른 대상을 찾는 문제이기에 앞서 일종의 활동이며 능력이다. 건설적이고 효과적인 사랑은 몸소 실천하는 것과 인내를 필요로 한다. 왜냐하면, 사랑은 어떤 것에 단순히 빨려드는 문제 이상의 것이기 때문이다. 즉 건설적인 사랑은 사람들 간의 관계 형성을 위해 헌신적으로 노력하는 것을 의미한다.

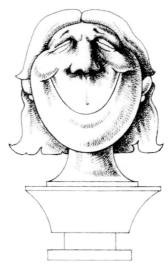

[그림 3-5] 이 사람은 사랑과 관련된 내적인 감정의 어느 것에 해당되는가?

1. 여러분이 두렵고 불안하였지만, 건설적으로 이러한 감정을 해소했던 때를 생각해 보라. 그때의 상황과 감정이 어떠했으며, 여러분은 어떻게 이에 대응했는지를 적어 봐라. 여러분이 그러한 감정을 효과적으로 수습하도록 도와준 것은 무엇인가?

2. 가장 최근에 여러분이 화를 낸 것 중 하나만 기억해 보라. 그리고 그때 여러분이 느낀 최초의 정서를 기억해 보라. 그것은 분노, 공포, 상심한 마음, 원한, 실망, 거절, 기타 감정 중에서 어느 것이었나? 때때로 여러분은 어떤 하나의 감정이 다른 감정으로 어떤 방식에 의해 전환되는 것 같은가?

3 여러분이 경험할 수도 있는 사랑의 관계 중에서 몇 가지 다른 형태를 적어 보라. 이러한 사람의 감정들이 각각의 경우에 있어 유사점과 상이점이 어떤 방식으로 차이가 있는가?

Ⅲ. 감정을 확인해 내는 방법

사람들은 어떻게 하면 자신이 갖는 감정을 더 잘 알아내고, 그러한 감정을 규명할 수 있게 되는가? 이 장의 전반부에서 설명한 여러 가지 감정들을 다시 회상해 보자. 사람들이 내적으로 경험하는 변화는 자신이 현재 경험하고 있는 것을 알 수 있게 해 준다. 인간이 자신의 감정을 표현할 수 있기 위해서는 그러한 감정을 타인에게 전달할 수 있도록 자신이 현재 경험하고 있는 감정이 무엇인가를 규명할 필요가 있다. 로저스(Rogers)는 이것을 '조화(congruence)', 즉 "어떤 주어진 시점에서 조화를 이룬다는 것은 그 시점에서 여러분이 어떤 경험을 하고 있는지를 아는 것이며, 그러한 경험을 수용하는 것이며, 그것이 적절한 것이라면 자신의 입장을 말할 수 있고, 어떠한 행동방식으로 이를 표현할 수 있게 되는 것"이라고 하였다.[11]

나는 전에 한 여학생이 험악한 태도로 교실에 달려 들어와, 자신의 책을 책상 위에 놓고, 팔짱을 끼고 앉아서, 레몬을 먹고 있는 것처럼 입을 딱 다물고 있었던 일을 기억한다. 그때 반 친구가 여학생에게 "너 왜 그러니?"라고 물었을 때, 그 학생은 "아무 일도 아니야."라고 대답하였었다. 그녀는 조화가 되지 않았다. 즉 그녀의 심중에서 일어나고 있는 것과 그녀가 다른 학생들에게 비언어적으로 전달하려 했던 것과 그녀가 자신의 감정을 표현하려 했던 것들 간에는 조화를 이루지 않았다. 그 여학생은 자신의 심중에서 있었던 일을 알고 있으나 그 일에 대해서 타인에게 말하고 싶지 않았을는지도 모른다. 그래서 "이무 일노 아니야."라고 한 그녀의 대답은 나머지 학생들이 알고자 했던 감정과 모순이 되었다.

　　감정을 표현한다고 하는 것은 종종 어려운 일이기도 하다. 그래서 많은 사람들은 자신의 감정을 직접 해소한다기보다는 마음속에 '쌓아 두는' 경향이 있는 것 같고, 그 결과는 아주 비극적인 것이 될 수 있다. 의사교류분석에서 나온 개념은 이러한 소극적인 감정 표현의 방식을 설명하는 데 도움이 될 수가 있다. 이는 '정서적 경품권수집(Collecting Emotional Trading Stamps)'이라 불리는 개념이다. 경품권은 상점이나 사업체가 고객이 상품을 살 때 제공하는 것으로, 고객들은 이 경품권을 수집해서 책(역주: 스크랩북 같은 책)에 붙여 두었다가 나중에 경품권을 '상이나 상품'과 교환한다. 때때로 사람들은 자신의 '경품권'을 수집하는 경향, 즉 감정을 즉시 처리하기보다는 모아 두는 경우가 있다.[12]

11) RICHARD I. EVANS, *Carl Rogers: The Man and His Ideas*(New York: E.P. Dutton, 1975), p.20.

12) 경품권과 관련된 자료는 일차적으로 다음과 같은 곳에서 인용하였다. MURIEL JAMES and DOROTHY JONGEWARD, *Born to Win*(Reading: Addison-Wesley Publishing CO.,

수집된 여러 가지 경품권에는 다양한 색채가 들어가 있다(역주: 마찬가지로 모아 둔 정서적 경품권은 다양한 정서가 포함되어 있다).

빨강색: 분노 또는 적개심
초록색: 질투
파랑색: 우울
하얀색: 결백 또는 독선
갈색/회색: 부적절성

정해진 색깔이 중요한 것은 아니다. 진짜 중요한 것은 우리가 충분한 경품권을 '수집하거나' 모아서 그 경품권들을 "마지막 짐을 덜었어 — 나는 그것을 해냈어." 등과 같은 '철저한 열중', "모든 사람들이 그것을 하였지 — 나도 아주 열심히 일해 왔으니까 휴일에는 충분히 쉴 만하지!" 등과 같은 휴일과 관련된 것, "당신은 술을 너무 마시는 것 같아, 내가 참아 내는 일을 당신도 참아 내야 하는데 말이야!" 등과 같은 떠벌림, "어째서 나에게는 늘 이런 일이 생기지 — 내게는 옳게 되는 일이라고는 없어!" 등과 관련된 '우연한 사건' 등의 '심리적인 상품'으로 바꿀 수 있다는 것이다.

사람들은 종종 몇 장의 경품권을 기질적 울화, 타인에게 '전가하는' 분노의 폭발, 기타, 정당한 것으로 합리화하는 몇 가지 다른 형태의 행동으로 표현한 경험이 있다. 정서적 경품권을 수집하고 이용하는 범위에는 정도의 차가 있다. 어떤 사람들은 두통이나 울화가 있을 때마다 두세 장의 경품권을 이용하나, 다른 사람들은 경품

1971), pp.189-197; DOROTHY JONGEWARD and DRU SCOTT, *Women As Winners*(Reading: Addison-Wesley Publishing Co., 1976), pp.99-100; L. RICHARD LESSOR, *Love & Marriage and Trading Stamps*(Niles, Ill.: Argus Communications, 1971), pp.96-98.

권이 '여러 권'으로 될 때까지 기다렸다가 도피를 하거나, 어려운 문제에 직면하게 되거나, 심지어 알코올 중독이 되어 버리기도 한다. 일상생활에서 극도의 상태로 경품권을 수집하게 되면 그것은 자살이나 타살의 원인이 되기도 한다.

반면에, '황금' 경품권의 수집은 자기존중(self‐appreciation)과 같은 선한 감정을 축적하게도 한다. 이것은 허영이나 그릇된 자부심이 아니라 자아와 성취와 타인에 대한 긍정적인 감정과 관련된 문제이다. 어떤 의미에서 이것은 일이 잘 풀리지 않거나, 새로운 도전에 직면하거나, 타인의 격려가 필요할 때 우리가 의존할 수 있는 긍정적인(선한) 감정의 수집과 관련된다. "나는 휴가 기간을 갖고서 이 일에 대해 더 생각해 봐야겠어!"라든가, "나는 능력이 있고 요구되는 훈련도 받았으니, 좋은 직장을 잡아야겠어!" 혹은 "나는 그것을 해내서 기분이 참 좋아!" 등과 같이 말하는 것은 황금 경품권에 해당된다. 그러나 이러한 경품권은 타인이 자신에게 제공하는 긍정적인 비평을 어떻게 수용하느냐 하는 것과 관련된다. 즉 어떤 사람들이 자신에게 "너는 정말 좋은 일자리를 구했구나." 또는 "나는 너를 좋아해." 기타 찬사의 말을 할 때, 많은 사람들은 그것을 어색하게 생각하거나, "그거 별거 아니야." 또는 "나를 조롱하고 있구면." 등과 같이 말함으로써 상대방의 말을 도외시하기도 한다. 이것은 사람들이 자신에 대하여 갖고 있는 긍정적인 감정을 격하하면서 "나는 너의 판단을 중요시하지 않아."라고 상대방에게 말함으로써 이중의 부정적인 효과를 갖는다. 대부분의 사람들은 자기 자신에 대한 긍정적인 감정을 나쁜 짓이고 피해야 할 것으로 생각해 왔다. 허영, 자만, 그릇된 긍지와 자기존중 및 성취감 사이에는 분명히 아주 큰 차이가 있다.

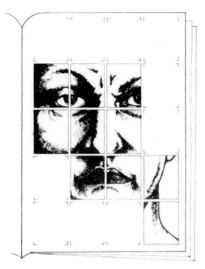

[그림 3-6] 이 페이지를 채울 수 있는 충분한 '경품권
이 수집되면 어떠한 모습이 되겠는가?

천사의 뺨은 어두운 구름과 같지 않다.
어두운 구름은 구름일 뿐이다.
때로는 다정하지만,
사람들은 믿으려 하지 않는다.
나의 팔이 좀 더 길었더라면
저 어두운 구름을 떨쳐 버리든지
아니면, 저 먼 호수 위에 매어 놓을 텐데,
보잘것없이 평범한 인간이기에
아, 나는 바라고 간구할 뿐이로다.
결코 내가 가질 수 없는 것을.
가장 찾기 어려운 것을 찾아서
이제 나는 먼 길을 떠나노라.
전에 내가 익힌 길을 따라서.
사람은 자신의 이익을 구하되,
작은 것을 구하고 나서
큰 것을 구할지어다.
이익을 모아 놓고

어려울 때를 대비하라.
나는 결코 할 수가 없었다.
나 홀로 저 어두운 구름을 떨쳐 버리는 것을.
도움이 있어야 되는데
누가 도와줘야 하는데.

맥퀸(Rod Mckuen)13)

　타인이 우리에게 전해 주는 긍정적인 감정을 우리가 축적하고 이를 유익하게 받아들이게 되면, 일이 심각하게 여겨질 때나, 가망이 없고 아무런 가치가 없게 여겨질 때도 이러한 긍정적인 감정은 도움이 된다. 사람이 자기 자신에 대해서 보다 만족하게 생각할 때는, 이것을 좀 덜어서 타인에게 주는 것이 좋다.

---

1. 여러분이 지금까지 '수집해 온 경품권'이 어떤 것인가 말해 보라. 여러분은 어떤 색깔을 수집하려고 하는가? 수집된 경품권을 가지고 여러분은 무엇을 할 수 있겠는가?
2. 여러분은 자신의 경품권을 어떻게 처리했는가? 여러분은 어느 한 곳에서 경품권을 수집하고 또 다른 어떤 곳에서 써 버리는 경향이 있는가? 있다면 어떤 형태인가? 여러분은 여기서 무엇을 배울 수 있었는가?
3. 어떤 사람이 여러분을 칭찬할 때 여러분은 어떻게 반응하는가? 여러분은 남이 보내는 찬사를 흘려버리지 않고 고맙게 받아들이는 포용력을 지니고 있는가? 이렇게 하면 여러분 자신에게 어떤 이로운 점이 있는가?

---

13) ROD McKUEN, *Listen to the Warm*(New York: Random House, 1967), p.19.

Ⅳ. 감정표현을 위한 제안

다음은 보다 정확하게 감정을 표현하도록 하기 위한 제안들이다. 사람들은 "나는 우울해", "나는 기분이 상했어" 또는 "나는 너를 사랑해" 등과 같이 실제적으로 감정에 이름 지을 수 있는 경우도 있고, 어떤 때는 "나는 이용당했어", "나는 배신당했어" 또는 "나는 소중하다는 것을 느꼈어" 등과 같이 자기 자신에게 미친 어떤 감정의 영향을 말하기도 한다. 때에 따라서 사람들은 "나는 1톤이나 되는 벽돌로 얻어맞은 기분이야", "나는 구름에 들뜬 기분이야" 또는 "나는 땅이 꺼지는 듯한 기분이야" 등과 같이 은유적인 표현을 만들어 내기도 한다. 자기감정을 처리하는 또 다른 방법은 "나는 너를 발길로 차고 싶어", "나는 너를 껴안아 주고 싶어" 또는 "나는 기뻐 날뛰고 싶어!" 등과 같이 자신의 충동이나 동기를 말하는 것이다.

이러한 것을 염두에 두고, 감정표현을 위한 몇 가지 지침을 살펴보기로 하자.

(1) **자신의 신체적 증상을 이해하라.** 자신에게 있었던 내부적인 일이나 감정을 토대로 하여 자신의 감정에 대한 새로운 인식을 갖도록 해 보라. 자신의 창자가 죄어드는 것을 느낄 때, 이는 여러분에게 무엇을 의미하는가? 자신의 심장이 급히 뛰기 시작하고 머리가 무거워짐을 느낄 때, 이는 무엇을 의미하는가?

(2) **자신의 감정을 확인하라.** 자신의 감정을 부인하거나 억압하지 말고, 앞에서 제시한 기법을 이용해 그 감정이 어떠한 감정인지를

밝혀 보라. 그 감정에 이름을 붙일 수 있다면 붙여 보고, 그렇지 않다면 그 감정이 자신에게 어떤 영향을 미치며, 이를 묘사할 수 있는 은유적 표현이 무엇이며 또는 여러분이 느끼는 동기가 무엇인지를 기술해 보라. 그렇지만 대부분의 사람들이 사회적으로 받아들여질 수 없는 감정을 억제하고 부인하도록 사회화되어 왔기 때문에 이러한 감정표현은 아주 어려운 일이다. 예를 들어, 남자는 마음의 상처를 받아서는 안 되지만 분노의 감정을 느낄 수 있고, 여자는 마음의 상처를 받고 무력하게 될 수 있지만 '숙녀답지 않게' 분노의 감정을 지녀서는 안 된다고 배워 왔지 않았는가? 그러나 사람들이 자신의 감정을 부인하거나 부정직하게 표현하도록 배운다면, 그것이 무슨 의미가 있겠는가?

(3) 자신의 감정을 자기의 것으로 하라. 자신의 감정문제를 타인에게 전가하거나, 그 문제로 인해 타인을 책망하지 말고, 자신의 감정문제에 대해서는 개인적인 책임감을 가져라. 만일 여러분이 어떤 사람에게 "너 나를 아주 화나게 했어."라고 말했다면, 여기에는 여러분이 그 사람을 상당한 정도로 구속하려는 의도가 포함된 것이다. 그러나 여러분이 "나 당신에 대해서 화가 나 있어."라고 말했다면, 이 경우에 여러분은 자신의 감정을 확고히 갖고 그러한 감정에 대해서 책임을 지려 한다고 보일 것이다. 또한 "우리 모두는 여러분이 아주 훌륭하다고 생각한다."고 말했다면, 이는 여러분이 자신의 감정을 전체 집단에게 관련시켜 말하는 것이다. 다른 모든 사람들이 그 사람을 훌륭하다고 생각하는지 여러분이 무슨 수로 알겠는가? 이러한 경우에 여러분은 그 사람에게 "나는 당신이 아주 훌륭하다고 생각한다."라고 말할 수 있을 것이다.

(4) 자신의 감정을 다루는 데 무엇이 필요한지 결정하라. 감정에는 상당한 힘과 잠재력이 내포되어 있다. 사람이 그러한 힘과 잠재력을 어떻게 다루어야 하느냐 하는 것은 그 사람 자신이 해야 될 일이고 책임이다. 우리가 내리는 결정에는 많은 요인들이 영향을 줄 것이다. 즉 시기, 적절성, 방법, 감정의 강도, 의미 있는 인간관계, 타인에 미치는 영향 등은 이러한 요인 중에서 몇 가지 예에 불과하다. 그리고 결정을 하기 위해서는 '① 내가 할 수 있는 선택과 대안에는 어떤 것이 있는가? ② 각각의 선택으로 인한 결과는 어떤 것이 있을 수 있는가? ③ 내가 내린 결정에 대해서 나는 만족하는가?' 등을 자문해야 될 것이다.

사람들은 관계를 맺고 있는 다른 사람들과 **자신의 감정**에 관해서 개방적으로 **의사소통**하기를 원할지도 모른다. 만일 타인과의 관계에 있어 의사소통을 촉진하는 데 도움이 되는 정도의 신뢰와 의의(significance)가 있다면, 그 사람은 자기 나름대로 바람직한 경험을 하게 되는 것이다. 다음 장에서는 한 걸음 더 나아가 '나(I)'라는 메시지를 통한 의사소통 방법을 보다 상세히 설명하게 될 것이다.

물론, 사람은 자신의 감정을 위장하거나 숨기는 경우도 있을 것이다. 그리고 자신의 감정을 전달한다는 것 그 자체가 자신을 당황하게 하고 사태를 악화시킬 수도 있을 것이다. 이것과 관련된 좋은 예가 있다. 저자가 노르웨이(Norway)에 있는 부모님의 고향에 갔을 때 일이다. 나는 거기서 노르웨이 말로 다른 사람들과 얘기를 나누려고 했는데, 어휘나 문법에 있어 부족한 점이 많았으나 그런대로 얘기를 나눌 수 있었던 것으로 기억한다. 나의 친척이 나를 진지하게 대해 주고 가소롭게 생각하지 않은 것은 나에게 큰 격려가 되었다. 그래서 나는 점차 의욕을 갖고 다른 사람들이 이해할 수 있도록 말을 할 수 있었다. 이러한 일은 또한 나로 하여금 우리나라를 찾아온 외국방문객이나 우리 언어를 배우고 있는 사람들의 감정을 보다 잘 알 수 있게 해 주었다.

아마 사람들은 자신의 감정전달 문제로 타인을 당황하게 했거나, 타인이 너무나 수용적이지 않기 때문에 자신의 감정전달 문제가 더욱 악화되었던 경험을 갖고 있을 것이다. 예를 들어, 여러분의 직장 상급자/부모/선생/친구들이 아주 기분이 나빴거나 폐쇄적인 마음을 갖고 있어서, 이러한 요인들이 여러분 자신의 감정전달 문제에 부정적인 영향을 준 경우를 기억할 수 있을 것이다. 이러한 경우에 상식적인 행동은 '당신의 입을 딱 다물고' 아무 말도 하지 않는 것이다.

그러나 여러분이 갖고 있는 그러한 감정은 바로 '사라지지' 않는다. 그러면 여러분이 관계를 맺고 있는 사람과 직접적으로 얘기가 되지 않을 때, 여러분은 어떻게 해야만 하는가? 한 가지 방법은 자기와 친밀한 사람들에게 **자신의 감정을 표출해서** 그 사람들과 의견을 교환해 보는 것이다. 창문을 활짝 열어 실내의 공기를 신선한 공기로 환기시키는 경우를 생각해 보라. 마찬가지로, 믿을 만한 친구, 교사, 부모, 상담자와 터놓고 이야기하는 것은 때에 따라 정서적 긴장을 해소하는 가장 좋은 방법이 될 수 있다. '자신의 가슴속에 박힌 것을 털어놓는 것(getting it off your chest)'은 자신에게 가해지는 압력 중의 몇 가지를 해소해 줄 수도 있을 것이다. 또한 타인은 자신이 알고 있지 못하는 대안을 알 수 있게 도움을 줄 수도 있으며, 자신의 감정을 보다 명확하게 이해하도록 지원을 해 줄 수도 있을 것이다.

여러분은 전에 선생님 때문에 기분이 상하고 화가 났지만, 그 담시에는 선생님에게 자신의 감정을 말씀드리는 것이 별로 이익이 안 된다고 해서 참은 적이 있는가? 이러한 상황에서 여러분이 친한 친구를 우연히 만나게 되면, "야! 나는 선생님 때문에 아주 기분이 안 좋았어, 어떤 일이 있었는지 아니? 글쎄말이야……." 하면서 자신의 감정을 '개방하는' 경우가 있을 것이다. 이런 얘기를 몇 번이고 다른 사람에게 얘기를 해 버리면, 기분이 상쾌해지고 가슴에 쌓였던 응어리는 해소될 것이다. 그리고 "정말, 고마웠어, 나는 누군가에게 이 일을 말하고 싶었어, 네가 정말 큰 도움을 주었어."라고 말문을 맺을 것이다. 만일 어떤 사람이 여러분의 말에 귀를 기울여 여러분에게 의미 있는 타인이 되었다면, 그 사람은 말대꾸를 해 주는 사람, 여러분의 말을 들어 주는 사람, 여러분으로 하여금 자신의 생각, 감정, 지각 등을 점검해 보도록 도와주는 역할을 하는 것이다.

어떤 형태의 **신체적 활동**도 또 다른 방법이 될 수가 있다. 모든 사람들은 의심의 여지없이 강한 정서적인 왜곡(build up)을 경험한다. 이따금 이러한 감정은 신체적 활동을 통해서 가장 잘 해결될 수 있다. 어떤 사람들은 신체적 활동이 훌륭한 정서적 돌파구가 될 수 있다고 생각한다. 그리고 육상, 자전거 타기, 정구, 기타 강력한 신체적·정신적 건강을 유지하는 데 필요한 다른 활동의 인기가 높아지고 있는 것은 신체적 활동으로 해서 정서적인 돌파구가 마련될 수 있는 명백한 증거가 된다.

또 다른 사람들은 창조적인 일을 함으로써 자신의 울적한 정서를 해소한다. 또한 어떤 사람들은 집안 청소나 세차 등을 함으로써 자신의 정서 문제를 해결한다. 이러한 방법은 사람들로 하여금 자신의 욕구좌절을 해소함은 물론, 신체적 활동을 통한 건설적인 긴장 해소의 부차적인 결과로 화장실이나, 집 안, 자동차의 청결을 유지하고 잔디밭을 멋있게 유지할 수 있게 해 준다. 사냥, 낚시, 그림 그리기, 목공, 재봉 등과 같은 취미 역시 바람직하고 건설적인 긴장 해소의 방법이 될 수 있다.

사람이 미래에 대한 안목과 해학적인 감각을 갖게 되면 또한 자신의 강한 정서를 표현하는 데 도움이 된다. 일이 잘못되어 빗나가는 것을 막기 위해서는 사태의 진전을 알아보는 능력이 필요하며, 때에 따라 "가만 있자! 지금 내 일이 잘못되어 가고 있는 것은 아닌가? 이 시점에서 나는 어떻게 처신해야 하나? 이 일은 내가 힘을 쏟을 만한 가치가 있나?" 하고 자문할 필요가 있다. 긍정적인 답이 나올 수 있을 것 같으면, 여러분이 앞으로 무엇을 해야 할지를 결정하고 실행에 옮겨라. 그러나 부정적인 답이 나올 경우에, 자신과 타인을 너그러운 웃음으로 수용할 능력이 있다면 이는 그 자체로서 여러분에게 큰 자산이 될 수 있다. 그렇지만 어떤 사람이 단순히 해학적인 것으로 지나쳐 버리려는 것은 때에 따라서 자신의 값어치를 높이기 위하여 타인을 놀린다든지, 타인을 희생시키면서 우월감을 느끼려고 하는 경우가 될 수 있다는 것을 명심해야 된다. 건설적인 해학적 감각은 자신과 타인에 대한 존중을 보여 주는 것이지, 결코 비꼬기 위한 것이나 적개심을 표현하기 위한 것이 되어서는 안 된다.

적극적인 사고와 행동은 정신 위생에 큰 도움을 줄 것이다. 물론, 적극적인 태도에 대해서 말하는 것은 이러한 태도를 함양하는 것보다 쉽다. 그리고 이러한 태도의 함양에는 건전한 자아상과 문제에 대한 부정보다는 인정, 적극적인 개인의 성장에 공헌할 수 있는 습관의 형성에 대한 의식적인 노력이 무엇보다도 먼저 갖춰져야 한다. 사람은 '적극적인 생각'을 갖기로 결심할 수 있다. 그러나 이러한 사고의 토대가 되는 개개인의 건전한 태도가 형성되지 않았다면, '적극적인 사고'란 말은 공허한 구호가 될 것임에 틀림없다.

인간이 정서적인 존재라고 말하는 것은 너무나 당연한 말이다. 그러나 사람들은 자신의 감정을 적극적이고 건설적으로 표현하는 데 있어 많은 어려움을 느낀다. 자신의 정서를 이해하고, 그러한 정서가 자신에게 어떠한 영향을 주며, 또한 그러한 정서를 다루는 방법을 개발하는 것은 사람들에게 아주 유익한 것이 된다. 자신의 감정을 표현하고 다루는 방법을 아는 것은 단순히 자신에게 관련된 정서적 경품권을 수집하는 것보다 더 큰 현실적인 가치를 갖는다. 자신의 정서를 건설적으로 표현하고 이용하는 방법을 배우는 과정은 실천을 통해서 배울 수 있는 지속적인 과정이다.

> 1. 감정을 표현할 때 사용되는 은유적인 표현의 예에는 어떤 것이 있는가?
> 2. "자신의 감정을 자기의 것으로 하라." 는 말은 무엇을 의미하는가?
> 3. 강렬한 감정을 해소하기 위해서 여러분은 어떤 종류의 신체적 활동을 이용해 왔는가? 그중에서 여러분에게 가장 유익했던 것은 어떤 것이었는가?

V. 요 약

정서와 감정은 자기 자신을 이해하고 타인과의 관계를 이해하는 데 있어 공통적으로 필요한 부분이다. 감정과 정서는 사람의 내부적인 측면에 영향을 주고, 온화한 것에서부터 강력한 것에 이르기까지 강도가 다양하며, 일차적인 것과 이차적인 것으로 분류되며, 새로운 정보나 경험이 있게 되면 변화하게 되는 일시적인 성격을 갖는다. 공포, 불안, 분노, 적개심, 그리고 사랑은 사람들이 복합된 반응으로 경험하는 정서들의 대표적인 예이다. '정서 경품권의 수집'은 사람들이 경험하는 감정을 다루는 것이 아니라, 그러한 감정을 모아서 마음속에 쌓아 두거나 수집하는 것을 말한다. 감정을 다루는 몇 가지 적극적인 방식에는 ① 자신의 감정에 이름을 붙이고, 분석하여 규명해 보고, 이를 기술한 다음, ② 자신의 신체적 증상을 이해하여 감정을 돌이켜 보고, ③ 자신의 감정을 확고히 한 다음, ④ 자신의 감정을 다루는 데 무엇이 필요한지를 결정하는 것 등을 포함한다. 또한 ① 자신과 관련된 사람들에게 자신의 감정을 개방적으로 전달하고, ② 자신의 감정을 표출하며, ③ 신체적 활동을 하거나, ④ 미래에 대한 안목과 해학적인 감각을 갖추며, ⑤ 적극적인 사고와 행동을 하는 것은 자신의 강한 감정을 표출하는 데 도움이 될 것이다.

연습문제

1. 공포, 분노, 기쁨 등의 정서는 여러분의 신체에 각각 어떤 영향을 주는가?
2. 정서는 어떤 방식으로 자신의 관점에 '색깔'을 띠게 하는가?
3. "감정은 흔히 일시적이다."라는 말을 설명해 줄 수 있는 실례를 들어 보라.
4. 감정을 정확하게 표현하는 데 있어 다음의 방법들과 관련된 예를 들어 보라.
a. 색깔 있는 말을 발견하는 것.
b. 감정에 이름을 부여하고 분류하는 것.

c. 감정이 사람에게 미치는 영향.

d. 자신의 충동이나 동기.

소집단을 구성하여 각자 다음의 문제에 답해 보고 나서 집단 구성원들끼리 다음 문제에 대해서 토의해 보라.

5. 사람들이 자신의 강한 감정을 나타내는 방법에는 어떤 다른 것이 있는가? 여러분이 자신의 감정을 표현하는 방법에 있어 지난 10년 동안 변화된 것이 있는가? 서로 간에 유사점과 차이점이 있는가를 비교해 보라.

6. 여러분은 어떤 형태의 '경품권'을 수집하는 경향이 있는가? 여러분은 '그러한 경품권을 언제 이용하는가?' 경품권을 사용하는 여러분의 방식은 어느 정도 예측해 볼 수 있는가? 집단에서 토론해 본 다음, 여러분이 감정을 수집해서 쌓아 두기보다는 그러한 감정을 보다 효과적으로 다루어 사용할 수 있는 방안을 논의해 보라.

7. 환경으로 인해서 여러분이 자신의 감정을 직접 표현하지 못할 경우에 여러분은 그러한 감정을 어떻게 다루는가? 예를 들어, 만일 여러분과 관련된 사람들이 수용적이지 못하거나 상식적으로 생각해서 아무 말도 하지 않는 것이 나을 경우에, 여러분은 어떻게 하겠는가? 여러분이 감정표현에서 이따금 사용할 수 있는 건설적인 방법과 파괴적인 방법에는 어떤 것이 있는가? 집단 구성원들끼리 유사점과 차이점에 대하여 서로 논의해 보라.

8. 여러분이 이제까지 보아 온 어른들의 기질적인 울화의 실례에는 어떤 것이 있는가? 여러분의 경우와 비교해 보라.

제4장 의사소통과 인간관계

대부분의 대화는 두 부류, 즉 언어적 수준과 정서적 수준으로 이루어지는 것처럼 보인다. 여기서 언어적인 대화는 사회적으로 대화하는 것이 허용되는 말들을 포함하며, 정서적인 대화는 욕구를 만족시키는 수단으로 사용하기도 한다. 얼마 전 한 여자 친구가 다른 사람들이 자신에게 해 왔던 일들을 들춰 말했다. 그래서 나는 내가 생각하는 바대로 왜 다른 사람들이 그녀에게 그러한 방식으로 행동해 왔으며, 그녀 자신은 왜 그렇게 당황해서 나에게 하소연하게 되었는지에 대해서 그녀에게 말해 주었다. 나는 그녀의 말만을 듣고 있었고 그녀 자신의 감정에는 전혀 관심을 보여 주지 않았는데, 이것으로써 이유는 분명해졌다. 그녀는 다른 사람들이 나와 같이 얼마나 냉정하게 자신을 대하여 왔는지를 말하면서도, 다른 한편으로는 "제발 나의 감정을 이해하고 수용해 달라!"는 정서를 드러내 보였다. 그러면서도 그녀는 나로부터 내가 하는 다른 사람의 행동에 대한 설명을 전혀 들으려 하지 않았다.

프라더(Hugh Prather)[1]

사람들은 이러한 일에 자주 접한다. 즉 대부분의 사람들은 '메시지'가 단순한 말 이상의 것을 포함한다는 것을 실제로 경험한다. 그리고 대인관계의 효과성은 주로 자신이 신중하고 예리한 의사소통자(communicator)로서 얼마만큼의 기술과 능력을 갖고 있느냐에

---

1) HUGH PRATHER, *Notes to Myself*(Moab, Utah: Real People Press, 1970), 페이지 미상.

따라 달라진다. 인간관계의 관점에서 효과적인 의사소통만큼 근본적인 측면은 없을 것이다. 사람들은 자신의 주변에서 수많은 의사소통의 단절 사례를 보고 듣는데, 이러한 사례에는 국내 또는 국제 간의 갈등, 이혼이나 가정불화, 노동쟁의, 사제 간의 견해 차이 등이 있다.

4장에서는 ① 의사소통의 과정, ② 피드백(feedback)의 중요성, ③ 의사소통을 방해하거나 왜곡하는 요인들, ④ 언어적 의사소통과 비언어적 의사소통 간의 차이, ⑤ 효과적인 의사소통을 위한 몇 가지 기법 등을 살펴보게 될 것이다.

I. 의사소통으로서의 과정

의사소통은 생명체들(living beings) 사이에서 감정, 태도, 사실, 신념, 생각 등을 전달하는 과정이다. 언어가 의사소통의 일차적인 수단이지만 결코 유일한 수단은 아니다. 비언어적 의사소통은 얼굴표정, 침묵, 몸짓, 감촉, 입모습, 눈짓, 그리고 사람들이 서로 의미를 주고받는 데 사용하는 기타 비언어적 기호나 단서 등을 통해 이루어진다. 요약하면 대인간의 의사소통은 어느 한 사람이 타인에게 영향을 주고 타인을 이해하는 데에 사용되는 모든 수단을 포함한다.[2]

의사소통에서 야기되는 많은 문제점들은 사람들이 **의사소통이 양방적 과정**이라는 사실을 망각하는 데서 유래한다. 의사소통은 메시지를 송신(sending)하고 수신(receiving)하는 것 둘 다 포함한다. 그

---

2) MILLARD J. BIENVENU, SR., *Talking It Over at Home: Problems in Family Communication*(New York: Public Affairs Pamphlet No.410, 1967), p.3.

래서 만일 메시지를 송신하였으나 상대방이 수신하지 못했다면, 그것은 낭비인 셈이다.

의사소통은 송신과 수신의 과정이면서 동시에 그러한 과정에는 내용과 관계라는 두 가지 형태의 메시지를 포함하는 과정이다. 본장의 처음 인용구에는 내용과 관계에 관련된 두 가지 종류의 메시지가 포함되어 있는데, 여기서 내용은 사용된 말이고 관계는 그러한 말속에 담긴 감정이다. 즉 양방적 의사소통은 내용 정보와 관계 정보를 송신하고 수신하는 것을 포함한다.

몇 가지 측면에서 의사소통은 암호의 송신과 유사하다고 할 수 있다. 왜냐하면, 여기에는 암호화(encoding)와 암호해석((decoding)의 과정이 포함되기 때문이다. 송신자는 자신이 의도하는 메시지를 결정하고, 정보를 이해가능한 언어로 바꿈으로써 메시지를 암호화한다. 그리고 그것을 수신자에게 보내고 수신자는 이를 받아서 암호해석을 한다([그림 4 - 1] 참조). 이것은 단순한 것처럼 보인다. 그렇지만 [그림 4 - 2]를 보면 몇 가지 메시지를 통과시켜 받아들이는 망(screen)이 있는데, 이는 이미 앞에서 논의한 참조체제와 같은 것으로 사람들은 각각 자신의 이러한 참조체제를 통하여 세상을 바라본다. 모든 사람들은 자신의 경험, 욕구, 감정, 가치, 신념, 그리고 자신에게 아주 사적이고 독특한 다른 일들에 비추어서 '메시지'를 수용한다. 메시지가 수신자에 의하여 적절하게 해석되었는지 아닌지를 결정하기 위해서는 피드백(feedback)의 과정이 있어야 된다([그림 4 - 3] 참조).

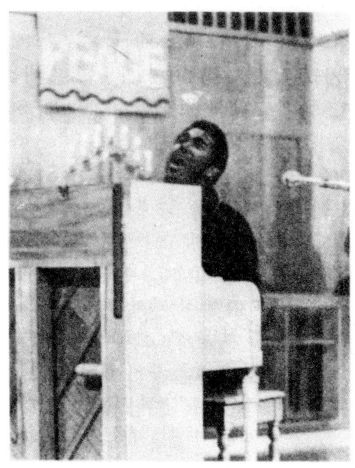

문화는 의사소통이고 의사소통은 문화이다
－ 홀(Edward T. Hall)

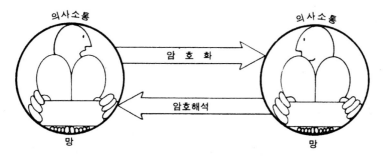

[그림 4-1] 양방의 의사소통은 암호화와 암호해석의 과정으로 시작된다

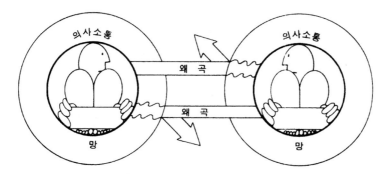

[그림 4-2] 메시지는 종종 메시지를 '받아들이는 망'을 통과하면서 왜곡된다

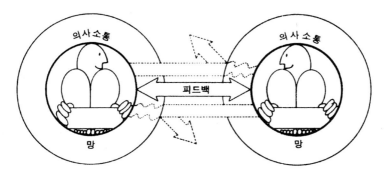

[그림 4-3] 피드백은 메시지가 망을 잘 통과하도록 도와준다

Ⅱ. 피드백은 어떻게 이루어지는가?

피드백은 지각과 정보를 전달하고 자신의 이해를 명료화하는 과정이라는 것을 앞서 지적한 바 있다. 피드백은 사진기의 작동에 비유될 수 있다. 즉 사진기가 빛과 거리를 자동 조절하는 렌즈를 통해서 사진을 깨끗하고 초점이 분명하게 찍게 하는 것과 마찬가지로, 피드백은 메시지의 의미를 바로잡고 조정하는 과정으로 의사소통을 명료하고 분명하게 해 준다.

타인이 자신에게 위협이 될지도 모르는 정보를 제공해 주면 대개 방어적인 자세를 취하게 된다. 다음의 내용들은 피드백을 비위협적인, 건설적인 방식으로 제공하기 위한 몇 가지 제안들이다. 자신이 타인에게 제공하는 피드백이 아무리 정확하다 할지라도, 만일 그 사람이 수용적이지 못하거나 지나치게 방어적으로 되면 그 피드백은 왜곡되거나 쓸모없이 될 가능성이 많다.

1. 건설적이고 효과적인 피드백3)

(1) 성격보다는 행동에 대해서 말하라. 자신의 메시지가 타인을 공격하는 것으로 지각되면 상대방은 분명히 방어적이게 될 것이다. '여러분'의 메시지가 비난이나 고발에 비중을 두거나 상대방의 성격을 모욕하는 인상을 주게 되면 그것은 적절한 피드백이 아니다. 타인의 실제 모습이 어떻다고 생각하기보다는 타인의 행동이 어떻

---

3) DAVID W. JOHNSON, *Reaching Out*(Englewood Cliffs, N.J: Prentice - Hall, Inc., 1972), pp.16 - 17.

다는 데 관심을 집중하는 것은 타인의 방어 의식을 감소시키는 데 도움을 준다. 예를 들어 "네가 나를 비웃을 때, 나는 기분이 상하면서 보잘것없게 느껴졌어."라고 말하는 것은 감정을 야기한 행동에 대해서 언급하는 경우에 해당된다. 그렇지만 "당신은 잔인하고 왠지 기분이 나빠."라고 말하는 것은 그 사람을 책망하는 것으로 방어적인 반응을 촉진하는 경우에 해당된다. '직선적(straight)' 피드백은 분명하고 적절한 것이지만, '혼합된(mixed)' 피드백은 말을 통한 메시지만을 전달할 뿐 음조, 역양, 몸짓 등을 통한 메시지는 전달하지 못한다.

(2) **판단하기보다는 정보를 교환하라.** 정보 교환은 일어난 일을 보고하고 동기를 평가하고 선/악 또는 정/사의 가치판단보다는 행동을 기술하는 것과 관련된다. 딱 잘라 말해 주는 것보다는 규모, 범위, 전체적인 윤곽에 대해서 말해 주는 것이 더 효과적이다. 예를 들어 "이 새로운 제도는 지긋지긋해."라고 말하기보다는 "전에 있던 제도가 좋았던 것 같애."라고 말하는 것이 더 효과적일 것이다.

(3) **충고나 해결 방안보다는 대안을 제시하라.** 선택안, 생각, 지각 등에 대하여 서로 의견을 교환하는 것은 다른 사람으로 하여금 자신이 고려해야 할 대안에 관한 정보 제공의 기회가 된다. 그리고 의사결정은 당사자에게 맡겨야 한다. 사람들은 너무나 자주 실제 문제가 없는데도 해결방안과 충고를 제공하고 또 제공받는다. 해결방안을 말해 주는 것은 상대방에게 부적절하다는 감정과 무능감을 느끼게 할 수도 있다.

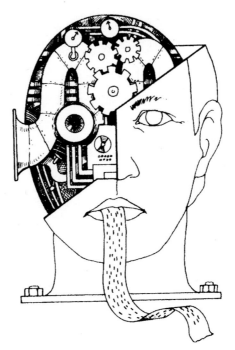

[그림 4-4] 효과적인 피드백은 지각과 정보를 전달
하고 메시지를 명료화한다

(4) 타인에게 자유로운 제안을 하되 강요는 말라. 피드백은 이것을
받으려는 사람의 욕구를 채워 주기 위한 것이지 자신을 위한 방출
이나 정화를 위한 것이 아니다. 예를 들어, "나는 너를 위해서 이
말을 해 주는 거야!"라고 말하는 것은 자신의 감정표현이지 피드백
은 아니다. 타인이 바라는 것은 그러한 말을 주고받는 것이 아니다.
또한 한 번에 받아들일 수 있는 피드백의 양에는 한계가 있다. 만
일 타인의 욕구가 충족되었다면, 그는 마지막으로 피드백받기를 원
할 것이다. 만일 여러분이 더 많은 정보를 받아들이도록 강요한다
면 그것은 타인의 욕구를 위한 것이 아니라 여러분 자신의 욕구표

현에 불과하다.

자신의 욕구는 물론 타인의 욕구에 대한 관심은 건설적인 피드백에 있어 가장 중요한 측면이다. 피드백을 주고받을 때에는 책임감은 물론 소유의식(ownership)이 함께 있어야 된다. 가장 긍정적인 상황은 어느 한 사람이 책임감을 갖고 다른 사람 역시 책임감을 갖고자 하는 상호간의 의견일치가 되려는 경향성을 알게 되면 직선적이고 행동적으로 정보를 교환하도록 반응하는 것이 중요하다.

피드백을 효과적으로 주고받을 경우에 메시지는 **수용되고 이해되고 정확하게 전달된다.**

---

1. 예로 들은 다음의 의사소통 방식이 일방적 의사소통인지 양방적 의사소통인지를 구별해 보라.
   a. 두 명의 친구가 어떤 책을 읽고 나서 책에 대한 소감을 비교해 보고 있다.
   b. 여러분의 한 친구가 여러분에게 욕을 하고 방을 나갔다.
   c. 어떤 일을 해 달라고 적힌 쪽지가 여러분의 책상 위에 놓여 있다.
2. 다음의 내용 중에서 피드백의 예에 해당하는 것은 어느 것인가?
   a. 여러분이 지금 자신의 고집을 관철시키기 위해 '묵비권'을 사용하고 있다.
   b. 여러분의 상사가 여러분에게 "이 일을 다시 하라."고 말했다.
   c. 여러분이 같은 반 친구에게 그 친구의 행동에서 느낀 점을 말해 주었다.
   d. 여러분에게 부모님이 "잠깐만 기다려! 나는 아직 네 일을 끝내지 못했어."라고 말했다.
3. 효과적인 피드백이 있었다면 피할 수도 있었던 의사소통의 단절사례를 들어 보라. 소집단에 있는 다른 사람들과 서로 자신의 경우를 얘기해 보고 그때 어떻게 대처했는지를 비교해 보라.

Ⅲ. 의사소통을 방해하거나 왜곡하는 망(網)

효과적인 의사소통을 방해할 가능성이 있는 망들 중에는 어떤 것들이 있겠는가?

1. 과거의 경험

사람들은 자신의 학습경험이 얼마나 강력한 힘을 갖는지에 대하여 알고 있다. 종종 사람들은 자신이 어떤 메시지가 있을 것이라는 것을 미리 알고, 그 메시지가 흥미 없거나 중요하지 않을 것이라고 예상함으로써 그 메시지를 '왜곡하여 받아들이는' 경우가 있다. 나는 전에 초등학교에 다니는 내 딸이 "안녕! 우리 다 같이 교훈을 생각해 볼까."라고 말하는 자기 선생님에 대해서 못마땅하게 얘기한 것을 기억한다. 그래서 나는 "그것이 어때서?"라고 물었더니, 딸이 말하기를 "아이! 엄마, 나는 귀가 따갑도록 들어서 더 이상 그 얘기를 듣고 싶지 않아. 나는 이제 그 얘기를 한쪽 귀로 듣고 한쪽 귀로 흘려버려!"라고 한 적이 있다. 즉 내 딸은 과거경험으로 인해서 담임선생님이 하는 말을 귀담아 들으려 하지 않았다. 그리고 담임선생님은 자신이 하는 말이 학생들에게 잘 안 받아들여진다는 것을 알지 못했다. 다른 사람들도 모임에서 자신의 선생님, 부모, 연사들과의 관계에서 이와 유사한 경험을 한 적이 있을 것이다. 이러한 상황에서는 사람들이 메시지가 전달되기를 바라는 기대가 과거의 경험으로 인해서 왜곡되고, 따라서 양방적 의사소통이 단절되게 된다.

2. 선입견

선입견은 바람직한 의사소통을 방해하는 또 다른 형태의 장벽이라 할 수 있다. 마음속으로 어떤 다른 일들을 생각하고 있게 되면, 사람들은 메시지의 의미를 완전히 이해하지 못하고 스쳐서 지나가게 되기 쉽다. 여러분이 선입견을 갖고 있는 사람에게 메시지를 보냈을 적에 그 사람이 "그것 좋은데" 또는 "아, 그래"라고 받아넘기는 경우를 생각해 보자. 이 경우는 그 사람의 선입견으로 인해서 여러분의 메시지가 차단되었다는 것을 말해 준다. 또한 여러분이 어떤 일을 골똘히 생각하고 있는 경우에도, 여러분은 타인이 보내는 메시지를 들을 수 없게 된다.

3. 고정관념

사람들이 종종 갖는 너무 단순화되고 일반화된 고정관념 또한 지각된 메시지에 영향을 준다. 논란의 대상이 되고 있는 몇 가지 문제와 관련된 모임이나 토론에서 자기 자신의 모습을 생각해 보자. 두 명의 연사가 아주 대조적인 차림, 즉 한 사람은 회색빛의 가는 세로줄 무늬의 고전적인 양복을 입고 나머지 한 사람은 턱수염에 장발머리를 하고 요즘 유행되는 옷을 입고 있는 모습을 하고 있다면, 사람들은 이들이 연설을 하기 이전일지라도 이들 두 명에 대한 시각적인 측면과 관련시켜 일반화된 가정을 하게 되는데, 이러한 가정은 고정관념과 밀접하게 관련되어 있다. 고정관념은 시각적인 것뿐만 아니라 가치, 편견, 불완전한 정보, 기타 많은 요인들을 기초로 형성되기도 한다. 여러분은 메시지를 걸러 내는 효과를 가질 수도 있는 다른 형태의 고정관념을 생각할 수 있는가?

4. 잠재적 의도(hidden agenda)

자기 자신의 욕구에 따라 메시지를 이해하는 것을 **잠재적 의도**라 부른다. 사람들은 자신이 마음속에 특별한 관심사를 갖거나 시비를 걸려고 하거나 어떤 사람에 대한 증오심을 품게 되면, 의식적이거나 무의식적으로 모임을 방해하고 대화를 자기 자신의 목적을 진전시키는 방향으로 이끌려고 하게 되는데 이는 잠재적 의도의 예가 된다.

5. 물리적인 환경

물리적 환경 또한 메시지 전달에 영향을 준다. 소음, 온도, 마음을 산란하게 하는 영향력, 기타 외적인 일들로 인해 메시지를 왜곡할 수 있다. 최근에 내가 옥외음악회에 참여했을 때, 독창을 하는 사람이 숲 속의 새들과 경쟁을 한 적이 있다. 그때 나는 노래를 정확히 들을 수가 없었고, 나머지 관중들도 '성악가와 새의 이중창'이라 말한 적이 있다.

의사소통의 과정을 방해할 수도 있는 조건들을 알고, 메시지가 가능한 정도 내에서 왜곡되거나, 오역되거나, 빠뜨려지지 않도록 그러한 조건들을 수정하도록 하는 것은 아주 중요하다.

Ⅳ. 언어적 의사소통

의사소통이라 하면 사람들은 맨 먼저 말과 언어를 포함하는 언어적 의사소통을 생각한다. 우리가 사용하는 말은 중요하겠지만, 더욱더 중요한 것은 사람들이 자신의 메시지를 전달하기 위하여 말을 어떻게 사용하느냐 하는 문제일 것이다. 예를 들어, "당신도 알다시피 나는 그 프로그램이 정말로 재미있었어."라는 단순한 문장의 경우에, 그 사람의 목소리에 있어 강조와 억양의 차이에 따라 그 말의 의미는 아주 다양하게 될 것이다. 그 말은 "당신은 내가 즐거웠다는 것을 알면서도 왜 물어보지 않니?"라는 것을 의미할 수도 있고, "당신은 재미없었는지 모르지만 나는 재미있었다."라는 것을 의미할 수도 있으며, "나는 그렇게 재미있었는지 미처 몰랐어." 라든가, "나는 다른 것들보다도 유달리 바로 그 프로그램이 재미있었어."라는 것을 의미할 수도 있다. 그리고 빈정대는 투로 말했다면, 그 말은 "그 프로그램은 내가 지금까지 접한 것 중에서 가장 보잘것없는 것이었어."라는 것을 의미할 수도 있다. 앞에서 예로

들은 문장을 여러 번 반복해서 혼자 말해 보라. 그러면 그때마다 다른 의미가 담긴 것으로 들릴 수도 있을 것이다.

말없이 의사소통을 한다는 것이 어려운 일이지만, 언어적 의사소통에서 말은 약간의 의미를 갖기 마련이다. 오히려 강조, 억양, 음조 등을 어떻게 사용하느냐 하는 문제는 훨씬 더 많은 의미를 갖는다. 예를 들어, "오!"라고 하는 단순한 말은 분노, 기쁨, 슬픔, 놀람, 충격, 야유, 당황, 그리고 기타 반응과 관련된 의미를 전달할 수 있다. 사람들은 화가 나게 되면 일차적으로 말을 통해서 자신의 분노를 표현하게 되고, 비록 자신의 분노를 숨기려 한다 할지라도 그것은 말의 음조를 통해서 은연중에 나타나게 될 것이다. 전에 여러분이 화가 난 어떤 사람에게서 들은 적이 있는 얘기를 생각해 보라. 그 사람은 분노를 여러분에게 말로는 어떻게 표현하고 말을 사용하지 않고는 어떻게 표현했는가?

상점의 점원이 "무얼 도와 드릴까요?"라고 말했을 경우에, 여러분은 이 말을 "나는 정말로 당신을 도와주고 싶은 마음이 없어", "나는 당신에게 관심이 없어", "나는 당신이 안 왔으면 좋겠어" 등의 의미가 담긴 것으로 들을 수도 있을 것이다.

오해를 초래할 수도 있는 언어적 의사소통의 또 다른 측면은 속어, 방언, 기타 특수한 용어의 사용과 관련된다. 이러한 경우는 아주 흔히 있는 일이라서 사람들은 자신이 그러한 말을 사용하고 있다는 것을 잘 알지 못한다. 예를 들어 '표준'영어를 배워 왔던 외국에서 온 사람들을 생각해 보라. 이들은 '마약(freaky)', '비정상적인(far out)', '능글맞은(cool)', '환각제(grass)', '멍한(spaced out)' 등과 같이 실제 사용되고 있는 다른 표현들과 관련된 단어들의 의미가 무엇인지에 대하여 한참 알아보아야만 할 것이다.

1. 의미론

의미론은 의미나 단어의 의미 변화를 연구하는 분야이다. 종종 여러분이 어떤 단어에 부여하고 있는 의미는 여러분과 얘기를 나누고 있는 상대방이 그 단어에 부여하는 의미와 전혀 다를 수가 있다. 그리고 만일 양쪽 모두가 어떤 용어를 다 같이 이해하지 못하거나 같은 단어에 대해서 다른 의미를 가진다면(예를 들어, 불고기가 언제 "잘 요리되겠는가?"를 판단하는 경우), 의사소통을 효과적으로 하는 것은 아주 어렵게 된다.

시간의 개념을 나타내는 많은 단어가 있는데 이들 각각의 단어들도 많은 의미를 갖는다. 예를 들어, '잠깐(a little while)'이란 말은 무엇을 의미하는가? 어른들에 있어 이 말은 2, 3분을 의미할 수도 있고 1년간이나 그 이상의 시간을 의미할 수도 있다. 즉 "경민이는 곧 대학생이 될 거야."라고 말했을 경우에 이 말은 경민이가 지금 고등학교 3학년 학생이라는 것을 의미할 수도 있다. 어린이들에게 있어서 시간은 훨씬 더 짧은 것이다. 즉 '잠깐'이란 말은 이들에게 있어 2, 3분보다 더 짧은 시간을 의미하기도 한다. 사람들이 '잠깐만(just a minute)'이라고 하는 경우에 잠깐(minute)이란 말은 1분에서 30분 사이의 어떤 시간을 의미할 수도 있고, 1분에서부터 영겁의 시간(eternity)을 의미할 수 있다. 왜냐하면, 사람들이 '잠깐' 하려고 하는 많은 일들이 결코 이루어지지 않을 수도 있기 때문이다.

어떤 의미에서, 의미론이 포함되는 의사소통의 문제는 하나의 어휘 속에 여러 가지 어휘가 포함되어 있다는 것으로 인해서 야기된다고 할 수 있다. 그래서 만일 사람들이 그들 용어의 의미에 대한 공통된 이해를 하고 있지 않는다면, 그들은 효과적으로 의사소통을 하지 못할 것이다. 우리가 단어들과 관련하여 갖게 되는 많은 어려움들은 그들이 각각 다른 경험을 해 왔고, 그들 단어에 대한 의미 부여와 이해가 다르기 때문이다. 어떤 단어가 사용되는 문맥은 사람마다 다르게 해석한다는 것을 기억하는 것은 아주 중요하다.

---

1. 소집단을 구성하여 백지에다 가능한 범위 내에서 속어, 방언 또는 특수한 용어를 많이 적어 보라. 이들 중에서 소집단 구성원들이 다 같이 사용하는 단어를 다섯 가지 고른 다음, 각각의 단어에 대한 집단의 정의를 내려라. 그리고 이를 벽에 걸어 놓고 다른 집단의 정의와 비교해 보라. 이들의 정의에 있어서 어떤 유사점과 차이점이 있는가?
2. 축축한(damp) 것과 습기 있는(moist) 것 중에서 어느 것이 더 젖은 것인가? 풍요한(plentiful) 것과 풍부한 (abundent) 것 중에서 어느 것이 더 많은 것인가? 사소한(tiny) 것과 하찮은(minute) 것 중에서 어느 것이 더 작은 것인가? 거대한(huge) 것과 막대한(enormous) 것 중에서 어느 것이 더 큰 것인가? 자신이 한 번 결정해 보고 세 명 정도의 타인과 서로 자신이 내릴 결정을 비교해 보라. 즉 자신의 반응을 토론하고 나서 공통된 일치점을 발견하여 보라. 그리고 나서 일치점을 칠판에 쓰거나 백지에다 써서 걸어 놓은 다음 자신들이 내린 결론을 다른 집단이 내린 결론과 비교해 보라.

V. '나'라는 메시지('I' message)

감정의 확인, 피드백을 주고받는 것, 행동변화를 요구하는 것 등을 포함하는 효과적인 의사소통의 기법은 '나'라는 메시지일 것이다.[4] 고르돈(Thomas Gordon)의 연구에 의하면, '나'라는 메시지는

---

4) THOMAS GORDON, *Parent Effectiveness Training*(New York: Peter H. Wyden, Inc.,

서로 간에 의미 있는 관계가 있고 높은 수준의 신뢰가 있을 경우에 가장 효과적이다. 타인의 **행동**이 수용될 수 없고 자신에게 아주 불쾌한 감정을 줄 경우에, 사람들은 자신의 욕구를 충족시킬 수 없으며 오히려 타인에 의해 침해를 받게 된다. 이러한 경우에 자신의 감정과 관련된 정보를 상대방에게 전달하는 것은 아주 중요하다. 사람들은 너무나 자주 타인이 우리 자신의 감정을 안다고 생각하는 것 같다. 그러나 타인이 우리 자신의 감정을 읽지 못한다는 것도 알고 있다. 그리고 비록 그들이 우리의 감정을 안다고 할지라도, 우리는 자신의 감정, 타인의 행동, 타인 행동의 변화에 대한 바람 등을 포함하는 메시지를 정확하게 전달해야만 한다.

'나'라는 메시지는 여러 가지 부분들로 구성되는데 이는 다음과 같다.

1. 감정의 원인 진술, 2. 감정의 확인, 3. 타인에 대한 영향의 진술

당신이 _____했을(할) 때 나는_____했(한)다. 왜냐하면 당신의 그 행동(말)은 나의 감정을 _____하게 만들기 때문이다. 때에 따라 마지막에다 타인의 행동 변화에 대한 바람, 욕구, 제안을 덧붙일 수 있다. 이러한 경우에 네 번째 부분은, "나는 당신이 행동(말)하기를 정말로 원해." 등과 같이 구성된다.

나의 경우를 예를 들어 설명하면 다음과 같다.

실제로는 여러 해라고 생각하지만 특히 요즘 몇 달 동안, 남편은 거의 매일 밤 자신의 구두를 침실 바닥의 중앙에 벗어 놓곤 하였다.(역주: 서양의 경우 신을 침실까지 신고 들어가기도 한다.) 그리고 그의 이러한 행동

1975; Plume ed.), pp.121 - 138.

으로 나는 짜증나지 않을 수 없었다. 특히 더 짜증나는 것은 대개 남편의 구두가 자명종을 끄러 가는 통로의 오른쪽에 놓여 있었다는 점이다. 때에 따라서 내가 그 구두를 보게 되면 거치적거리지 않게 한쪽으로 치워 놓거나, 남편을 바라보면서 "당신은 구두를 잘 정리해 둬야 되겠어요."라고 말하곤 한다. 그러나 나의 메시지가 남편에게 명확히 들리지 않았기 때문에 남편은 "내 잠을 깨우지 마."라고 말할 뿐이었다.

그럴 때마다 나는 '그래 나는 그이의 어머니는 아니니까 ― 그이의 못난 구두가 떨어지면 꿰매어 주면 되겠지 뭐!'라든가 '어떤 눈치 없는 사람이 내가 아침에 구두에 걸려서 넘어지는 것을 보지 않으려나 모르겠네 ― 남편이 관심을 갖고 자기 구두를 잘 정돈하면 얼마나 좋을꼬!' 등과 같이 생각하면서 그냥 보아 넘겼다(기억할 것은 저자가 지금 이러한 예를 들고 있는 갈등을 느끼게 하는 것은 바로 사소한 일이 원인이 될 수도 있다는 것을 지적하기 위해서이다. 아직 명확하고 간결하며 정확한 메시지는 제시되지 않았다).

분명히 나는 나 자신의 감정을 전달해 왔다고 생각한다. 실제로 나는 여러 번 남편에게 메시지를 전달해 왔지만, 남편은 받는 즉시 그 메시지를 흘려버렸다. 이러한 상황은 헤아릴 수 없을 만치 반복되었다. 즉 나는 자명종을 끄기 위해 침대에서 잠결에도 일어나야 했고, 남편의 구두에 걸려 넘어지기도 했으며, 발끝으로 조심조심 걸어야 했고, 다시 잠자리에 들기 위해 가만가만 소리 내지 않고 침대에 되돌아오곤 하였다. 남편이 잠에서 깨어 "무슨 일이오?"라고 물으면 그때마다 나는 "아무 일도 아녜요!"라고 대답하기도 하였다.

한번은 어느 춥고 어두운 겨울날 아침이었는데, 나는 남편 구두가 있는 근처를 지나치면서 동이 트고 있음을 알았다. 그때 나는 자명종을 끄고, 전등을 켜고, 침대로 되돌아와서, 이불을 모두 걷어치우고, 남편의 구두를 그의 머리맡에 내치면서, "나는 당신이 침실 바닥 한가운데 구두를 벗어 놓을 때마다 아주 정신없이(*@$%&@*) 미쳐 버릴 것만 같아! 당신이 그럴 때마다 나는 구두에 걸려 넘어졌고 아침마다 발끝으로 조심조심 걸어야만 했어요! 제발 구두 좀 치워 줘요!"라고 말해 버렸다. 남편은 그제야 깜짝 놀란 듯 눈을 껌뻑거리며, "휴, 당신은 구두를 침실의 한가운데 놓는 것을 정말 싫어했나 보구료! 정말로 그랬소?"라고 말하였다.

[그림 4-5] '나'라는 메시지는 감정을 확인하고 진술하
는 것으로 시작된다.

사람들은 의사소통의 과정에서 벗어났던 경험을 갖고 있을 것이
다. 즉 자신의 메시지가 명료하지 않기 때문에 상대방은 그 메시지
를 정확하게 받아들이지 못하게 되고, 결국에는 아무런 효과를 얻
지 못하게 된다. 때에 따라서, 이러한 경우에는 방해요인들을 극복
하고 메시지의 전달에 필요한 영향력의 제공을 위하여 일종의 위
기 대처 방법을 필요로 한다. 이러한 상황에서 '나'라는 메시지는
아주 효력 있고 강력하며 적절한 대처방안이 된다.

평상시에 사람들은 "당신이 ＿＿＿＿했을(할) 때 나는 ＿＿＿＿했
(하)다. 왜냐하면 당신의 그 행동(말)은 나의 감정을 ＿＿＿＿하게
만들기 때문이다."라는 간편한 '나'라는 메시지를 사용할 수 있다.
그러나 때에 따라서 끝부분에 "나는 당신이 ＿＿＿＿하게 행동(말)

하기를 바란다."와 같은 자신의 바람을 덧붙일 수 있다. 이러한 주장을 담은(Assertive) '나'라는 메시지는 상대방의 감정을 상하게 하지 않고서도 자신의 주장을 상대방에게 전해 줄 수 있게 해 준다. 그리고 이러한 방법은 소극적이거나 **공격적인** 행동을 긍정적인 방향으로 개선할 수 있게 해 준다.5)

[그림 4-6] 어떤 '장애물(구두)'로 인해서 자신의 의사소통이 단절된다고 보는가?

소극적인 상호작용의 경우는 타인이 자신의 권리를 침해하거나, 자신이 타인에 의해 이용당하도록 방치하는 경우이다. 가령 상대방이 여러분에게 "너 오늘밤 영화 구경 가길 원치 않겠지? 그러니까 집이나 지켜!" 또는 "너 저기 쓰레기통을 치워 주겠어?" 등과 같이 말하는 경우이다. 이러한 상호작용 관계에 있을 경우 상대방은 여

---

5) 이와 관련된 이론가들이 많이 있으나 대표적으로 ROBERT ALBERTI and MICHAEL EMMONS, A. A. LAZARUS, P. A. JAKUBOWSKL, and MANUEL J. SMITH 등을 들 수 있다.

러분에게 거리낌 없이 자신의 힘을 행사하고 여러분의 권리를 침해하려 들 것이다. 여러분 자신도 상대방이 여러분의 요구에 대해 '긍정', '부정'도 할 수 있는 권리를 가진 것과 마찬가지로 상대방에게 어떤 요구를 할 수 있는 권리를 갖는다. 그리고 그러한 요구는 분명한 요구일 필요가 있다.

공격적인 상호작용의 경우는 여러분이 타인의 권리를 희생시킴으로써 여러분 자신의 권리를 옹호하려는 경우이다. 여러분이 상대방에게 "당신은 너무 경솔해!" 또는 "안 돼, 나는 당신의 지겨운 일로 인해서 몸이 아프고 피곤해! 이제는 당신의 힘으로 해 봐!"라고 말하는 경우이다. 공격적인 메시지는 종종 싸움을 일으키게 하기도 한다.

주장을 담은 '나'라는 메시지는 감정과 행동을 밝혀 줄 뿐만 아니라 어떤 행동의 변화를 제시해 주기도 한다. 여러분은 어느 경우에 단순한 "나(I)"라는 메시지가 요청되고 어느 경우에 주장을 담은 '나'라는 메시지가 요청되는지를 결정해야만 될 것이다. 그리고 하룻밤만 지나면 상대방에게 변화가 있으리라고 기대하지 말고, 여러분이 좀 더 협상적이고, 자신의 감정을 명료화하고, 타인을 이해하려 노력하는 정도에 따라서 변화하게 될 것이라는 것을 기대하라.

단순한 '나'라는 메시지의 예를 들어 보라.

주장을 담은 '나'라는 메시지의 예를 들어 보라.

어떤 타인의 행동으로 인해서 여러분이 아주 불쾌한 감정을 가졌던 상황을 생각해 보라. 그때 그 사람의 어떤 행동 변화로 인해서 여러분이 가졌던 불쾌한 감정을 줄이고 자신의 욕구를 채울 수 있었는가?

여러 가지의 상황을 들어 보고, 그때의 감정을 열거해 보라. 그때 어떤 감정이 일차적인 것이었고, 어떤 감정이 이차적인 것이었는가?

다음의 진술들이 소극적인 것, 주장을 담은 것, 공격적인 것 중에서 어디에 해당되는지 알아보라.

    a. "내가 당신이 바쁜 사람이라는 것을 모르는 바는 아니나, 어떻게 나를 30분 동안이나 기다리게 할 수가 있니? 이번의 일로 해서 내가 당신을 어떻게 보게 됐는지 알아?"

    b. "저런! 나는 당신을 미워하도록 싫어해. 왜냐하면 나는 당신이 나를 대수롭지 않게 보고 있다고 생각하기 때문이야. 그렇지?"

    c. "이곳에서 어떤 일이 있었는지 알아? 나는 여기서 30분 동안 기다렸어. 그리고 당신이 만일 그 일을 재빨리 하지 않았다면, 나는 그 일을 다른 사람한테 떠맡기려 했어!"

Ⅵ. 비언어적 의사소통

카이네시스(Kinesis)라 불리는 비언어적 의사소통을 연구하는 학문은 최근에 각광을 받기 시작한 분야이다. 종종 인간의 비언어적 신호나 신체언어(body language)는 무의식중에 나타나는 것을 언어적 의사소통보다 더 타당한 정보를 제공해 준다. 다음의 예들은 아주 일상적인 비언어적 의사소통의 예이다.

1. 몸짓(gestures)

대부분의 사람들은 얘기를 하면서 자신의 손을 사용한다. 그리고 때로는 말이 부적절한 것처럼 보일 때, 즉 어떤 것을 묘사하거나, 강조를 하거나, 자신이 갖고 있는 의미를 설명하려 할 때 손을 사용해야 할 필요성을 느낀다. 그리고 어떤 사람이 하는 자그마한 몸짓이 많은 의미를 전달하기도 한다. 예를 들어, 선생님은 대개 학생들이 학습내용을 이해하였는지의 여부를 학생들의 얼굴 표정이나 몸짓을 통해서 알게 된다. 학생들이 수업 중에 연필을 돌리며 장난하거나 시계만 보고 있는 경우, 그리고 낙서를 하고 있다면 이는 말없이 학생들이 수업에 흥미가 없음을 말해 준다.

보편적으로 이해되는 어떤 몸짓들은 말을 전혀 필요로 하지 않는다. 예를 들어, 교통정리를 하는 순경은 말없이도 차의 진행 방향을 아주 잘 지시해 준다. 외국을 방문하는 여행자 역시 언어문제에서 막히게 되면 거의 모두 자신들의 몸짓을 통해 의사소통을 하게 된다. 그렇지만 어느 한 나라에서 거의 완전하게 이해되는 몸짓이 다른 나라에서 전혀 다른 의미를 가질 수 있다는 것을 기억하는 것은 아주 중요하다.

2. 눈 마주침

두 사람 사이의 눈 마주침은 아주 많은 것을 '말해 준다'. 선생님이 학생들을 뚫어지게 노려본다면, 선생님의 눈은 학생들에게 "잡담을 중지해! 그렇지 않으면 혼날 줄 알아."란 메시지를 분명하게 전달하는 것이다. 그리고 여러분의 눈동자가 맞은편 사람의 얼굴을 빤히 보고 있다면, 이는 여러분이 그 사람의 말을 경청하고 있다는 것을 말해 주는 것이다. 또한 여러분의 시선이 방 주변을 돌고 있다면, 이는 여러분이 지금 그 사람에게 관심을 두고 있지 않다는 것을 말해 주는 것이다.

사람들은 자신의 눈을 통해서 타인과 접촉하며, 타인과 어떤 형태의 눈 마주침을 갖느냐에 따라 신뢰와 믿음의 형태도 다르게 나타난다. 연설이나 외판원 훈련 등에서는, 관중이나 고객과의 눈 마주침을 적절히 유지하기를 강조하고 있다. 타인과 여러분 자신의 눈 마주침을 통해서 여러분이 '의사소통하여 왔던' 경우를 생각해 보라.

3. 아류언어(subvocals)

아류언어에는 신음, 한숨, 비명, 투덜거림과 같은 말이 아닌 모든 종류의 소리 등이 해당된다. 그러나 이들 아류언어도 또한 타인에게 많은 의미를 전달한다. 이들 아류언어 중에 많은 것들은 거의 주의를 기울이지 않기 때문에, 타인들이 이들을 어떤 방식으로 인식하고 있는지를 우리에게 말해 주지 않는다면 알 수 없는 것들이다.

4. 접 촉

접촉은 가장 강력한 형태의 비언어적 의사소통 중의 하나에 해당된다. 신뢰, 분노, 자비, 연민, 온정, 흥미, 관심 등의 접촉을 통해서 표현될 수 있는 많은 질서와 감정을 생각해 보라. 어떤 사람이 어떤 방식으로 여러분에게 손을 내밀었을 경우, 여러분은 말없이도 그 의미를 이해할 수 있게 될 것이다. 어떤 사람이 슬픔에 잠겼을 때, 상대방을 위로하는 신체적인 접촉은 아주 의미 있게 될 것이다. 어쨌든, 어떤 사람이 기쁨이나 슬픔에 잠겼을 때 표현할 수 있는 것 이상을 말해 준다.

그렇지만 문화적·사회적으로 규정된 접촉과 관련된 많은 금기가 있다. 접촉지향적인 사람들이 그렇지 않은 사람들보다 더 많다. 그러나 어떤 사람들은 접촉을 통해서 아주 상당한 위안을 받는 반면에 또 어떤 사람들은 접촉하기를 상당히 주저한다. 자기 자신의 환경, 상식, 그리고 관계의 형태에 따라 자신이 전달하고자 하는 메시지에 적합한 접촉의 정도가 결정된다.

5. 거리감(distancing)

종종 공간이나 영역으로 알려진 거리감은 접촉과 밀접하게 관련되어 있다. 즉 거의 모든 사람들은 자기 자신의 사적인 영역으로 생각하는 개인적인 공간의 '경계선'을 자기 주변에 쳐 놓고 있다(역주: 서양인에게는 공간개념이 강하다. 그래서 한국에 와서 공간 침해나 신체적 접촉으로 많은 문화적 충격을 받는다.). 홀(Edward T. Hall)은 인간이 자신의 주변에 설정해 놓은 구역이나 영역에는 (1) 친밀한 거리, (2) 사적인 거리, (3) 사회적인 거리, (4) 공적인 거리 등이 있다고 결론지었다.[6]

---

6) EDWARD T. HALL, *The Hidden Dimension*(출판지 미상: Doubleday & Company,

친밀한 거리(intimate distance)는 자신과 타인 사이에서 있을 수 있는 가장 근접한 거리이다. 대부분의 미국인들에 있어, 이러한 거리는 15cm에서 30cm에 해당되며, 사랑을 나누는 남녀 간의 관계나 부모와 자식 간의 관계와 같이 친밀한 관계에서 있을 수 있는 거리에 해당된다. 이보다 더 가까운 관계에서는 친밀한 신체적인 접촉이나 감촉이 있게 되고, 가까운 거리로 인해서 사람들은 더 친밀하게 되기도 한다.

사적인 거리(personal distance)는 보통 30cm에서 60cm 내지 90cm 정도의 거리에 해당되며, 대개 친한 친구들 간에 있게 되는 관계이다. 이러한 거리에서 사람들은 다른 친구들과 무난하게 접촉을 갖게 되며, 비록 덜 친한 관계라 할지라도 사적인 성격의 상호작용은 이루어질 수 있다. 사람들이 "다른 사람을 멀리하라!"는 말은 이러한 사적인 공간 이상의 범위를 설명하는 예가 될 수도 있다. 이보다 좀 더 가까운 사이라면, 사람들은 "나는 당신과 있으면 마음이 편해, 그래서 나는 당신과 친해지고 싶어!"라고 상대방에게 말할 수 있을 것이다.

사회적인 거리(social distance)는 120cm 정도의 거리로서, 사람들이 '사회적인 상황'에서 맺게 되는 관계를 말한다. 이러한 거리에서 사람들은 상거래, 취직면접, 복도나 길가에서 지나치며 하는 인사 등과 같은 아주 사무적인 형태의 상호작용을 하게 된다. 또한 사회적인 거리에서 사람들은 자신의 상호작용을 사적인 것으로보다는 사회적인 것으로 보는 경향이 있다.

공적인 거리(public distance)는 겨우 얘기를 주고받을 수 있는 210 cm에서 280cm 이상의 거리이다. 미국 문화권에서, 사람들은 공적인

Inc. 1966).

모임, 정원을 낀 정도의 거리에서 하는 대화, 기타 성격상 사적인 것이 아니라 공적인 것으로 분류될 수 있는 활동과 같은 최소한의 사적인 접촉이 필요한 경우에 이러한 거리를 유지한다. 이러한 공간은 거의 모든 사람들에게 관련되는 것이며, 공적인 상호작용에 있어 사람들은, 이들 공간 안에서 자유롭게 이동한다.

인간의 영역이나 공간에 대한 욕구는 의식적이라기보다는 잠재의식적인 것으로, 이들 개념의 중요성은 쉽게 설명될 수 있다. 여러분은 자신의 공간이 타인에 의해 '침해되는' 것으로 느낀 적이 있는가? 이러한 경우는 어떤 타인이 자신에게 '접근'하거나, 자신이 다른 용도로 준비하여 놓은 공간을 점유하는 때에 발생한다. 그리고 이러한 감정을 느끼는 것은 사람에 따라 다르지만 다음에 제시되는 몇 가지 예는 여러분의 경우라도 아주 유사할 것이다. 즉 여러분의 교실에서 선생님이 수업 중에 여러분의 어깨 너머로 '교실을 배회하며' 쳐다보는 경우가 있었을 것이다. 그리고 여러분이 파티에 갔을 때, 어떤 사람이 접근해 오는 경우 여러분은 무의식적으로 '파티 장을 빙빙 돌면서' 피하게 되는 경우도 있었을 것이다. 또한 여러분이 공원 벤치의 한쪽 가장자리에 앉아 있을 경우, 어떤 다른 사람이 맞은편 가장자리의 벤치에 앉는 것이 아니라 여러분 벤치 옆자리에 앉는 경우가 있었을 것이다. 이러한 경우에, 대부분의 사람들은 자신의 공간이 침해받고 있다고 느끼거나 불쾌하게 생각된다. 여러분이 앞에서 예로 든 상황에 있었다면 어떠한 감정을 가지겠는가?

다음으로는 여러분이 복잡한 승강기, 지하철 또는 버스를 탔을 경우에, 모든 사람들의 공간은 침해를 받게 된다. 그러한 경우에 다른 사람들이 어떠한 반응을 보이는지 관찰해 보아라. 그들은 자신의 사생활에 대한 이러한 침해에 대하여 어떻게 대처하는가? 여러분은 종종 그 사람들이 자신의 팔을 자신의 몸에 밀착시키고 멀리 있는 어떤 목표물을 응시하는 것을 발견하게 될 것이다. 어떤 의미에서 이것은 자신의 사적인 공간을 정서적으로 격리시켜 보호하려는 것으로 보일 수 있다.

사람들은 자신의 공간이 침해받게 될 경우에 긴장하고, 경계심을 갖고, 당황하게 되어, 자신과 타인 사이에 거리를 두고자 할 것이다. 그리고 자신이 타인과 어떤 형태의 관계를 가지느냐 하는 것은 자신이 바라는 거리의 형태를 결정하는 데 있어 중요한 요인이 될 것이다.

아주 가까이에 있는 사람에게는 말을 통해 의사소통을 하지만, 너무 멀리 떨어진 사람에게는 메시지를 통해서 의사소통을 하게 된다. 여러분이 만나기로 한 사람과 친해지고 싶었는데, 상대방이 상당한 거리를 두고 앉기를 바라고 더 가깝게 지내려고 하는 여러분의 노력을 환영하지 않을 경우, 그 사람과 여러분 사이에 있게 되는 거리는 무엇을 의미하는가?

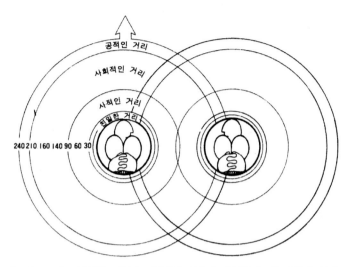

공적인 거리

사회적인 거리

사적인 거리

친밀한 거리

240 210 160 140 90 60 30

[그림 4-7] 사람들은 자신의 개인적인 공간이 '침해받게' 될 경우에 불쾌한 감정을 갖게 될 것이다.

대인간의 공간과 영역에 관련시켜 우리가 배울 수 있는 교훈은 아주 많다. 여러분이 다른 사람의 공간을 침해하거나 위협하고 있는 경우에 그 사람의 비언어적 메시지는 상대방이 불편해하고 있다거나, 숨통을 틜 수 있는 공간을 필요로 한다거나 하여, 여러분과의 공간을 원하지 않는다는 것을 말해 줄 것이다. 여러분이 감독을 하는 입장에 있을 경우에, 어떤 사람이 여러분의 주변을 배회하거나 지시를 하고 있는 여러분의 위에 서 있다면, 어떤 감정을 갖게 되겠는가? 예를 들어, 두 개의 의자를 권력과 위협의 측면에서 보다는 평등과 위치의 조절이라는 관점에 의하여 배열되도록 하라. 여러분이 책상의 위치 배열이나 사무실 배치와 관련해서 타인에게 말하기를 원하는 것은 무엇인가? 이 경우에 책상은 장애물이나 힘의 상징이 될 수 있으며, 개방성을 드러낼 수 있도록 배열될 수 있을 것이다. 여기에는 '올바른' 방식이 없다. 그러나 사람은 자신의 욕구와 자신이 전달하고자 하는 메시지에 대해서 알 필요가 있다.

---

1. 여러분의 발끝을 타인의 발끝과 닿도록 선 다음에 두 사람이 서로 편하다고
   느낄 때까지 뒤로 물러서라. 두 사람 사이에는 어느 정도의 공간이 있는가?
   여러분은 누구와 함께 또는 어떤 조건에 있을 때 더 가깝게 되고 싶은가?
2. 효과적인 경영. 친구, 가족 내의 상호작용, 소집단의 역학관계 등의 소집단
   내에 있는 다른 구성원들에게 공간과 영역의 원칙을 적용해 보라.
3. 소집단을 만든 다음. 몸짓. 눈 마주침. 아류언어. 접촉들이 각각 어떤 상황에
   서 의사소통을 증대시켰으며. 어떤 상황에서 의사소통을 방해하였는지를 들
   어 보라.

Ⅶ. 효과적인 의사소통의 방법

효과적인 의사소통은 양방적인 과정이다. 양방으로 통로를 개방
하도록 하기 위해서는 양쪽의 참여자가 협동할 필요가 있다. 다음
에 제시하는 것들은 아주 기본적인 몇 가지 규칙들로서 의사소통
을 원만한 수준으로 지속할 수 있도록 도와줄 것이다.

1. 감정이입을 하라

자신이 타인의 입장에 서고 타인에게 자기 자신의 온정과 이해
를 전달하는 능력을 갖는다는 것은 아주 중요하다. 우리가 감정이
입을 한다고 함은 타인의 경험을 자기 자신의 경험 속에서 재창조

하는 것을 말한다. 사람이 타인에게 감정이입을 한다는 것은 타인의 관점에서 세상을 보려고 하는 것을 말한다. 사람들이 타인과 똑같은 경험을 한다고 하는 것은 필요하지도 않고 가능하지도 않다. 그러나 감정이입을 통해서 여러분은 타인의 기쁨을 여러분 나름대로 볼 수 있고, 타인의 슬픔을 '내면화'할 수 있으며, 타인과 '동반자 의식'을 느낄 수 있으며, 그래서 타인과의 관계를 강화시킬 수 있게 된다.

2. 장애물을 의식하라

바람직한 의사소통을 방해할지도 모르는 고정화된 장벽을 가능한 한 제거하도록 하라. 그리고 서로 간의 차이점이 있다고 해서 의사소통이 되지 않을 것이라고 생각하지 말라. 무엇보다도 중요한 것은 의사소통을 자발적으로 하고자 하는 태도이다. 자신의 마음을 개방한 상태에서 타인의 얘기를 듣되, 선입견적인 판단을 갖고 의사소통의 과정에 참여하지 말라. 그리고 타인의 관점에서 상황을 보도록 노력하라. 그러면 타인도 여러분의 관점에서 상황을 보고자 할 것이다.

자신이 갖고 있는 가정, 과거의 경험, 자기 자신의 사적인 가치, 신념, 흥미 등이 자신의 지각에 영향을 줄 것이라는 것을 인식하고, 그러한 시각에서 메시지를 고찰하도록 노력하라. 왜냐하면, 사람들은 자신이 갖고 있는 왜곡망(screens)으로 인해서 때때로 말하지 않았던 것들을 듣게 되어 의도했던 메시지를 듣지 못하게 되기 때문이다.

3. 피드백을 주고받으라

양방적인 의사소통이 아무리 잘 된다고 할지라도 피드백은 아주 중요하다. 만일 여러분이 타인이 전하고자 하는 의도나 의미를 이해했다는 확신을 갖지 못했다면, 다시 물어보라. 예를 들어, "내가 당신을 정확하게 이해했는지 모르겠네."라고 말하고 나서, 상대방이 말하고자 했던 것에 대한 여러분 자신의 지각을 반사시켜 주거나 피드백시켜 줄 수 있다. 아니면 "당신은 자신이 ……하게 느낀 것을 말했나?"라고 말하고 나서, 여러분 자신이 이해한 것을 말해 줄 수도 있을 것이다. 이와 같은 방법으로 양쪽 사람 모두는 공통된 이해를 가질 수 있도록 함께 협동할 수 있으며, 어느 한쪽은 상대편의 의도에 대한 해석이 정확한지 또한 메시지가 명확하게 전달되고 있는지를 알아보기 위하여 부분적으로 '자세히 검토'할 필요가 있다.

상대방의 말을 들으면서 그 말을 자기 자신의 말로 의역하고 자신의 말에 반영하는 능력을 개발하라. 그리고 피드백을 주고받을 때 자신에 대한 개방적 인식의 영역을 넓히고 새로운 통찰을 얻도록 노력하라.

4. 타인의 말을 경청하라

경청이란 적극적인 책임의식이며 수동적인 행동이 아니다. 여러분은 의사소통의 과정에서 상대방이 말하고 있는 경우에 듣는 사람이 된다. 이러한 경우에 여러분은 단순히 그 사람이 하는 말뿐만 아니라 그 사람의 사상과 감정을 알아차리는 '마음의 귀(inner ear)'를 갖고 얘기를 들어야 한다. 그러고 나서 메시지에 대한 여러분 자신의 지각을 피드백해 주어라. 때때로, 여러분은 "무슨 소용이 있어? 그들과 내기를 하느니 차라리 벽을 대하고 얘기를 나누지."라고 말하는 것과 같은 타인의 태도를 느낄 수도 있다. 즉 여러분은 사람들이 담 벽돌같이 앉아 있는 것이 아니라 여러분의 말에 즉각적인 반응을 보여 주는 것과 같이, 타인들이 진정으로 여러분의 말을 경청해 주기를 원할 것이다.

5. 권력과 조작에 의한 전달을 피하라

때때로, 권위를 갖고 있는 사람들은 자신들의 지위에 의하여 자신들이 하고자 하는 것에 어떤 방식으로든 자신의 권력을 이용할 권리를 갖고 있다고 생각한다. "나는 우두머리이니까 우리는 그 일을 내 방식대로 할 수 있어."라고 하는 주장은 권력의 남용이다. 확실히 책임을 지는 지위에 있는 사람들은 결정을 하기 위해서 권위를 필요로 한다. 그러나 중요한 것은 그들이 그러한 권력을 어떻게 사용하느냐 하는 문제이다.

확실히 권위적 인물들이 최선의 것을 알고 있는 많은 사례가 있다. 그리고 만일 이들이 유능한 의사소통의 명수라면, 이들은 타인들을 통제하고 조작하는 권력을 사용하지 않고, 타인들이 최선의 결정을 할 수 있도록 도와줄 수 있을 것이다. 이들이 모든 해결 방안을 알고 있는 것은 아니며, 또한 이들은 이러한 사실을 인정해야 한다.

어느 한 사람의 '권력'은 타인들이 그를 어떻게 보느냐에 달려 있다. 그리고 이러한 것은 보통 사람들이 지원과 격려를 위해 서로 의존하게 되는 대인관계로 알려져 있다. 또한 지원을 해주는 데 있어, "당신이 나를 사랑한다면 그렇게 행동하지는 않을 거야." "내가 말해 준 대로 한다면 당신을 도와줄 수 있어." "당신이 그따위 일(행동)을 멈추지 않는다면 아마 일이 잘 풀리지 않을걸." 등과 같이 '어떤 조건'을 설정해 놓고 지원을 제공하려는 사람들의 경향성은 별로 현명한 것이 못 된다. 이러한 경우에, 권력은 오용된 것이라 할 수 있고, 상대방은 이를 의미 있게 고려하지 않을 것이다. 왜냐하면, 신뢰와 이해의 관계는 개인의 권력에 기초하는 것이 아니라 믿음과 신뢰에 기초를 둬야 하기 때문이다.

사람들은 자신이 권력의 남용이나 조작적인 상황에 처해 있다는 것을 알게 되면, 인간관계를 승리(winning)와 패배(losing)의 시각에서 보게 된다. 그렇지만 사람들이 진실한 마음으로 효과적인 의사소통을 바라고 있다면, 어느 누구도 권력싸움에서 전적으로 이기지는 못하게 된다.

6. 일대일로 의사소통하라

일대일의 관계는 의사소통에 있어서 통합적인 요소이다. 사람들이 타인에게 진정한 '배려'의 태도를 전달하고자 하는 인간적인 토대에 기초해서 대한다면, 의사소통의 통로는 개방적으로 될 것이다. 이러한 감정은 두 사람 사이에서나 대집단의 구성원들 사이에서 얼마든지 있을 수 있다. 예를 들어, 큰 학급을 이끌고 있는 교사의 경우에도 학생들에게 "너희들 모든 개개인이 중요하다."라는 감정을 전달할 수 있다. 가족의 성원 개개인은 강한 공동체 의식을 가지면서도, 다른 한편으로는 개개인이 한 개인이나 인간으로서 특이하고 중요하다.

일대일의 관계는 이해와 존경이 포함된다. 그러기 때문에, 우리는 개인차를 인정해야만 하고, "좋아. 나는 당신의 현재 모습을 수용해."라고 말해야 한다. 인간은 자신과 타인에게 전적으로 동의할 필요는 없지만, 우리가 타인을 이해하려고 노력한다면 우리 자신은 훨씬 더 행복한 삶을 누릴 수 있을 것이다.

이해는 타인에게 자신의 견해를 강요하는 것이 아니다. 그러나 조작적인 사람들은 이해를 타인에게 강요함으로써 타인으로 하여금 자기 자신의 견해에 동조하게 만드는 것으로 본다. 그래서 그 사람은 타인이 자신을 이해하여 주길 바란다. 그렇지만 이는 잘못된 생각이다.

타인을 이해하려고 하는 사람은 상호간에 일치가 되든 불일치가 되든 타인에게 언어적 혹은 비언어적인 방식으로 수용과 이해의 감정을 전달하고자 한다. 이것은 아주 중요한 사실이다. 그리고 이러한 사람들은 일치를 주장하지도 않는다. 이해는 양방적인 것이기 때문에, 타인이 자신을 이해하여 주기를 바란다면 먼저 자신이 타인을 이해할 수 있어야 한다. 왜냐하면 의사소통에 참여하는 자신과 상대편 모두는 양방적 의사소통이 진행될 경우 자신들이 표현하고자 했던 감정을 갖고 있기 때문이다.

7. 타인을 수용하려고 노력하라

타인과 타인의 견해에 대하여 존중과 배려를 하는 것, 타인의 강점을 격려해 주고 강화시켜 주는 것은 수용과 관련되는 몇 가지 예이다. 수용에는 타인과 함께하고자 하는 개방적이고 자발적인 태도가 포함된다. 여기에는 또한 "당신이 가장 예쁘거나 자랑스럽게 생각하는 것이 무엇이냐?"라고 말하는 것과 같이, 타인이 갖고 있는 자아상을 키워 주는 것도 포함된다.

조건 없이 타인을 수용하는 것은 의사소통을 원활하게 한다. 그리고 이러한 분위기 속에는 애정 어린 수용이 있게 된다. 사람은 자신이 실수를 하게 되면 어쩔 수 없는 것으로 흔히 받아들인다. 여기에는 '쌀쌀맞음'도 없고 책망, 거절, 비난, 비웃음도 없다. 상호 존중은 의사소통을 하는 사람들이 서로 진실하고 솔직한 수용 태도를 갖고 접근하게 하는 요인이다. 이로 인해서 사람들은 상대편에게 "당신은 훌륭하고, 나는 당신이 하는 말을 경청하고 싶어." 등과 같은 메시지를 전달하게 된다. 사람이 자기의 관심사를 자유롭게 얘기하고, 그러한 관심사가 토론할 만한 가치가 있는 것으로 수용될 수 있다는 것을 알도록 하는 것은 중요하다. 상대편에 대한 판단을 하지 말고 먼저 그 사람에게 접근하여 얘기를 나누어 보라.

8. 자기 자신과 상대방을 신뢰하라

의사소통이 안 될 경우에는 일단 자기 자신과 상대방을 신뢰하라. 이를 위해서 개방적으로 정직하게 상대방의 욕구에 대처할 필요가 있다. 그러나 여기에서는 상대방에 의해 자신이 거절될 수도 있을 것이라는 것과 같은 몇 가지 모험이 포함된다. 그렇지만 다른 한편으로 여기에 여러분이 상대방과 깊고 의미 있는 관계를 이룰 수도 있다는 가능성도 있다. 여기에는 자신이 오해하였을지도 모르는 모험이 있는 반면, 또한 자신의 방식대로 이해를 도모할 수 있는 기회도 있을 수 있다.

자신의 생각과 경험을 함께 얘기해 보고 기회를 잡아라. 여러분은 종종 상대방이 여러분을 인정하지 않거나 비웃을지도 모른다는 생각 때문에 자기 자신의 생각과 감정을 숨기려 하는 경우가 있을 것이다. 그러나 여러분이 갖고 있는 생각과 경험은 이해의 문을 여는 열쇠가 될 수도 있을 것이다.

불분명한 문제를 규명하는 데 있어 자발적인 태도를 가져라. 어떤 문제는 토론하기가 아주 어려울 경우가 있지만, 그래도 토론을 통해서 문제해결의 실마리는 잡힐 것이다.

타인에게서 신뢰와 믿음을 발견하고자 한다면, 여러분이 먼저 신뢰받는 사람이 되어야 한다. 이것은 자신의 행동에 대한 책임감과 믿음을 갖고 생활에 임하는 것이다. 여러분이 믿을 만한 어떤 사람을 찾고자 할 때마다 여러분은 자신이 신뢰할 수 있으며 동시에 자신이 알고 있는 사람을 찾을 것이다. 마찬가지로 여러분 역시 신뢰할 수 있는 사람이 되어야 할 것이다.

정직하고 개방적인 의사소통에는 모험이 수반된다. 왜냐하면, 상호작용의 결과는 이로운 것이 될 수도 있지만 해로운 것이 될 수도 있기 때문이다. 사람들은 자기 자신과 타인을 믿을 경우라야만 성장과 문제해결을 위한 의사소통에서 모험을 하려 할 것이다.

Ⅷ. 요 약

대인관계의 효과성은 주로 민감하고 호응적인 의사소통의 기술과 능력에 달려 있다. 의사소통은 내용과 정보 양자를 다 포함하는 송신과 수신의 과정이다. 피드백은 지각과 정보를 전달하고 자신의 이해를 명료화하는 과정이다. 건설적이고 효과적인 피드백은 ① 성격보다는 행동을 말해 주고, ② 판단하기보다는 정보를 교환하며, ③ 충고나 해결방안보다는 대안을 제시하며, ④ 타인에게 자유로운 제안을 하되 강요는 하지 않는 것이라 할 수 있다. 의사소통을 방해하거나 왜곡하는 장애물들의 예에는 주로 ① 과거경험, ② 선입견, ③ 고정관념, ④ 잠재적 의도, ⑤ 물리적인 환경 등이 포함된다. 언어적 의사소통에는 말, 언어, 의미론 등이 포함된다. '나'라는 메시지는 ① 감정의 원인을 진술하고, ② 자신의 감정을 확인하고, ③ 타인에 대한 영향을 진술하는 것을 포함하며, 주장을 담은 '나'라는 메시지는 이 외에도 네 번째로 자신이나 타인의 권리를 침해하지 않도록 하는 요구나 대안이 포함된다. 비언어적인 의사소통은 신호와 몸짓, 눈 마주침, 아류언어, 접촉, 거리감 등이 포함된다. 개인적인 공간의 네 가지 영역 또는 '경계선'은 ① 친밀한 거리, ② 사적인 거리, ③ 사회적인 거리, ④ 공적인 거리 등이 포함된다. 효과적인 의사소통에 있어 기본적인 규칙으로 제안된 것들은 ① 감정이입을 하라, ② 장애물을 의식하라, ③ 피드백을 주고받으라, ④ 타인의 말을 경청하라, ⑤ 권력과 조작에 의한 전달을 피하라, ⑥ 일대일의 의사소통을 하라, ⑦ 타인을 수용하려고 노력하라, ⑧ 자기 자신과 타인을 신뢰하라 등이다.

연습문제

1. 다음의 예문을 읽고 아래에 제시된 반응들 중에서 건설적인 피드백을 나타내는 것은 어느 것인가? 그리고 여러분은 나머지 반응들을 어떻게 분류하겠는가?

"내가 맨 처음 대전에 이사 왔을 때, 나는 아는 사람이 거의 없었다. 모든 사람들이 거리감이 있고 불친절한 것처럼 보였다. 사람들은 내가 살고 있는 아파트 건물 내에서 서로 거의 알지 못하고 있었고, 더욱더 슬픈 일은 사람들이 전혀 남에 대하여 알려고도 하지 않는 것 같았다는 점이다. 나는 타인과 만나서 친구가 되려고 노력했다. 그렇지만 내가 아무리 노력한다고 할지라도 다른 사람들은 전혀 관심이 없는 듯했다. 학교에 가도 학생들은 끼리끼리 모여서 지냈기 때문에 나는 여전히 이방인이 되어야 했다."

  a. 조금만 기다려 봐. 다른 학생들도 처음 학교에 들어갔을 때는 다 그랬어!
  b. 클럽이나 다른 단체에 가입해 보도록 하는 것이 어때!
  c. 그런 소리 하지 마. 내가 이사 왔을 때는 더 그랬어!
  d. 너는 외로움을 느끼고 다른 사람들이 무관심한 것 같구나.
  e. 너는 왜 스스로 다른 사람들이 너를 좋아하지 않을 것이라고 생각하니?

"정말 지금 나는 어떻게 해야만 좋을까? 나는 숙제 때문에 아주 궁지에 몰려 있을 뿐만 아니라 보고서도 써야만 하거든! 그래서 나는 지난해부터 반 친구의 보고서를 베껴서 냈어. 그런데 선생님은 2년 전부터 모든 보고서를 보관해 왔다고 하는데 베껴서 낸 것이 들킬 것만 같아! 그렇게 되면 나는 아마 낙제 점수를 받거나 그 이상의 벌을 받게 되고 졸업을 못 할지도 몰라!"

  a. 창피하게 속였으니까 당연히 벌을 받아야지.
  b. 선생님한테 그 일을 들키게 되면 졸업 못 할까 봐 두려워하는가 보구나.
  c. 아마 선생님을 찾아뵙고 그때의 상황을 말씀드리고 나서 용서를 빌어 보지.
  d. 그렇게 곤란한 일에 네가 어떻게 말려들었니?

e. 참 안됐는데! 그렇지만 그 선생님은 별로 무섭지 않다고 하니까 너
   무 걱정 마.

2. 다음의 요인들을 어떤 식으로 여러분에게 오는 메시지의 전달
   을 방해하여 왔는가?

   과거경험:
   선입견:
   고정관념:
   잠재적 의도:
   물리적 환경:

3. 다음의 문장을 읽고 '나'의 메시지를 적어 보라. 모두 작성했
   으면, 자신의 메시지를 다음에 제시된 참고반응과 비교하여
   보라. 그리고 나서 소집단 내의 다른 사람들과 자신의 메시지
   에 대하여 토론하여 보라.

   a. 여러분의 방 친구가 또 부엌청소를 하지 않고 '내버려' 두었다. 그래
      서 여러분이 다른 친구와 함께 집에 돌아왔을 때, 집 안이 어수선하
      고, 식탁 위에 흘린 음식은 말라 비틀어져 있고, 닦지 않아 지저분한
      접시가 여기저기 흩어져 있으며, 찬장문은 열려 있고, 쓰레기통은 쓰
      레기로 가득 차 있었다. 여러분의 방 친구가 그때 집에 없었다. 나중
      에 방 친구가 돌아왔을 때, 여러분은 그에게 무어라 말하겠는가?
   b. 한 친구가 여러분에게 12시 정각에 식당에서 점심을 같이 먹기로
      약속했다고 하자. 지금 시간은 12시 40분인데 여러분은 아직도 기
      다리고 있다. 그런데 여러분이 지치고, 배고프고, 신경질이 나서 자
      리를 막 일어서려고 했을 때, 여러분의 친구가 종종걸음으로 다가와
      서 "얘! 아직도 식사를 하지 않았어?"라고 말했다면, 여러분은 그때
      무어라고 그 친구에게 말했겠는가?
   c. 여러분이 4명의 남자와 함께 하는 홍일점의 여자 회원이었다. 모임
      이 시작되고 나서, 회장이 여러분을 돌아보고서 "당신은 여기서 우
      리의 여비서가 되는 것이 좋겠어, 그렇지?"라고 말했다면, 여러분은
      무어라고 대답을 했겠는가?

d. 여러분의 애인이 또다시 데이트 시간에 늦었다고 하자. 그러나 여러
   분이 전에 이와 관련하여 시도했던 모든 노력은 결국 말다툼이 되거
   나 아니면 미안하다거나, 거짓말을 하거나, 침묵하는 식으로 되어
   왔다. 이러한 경우에 여러분은 '나'의 메시지를 어떤 방식으로 시도
   하겠는가?

참고반응(suggested responses): '나'의 메시지를 보낼 경우에,
가장 중요한 첫 번째 단계는 관련된 감정을 정확히 밝히는 것
이다. 사람은 아주 다양하기 때문에 각각의 상황에 대하여 아
마 다른 감정을 느낄 것이다. 그래서 메시지가 명확하고 간결
하며, 감정과 행동, 판단보다는 영향을 반영한다면, 자신이 느
끼는 감정은, '옳고', '그름'의 논란거리가 되지 않는다. 만일
여러분이 바람을 담은 대안을 부가적으로 첨부하고자 한다면
그렇게 해도 된다.

 a. "나는 부엌이 너무 지저분하다는 것을 발견했을 때 아주 당황했다.
    이것으로 해서 나는 내 친구한테 아주 창피하게 보였기 때문이야."
    또는 "내가 집에 돌아와서, 네가 지저분하게 해 놓고 나간 것을 알
    았을 때 아주 기분이 좋지 않았어. 왜냐하면, 이것으로 인해서 나는
    네 말을 믿어야 할지 망설여졌기 때문이야."
 b. "나는 네가 약속 시간에 나오지 않았을 때 매우 걱정이 되었어. 왜
    냐하면, 나는 네게 어떤 일이 일어났을지도 모른다고 생각이 되었거
    든." 또는 "나는 40분 동안 혼자 더 기다렸을 때 아주 짜증이 났었
    어. 왜냐하면, 나 스스로가 너에게 별 볼일 없는 사람으로 느꼈기
    때문이야."
 c. "나는 당신이 나에게 비서 노릇을 하라고 했을 때 이용당한다는 느
    낌이 들었어. 왜냐하면, 당신의 말은 나에게 모임에서 내가 적극적
    인 일을 하지 말라는 것으로 들렸기 때문이야." 또는 "내가 이 모임
    에서 항상 비서가 되어야 한다는 생각은 나의 기분을 망쳐 놓았어.
    왜냐하면, 당신의 말은 나를 비서로 규정하고 이를 당연한 것으로

생각하는 걸로 들렸기 때문이야." 이러한 경우에, 여러분은 "아니야! 나는 우리 구성원들은 서로 동등하게 일을 하기 위해 만난 것이야." 등과 같이 간단히 바람을 담은 말을 하는 것이 좋다.

   d. "네가 나와 데이트 할 때마다 늦는 것은 나의 기분을 상하게 했어. 왜냐하면, 네가 그렇게 하는 것은 나로 하여금 우리의 관계를 다시 한 번 심각하게 생각하도록 하기 때문이야." 또는 "나는 네가 늦을 때마다 네가 나를 좋아하지 않는구나 하는 생각을 해. 왜냐하면, 네가 늦는 것은 네가 나한테 관심이 없다고 생각하게 하기 때문이야."

     여러분의 반응을 참고반응과 비교하여 본 후에, 자신의 반응을 소집단 내의 다른 사람들과 토론하여 보라. 여기서 여러분은 표현된 감정들이 아주 다양하고 여러 가지라는 것을 발견하였는가? 그리고 몇 가지의 일차적인 감정이 분노와 같은 다른 감정들에 의해 '감추어진' 몇 가지 경우가 있었는가?

4. 소집단을 형성한 다음, 자신이 알고 있는 비언어적인 의사소통의 형태를 백지 위에 적어 보라. 그리고 나서 각각의 비언어적인 메시지가 갖고 있는 영향을 적어 보라. 그다음에는 비언어적인 의사소통의 형태와 메시지의 영향에 관해 자신이 적은 것을 벽에다 걸어 놓고, "행위는 말보다 더 많은 것을 말해 준다."라는 말과 관련시켜 전체 구성원이 모여 토론하여 보라.

5. 소집단을 형성한 다음, 효과적인 의사소통을 위한 다음의 제안들을 중요한 순서대로 번호를 매겨라. 즉 여러분이 가장 중요하다고 생각하는 제안은 1번이 되어야 한다. 여러분이 매긴 순서를 벽에다 걸어 놓고 자신의 순서가 어떠하며 왜 그렇게 순서를 매겼는지 의견을 나누어 봐라.

감정이입을 하라.
장애물을 의식하라.
피드백을 주고받으라.
타인의 말을 경청하라.
권력과 조작에 의한 전달을 피하라.
일대일로 의사소통하라.
좀 더 타인을 수용하려고 노력하라.
자기 자신과 타인을 신뢰하라.

제5장 혼란과 문제에 대한 대처방법

　정혜는 일주일에 세 번씩이나 오후 늦게 자신에게 부과된 몇 가지의 보고서를 작성하기 위해 퇴근시간 너머까지 일을 해야만 했다. 집에 갈 막차를 타기 위해 20분 동안 기다리고 1시간 30분가량 늦게 집에 도착하여 보니, 그녀와 방을 같이 쓰는 연숙이가 남자 친구와의 저녁식사 약속으로 외출한다고 써 놓은 메모지가 방에 놓여 있었다. 정혜는 화가 나서 "치! 오늘 저녁식사 준비는 자기의 차례였는데!"라고 혼자 중얼거렸다. 그녀가 저녁식사에 필요한 식료품을 사기 위해 다시 아파트를 나섰을 때, 그녀는 이웃집에 사는 어린이들이 자기 집 현관 앞에서 놀고 있는 것을 발견하였다. 이때 그녀는 어린이들에게 "너희 집 안에서 놀 수 없겠니? 현관에서 놀면 안 돼. 쟤들 여기 어질러 놓은 것 좀 봐! 내가 관리인에게 안 이르나 봐라."고 쏘아붙였다.

　창연이와 명숙이는 컴퓨터 프로그램을 공부한 우등생들로서 서로가 회사의 취직시험에 최후의 유력한 경쟁자 사이였다. 그런데 회사의 간부들이 명숙이만을 고용했다는 것을 창연이가 눈치 챘을 때, 창연이는 "제기랄! 회사의 간부들이 명숙이만을 채용한 이유는 명숙이가 단지 여자라는 것 때문이겠지. 도둑놈들 같으니라고, 속 보인다."라고 비웃으며 말하였다.

　진영이는 자동차 사고로 심한 다리 부상을 당하기 전까지만 해도 유명한 프로야구선수가 될 꿈을 갖고 있었다. 후에 완치가 되었지만 후유증 때문에 그 꿈을 이룰 수는 없었다. 실망과 분노, 좌절감을 극복하고서 그는 훌륭한 야구코치가 되기로 결심하고 계속 야구와 인연을 맺기로 하였다.

인희는 시험을 본 후에 B학점을 기대했는데 D학점이 나온 것을 늦게 야 알았다. 실망과 좌절이 컸지만, 그녀는 "문제의 답을 이해하고 있다고 늘 생각했는데 내가 잘못 알았나 보지. 선생님한테 특별 지도를 받기 위해 시간약속을 해야겠어." 라고 말하였다.

　　사람들이 긴장과 좌절과 문제에 직면하게 되면 서로 다른 반응을 보인다. 여러분은 어떤 상황을 아주 잘 처리하였던 때가 있었던 반면에 어떤 상황에 의해 압도당했던 때도 있었을 것이다. 어떤 학생들은 수업시간에 거리낌 없이 말하는 것을 좋아하는 반면 다른 학생들은 질문을 받을까 봐 두려워 공포에 싸이기도 한다. 어떤 사람들은 태풍이나 홍수 기타 재앙이 있게 되면 재빨리 구원의 손길을 보이는 반면, 어떤 사람들은 이 기간 동안에 폭리나 부당이득을 취하거나 타인의 불행을 통해 돈을 벌려고 한다는 사실을 신문이나 방송을 통해 보고 듣게 된다. 어떤 사람들은 자신의 잘못을 인정하고 타인에게서 무엇인가 배우려고 노력하는 반면, 어떤 사람들은 한결같이 사사건건 타인을 비난하려고 든다.

　　사람들이 어떤 일이 일어나기를 바라는 것과 실제로 어떤 일이 일어나는 것은 별개의 문제이다. 어떤 때는 만사형통인 반면, 어떤 때는 작은 실망에서부터 천재지변에 이르기까지 어떤 일이 일어날지 모른다. 맞지 않는 옷을 사서 입었을 때와 같이 이러한 경우에는 변경을 하든지 적응을 하든지 해야 한다.

　　대부분의 사람들은 일상적인 상황은 아주 쉽게 처리할 수 있다. 그러나 다른 상황에 처하면 다루기가 훨씬 더 힘들다. 때문에 적응은 항상 필요하게 된다.

[그림 5-1] 인간만이 어떤 문제에 직면하여 생각을 하게 된다.
－듀이(John Dewey)

　적응이란 무엇을 의미하는가? 적응이란 어려움을 회피하기 위해
항상 말없이 굴복하는 것인가 아니면 큰 소동을 피우는 것인가? 또
는 타인으로 하여금 자신의 뜻에 따라 굴복하도록 강요하는 것, 즉
결코 타협될 수 없지만 타인이 여러분에게 맞추어 따라오도록 하
는 것인가? 간단히 말해 우리가 타인을 즐겁게 하기 위해서 적응할
것인가 아니면 자기 자신을 즐겁게 할 것인가?

　상황에 적응하는 방식에는 여러 가지가 있다. 그러나 어떤 방식

을 통해서 각각의 상황에 가장 잘 적응할 수 있을 것인가의 문제는 계속 고려해야 될 것이다.

긴장, 욕구좌절, 갈등 등은 복잡한 사회를 살아가는 삶에 있어서 당연히 있게 되는 일상적인 요소들이다. 이러한 인식하에 본 장에서는 혼란과 문제를 방어기제에 의존하기보다는 대처기술(coping skill)과 창조적인 문제해결을 통해서 수습하는 방법에 대하여 논의하려 한다.

I. 욕구좌절(frustration)

사람은 자신이 원하는 어떤 목적을 달성하지 못할 경우에 욕구좌절을 경험한다. 그리고 대부분의 경우에 자신의 목적 달성을 차단하는 장애요인이 나타나기 마련이다. 예를 들어, 여러분이 몰고 가던 차가 노상에서 펑크가 나거나, 길 건널목에서 긴 화물열차가 다 지나갈 때까지 기다리게 되거나, 교통체증에 걸려 이를 벗어나지 못하게 되거나 할 경우에, 여러분은 욕구좌절을 경험하게 될 것이다.

사람들은 여러 가지 원인으로 욕구좌절을 경험한다. 첫째로, 여러분이 거의 통제할 수 없는 외적인 힘에 의해 야기되는 상황이 있다. 교통체증은 이러한 가장 좋은 예로서 여러분은 이러한 경우에 어느 쪽으로도 진행할 수 없게 될 것이다. 두 번째로는, 개인적인 특성으로 인해서 욕구좌절을 경험하게 되기도 한다. 예를 들어, 여러분은 다른 사람들이 가지고 있는 비꼬는 습관으로 인해서 불쾌한 감정을 경험하고, 그들로 하여금 자신들이 가지고 있는 그러한 습관이 여러분에게 어떠한 영향을 주는지 알게 하고 싶지만, 그들과의 관계가 아직 친밀하지 못하여 여러분을 공개하지 못할 경우에는 욕구좌절을 경험한다. 또는 실제적인 것이든 상상적인 것이든 간에, 자신에게 어떤 모자라는 점이 있다는 느낌을 갖게 되면 이는 여러분의 목적의 성취에 방해를 받고 나아가 욕구좌절을 경험하기까지 한다.

세 번째로, 우리 **주변의 사회적 구조** 또한 욕구좌절의 또 다른 원천이 될 수도 있을 것이다. 재촉, 서두름, 시간계획 등과 같은 시간에 대한 지나친 강조로 인해서 사람들은 종종 의기소침하게 되기도 한다. 즉 줄 서서 기다리거나, 수업시간 시작을 기다리거나, 일이 끝나기를 기다리거나, 그리고 버스나 택시 등을 기다리는 것 등과 같은 기다림은 모두가 긴장을 야기하는 것들이다.

네 번째로, **생활이 풍요**해지면서 사람들은 사치품과 명품을 필수품으로 생각하게 되었다. 그래서 많은 사람들은 컬러텔레비전, 최신 가전제품, 자가용, 전축 등이 자기 집에는 없다고 해서 욕구좌절을 경험하기도 한다. 이와 같이 욕구좌절은 우리의 일상생활에 있어 아주 현실적인 한 부분에 해당된다.

Ⅱ. 갈등(conflict)

갈등은 우리가 여러 대안들 중에서 어떤 선택을 해야 하는 경우에 발생한다. 그리고 갈등은 욕구좌절과 아주 밀접하게 관련되어 있어 서로 영향을 주고받는다. 또한 갈등을 진정시키기 위해 어떤 선택을 해야 하는가는 보통 다양한 대안들이 갖고 있는 강점에 의해서 결정된다.

갈등의 한 가지 형태는 모든 대안들이 다 바람직한 경우이다. 예를 들어, 어떤 사람이 취업을 위해 면접을 했는데 두 종류의 아주 좋은 자리를 다 권유받았다고 가정해 보자. 이 경우에 그 사람은 각각의 자리가 갖고 있는 장점을 생각해 보고 나서 가장 바람직한 자리를 선택하게 될 것이다.

또 다른 형태의 갈등은 어떤 한 가지 대안이 바람직한 측면과 바람직하지 않은 측면을 동시에 갖고 있는 경우이다. 예를 들어, 학교 공부에만 전념하게 되면 다른 직장을 가질 수 없게 된다(역주: 외국에서는 직장을 가지고 대학을 다니는 경우도 많다). 그래서 그 사람은 직장에 다니는 것을 포기해야만 학교공부에 전념할 수 있는 경우이다. 또는 여러분이 새 자가용을 구입하려 한다면, 여러분이 받는 모든 봉급을 저축해야 하거나 아니면 매달 얼마씩 나누어서 차 값을 지불하는 것을 감수해야만 할 것이다.

마지막으로, 두 가지 대안이 모두 바람직하지 못한 경우이다. 예를 들어, 어떤 과목이 필수과목이고 여러분이 그 과목을 싫어한다고 해서 수강하지 않는다면 졸업할 수 없는 경우이다. 또는 여러분이 이사하기 전에 더러워진 아파트를 꼭 청소해야만 하는 경우이다.

그렇지 않으면 여러분은 보증금을 되돌려 받지 못한다(역주: 미국에서는 이사 갈 때 깨끗이 청소해 놓지 않으면 청소비용만큼 보증금에서 떼게 된다).

---

1. 다음 문장을 완성하라.
   a. 나는 ＿＿＿＿＿＿＿＿＿＿＿＿＿＿＿＿＿＿경우에 욕구좌절을 느낀다.
   b. 나는 갈등에 빠지게 되면 ＿＿＿＿＿＿＿＿＿＿＿＿＿＿＿한다.
2. 욕구좌절과 갈등 사이의 차이점은 무엇인가?
3. 다음의 연습문제를 풀어 보라.
   a. 소집단을 구성하라. 그리고 욕구좌절이나 갈등으로 인하여 야기된 힘 (energy)을 가정이나 직장에서 타인에게 해를 끼치지 않고 해소하는 몇 가지 방안을 들어 보라.

   가정＿＿＿＿＿＿＿＿   직장＿＿＿＿＿＿＿＿

   ＿＿＿＿＿＿＿＿   ＿＿＿＿＿＿＿＿

   b. 자신이 열거한 방안을 백지에 적어 붙이거나 칠판에다 적은 다음, 집단의 여러 구성원들과 함께 비슷한 점, 차이점에 대하여 서로 비교하여 보라.

Ⅲ. 긴장(stress)

긴장이 무엇이냐고 학생들에게 질문하였을 때, 한 학생은 "그것은 심리적으로 고무줄이 점점 늘어나 막 끊어지려고 하는 상태와 같은 것입니다."라고 말하였고, 또 다른 학생은 "나에게 가해지는 일종의 압력으로서, 나를 억누르려고 하는 그 무엇과 같은 것입니다. 이러한 경우에 나는 머리가 아프고 가슴이 답답해지게 됩니다.

나를 죄어 버리려 하는 모든 것이 이에 해당됩니다."라고 말하였다.

사람들은 긴장을 자신의 생활에 부정적인 영향력을 갖는 것과 관련시켜 생각한다. 셀리(Hans Selye) 박사는 긴장을 아주 넓은 의미를 가진 것으로 다음과 같이 정의하였다.

> 긴장은 신체에 가해지는 어떤 요구가 유쾌한 것이든 아니든 간에 신체의 모호한(nonspecific) 반응이다. 치과치료용 의자에 앉을 때나, 아니면 애인과 뜨거운 키스를 하는 경우에도 긴장은 있게 된다. 즉 이러한 경우에 당사자의 맥박은 뛰고, 숨은 가빠지며, 심장은 고동을 치게 된다. 그렇다면 세상에 사는 그 누가 단순히 긴장해 있다고 해서 이러한 후자의 즐거운 시간을 마다하겠는가? 그러므로 긴장을 전적으로 회피하려 하는 것은 인간이 바라는 바가 아니다. 왜냐하면, 그것은 불가능한 일이기 때문이다. 오히려 긴장에 대한 자신의 전형적인 반응형태를 인식하고, 이러한 인식을 통해서 자신의 생활을 긴장에 비추어 조절하고자 노력하는 것이 무엇보다 중요하다.[1]

보상을 받든지 받지 못하든지, 해고를 당하든지 아니면 고용이 되든지, 즐거움을 경험하든지 슬픔을 경험하든지, 새로운 경험의 기회를 갖든지 아니면 이제까지의 관계에 만족하든 지간에 이 모든 예들은 어느 정도의 긴장을 유발한다. 그리고 이러한 긴장의 정도는 사람에 따라 각각 다르다.

> 우리가 발견한 분명한 한 가지 사실은 중요한 두 가지 형태의 인간이 있다는 것이다. 즉 하나는 '경마형'의 인간으로서 이들은 항상 긴장된 상태에서 정력적으로 일이 있으면 빨리 해치우는 사람들이고, 하나는 '거북이형'의 인간으로서 이들은 평온하고 고요하며 가능하면 차분한 환경을 좋아하며 경마형의 생활에 대해서는 지겨워하며 곧 싫증을 내는 사람들이

---

1) Hans Selye, "On the Real Benefits of Eustress", *Psychology Today*, vol.11, no.10(March 1978), p.60.

다. 나 자신은 날이면 날마다 아무런 일도 하는 것 없이 해변에 누워 있는 것보다 더 지겨운 일은 없을 것이라 생각한다. 그러나 내 인생을 살아가면서 나는 너무나 많은 사람들이 자신의 가장 중요한 인생의 목적을 이와 같은 무위도식의 생활에 두고 있다는 것을 목격할 수 있었다.[2]

[그림 5-2] 당신은 '거북이형'인가 '경마형'인가, 아니면 그 중간인가?

긴장을 유발시키는 사건들을 일컬어 **긴장인자**(stressors)라 부르며, 자기 자신과 관련하여 재적응을 요구하는 정도가 위험한 정도에 이르게 되면 사람들은 이를 **근심**(distress)이라 한다. 이러한 근심은 사람들이 '과중한 부담감'을 갖거나, 끊임없는 재적응과 순응을 필요로 하는 계속적인 긴장상태에 있을 경우에 나타난다.

여러분은 아마도 긴장인자의 누적으로 과중한 형태의 근심을 경험한 경우가 있을 것이다. 예를 들어, 학교에서 한꺼번에 네 가지 종류의 보고서나 연구 과제를 해내라고 하거나, 자신의 윗사람이 근무시간 이외의 과외근무를 꼭 해 달라고 요청한다든지, 업무처리를 위해 차를 타고 가는 중에도 다른 업무가 전달된다든지, 자신의

2) *Ibid.*

절친한 친구가 이러한 복잡한 와중에 같이 해야 할 일을 제쳐 두고 이틀만 시내에서 쉬겠다고 하는 경우는 대표적인 예가 된다. 또한 자신이 짜증나고 지겨워하거나 좋아하지 않는 업무에 종사할 경우에도 이는 근심의 원인이 된다.

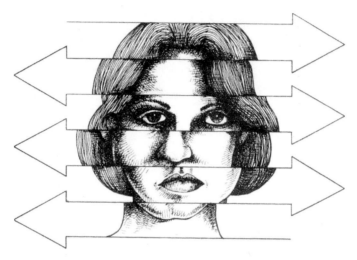

[그림 5-3] '과중한 부담감'과 계속적인 긴장은 근심을 초래한다.

자신의 생활에 있어 대부분의 긴장이 직무와 관련되어 있다는 이유로, 단순히 일을 하지 않는다 해서 긴장이 제거되는 것은 아니다. 왜냐하면, 일에 대한 지루한 감정에 의해서 대부분의 근심은 생겨날 수도 있기 때문이다.

어떻게 하면 자신의 일에 몰두해서 근심을 극소화시킬 수 있겠는가? 여기에서는 이를 위한 몇 가지 제안들을 제시하고자 한다.

(1) **자기 자신에 주의를 기울여라.** 적절한 음식과 충분한 휴식을 취하여 자신의 신체적 욕구를 충족시켜라. 이렇게 하면 사람은 자신이 갖고 있는 모든 형태의 긴장을 보다 효과적으로 다룰 수 있게 될 것이다.

(2) 긴장이 누적되어 있다고 느껴지게 되면, **신체적인 활동을 통해서 또는 믿을 만한 친구와 토론함으로써 긴장을 해소하도록 하라.** 누적된 긴장과 관련된 에너지는 방출되어야 하며 긍정적으로 처리되어야 한다.

(3) **약물복용을 피하라.** 긴장을 해소하려는 의도에서 술이나 약물과 같은 화학적인 물질을 지나치게 믿고 사용한 결과가 어떻다는 것을 우리는 너무나 잘 알고 있다. 처방약물을 포함한 많은 화학적 물질에 의한 중독의 결과가 어떻다는 것을 명심하고, 꼭 필요할 경우에 의사의 처방에 따르도록 하라. 긴장을 다루는 능력은 남이 만들어 주는 것이 아니라 자기 자신이 만들어 내는 것이다.

(4) **일을 제쳐 두고 잠시 쉬어라!** 즉 일이 쌓여 있을 경우라 하더라도 가능한 범위 내에서 해야 할 일을 잊어버려라. 인간으로서 일하는 것과 휴식을 취하는 것을 엄밀히 구분하여 실행한다는 것이 어려운 것인 줄 알지만, 그렇다고 해서 어떤 일로 인한 고민으로 말미암아 다른 일을 하지 못한다고 하는 것은 어리석은 짓이다. 고민을 해소할 수 있는 시간을 가져라. '일에만 몰두해서 쉴 줄을 모른다면', 이는 여러분을 바보가 되게 할 뿐만 아니라 신경쇠약을 앓게 할지도 모른다.

(5) **자신이 변화시킬 수 없는 일에는 순응하도록 노력해 보라.** 즉 여러분이 할 수 있는 일은 해치우고, 이와는 달리 해낼 수 없는 일에는 순응하라. 이렇게 되면 여러분이 처리할 수 없는 어떤 일에 대해서 걱정하고, 짜증내며, 반복하여 되풀이하는 것보다는 훨씬 더 바람직한 결과를 얻게 될 것이다.

(6) 한꺼번에 여러 가지 일을 하려고 하지 말고 **한 가지씩 차근차근 처리하도록 하라.** 가능하다면 문제의 범위를 축소시킨 다음 일하기 좋게 나누어 보라. 그리고 나서 가능하면서도 중요한 일부터 풀어 나가라.[3]

---

3) Curriculum Innovations, *Current Health*, vol.3 no.8(Illinois: Curriculum Innovations, 1977), pp.24 - 25.

자기 자신의 목적을 설정하라. 그리고 이러한 목적이 자기 부모, 친구, 선생님, 배우자, 아니면 여러분이 좋아하는 어떤 다른 사람의 목적이 아니라 바로 자기 자신의 목적임을 인식하라. 자신이 선택한 일상 업무 중에서도 자신이 좋아하고, 능력을 발휘하고, 성취해 낼 수 있는, 그리고 타인에게서 인정을 받을 수 있는 것으로 생각되는 종류의 일을 물색하도록 하라. 이 말은 자신이 세계적으로 유명한 과학자나 대기업의 총수가 되어야 한다는 것을 의미하는 것이 아니라, 자신이 외판대리인, 기계공, 비서, 관리인, 기능공, 계리사, 부모, 이웃, 친구 등 어떠한 위치에 있든 간에 그 분야에서 가능한 최선의 인물이 되도록 노력한다는 것을 의미한다. 그리고 최종적으로 자신이 경마형과 거북이형 또는 그 중간의 형태 중에서 어디에 위치하는지를 결정하고 나서, 이에 맞추어 생활하도록 노력하라.[4]

---

1. 다음의 용어를 정의하라.
   긴장인자:
   긴장:
   근심:
2. 자신에게 지금 영향을 주고 있는 요인들 중에서 몇 가지 긴장인자를 열거하라. 그리고 나서 여러분이 이들 긴장인자를 어떻게 다루고 있는지를 알아보라.
3. 자신이 갖고 있는 긴장해소 방법 중에서 몇 가지 비효과적인 방법을 열거해 보라. 그리고 타인들이 긴장을 해소하는 방법 중에서 여러분이 보기에 비효과적인 것이었다고 생각되는 방법에 대하여 알아보아라.

---

4) Hans Selye. *op. cit,* p.70.

Ⅳ. 적응방법

우리는 욕구좌절, 갈등, 압력, 긴장 등이 실제적으로 매일같이 일어나고 있다는 것을 알고 있다. 이러한 상황에 처하여 자신이 대처해 온 방식들에 대하여 곰곰이 생각해 보면, 여러분은 자신이 그러한 상황을 잘 처리했던 때가 있었던 반면에 반대로 문제 상황으로 인해서 자신이 압도되었던 때가 있었을 것이다. 그리하여 자신이 그러한 상황을 달리 처리하지도 못하고, 오히려 보아 넘기거나, 손을 떼거나 하여 단지 회피만 하고 있다는 것을 느끼게 되는 경우가 있다.

본 장의 처음 부분에서 예로 든 사람들의 행동에 대한 설명이 다음에 제시되겠지만, 여러분은 사람들이 문제 상황에 적응하고 이를 수습하는 몇 가지 방식이 있다는 것을 알 수 있을 것이다. 또한 여러분이 직면한 문제가 시간과 노력에 비추어 별로 가치가 없다는 결정을 하게 되면, 상황을 보아 가면서 곧바로 지나쳐 버릴 때가 있을 것이다.

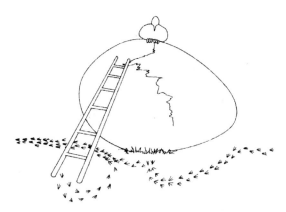

[그림 5-4] 당신은 어떤 해결책으로 깨어 낼 것인가?

그렇지만 그냥 지나쳐 버림으로써 논란이 되고 문제를 회피하고, 보아 넘기고, 기피하려 시도하는 경우도 있을 것이다. 이러한 경우에, 문제는 항상 자신의 주변에 널려 있게 되며 다른 일을 하는 데 있어 더 큰 장애물로 계속 남아 있게 된다. 또한 욕구좌절과 긴장은 증대되며 더욱더 많은 정력을 자신의 체면을 세우는데, 문제 상황을 부인하는 거짓말을 하는데, 자신의 행동을 정당화하는 데 소모하게 된다.

여러분은 아마 대안적인 '통로'를 사용해서 문제 상황에 접근하고 수습하는 경우도 있을 것이다. 그러나 이러한 우회적인 방법은 여러분에게 일시적인 위안을 줄 수는 있다 할지라도, 근본적인 방법에 의하지 않고 그때그때마다 어느 한쪽으로 '사다리'를 오르고 다른 쪽으로 내려오게 되면(역주: 임시방편에 의존하게 되면), 너무나 많은 시간과 에너지를 소모하게 된다. 즉 여러분이 문제 상황에 접근하여 수습한다고 할지라도 문제는 여전히 남게 된다.

대부분의 문제를 처리하는 가장 최선의 방법은 분명히 그들 문제에 직접 부딪히는 것이다. 이러한 방법은 문제 상황에 과감히 부딪혀서 해결책을 '알아내는' 식으로 문제 상황을 다룬다는 뜻이다. 이렇게 해서 자신이 지금 당장 갖고 있는 문제가 해결되거나, 장애물이 자신의 주변에서 제거되기도 한다. 문제 상황에서 손을 떼거나, 보아 넘기거나, 우회적인 방법에 의존하는 것은 보통 방어기제를 사용한다는 뜻이다. 그러나 문제 상황에 부딪히거나 직면하여 다루는 방법에는 대처기술(coping skills)과 창조적인 문제해결(creative problem solving) 방법이 포함된다. 본 장의 서두에서 예로 든 것들은 대처기술과 방어기제 사이의 차이점을 설명하고 있다. 여기서 진영이와 인희는 대처기술을 사용하고 있는 반면에 정혜와 창연이는 방어기제를 사용하고 있는 것이다.

[그림 5-5] 방어기제는 일시적으로 공포와 긴장을 처리하려 하고,
또 자신의 자아 개념을 보호하려 한다.

책임전가
퇴행   부정
투사   고립
억압   감정전이

    대처라 함은 사람들 자신이 직면한 문제를 해결하기 위해 의식
적으로 생각하고 어떤 결정을 한다는 뜻이다. 대처기술은 긴장, 공
포, 욕구좌절을 해결하려는 인간의 의식적인 사고(thinking) 결정
을 포함한다. 반면에, 방어기제는 자신의 자아개념과 자존심 보호
를 목적으로 하는 무의식적이고 기계적인 반응이다. 대처기술이
새로운 정보, 감정에 대한 인식, 창조적인 문제해결, 타인과의 상호
작용에 토대를 두고 있는 반면에, 방어기제는 자신의 감정을 숨기
고 위장해서 일시적으로 공포와 긴장을 해소하려 하는 일종의 습
관화된 자기기만이다. 비록 방어기제가 인간에게 단기적인 위안을

준다고 할지라도, 근본적인 문제가 해결되지 않은 상태이기 때문에 불안한 마음을 떨쳐 버릴 수가 없게 된다. 그렇지만 대부분의 사람들이 정도의 차이는 있겠지만 자기 자신을 심리적으로 보호할 목적으로 방어기제를 사용하는 것은 부인할 수 없다.

다음에는 널리 사용되고 있는 몇 가지 종류의 방어기제에 관해 논의해 보고 나서, 계속해서 대처기술에 대하여 논의하려 한다.

1. 방어기제(defense mechanisms)

(1) **합리화**(rationalization): 합리화는 아마 가장 널리 사용되는 방어기제일 텐데 대부분의 사람들은 자신이 이미 했거나, 하고 있거나, 하고자 하는 어떤 것을 정당화하기 위해서 그때그때의 상황에 비추어 나름대로의 '이유'를 댄다. 어쩌다 회사로부터 하루 휴가를 얻은 사람은 "회사는 사원들에게 휴가를 주고 있지만, 나는 하루 휴가를 달갑게 생각하지는 않아. 어쨌든 휴가는 받아 놓았고, 나는 그동안 열심히 근무하여 왔기 때문에 이 정도의 휴가를 받는 것은 당연해."라고 합리화한다. 사람들은 자기 자신이 마땅히 새 차나, 새 옷이나, 더 크고 좋은 집을 살 만하다고 생각하고 다른 사람들도 그렇게 생각한다고 믿는다. 사람들은 또한 자신이 자기의 행동이나 신념을 정당화하는 근거를 찾으려 할 경우나, 다른 사람들이 우리의 모순을 인식하나 우리 자신이 인식하지 못할 경우, 그리고 다른 사람들이 우리가 한 행동에 대한 근거를 문제 삼아서 원리가 신경질적이고 방어적으로 될 경우에 자신이 합리화의 방어기제를 사용하고 있다는 것을 어렴풋이 느끼게 된다.

만일 우리가 합리화의 방어기제를 사용하였다면, 우리 자신이 갖고 있는 행동의 '근거'는 피상적인 것으로, 상당히 편향적이고, 편협하며, 본질적인 내용을 제쳐 놓고 지엽적인 것만을 말하게 된다. 예를 들어, 이솝(Aesop) 우화에 나오는 '신포도(sour grapes)' 이야기는 합리화의 대표적인 경우이다. 즉 여우가 포도나무에 달려 있는 포도송이를 따서 먹기를 원했지만, 아무리 애를 써도 포도가 너무 높이 매달려 있어 따 먹을 수가 없었다. 이때 여우는 지쳐서 결국에는 포도 따 먹기를 포기하고서, "나는 저 따위 포도는 안 먹어! 저 포도는 틀림없이 덜 익어 시어터진 것임에 틀림없을 텐데 뭐." 라고 중얼거렸다. 사람들도 이런 경우와 마찬가지로 자신이 진정으로 바랐던 직장을 얻지 못하거나, 자신의 뜻대로 어떤 일을 해결하지 못한다는 것을 알게 되면, 자신이 그렇게 되기를 원치 않았던 것처럼 생각하고 지나쳐 버리거나 실상을 알지 못한 채 자기 방식대로 합리화해 버린다.

(2) **퇴행**(regression): 퇴행은 아주 오랜 과거나 어린 시절에 '행하였던' 유치한 행동방식으로 후퇴하는 부적합한 행동이다. 예를 들어, 이러한 덜 성숙된 행동에는 자신이 하고자 하는 바를 들어주지 않는다고 운다든지, 신경질적인 울화를 드러낸다든지, 아기들이 쓰는 말투를 사용한다든지 하는 것 등이 있다. 그리고 불행하게도 이러한 형태의 행동들은 습관화되기도 하고, 어른이 되어서까지도 있게 된다. 신경질적인 울화는 종종 '함구증(silent treatment)'으로 악화되기도 하며, 토라짐이나 울음을 통하여 타인에게 동정을 받고 당면한 문제를 회피하려 하기도 한다.

(3) **투사**(projection): 투사는 자기 자신에게 있을 수 있는 속성이나 특성을 타인에게 사용하게 되는 방어기제이다. 여러분은 어떤

사람이 실제로는 자신이 수다스럽고 이기적이고 사치스럽게 행동하면서도, 그 사람이 오히려 다른 어떤 사람들한테 수다스럽고 이기적이고 사치스럽게 행동한다고 흉보는 말을 들은 적이 있는가? 사람들은 흔히 자신에게서 못마땅하다고 생각하는 특성을 타인의 행동에서 쉽게 발견한다.

대개 경우에 투사는 열등감을 은폐하려는 행동을 중심으로 전개되며, 완고한 투사는 열등감을 은폐하려는 행동을 중심으로 전개되는데, 완고한 심성을 지닌 사람이나 나름대로의 비현실적인 기준을 갖는 사람들에게서 이러한 투사의 방어기제는 가장 많이 발견된다.

이따금 사람들은 자신의 실패가 다른 사람들로 인해서 생긴 것이라 생각한다. 이러한 형태의 행동을 나타내는 사람들을 예로 든다면, 어떤 학생들은 "선생님이 자기 자신을 예뻐해 주지 않기 때문에" 시험을 엉터리로 치렀다고 하며, 어떤 사원들은 "사장이 자신을 제쳐 놓고 다른 직원을 편애하기 때문에" 자신이 승진하지 못했다고 한다. 또한 정직하지 못한 어떤 다른 사람들은 "당신이 요즈음 어느 누구도 믿으려 하지 않기 때문에 가능한 모든 범위 내에서 내 실속을 차릴 거야."라고 말하면서 도둑질을 한다.

(4) 백일몽(daydreaming): 백일몽은 사람들이 보다 유쾌한 일을 마음속으로 상상함으로써 불유쾌한 문제나 현실을 배제시키려 하는 시도들을 말한다. 그러나 백일몽을 통해서 사람들은 일상생활에서 현실적으로 불가능한 것을 가능한 것으로 생각하게 된다(백일몽을 반드시 해롭다고만은 할 수 없다. 그리고 대부분의 사람들은 이따금, 특히 자신들을 둘러싼 주변 환경으로 인해서 일이 뜻한 바대로 되지 않을 때 백일몽에 빠지게 된다).

(5) 부정(denial): 부정은 궁극적으로 자기 자신을 '기만(con)'하려

는 시도이다. 그리고 이는 모래더미에 자신의 머리를 감추고서 밖으로 드러난 자신의 큰 덩치가 타인에게 큰 표적이 되고 있음을 깨닫지 못하는, 즉 눈감고 아옹 하는 식의 처세이다. 그럴 만한 근거가 있는데도 불구하고 불쾌하다고 있는 현실을 부정하려 한다면, 자신이 갖고 있는 문제는 계속 꼬이고 더욱더 심각한 문제가 된다.

즉 부정은 전반적인 부정의 과정을 시정할 수도 있는 어떤 다른 정보를 가급적이면 배제하고 멀리함으로써 자신이 믿고자 하는 것만을 믿으려 하는 데서 야기되는 문제이다. 때에 따라서는 문제를 모른 체하면서도 아무런 탈 없이 일시적으로 즐거운 생활을 영위할 수도 있다. 예를 들어, 일을 미루거나(꾸물거리거나), 머리가 아프다거나, 아니면 다른 어떤 일로 너무나 바빠서 진짜 해야 할 일을 '못 했다고 하는' 것은 변명의 대표적인 예에 해당된다. 그래서 머리가 나쁘거나 공부하기 싫어하는 학생들은 자진해서, 학교 내에서 있을 수 있는 공부할 시간적 여유가 없는 사회적 활동을 하지 못할 상황에 이를 때까지 하여 공부라는 현실적인 당면문제와 동떨어져 지내게 된다. 이와 같이 부정은 문제와 당사자들로 하여금 불유쾌한(머리가 나쁘거나 공부하기를 싫어하는) 상황을 피할 수 있게 할 뿐만 아니라, 이로 인해서 생긴 결과에 대한 변명("나는 그 당시 너무나 바빴기 때문에 학교공부는 거의 할 수가 없었어.")의 여지를 제공해 준다.

(6) **감정전이**(displacement): 감정전이는 아무 죄 없는 주변사람들에게 자신의 상한 감정을 해소하려는 형태의 방어기제이다. 즉 어떤 특정인이 자신의 감정을 다른 사람이나 대상을 '괴롭힘으로써' 풀어 버리려는 형태의 것이다. 그리고 대부분의 사람들은 이러한 형태의 방어기제를 실제로 사용하고 있다. 예를 들어, 어떤 사람이

하루의 일과 중 아주 기분 나쁜 일이 있게 되면, 이로 인해 생긴 감정을 자기 주변에 있는 배우자, 방을 같이 쓰는 친구, 형제자매, 부모 등에게 그대로 발산하려는 경우로서, 그 사람은 자신이 갖고 있는 정서적인 문제점을 알려고 하기보다는, 이러한 정서가 자신에게 미치는 효과만을 문제 삼으려 한다. 이러한 형태의 방어기제는 흔히 환치(치환)된(displaced) 형태의 분노로서, 자기 자신이 분노하게 된 원인과는 전혀 무관한 주변 사람들에게 불끈 화를 내는 경우이다.

사람들은 흔히 자신의 감정을 발산한다 해도 다시 자신에게 역으로 이러한 감정을 되받아 발산할 수 없거나(상대방의 힘이 미약해서) 발산하지 않을(상대방이 관대해서) 사람을 택해서 자신의 감정을 토로한다. 그렇지만 자신이 갖고 있는 감정문제는 근본적으로 해결되지 않으며 결과적으로 그들과의 대인관계만 손상될 뿐이다. 내심으로 사람들은 은근히 타인들이 자기 자신을 이해하여 주고 자기가 가지고 있는 울분을 끌어 주길 기대한다. 실제로 타인들은 이러한 기대를 들어준다. 그렇지만 만일 사람들이 타인들에게 자신의 적대감을 환치하거나 발산하면 불행과 오해만이 남게 될 것이다.

(7) **억압**(repression): 억압은 사회적으로 수용될 수 없거나 금기로 여겨지는 감정, 생각, 욕구 등을 무의식적으로 감추려 하는 방어기제이다. 자신의 의식 속에 파묻혔거나 잊힌 기억이나 감정이라 할지라도 이들은 자신의 행동에 영향을 준다. 그리고 이러한 기억이나 감정에 의해서 사람들은 치과의사와의 진료약속시간을 망각하기도 하고, 마음에 내키지 않았던 불편한 모임이 있었는데 '자신도 모르게' 일에 열중하다가 모임약속을 잊는 수가 있으며, 애정이나 성(sex), 친밀성, 기타 형태의 무의식적인 행동을 억제하다가 순간적인 행동으로 표현하기도 한다.

(8) **책임전가**(scapegoating): 책임전가는 자기 자신의 잘못, 실제적 또는 가상적인 열등감, 실직, 기타 불유쾌한 상황으로 생긴 문제 때문에 다른 사람이나 집단을 책망하게 되는, 즉 타인에게 뒤집어 씌우는 과정이다. 가령 어떤 사람이 자기 대신에 다른 특정인이 취직되었을 경우에, 취직된 사람이 남자이기 때문에 또는 여자이기 때문에, 충청도 사람이기 때문에 또는 서울 사람이기 때문에 또는 강원도 사람이기 때문에, 아니면 기타의 다른 어떤 개인적인 배경 때문에 취직되었다고 말한다면 이는 책임전가의 대표적인 예가 된다.

(9) **고립**(isolation): 고립과 불참(uninvolvement)은 발뺌(evasion)을 함으로써 갈등에 말려들지 않으려는 방어기제이다. 부연하면, 이는 사람이 어떤 일에 관련되는 것을 거절함으로써 정서적으로 긴장과 갈등의 상황을 벗어나려는 행동방식인 것이다. 즉 어떤 사람이 일에 관여하지 않으면 그 일로 인해서 '손해는 보지 않을 것'이라는 논리이다. 다른 여학생들에게 데이트 신청을 해서 퇴짜 맞을 것이라는 생각에서 여학생들과 어울리기를 거절하는 남학생과 자신이 맞게 될 연기를 제대로 못 해낼 것이라는 걱정 때문에 연극부 선발시험에 나가지 못하는 여학생은 둘 다 고립을 통해서 자기 자신을 방어하고자 하는 경우이다. 어떤 한계점에 이르게 되면, 모든 사람들은 반드시 참여의 한계를 정해야 한다. 그렇지 않으면 우리는 불필요한 실망이나 마음의 상처를 입는 모험을 겪어야 한다. 그렇지만 자신이 원하는 바를 성공적으로 얻고 성취하려 한다면 때에 따라서는 실패와 실망의 모험을 감수해야만 한다.

거절, 마음의 상처 또는 실망 등으로 인해서 심한 고통을 받은 적이 있는 사람들은 "나는 두 번 다시 그따위 일로 해서 고통받지 않을 거야."라고 단언해서 말하는 경우가 있다. 특히 사랑에 실패하게 되면 대부분의 사람들은 이러한 말을 한다. 그리고 이러한 거절 경험을 한 후에 젊은이들은 다시 친밀한 상호 신뢰 관계를 형성하는 것이 어렵다고 생각하게 된다. 또한 계속적으로 실망과 마음의 상처를 받게 되면, 그 사람은 자기 자신의 주변에 일종의 불참과 이탈의 장벽을 높이 쌓게 되는 경향이 있다. 이러한 사람이 타인에게 사랑을 주고 타인에게서 행복한 사랑을 받는다는 것은 아주 어려운 일이며, 결국에 그 사람이 행복한 생활을 영위하리라는 것은 거의 기대하기 어려운 일이다.

[그림 5-6] 불안, 긴장, 욕구좌절, 갈등 등을 의식적으로 조절하고 이에 적응하는 경우 그는 대처기술을 이용하고 있는 것이다.

2. 방어기제 대신에 대처기술의 방법을 어떻게 배울 수 있는가?

사람들이 불가피하게 직면하는 불안, 긴장, 욕구좌절, 갈등 등을 의식적으로 조절하고 이에 적응하는 경우, 우리는 그 사람들이 대처기술을 사용한다고 말한다. 즉 사람들이 자신이 갖고 있는 '자료처리센터'를 활용하거나, 즉흥적이고 단기적인 응급처치의 반창고(Band - aid)를 붙이는 형태의 처방보다는 장기적인 안목을 갖고 사태를 효과적으로 다룰 수 있도록 자신의 감정, 사실, 정보, 욕구, 충동 등을 지속적으로 분류시켜 가며 처방을 하는 경우 대처기술의 방법을 사용한다고 볼 수 있다.

활용방법에 따라 **방어기제나 대처기술**로 분류될 수 있는 두 가지 심리기제(mechanisms)는 보상과 억제이다.

(1) **보상**(compensation): 보상은 자신의 약점이나 부적합성을 다른 자질이나 특성으로 교체하여 나가는 것을 의미한다. 비록 자신이 오페라(opera) 가수가 결코 될 수 없다고 할지라도 교회의 성가대에서 노래를 하거나 좋은 음악을 감상함으로써 음악을 즐길 수는 있

다. 본 장의 서두에서 열거한 사람들 중에서 진영이는 긍정적인 보상의 예가 된다. 왜냐하면, 진영이는 지금 비록 프로야구 선수가 되지 못했다 하더라도 우수한 야구코치가 되었기 때문이다. 그러나 만일 지나치게 **보상**(overcompensate)의 방법을 사용하게 되면, 사람들은 무의식적으로 자신의 실제적이거나 가상적인 약점을 부정적인 측면으로 전환시키는 결과를 낳기도 한다. 그래서 타인에게서 거절당하거나 불안정한 사람들은 단지 타인의 주목과 '인정'을 받기 위해 자기 자신을 과시하고, 빈정거리며, 무례한 행동을 하게 된다. 예를 들어 과식하는 행동은 거절당한 감정을 보상받기 위한 것으로도 생각된다.

(2) 억제(suppression): 억제는 자신이 갖고 있는 생각이나 감정을 의식적으로 자제하거나 참고 있다가 적절한 시기에 이들을 표현하는 능력이다(역주: 앞에서 제시한 억압과 다른 점은 억제는 의식적인 자제능력이라는 점이다). 자신이 갖고 있는 감정의 표현이 때와 장소에 따라 자신에게 해로운 효과를 낼 수 있다. 이러한 경우에 그 사람은 '열까지 세면서(count to ten)' 일시적으로 자신의 감정표현을 억제하게 된다. 그래서 만일 사람들이 자신의 감정표현을 지연시킴으로써 나중에 관련된 사람들에게 자신의 감정을 표현하거나, 아니면 조깅(jogging)이나 테니스를 치는 등의 방식으로 자신의 에너지를 발산하는 것 등은 긍정적인 억제의 예가 될 수 있다. 타인의 행동이나 다른 사태로 인해서 초조해졌지만 이 초조한 감정을 처리할 충분한 시간이 없을 경우에, 충분한 시간이 주어질 때까지 기다리는 것 이상으로 현명한 처신은 없을 것이다. 그렇지만 이러한 방법은 감정을 축적했다가 현금으로 바꾸거나 한꺼번에 해소하는 정서적 경품권의 수집(역주: 3장 참조)과는 동일한 것이 아니

다. 긍정적인 억제는 '지금 여기는 나의 감정을 표현할 시간과 장소로는 부적절해' 등과 같은 의식적인 결정을 필요로 한다.

여러 가지 다른 대처기술이 크뢰버(T. Kroeber)와 한(Norma Hann)에 의해 제시되었는데 이는 다음과 같다.[5]

(1) 객관화(objectivity): 객관화는 긴장과 불안의 상태에서 사고(thinking)와 감정(feeling) 과정을 둘 다 활용하는 능력을 말한다. 즉 이는 인간이 자신의 생각과 감정을 인정하고 동시에 이들을 구별할 수 있는 정도를 말한다. 객관화의 기술을 활용하는 경우, 우리는 우리의 사고와 감정이 갖는 영향을 인식하고 전반적인 상황을 명료화하고 이에 대하여 보다 객관적인 평가를 할 수 있게 된다.

(2) 논리적 분석(logical analysis): 논리적 분석은 문제에 대하여 세밀하고도 체계적인 분석을 하고 문제에 대한 설명을 하며, 문제해결을 위한 논리적인 계획을 수립하는 것을 말한다. 그리고 공상보다는 현실에 초점을 두고 의식적으로 '지금 여기(here and now)'에 대하여 분석하는 것이다.

(3) 집중(concentration): 집중은 긴장과 불안에 직면해서 잡다한 사고와 감정을 떠나 직접적인 문제에 관심을 쏟는 능력을 말한다. 예를 들어, 재난이 일어난 상황에서 긴급구조 요원들은 부상자들을 돌보기 위하여 자기 가족들의 안전 여부에 대한 감정과 생각은 일단 제쳐 둔다. 또한 시험을 치르거나 어떤 일을 끝마치기 위해서 다른 사람의 위기에 대한 걱정을 뒤로 미루어 두는 사람의 행동 또

---

5) T. C. KROEBER, "The Coping Functions of Ego Mechanisms", in *The Study of Lives*, ed. R. W. White(New York: Atherton Press, 1973), Anthony F. Grasha, *Practical Applications of Psychology*(Cambridge, Mass.: Winthrop Publishers, Inc.), pp.331 - 333.

한 집중과 밀접하게 관련된 것이다.

(4) 감정이입(empathy): 감정이입은 우리가 다른 사람들이 갖고 있는 '감정을 함께 느끼고(feel with)', 정서적인 문제가 발생한 사태에서 그들이 느끼는 감정을 지각하고, 그 사람들을 대할 경우 그들의 감정을 내면화하는 능력을 활용하는 것을 말한다. 그리고 감정이입은 중요한 타인과의 관계가 끊어져 버린 자기 친구에게 감상적인 동정을 하는 것이 아니고, 오히려 자기 자신과 친구의 감정, 그리고 이러한 자신의 행동에 미치는 영향 등을 지각하는 능력을 말한다.

(5) 농담(playfulness): 농담은 적절한 유머(humor)를 구사함으로써 생활에 즐거움을 더해 주고 사태의 긴박감을 다소 덜어 주는 유머감각을 말한다. 긴장이 고조되고 절대적인 감정이 표면화되는 경우에, 갑자기 어떤 사람이 이러한 상황에 알맞은 유머를 생각해 내고 익살스러운 말을 하거나 재치 있는 행동을 함으로써 분위기를 바꾸어 놓았던 때가 있을 것이다. 그렇지만 이러한 대처방법이 사람들로 하여금 사태를 경시하거나, 무시하거나, 웃어넘겨 버리라는 것을 의미하는 것은 아니며, 냉랭한 분위기를 벗어나는 데에는 적절한 재치가 필요하다는 것을 의미한다.

(6) 모호성의 감내(tolerance of ambiguity): 모호성의 감내는 '일이 막연한' 가운데도 우리가 일을 해 나가는 능력을 말한다. 즉 우리가 일을 어떤 방식으로 해야 할지 또는 상황이 앞으로 어떻게 돌아갈지 알지 못하여 다루기가 힘든 애매모호한 감정으로 복잡하게 되었을 경우에, 우리는 모호성의 감내에 직면하게 된다. 최근 미국 내의 대부분의 교육구는 대규모의 예산 삭감, 학교 폐쇄, 수많은 교사의 '해고'를 포함한 어마어마한 예산부족에 직면해 있다. 내년에 일자리를 얻을 수 있을는지 알지 못하여 앞으로의 생활이 '막연

한' 사람들은 심각한 긴장감을 맛보았을 것이다. 그리고 지금까지 이러한 긴장의 상태에서 효과적으로 일을 해 나갈 수 있었던 사람들은 아마 모호성의 감내를 통해서 대처해 나갔을 것이다.

---

1. 여러분이 욕구좌절, 긴장, 갈등에 직면하여 대처기술을 통해 이러한 문제들을 다루었던 상황을 적어 보라. 어떤 대처기술을 사용하였고, 그 결과는 어떠했는가?
2. 소집단을 형성한 다음, 5장에서 제시한 대처기술에 대한 자신의 생각을 말해 보라. 여기서 여러분이 활용하기에 가장 어려웠던 방법은 어느 것인가? 여러분에게 아주 적당하여 '제2의 습관'으로 되어 버린 것이 있는가? 여러분에게 적당한 것과 부적당한 것 사이의 차이점은 무엇인가?

V. 창조적인 문제해결

우리가 갖게 되는 대부분의 문제는 불안, 욕구좌절, 긴장, 갈등 등의 결과로 인해서 생긴다. 그리고 방어기제가 아닌 대처기술의 사용은 우리가 이러한 문제를 해결하는 데 도움을 준다. 또한, 이러한 대처기술을 종합하여 사용함으로써 우리는 창조적인 문제해결을 할 수가 있다. 창조적인 문제해결과 의사결정 시에 일반적으로 널리 사용되어 온 단계는 ① 문제의 정의, ② 대안의 설정, ③ 결과의 예견, ④ 해결방안 선택, ⑤ 재평가의 수립 등이다.

1. 창조적인 문제해결의 단계

(1) 문제의 정의(define the problem): 문제의 정의는 비교적 단순한 것 같지만 종종 가장 어려운 문제이기도 하다. 문제가 생기게 되면 여기에는 보통 많은 국면과 사람들이 관련되어 있는데, 흔히 사람들은 문제에 관련된 징후들이 단지 피상적인 것에 불과하고 보다 근본적인 문제는 더 깊은 곳에 숨겨져 있다는 것을 파악하지 못하고 단지 겉으로 드러난 '징후'만을 다루려 한다. 그러므로 문제의 근본적인 원인이나 가장 긴급하고 심각한 국면에 초점을 두어 문제를 다루기에 앞서 문제의 사실적 측면을 진술하고, 가능한 범위 내에서 문제의 여러 국면을 분석할 필요가 있다. 그리고 문제의 출처를 알아낸 다음에는 우리의 행동양식을 제한시키지 않고 해결방안을 제시해 줄 수 있는 간단명료한 문제의 진술을 개방적으로 하여야 한다. 다음으로 문제 정의에 있어 두 번째 국면은 일반적 정의를 목적 진술로 바꾸는 것이다.

여러분이 다른 프로그램이나 강좌에 등록한 학생과 같은 방에서 자취하고 있는 경우를 가정해 보라. 두 달 정도가 지나면, 여러분은 자신의 생활방식으로 습관이 달라지고 여러 가지 문제가 생긴다는 것을 알게 될 것이다. 예를 들어, 같이 생활하는 방 친구가 식욕이 날 때는 언제 어디서고 마구 먹어 대는 대식가인 반면에 여러분은 보다 규칙적인 식사를 좋아하는 경우가 있다. 이렇게 되면 공평한 식료품비의 분담이 어렵게 되고, 식료품 구입 시에는 실제로 말다툼이 있게 된다. 또한 여러분이 친구보다 훨씬 더 많은 숙제를 해야 하는 교과목을 신청해서 듣고 있는데, 친구가 전축을 크게 틀어 놓거나 자기 친구들을 초대해서 밤을 지새우며 디스코를

추게 되면 서로 간의 문제는 더욱더 심각하게 된다. 게다가 '청결하고 단정한 것'에 대한 개념이 서로 다를 경우에 자취방은 종종 소란스럽게 된다. 그렇다고 해서 여러분이 그 친구를 아주 지겹게 여기는 것은 아니다. 그리고 그 친구는 종종 자신의 잘못을 사과한다. 실제로 여러분은 그 친구를 아주 좋아하고 또한 같이 지내고 싶은 마음도 가지고 있다. 왜냐하면, 교대로 식사준비를 하고 등하교를 같이 하면 훨씬 편하고 좋은 점도 있기 때문이다. 그래서 서로의 불편한 행동만 청산한다면 그 친구와의 생활을 계속하는 것이 좋을 것 같다. 이러한 경우에 문제는 "나와 내 친구는 서로에게 어려움을 주는 갈등을 느끼며 생활하고 있다."라고 정의할 수 있다. **이러한 문제를 목적 진술문으로 다시 진술하면**, "우리는 서로 보다 만족스런 생활을 영위하기 위해서 앞으로 어떻게 해야 하는가?"와 같은 형태일 것이다. 이러한 진술은 진술문의 포괄성 정도에 따라 세부적인 진술일 수도 있고 일반적인 진술일 수도 있다. 왜냐하면, 이들 진술문은 어떤 행동을 해야 될 것인지 또는 확실한 해결방안이 어떤 것인지에 대한 암시나 시사를 하지 않기 때문이다. 이와 같은 문제의 정의가 내려진 다음에는 앞으로 고려해야 할 모든 대안들에 대한 충분한 숙고가 있어야 한다.

(2) **대안의 설정**(generate alternatives): 어떤 문제와 관련된 대안이나 해결방안을 모색하려는 경우에 종종 빠지기 쉬운 함정에는 다음과 같은 것들이 있을 수 있다. 그 하나는 우리가 생각해 낸 첫 번째의 대안이나 해결 방안을 통해서 관련된 모든 대안들에 대하여 충분히 고려한 다음에 해결방안을 결정한다면, 우리는 이러한 선택에 대하여 더 많은 만족감을 가질 것이며 성공의 기회는 더욱더 많아질 것이다. 두 번째의 함정은 우리가 "그것은 잘 안 될 텐

데", "그가 말을 들어줄까?" 또는 "그러나 이러한 방식은 전에도 해 본 것인데……." 등과 같은 선입견적인 가정에 빠져 버리는 경우이다. 마지막으로 세 번째의 함정은 우리 주변에 있는 해결책들을 발견해서 쓸 줄 모르는 경우이다. 그렇지만 주변 사람들은 아주 큰 도움이 되는 제안이나 문제에 대한 접근방법을 우리에게 제공해 줄 수도 있고, 우리는 타인들의 경험을 통해서 많은 것을 배울수도 있다. 이러한 경우 대안의 설정에 있어 아주 도움이 되는 것은 '중지수렴(衆智收斂, brainstorming)'의 기법이다. 여러 사람의 지혜 또는 의견을 모은다 함은 각각의 사람들이 제안하는 의견을 그 효과성에 대한 논란 없이 많이 수집하는 것을 뜻한다. 여기서는 일단 사람들이 제안하는 의견의 질이 아니라 그 양에 관심이 주어진다. 중지수렴(브레인스토밍)에 있어 몇 가지 보편적인 규칙은 다음과 같다.

(1) 되도록이면 많은 의견을 제시하라.
(2) 여러 가지 의견이 다 제시되기 전까지는 이 의견에 대한 비판, 평가, 논평 등을 미루거나 보류하도록 하라(다시 말해서, 의견을 제시하고 있는 도중에 "바보 같은 소리!" 또는 "되지도 않을 소리!"라고 말한다면 이는 잘못된 것이다).
(3) 가능성이 희박한 의견이라도 이를 토대로 하여 다른 의견이 나올수 있기 때문에 장려되어야 한다.
(4) 자신이 처음에 가졌던 의견이나 타인에 대하여 알게 된 것을 거침없이 발표하는 것은 장려되어야 한다. 왜냐하면 어느 한 가지 의견은 다른 사람에게 또 다른 의견을 제시할 수 있는 계기를 주기 때문이다.
(5) 여러 가지 의견이 다 제시되면, 가장 쓸모 있는 의견이 될 수 있도록 제시된 의견을 다듬어서 조합하라.
(6) 의견들에 대한 조합과 분류가 끝난 다음에는 쓸모가 적으며 실용적

이지 못하거나 실행할 수 없는 의견, 바람직하지 못한 의견들을 제
외시켜 나가라.
(7) 최종적으로 남아 있는 의견을 토대로 해서 문제를 가장 잘 해결할
수 있는 대안이 어떤 것인지를 생각하라.

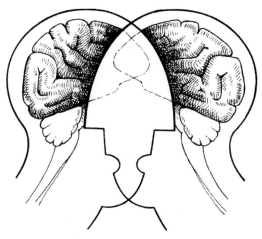

[그림 5-7] 중지수렴의 기법(브레인스토밍)은 아주 많은
양의 정보를 산출하게 해 준다.

예를 들어, 앞에서 예로 든 한방을 같이 쓰는 친구와의 문제해결
을 위한 중지를 수렴(브레인스토밍)하면 다음과 같은 것들이 있을
것이다.

이사를 한다.
한방의 친구를 밖으로 내쫓는다.
그냥 내버려 둔다.
같이 앉아서 설득을 한다.
같이 살면서 해야 할 일의 목록과 당번을 정한다.
일련의 행동지침을 설정한다.
언성을 높여 다툰다.

자신의 힘이 더 세면 최후통첩을 보낸다.
사태가 달라질 때까지 방세 지불을 거부한다.
책임질 일을 분담한다.
공부할 시간을 정한다.
친구들의 방문을 토요일로 제한한다.
헤드폰을 끼고 전축을 듣게 한다.
도서관에 가서 공부한다.
공부를 그만두고 같이 논다.
헤어지고 다른 친구와 산다.
자기 집에서 학교를 다닌다.

　이상과 같이 되도록이면 많은 의견을 열거한 다음, 열거된 의견들을 보고 이들을 다음과 같이 유사한 것끼리 조합하거나 한데 묶도록 하라.

자기 집에서 학교를 다닌다.
이사를 한다.
한방의 친구를 밖으로 내쫓거나 아니면 내가 나간다.
헤어지고 다른 친구와 산다.

같이 논다.
그냥 내버려 둔다.
언성을 높여 다툰다.
최후통첩을 보낸다.
사태가 달라질 때까지 방세 지불을 거부한다.

같이 앉아서 설득을 한다.
책임을 분담하고 당번을 정한다.
공부하고 방문객을 맞는 시간 등을 시간표로 정한다.
도서관에 가서 공부한다.
친구들의 방문을 토요일에 한하여 허용한다.

헤드폰을 끼고 전축을 듣게 한다.

(3) **결과의 예측**(anticipate outcome): 중지수렴의 기법(브레인스토밍)을 사용하는 경우, 세 번째 단계는 수집된 의견들을 평가하는 일이다. 즉 각 대안들의 결과는 어떻게 될까? 각 대안들로 인해서 사태가 호전될까 아니면 악화될까? 갈등상황에 있는 당사자들이 이러한 '해결방안'에 찬동할 것인가? 당사자가 협상할 의향을 갖고 있는가? 이상과 같은 평가적 물음에 대해 스스로 답해 본 다음 쓸모없는 해결책을 삭제하고 가장 이치에 맞는 해결책은 그대로 남겨 두라.

(4) **해결방안 선택**(select a solution): 가장 바람직한 것처럼 보이는 대안을 선택하라. 그러면 그 대안을 토대로 당사자들이 갖고 있는 문제는 '가장 잘' 해결될 것은 물론 그들이 갖고 있는 욕구도 해결될 것이다. 이러한 견지에서 감정이입, 효과적인 의사사통, 대처기술 등과 같이 자신이 갖고 있는 인간관계의 기술을 이용하는, 즉 자신의 메시지를 어떻게 전달하느냐 하는 문제는 아주 중요하다.

(5) **재평가의 수립**(build in reevaluation or reassessment): 자신이 모든 문제를 해결할 수 있다고 생각하지 말라. 그리고 자신이 내린 결정을 기꺼이 재평가할 준비가 되어 있어야 한다. 만약에 어떤 해결책이 효과가 없을 것 같으면 그 이유를 자문해 보고, 그 문제를 재정의해 보고 다시 그다음 단계를 밟아 가도록 하라.

2. 문제해결 방법으로서의 대처기술

대처기술은 문제해결 과정의 한 부분에 해당된다. 객관화는 문제점의 정도를 전망할 수 있게 하고, 논리적 분석은 단계적인 절차를 통해서 일할 수 있게 하며, 집중은 다른 감정과 과업의 와중에서 관련된 문제에만 관심을 집중하게 해 준다. 그리고 감정이입은 특정 문제를 타인의 관점에서 볼 수 있도록 하고, 농담은 자신의 유머감각을 더해 주며, 모호성의 감내는 앞으로 일어날 일에 대한 의아한 '위험'요인을 흘러버리도록 해 준다. 또한 억제는 자신을 냉정하게 행동하도록 하고 사태를 효과적으로 다룰 수 있도록 감정을 축적하게 해 준다.

VI. 요 약

긴장, 욕구좌절, 갈등 등은 우리가 복잡한 사회생활을 하면서 접하게 되는 정상적이고 일상적인 요소들이다. 사람들은 자신이 추구하는 목적을 통해 만족을 얻지 못할 경우에 욕구좌절을 경험하게 된다. 그리고 갈등은 여러 대안들 중에서 선택을 해야만 하는 경우에 일어난다. 긴장은 유쾌한 것이든 불쾌한 것이든 간에 이들에 주어지는 어떤 경우에 대한 덜 구체적이고 신체적인 반응이다. 긴장을 유발하는 우발적인 사건들을 긴장인자라 하며, 재적응을 필요로 하는 정도가 위험한 것일 경우에 이를 근심이라 한다. 긴장이 자신에게 도움이 되도록 하고 근심을 극소화하기 위한 제안으로는 ①

자기 자신에게 주의를 기울여라, ② 누적된 긴장을 표출하도록 하라, ③ 약물복용을 피하라, ④ 일을 제쳐 두고 잠시 쉬어라, ⑤ 자신이 대처할 수 없는 일에는 순응하도록 노력하라, ⑥ 한 가지씩 일을 차근차근 처리하도록 하라 등의 여섯 가지를 들었다. 대다수의 사람들은 문제 상황에서 손을 떼거나, 보아 넘기거나, 우회적인 방법에 의존하면서 문제를 해결하려 든다. 그렇지만 이들보다는 대처기술이 훨씬 더 효과적이다. 전자의 문제해결과 관련된 방어기제에는 ① 합리화, ② 퇴행, ③ 투사, ④ 백일몽, ⑤ 부정, ⑥ 감정전이, ⑦ 억압, ⑧ 책임전가, ⑨ 고립과 불참 등이 있다. 그리고 후자의 문제해결과 관련된 대처기술에는 ① 객관화, ② 논리적 분석, ③ 집중, ④ 감정이입, ⑤ 농담, ⑥ 모호성의 감내 등이 있다. 가장 보편적으로 알려진 창조적 문제해결의 단계는 ① 문제의 정의, ② 대안의 설정, ③ 결과의 예측, ④ 해결방안의 선택, ⑤ 재평가의 수립 등 과정을 포함한다.

연습문제

1. 대안의 설정에서 중지수렴의 기법(브레인스토밍)을 통해 나온 여러 대안들 중에서 여러분은 어떤 해결방안을 선택하겠는가? 학급 친구들과 이와 같은 역할극의 상황을 만든 다음 여러분의 '방 친구'에게 자신의 해결방안을 전달하라.

2. a. 앞에서 제시한 문제해결의 단계를 적용하는 것이 현명하고, 실용적이며, 비교적 용이할 것으로 보이는 상황을 생각해 보라.

b. 앞에서 제시한 문제해결의 단계가 비실용적이고, 방해가 될 것 같은 상황을 생각해 보라.

c. 두 가지 상황의 차이점은 무엇인가?

3. 진로선택이나 교육문제와 관련하여 자신이 지금 직면하고 있는 문제를 정의하라. 그리고 나서, 의견을 수집할 수 있도록 최소한 두 사람 이상이 모여 문제해결의 단계를 적용하고 최종적인 문제해결 방안을 결정해 보라.

4. 여섯 명으로 모임을 만든 다음, 집단 속에서 이루어질 내용을 기록할 사람을 뽑아서 그로 하여금 백지에다 집단 속에서 창출된 모든 의견을 적도록 하라. 그리고 나서, 수저, 짧은 양말, 나무토막, 바윗돌, 고무줄, 서류 집게, 플라스틱 통 중에서 어느 하나를 선택한 다음 이들 물건이 어떤 용도로 사용될 수 있는지에 대하여 자신이 생각하는 바를 적도록 하라. 5분 정도가 지나면 각자 자신이 열거한 것을 벽에 걸어 놓도록 하고 중지수렴의 기법(브레인스토밍)이 유용할 것으로 생각되는 몇 가지 부가적이고 구체적인 상황을 논의해 보라.

5. 본 장의 서두에서 인용한 예를 다시 읽어 보고, 다음의 사람들이 어떤 종류의 대처기술과 방어기제를 사용하였는지 논의해 보라.

정혜: 창연:
진영: 인희:

6. 소집단을 만든 다음 대처기술과 방어기제를 설명할 수 있는 간단한 예증이나 '사례연구'를 각각 두 가지씩 적어라. 소집

단 내의 다른 사람들에게 자신의 사례를 각자 발표하고, 그것이 부정적인 결과를 맺을지 아니면 긍정적인 결과를 맺을지에 대하여 토론해 보라.

7. 다음의 내용에 대하여 한 사람씩 대답해 보라. 즉 자신을 긴장과 평온의 수준과 관련시켜 자신이 경마형과 거북이형, 아니면 다른 동물 형태 중에서 어디에 속하게 되는지에 관하여 소집단을 정한 다음 자기 자신이 생각하는 바와 다른 사람들이 여러분에 대하여 생각하는 바를 비교해 보라. 유사점과 차이점은 무엇인가?

8. 다음의 긴장해소의 방안들이 자신에게 중요한 의미를 갖는 순서대로 번호를 매겨라. 자신이 매긴 순서를 타인들과 비교하고 나서, 집단 내에서 토론을 통해 합의가 된 순서를 정해 보라. 그리고 나서 자신의 것과 집단의 것을 다시 비교해 보라.

긴장해소의 방안	자신	집단
자기 자신을 돌보라.	( )	( )
신체적 활동으로 긴장을 표출하라.	( )	( )
약물복용을 피하라.	( )	( )
일을 제쳐 두고 잠시 쉬어라.	( )	( )
자신이 대처할 수 없는 일에 순응하라.	( )	( )
한 가지 일씩 차근차근 처리하라.	( )	( )

제6장 변화와 인간의 삶

    문제가 되는 것은 변화 그 자체가 아니라 변화의 방식을 사람이 통제할 수 있느냐 하는 문제이다. 모든 인간은 잠깐 동안의 휴식을 취하면서 목적 달성을 위해 끊임없이 매진해야만 하는 「이상한 나라의 앨리스(ALICE IN WONDERLAND, 역주: 이는 이국 TV에서 방영된 만화영화의 제목으로 앨리스는 신통한 재주를 가진 주인공이다)」와 같이 살고 있다. 자신이 원하는 것을 얻고자 모든 인간들은 온 힘을 다해서 뛰어야만 한다. 더구나 자신을 둘러싸고 있는 규칙들은 계속 변하고 있다. 그렇다고, 앞으로 전진하지 못하여 옛날의 규칙을 고수하고 이에 얽매인다면, 우리는 뒤로 처져서 과거에 살게 되고 지금(now) 여기(here)와는 점점 멀어지게 되는 것이다. 그리고 새로운 현실을 인식하지 못하면 우리는 외부세계의 요청에 부응하도록 자신의 행동을 변화시킬 수도 없게 된다.

홀리(Isabel and Robert Howley)[1]

    한곳에 머무르지 않고 계속 돌아가는 수레(treadmill)를 탄 것같이 변화에 휘말려 자신이 '통제할 수 없다는' 것을 실감하는 경우가 여러 차례 있었을 것이다. 반대로 자신이 변화의 창조를 적극적으로 추구하고 이를 위해 노력했던 경우도 있었을 것이다. 인간이 갖고 있는 욕구는 때때로 갈등이나 주변에 산재한 변화에 의해 도전을 받는다. 반대로, 인간은 자신의 욕구를 충족시키기 위해 변화를

---

1) ROBERT C. HAWLEY and ISABEL L. HAWLEY, *Human Values in the Classroom* (New York: Hart Publishing Company, Inc., 1975), p.206.

주도하기도 한다.

　지난 수 세기 동안에 우리는 많은 변화를 목격했으며 이들 변화가 개인, 집단, 조직, 가족, 그리고 사회 등에 미치는 영향을 목격해 왔다. 6장에서는 인간의 기본적인 욕구, 변화의 불가피성, 변화와 안정 사이의 관계, 그리고 개방적이고 적극적인 변화촉진자가 되는 과정 등에 초점을 두고 살펴보려 한다.

Ⅰ. 욕구와 동기요인

　인간의 욕구는 보통 그가 말하고 행동하는 것을 통해 표현된다. 매슬로우(Abraham Maslow)는 이와 관련하여 현재 널리 수용되고 있는 '욕구위계(Hierarchy of Needs)'를 설정했는데, 이는 문학권이 달라져도 상당한 유사성을 갖고 통용된다. 그는 모든 인간은 똑같은 동기와 욕구를 가지며, 이러한 욕구는 피라미드(pyramid) 형태로 기본적인 욕구에서 고차원적인 욕구 순으로 배열될 수 있다고 하였다. 또한 그는 보통의 인간은 기본적인 하위의 욕구를 충족하게 되면 상위의 다른 욕구를 충족시키려 하며, 보다 하위의 욕구가 충족되지 않으면 보다 상위 수준의 욕구나 동기를 충족시키려는 시도에는 별로 관심을 두지 않는다고 하였다.

　여기서 열거하는 다섯 가지 욕구는 기본적인 중요성에 따라 순서가 정해지는데, 상위의 욕구는 하위의 욕구가 충족되면서 나타나게 된다. 다섯 가지 욕구의 범주는 생리적 욕구, 안전의 욕구, 소속과 사랑의 욕구, 존경의 욕구, 자아실현의 욕구 등이 해당된다.

1. 생리적 욕구(physiological needs)

인간의 신체는 미묘한 물리·화학적 균형을 유지하기 위한 많은 음식물과 기타의 조건을 필요로 한다. 그리고 인간은 생존하기 위하여 이러한 생물학적인 욕구를 충족시켜야만 한다. 이와 관련된 가장 기본적인 욕구는 배고픔, 목마름, 성욕, 잠, 운동, 휴식, 호흡에 필요한 공기 등이 해당된다.

만일 이상에서 제시한 것들이 결핍되어 있다면, 기타의 어떤 욕구도 인간이 생명을 유지하는 데 있어서 이들 욕구의 충족보다 더 중요할 수는 없다. 예를 들어, 만일 어떤 사람이 배고픔에 직면해 있다면, 그의 몸은 무엇보다도 배를 채워 주기를 바랄 것이며 그는 "나는 배고프고 목마르다." 하는 말만을 계속 되풀이할 것이다. 때에 따라 음식을 보거나 냄새를 맡게 되면 이러한 욕구는 더욱 강렬해지면서 반사적인 신체적 반응을 일으킬 것이다. 사람들이 '배고프다'고 하는 경우 이는 보통 **배고픔**이 아니라 **식욕**의 표현이고, 욕구가 아니라 바람의 표현인 경우가 많다. 그렇지만 배고픔의 해소가 일차적인 목표인 사람은 이러한 욕구충족에만 마음이 쏠리고 일자리, 사회적인 명성, 기타 덜 중요한 욕구에는 관심을 두지 않는다.

다음으로, 배고픔의 욕구가 충족되게 되면 그는 다른 고차원의 욕구를 중요시하게 된다. 즉 이러한 욕구가 해결되면 여전히 또 다른 욕구가 출현하게 된다. 욕구 '위계'의 의미를 빌린다면, 인간의 욕구는 중요성에 따라 순서가 정해지기 때문에 하위의 욕구가 일단 충족되게 되면 또 다른 상위의 욕구가 생기게 된다는 것이다. 따라서 어떤 욕구나 결핍의 상태가 채워지면 그것은 이제 욕구가 아니다. 이런 점에서 인간은 **충족되지 못한** 욕구나 결핍상태에 의해서 동기화된다고 할 수 있다.

그리고 생리적인 욕구는 간접적으로 자신의 경제적 상황과 연계성을 갖기 때문에, 사람들은 이러한 욕구충족에 필요한 돈을 벌기 위해 일을 한다.[2)]

2. 안전의 욕구(safety needs)

생물학적인 욕구가 충족되게 되면 위험으로부터 피하여 자신을 보호하고자 하는 안전의 욕구가 제일 중요한 위치를 차지하게 된다. 이러한 안전의 욕구는 어린 시절에 특히 많이 나타나게 되는데, 예를 들어 학대나 굉음에 깜짝 놀라는 반응을 보이는 어린이는 안전의 욕구를 표현하고 있는 것이다.

안전의 욕구에 속하는 범주는 질서와 이성적으로 예측 가능한 생활방식에 대한 바람을 포함하며, 이는 사람에 따라 다양하게 나타난다. 그렇지만 고정되고 판에 박힌 절차는 전혀 필요하지도 바람직하지도 않으며, 대부분의 사람들은 오히려 몇 가지 종류의 계획과 일정한 절차를 통해서 앞으로 어떤 일이 일어날 것인지를 알고자 한다. 왜냐하면, 사람들은 지나치게 조직적이고 구조화된 것을 원치 않기 때문이다. 매슬로우(Maslow)의 말대로, "대부분의 어린이들은 완전한 방임보다는 약간의 제한(limits)을 좋아하며, 어느 정도(reasonably) 질서가 있고 예언이 가능하며 구조화된 세계가 어

---

2) A. H. MASLOW, *Motivation and Personality*, 2nd ed.(New York: Harper & Row, Publishers, Inc., 1970), pp.35 - 46

린이들의 눈에는 안전한 세계로 보인다."[3]

대부분의 사람들에게 있어, 안전(safety)과 안정(security)의 욕구는 신체적이기보다는 심리적인 욕구와 더 관련된다. 예를 들어, 실직한 사람은 경제적으로뿐만 아니라 심리적으로 안정을 상실한 사람이며, 강도나 깡패에 대한 두려움 때문에 밤늦게 집에 혼자 걸어가기를 싫어하고 위험한 곳을 피해서 가는 것은 안전과 안정의 욕구를 채우려는 의도에서 나온 것이다. 자신의 생활에 질서와 의미를 부여하는 종교적·철학적인 지침 또한 안정되고, 상식이 통하여, 평탄한 생활을 하고자 하는 욕구를 충족시키는 또 다른 방식이 될 것이다.

성인이 되면 사람들은 자신의 사생활을 통해 안전의 욕구를 충족하게 된다. 그래서 그들이 자신의 생활에서 어느 정도의 질서와 구조를 갖추게 되면, 그들은 인생을 보다 더 효과적으로 살 수 있을 것이다. 그렇지만 사람들은 여전히 자신의 안전을 위협하는 외부 요인들이 있음을 느낄 것이며, 그러한 위협이 발생하게 되면 그것은 다른 어떤 욕구보다 강렬해진다. 예를 들어, 지진이 발생할지도 모른다는 두려움을 갖게 되거나, 자신이 머물고 있는 바로 아래층에서 화재가 발생하여 위로 번지고 있다는 것을 갑자기 알게 되는 경우, 이러한 위험으로부터 안전을 구하고자 하는 경우의 욕구는 가장 긴급한 것이 된다.

몇 해 전에 폭발사고로 인해 지하의 탄광에 갇혔던 광부의 이야기가 신문에 보도된 적이 있다. 그 당시 광부가 죽지 않고 지하에 아직 살아 있다는 것이 알려지면서 그를 구조하는 데 필요한 조치가 취해졌다. 물론, 당사자 외의 다른 사람들이 그가 지하에 갇혀

---

3) *Ibid.*, pp.85 - 87.

있을 때의 심경을 알 수는 없지만, 여러분이 이런 상황에 처해 있었다면 마음이 어떠하였겠는가를 상상해 보라. 여러분이라면 그 당시에 자가용차의 세금을 걱정하였겠는가, 아니면 부모나 친구를 생각하였겠는가, 아니면 토요일 밤으로 약속했던 애인과의 데이트를 생각하였겠는가? 분명 그렇지는 않았을 것이다. 우선적으로 마음에 떠오른 것은 안전하게 구조되었으면 하는 것이 아니었겠는가? 그렇지만 상황이 바뀌어 광부는 구조가 되었고 기자들이 그를 에워싸고 지하에 매몰되었을 때의 심경을 묻자, 그가 고통스럽게 웃으면서 하는 첫마디 말은 "비켜요! 샤워를 하고 싶어!"였다고 한다. 여러분은 그가 지하 속에서 매몰되었을 때도 이런 말을 할 수 있다고 생각하는가? 그렇지만 그는 일단 구조가 되면서 안전의 욕구는 충족되었고 곧이어 다른 욕구를 생각하게 된 것이다. 사람이 생활하면서 실제로 이러한 경우는 많다. 즉 인간이 갖는 안전의 욕구가 충족되게 되면 인간은 또 다른 욕구를 채우려 하게 된다.

3. 소속과 사랑의 욕구(belongingness and love needs)

기본적인 생물학적 욕구와 안전의 욕구가 충족되게 되면 사랑, 애정, 그리고 소속에 대한 욕구가 더 중요한 욕구로 나타난다. 그래서 타인들과의 의미 있는 관계 형성과 소속집단에 의한 수용은 아주 중요한 관심사가 되게 된다.

즉 인간은 소속감을 갖고, 사회적 관계를 수립하며, 타인에게서 온정과 인정을 받고자 하는 욕구를 갖게 된다. 그리고 인간은 나이가 들면서 다른 방식을 통해 이러한 욕구를 충족하고자 한다. 어릴 시절의 소속감은 주로 가족구성원들과의 관계에 연유하지만, 나이가 들게 되면서 이러한 욕구를 충족시키고자 하는 시도는 점차 가정을 벗어난 외부 사람들과의 관계에 연유하게 된다.

어떤 집단의 구성원이 되어 동료집단으로부터 수용의 감정을 느끼는 것은 거의 모든 청소년들의 성장에 중요한 역할을 한다. 타인과의 관계에서 느끼는 동조성(conformity)은 청년기에도 영향을 주며 장년기에도 또한 다양하게 영향을 준다.

우정 또한 이러한 욕구의 충족에 있어 아주 중요한 역할을 한다. 우정의 종류에는 신뢰할 수 있고 자신의 모든 것을 줄 수 있는 친구로부터 어떤 집단에서 우연히 알게 된 친구에 이르기까지 아주 다양하다. 우정에 대한 정의는 사람이 나이를 먹어 가면서 변하기도 한다. 예를 들어, 많은 학생들은 자신이 성인이 되면서 친구를 넓게 사귀기는 했으나 깊고 절친한 친구는 적었다는 생각을 갖고 있다.

나이가 들면서 친구의 범위는 아마 다양한 연령층으로 확대되는 경향이 있다. 그래서 어린 시절의 순수한 동료집단에 소속되었던 친구들은 옛날의 친구가 되어 버리며, 우정의 주요 기준은 이제 나이가 아니라 사회적 지위나 비슷한 관심사로 바뀐다. 많은 친구들은 또한 우정을 친구에게서 사랑받는 것으로 생각한다. 그러나 사랑, 애정, 우정을 주고받는 관계로 인식하는 것은 소속과 사랑의 욕구를 충족하는 데 있어 무엇보다도 더 중요하다고 할 수 있다. 사교모임이나 다른 조직에서 나누게 되는 교제나 친분은 부분적으로 이러한 욕구를 채울 수 있게 해 준다.

자신의 직장에서 동료 직원들과 나누는 친분은 부분적으로 이러한 욕구를 만족시킬 수 있을 것이며, 비슷한 취미, 관심, 생활형태를 가진 사람들과 나누는 친분을 통해서도 소속의 감정은 증대된다.

4. 존경의 욕구(esteem needs)

이미 앞에서 긍정적인 자아인식의 계발이 갖는 영향에 관하여 상세히 논의한 바 있듯이, 자기 자신에 대하여 어떤 감정을 갖느냐 하는 문제는 타인과의 관계 형성 형태에 상당한 영향을 주게 된다. 그리고 인간은 하위의 욕구가 채워지면 자신감, 지위, 적합성, 능력감, 성취감, 존경, 독립 등의 감정을 추구하게 된다.

그러나 이러한 특성을 내면화하여 자기 자신의 일부로 만드는 것은 하룻밤 사이에 이루어지는 것이 아니라 점진적인 과정을 통해서 이루어진다. 다시 말해, 인간은 자신이 성취감과 능력감을 갖고 일을 잘 처리하여 타인에게 존경의 대상이 되며, 새로운 어떤 일을 시도하여 자신의 뜻을 펼침으로써 만족감을 얻게 되고, 급기야는 점차 존경의 감정을 '축적하기' 시작한다.

프리덴버그(Friedenberg)는 자신의 저서인 「사라지는 청년기(The Vanishing Adolescent)」에서 다음과 같이 적고 있다.

> 인간이 결정해야만 하는 것은 아마도 **우리가 얼마나 가치 있는가**(how valuable we are) 하는 양적인 문제라기보다는 **어떻게 해야만 가치 있는 사람이 될 수 있는가**(how we are valuable) 하는 문제일 것이다. 사람은 나이를 먹으면서 자신의 구체적인 자질이나 결점이 무엇이며, 자기 자신에게 기대할 수 있는 것이 무엇이고, 자신이 인간으로서 훌륭한 점이 무엇인지를 알게 된다. 그리고 타인에게 영향력을 행사하는 방법과 그들이 이에 대하여 응수하는 반응의 형태도 알게 된다. 인간은 타인의 시각을 통해서 자신을 보는 방법을 아주 정확하게 배울 수 있지만, 그가 현명한 사람이라면 타인의 시각을 통해서 자신을 이해하기보다는 오히려 그들의 시각을 자기 자신에 관한 개념을 설정하기 위한 하나의 지침에 불과한 것으로 받아들이게 될 것이다.[4]

사람에 따라서는 이러한 형태의 욕구를 직장에서 승진을 하거나, 좋은 일자리를 얻거나, 경쟁에서 일등을 하거나, 타인의 인정을 받는 등의 '지위'와 관련된 형태를 통해서 충족시키기도 한다. 그리고 우리 주변에 널려 있는 자가용, 직함, 직업, 기타 권력, 지위, 인정 등과 관련된 호칭 등은 일반적인 지위의 상징에 해당된다.

인간은 인간이라는 기본적인 전제만으로도 쓸모가 있고 가치가 있는 것이다. 그리고 이러한 인식에 대한 생활은 인간으로 하여금 일을 잘 할 수 있도록 함은 물론 성공을 경험하게 하고, 궁극적으로 쓸모 있는 어떤 일을 성취했다는 감정을 갖게 해 준다. 그래서 자신이 가치 있는 사람이라는 생각은 계속 새로운 형태로 강화될 것이다.

5. 자아실현의 욕구(self - actualization)

자아실현이란, 용어는 골드스타인(Kurt Goldstein)에 의해 처음 쓰인 말로, 많은 저술가들에 의해서 어떤 사람이 될 수 있는 최대한의 사람으로 되고자 하는 욕구(the need to become all that one is capable of becoming)인 자아 완성의 욕구를 의미하는 것으로 사용되어 왔다. 이는 성격의 형성과 관련된 측면으로 자아의 연속적인 변화나 계발과 관련된다.

이러한 욕구의 충족을 성취하는 방법은 사람에 따라 제각기 다르다. 즉 자아의 완성이란 말은 사람에 따라 훌륭한 어버이가 되는

---

4) EDGAR Z. FRIEDENBERG, *The Vanishing Adolesent*(Boston: Beacon Press, 1959). p.64.

것을 의미할 수도 있고, 취미를 통해서 미술, 음악, 목공예 등을 창
조적으로 표현하는 것을 의미할 수도 있으며, 직업의 목표를 설정
하고 그 목표를 성취하는 것을 의미할 수도 있다.

자아실현의 개념에 대한 강조는 자아의 독특성에 대한 강조이다.
그래서 자아실현을 추구하는 사람은 그의 연령과 성별과 종족에
관계없이 자기 자신이 갖고 있는 진실한 가치를 타인에게서 수용과
찬미와 사랑, 그리고 이해를 얻어 내고자 한다.[5]

매슬로우(Maslow)는 자아실현을 '가장 상위 수준의' 욕구로서 개
인의 내적인 성장을 포함하는 것으로 보았다. 사람들은 이러한 욕
구를 자신의 이성이나 목적을 펼쳐 나가는 '파격적인(stretching)'
욕구나 자신의 잠재력을 최대로 계발하고자 하는 욕구로 생각하며,
자신의 창의성이나 자기 계발, 타인에 대한 봉사, 기타 자기 자신
을 충족시켜 주는 다른 행동이나 활동을 통해서 이러한 욕구를 만
족시켜 나간다. 그렇지만 이러한 욕구의 충족은 아주 사적이고 개
인적인 문제이기 때문에 어느 한 사람의 욕구충족으로 인해서 다
른 사람은 반대의 효과를 받을 수도 있다. 때문에 당사자가 충족하
고자 선택하는 욕구의 형태에 따라 제약이 있을 수도 있고 없을 수
도 있다.

6. 기본적인 욕구의 순서변화(variations in basic needs)

앞에서 열거한 욕구는 엄격한 서열로 굳어진 것은 아니다. 즉 이
러한 욕구의 서열은 일반적이기는 하지만 여기에도 많은 예외가

---

5) A.H. MASLOW, *op. cit.* pp.36 - 37.

따른다. 그래서 어떤 사람은 존경의 욕구를 사랑의 욕구보다 더 중요한 것으로 여기는 반면, 다른 사람은 창의성을 소속과 사랑의 욕구보다 더 중요한 것으로 여긴다.

사람들은 매일 다양한 욕구를 충족시키기 위해 제각기 다른 양의 시간을 보낸다. 비록 많은 기본적인 욕구가 대부분의 사람들에게 충족되었다 할지라도, 하위 욕구 중에서 어느 한 가지가 결핍되게 되면 상위의 욕구에 신경을 쓰기 전에 결핍된 하위 욕구를 채우는 데 정신을 쏟게 된다. 예를 들어, 일자리를 잃지나 않을까 걱정하는 사람이 지역 자선 사업에 자발적으로 관심을 쏟을 리는 없다. 반면에, 어떤 사람은 욕구위계의 순서를 뒤바꾸어 친구와의 우정을 저버리고 지위의 욕구를 충족시키는 것을 '성공'으로 보기도 한다. 또한 사랑하는 사람을 구하기 위해 불타고 있는 건물 속으로 뛰어드는 사람이나, 타인의 생존을 자기 자신의 안전욕구보다 우선적인 것으로 보는 사람에 관한 이야기를 우리는 종종 듣는다.

비록 욕구위계에 예외적인 상황이 있다고 하더라도, 일반적인 규칙에 의한다면 이상에서 논의된 욕구의 위계는 대부분의 문화권에서 공통적으로 욕구와 동기의 충족에 관한 것을 상당히 정확하게 기술한 것으로 보인다.

1. a. 여러분의 가장 강렬한 욕구는 무엇인가?
   b. 여러분이 갖고 있는 중요하고도 심각한 의문점에는 어떠한 것이 있는가?
   c. 매슬로우(Maslow)의 욕구위계 중에서 여러분은 어떠한 위치에 처해 있는가? 자신의 관점을 타인이나 소집단 등과 함께 의견을 교환해 보라.
2. 욕구의 충족과 관련하여 여러분이 현재 강조점을 두고 있는 것이 장차 5년 후에는 어떻게 변할 것 같은가? 20년 후에는 또 어떻게 변할 것 같은가?

Ⅱ. 변화의 불가피성

우리들은 기본적인 욕구의 충족이 있어야 안정성과 균형감을 유지할 수 있음을 이해할 수 있다. 1939년에 캐논(Walter Cannon)은 사람이 어떠한 내적 안정상태를 유지하려고 노력한다는 생각을 전개하였다. 균형을 이루려는 이러한 경향성을 **항상성**(homeostasis)이라고 하는데, 이는 세균이나 전염병균에 저항하고 정상적인 혈압과 화학적인 작용을 유지하려는 신체적 기제와 같은 다양한 신체의 생리학적인 과정을 포함한다.

항상성은 또한 심리학적인 차원을 갖고 있다. 인간이 갖는 목적 중에서 상당한 부분이 자신의 사적인 가치나 적절성을 보호함으로써 안정감을 유지하려는 것에 초점을 두고 있다. 인간이 충족하려는 욕구가 무엇이든지 간에 그러한 것이 성취될 때 균형감과 항상성은 이루어진다.

그렇다면 인간이 변화에 직면하게 될 때는 어떠한 일이 일어나는가? 본 장의 서두에서 진술한 바대로 변화란 일상생활에서 겪는 엄연한 사실이다. 다시 말해 우리가 생각할 수 있는 절대적인 것 중의 하나이다. 토플러(Toffler)는 우리 사회의 인구, 자원, 기술 등에서 급속한 성장과 직접적으로 관련이 있는 급속한 변화가 개인에게 어떻게 영향을 미치는지 그 효과에 대하여 언급하기 위하여 '미래의 충격(Future Shock)'란 용어를 사용한 바 있다. 사방 도처에서 변화는 폭발적으로 이루어지고 있고, 사람들은 급속한 속도의 변화를 '충격적인' 것으로 보고 있다. 토플러(Toffler)는 급속한 속도의 변화를 다음과 같이 적고 있다.

인간이 지구에서 생활해 온 5만 년을 한 인간의 대략적인 생애(lifetimes)인 62년으로 나눈다면, 인류는 지금까지 약 800회의 생애를 살았으며, 이 중에서 인류는 거의 650회의 생애 동안 동굴생활을 하였다.

나머지 150회의 생애 중 최근 70회의 생애에 걸쳐 비로소 글(writing)을 사용하여 다음 세대에게 효과적으로 의사를 전달할 수 있었으며, 그다음 마지막 6회의 생애에 걸쳐 많은 사람들이 글자를 인쇄하여 사용했으며, 최근 4회의 생애에 걸쳐 정확한 시간을 알기 위해 시계를 사용하였다. 게다가 전동기를 사용한 것은 불과 최근 2회의 생애 이전에 생존했던 사람들이며, 오늘날 일상생활에서 인간이 사용하고 있는 수많은 상품들은 최근 ─ 800회째의 생애 ─ 에 계발된 것이다.

이 마지막 800회째의 생애 동안 자원에 대한 인간의 관계가 역전되면서 과거에 있었던 모든 인간의 경험은 급격하게 변화되었다. 이러한 증거는 경제발전의 분야에서 가장 두드러지게 나타났는데, 예를 들어, 단 한 생애 동안에 문명의 가장 근원적인 기초가 되는 농업은 각국에서 잇달아 국가경제의 지배적인 주도권에서 벗어나게 되었다. 오늘날 12개의 주요 강대국에 있어 농업에 종사하고 있는 인구는 전체 경제활동인구의 15%에도 못 미치고 있다. 대표적으로 미국의 농산물은 2억의 미국인과 1억 6천만의 다른 외국인을 먹여 살리고 있는데, 농업에 종사하고 있는 사람은 전체 경제활동인구의 6% 이하로 줄어들었고 계속해서 급속히 감소되고 있다.

더욱이 농업이 경제발전의 1단계이고 공업이 2단계라고 한다면, 또 다른 단계인 3단계, 4단계가 급속히 다가오고 있음을 우리는 목격하고 있다. 대표적으로, 1956년경에 미국은 농업에 종사하지 않는 노동력의 50% 이상이 이미 공장이나 육체노동과 관련된 생산근로직(blue collar)을 그만두었다. 그래서 상업, 행정, 통신, 연구, 교육, 기타 서비스 직종과 관련된 두뇌사무직(white collar)에 종사하고 있는 인구가 생산근로직에 종사하는 인구를 능가하게 되었다. 즉 인류는 인류 역사상 처음으로 농업사회를 벗어났을 뿐만 아니라 최근 2~30년에 걸쳐 육체노동의 굴레를 벗어나게 되어 세계 최초의 서비스 경제가 탄생하게 된 셈이다.

그 이후, 선진기술을 보유한 국가들은 잇달아 두뇌사무직의 인구가 증가하는 방향으로 변화하고 있다. 즉 오늘날 농업인구가 경제활동인구의 15% 수준 이하에 머물고 있는 스웨덴, 영국, 벨기에, 캐나다, 네덜란드 등과 같은 나라들은 두뇌사무직에 종사하는 인구가 생산근로직에 종사하는 인구를 능가한 지는 이미 오래된 사실이다. 결국에, 1만 년의 역사를

지닌 농업사회는 200년 이하의 역사를 가진 공업사회에 경제활동의 주도
권을 이양하게 되었으며, 지금에 이르러 우리 인간 앞에는 첨단산업사회가
전개되고 있다.

……인간은 과거와의 단절을 극복하기 어려우며, 옛날의 사고방식, 느
낌, 적응방식에 얽매여 있기만 할 수도 없다. 그러므로 인간은 새로운 사
회에 적합한 무대를 설정하고 여기에 맞게 살아야 한다. 이는 또한 800회
째의 생애를 맞고 있는 우리 인간이 직면한 가장 중요한 문제이기도 하다.
그리고 인간이 새로운 사회에서 어떻게 살아가며, 새로운 사회의 요구에
어떻게 적응하며, 적응할 수 없다면 이러한 요구를 어떻게 변경시키느냐
하는 문제는 오늘날 대부분의 인간이 직면한 적응능력과 관련된 것이라
할 수 있다.6)

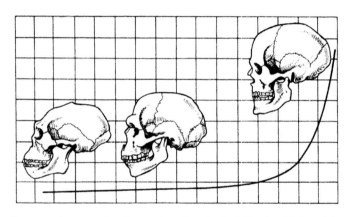

[그림 6-1] '미래의 충격'을 경험하고 있는 최근의 변화속도는 가속되고 있다.

대부분의 사람들은 요즘 자신의 일상생활 일부가 되어 버린 급
속한 변화에 아주 익숙해져서, 이러한 변화를 당연한 것으로 여기
기도 한다. 그리고 800회째의 생애 중에서 최근 몇 년 동안에 일어
난 급속한 변화를 생각한다면, 든든한 토대를 유지하면서 한편으로
변화에 적응하는 능력을 갖추는 것이 얼마나 중요한 문제인가 하

6) ALVIN TOFFLER, *Future Shock*(New York: Random House, 1970), pp.13-18.

는 것은 의심의 여지가 없다. 또한 인간의 변화하는 생활양식 (lifestyles)은 이러한 도전과 가능성을 반영한다.

세계적으로 저명한 인류학자 중의 한 사람인 미드(Margaret Mead)는 오늘을 사는 사람들에게 변화가 주는 영향을 다음과 같이 지적하였다.

> 과거의 어떠한 세대들도 그러한 급속한 변화를 알고, 경험하며, 이와 밀접한 관계를 갖거나 권력의 근원, 통신수단, 인간의 속성, 우주 탐구의 한계, 전적인 이해가 불가능한 세상의 일, 삶과 죽음에 관련된 기본적인 명령 등 그들의 눈앞에 펼쳐지고 있는 모든 변화를 목격하지는 못했다. 오늘날의 성인들은 이전의 그 어느 세대보다도 변화와 관련된 더 많은 것들을 경험하고 있다. 그래서 이들은 이전의 세대뿐만 아니라, 과거와 자신들의 조상이 오늘을 이룩하였다는 사실을 받아들이지 않는 젊은 세대와 단절된 채로 살고 있다.[7]

이와 같이 현재의 세대는 이전의 세대보다 더 많은 변화를 목격하고 있으며, 자신의 생활과 자기 주변의 세상사에 영향을 주어 온 변화의 예증들은 아주 많이 발견된다.

Ⅲ. 생활양식의 변화

오늘날의 세계는 과거의 세계와는 상당히 다르다. 자기 자신의 생활과 경험을 회고해 보면 사람들은 아마도 자신과 관련된 여러

---

7) MARGARET MEAD, *Culture and Commitment*(New York: Doubleday & Company, Inc., 1970), p.1.

종류의 변화를 열거할 수 있을 것이다. 변화는 아주 광범위하게 일어나고 있다. 다음에 열거하는 몇 가지 형태의 변화는 자주 일어나는 것이고, 자신이 지금까지 내면화해서 사고방식 및 행동방식의 일부로 이미 굳어 버린 것들이다.

1. 진로와 직업의 변화

사람들은 직업세계에 들어가면서 그 세계에서 있었던 변화를 잘 인식하게 된다. 그래서 오늘날 아주 유용한 직업이 불과 몇 년 전만 해도 존재하지도 않았다는 것을 알게 되기도 한다. 때문에 변화가 일어날 때마다 직무기술(job description)은 계속적으로 바뀔 필요가 있다.

변화와 기술(technology)은 새롭고 더 많은 직업 기회를 제공해 주는 반면 자동화로 대치된 분야나 시대감각을 잃은 분야에서는 불가피하게 재훈련이나 다른 진로의 선택을 하지 않으면 안 되어 선택의 기회가 줄어들었다. 예를 들어, 어떤 회사나 공장이 파산하게 되는 경우 이러한 변화는 곧바로 직원들의 생활에 영향을 주게 된다.

자신이 진로선택을 할 경우 다양한 종류의 대안을 고려할 것은 두말할 필요가 없다. 왜냐하면 우리는 거의 모든 직업분야가 상당히 무서운 파동에 휘말리는 것을 보아 왔기 때문이다. 직업시장에 교사나 기술자가 너무 많아서 고심하는 때가 있는 반면 얼마 안 가서 거꾸로 너무 모자라서 문제가 되는 경우를 우리는 자주 목격한다. 그리고 이는 일상적인 수요와 공급의 법칙이 적용되는 의미 외에도 다양한 분야의 직업에서 일어나는 변화가 사람들에게 여러 가지 방식으로 영향을 준다는 의미를 갖는다.

분야별로 변화의 속도에 다소의 차이는 있지만 노동자들의 직업 기회(job opportunities)에도 변화가 일고 있다. 또한 특정 직업에 부여되었던 '고정관념적인' 생각도 점차 사라지고 있다. 남자 전화교환수나 여자 트럭운전수를 보거나 이에 관한 얘기를 듣고서 별로 이상하게 생각하지 않는 것은 그 예이다. 이제는 전화교환원 자체가 없어졌다. 이와 같이 변화를 내면화하게 되면 인간은 이를 통해 자신에 대한 새로운 인식을 갖고, 자신의 참조체제 속에 이를 복합시킨다.

2. 생활수준의 변화

미국인들이 누리는 풍요는 그들의 생활양식에 강력한 영향을 준다. 그들은 현금이든 신용카드이든 더 많은 금전을 쓴다. 이러한 풍요는 심지어 십대의 청소년들이 이용하는 시장에까지도 영향을 준다. 오늘날의 경제에 있어 십대 청소년 시장이 아주 중요하다는 것을 상점주인들도 인정하고 있다.

뉴욕(New York) 청소년 연구소 소장인 랜드(Lester Rand)는 13세에서 19세 사이의 연령에 해당되는 미국 내 2,500만 명의 청소년들이 자신들의 생활비, 선물 구입, 용돈 등으로 180억 달러 이상을 쓰고 있다고 추정했다. 「스칼라스틱 잡지사(Scholastic Magazines, Inc.)」의 시장연구에 의하면, 십대 청소년들의 17%가 자신의 텔레비전을, 18%가 자신의 녹음기를, 21%가 선외발동보트(outboard motor)를, 42%가 전기면도기를, 68%가 사진기를, 87%가 손목시계를 소지하고 있는 것으로 나타났다. 이제 이것만 해도 옛날 통계가 되었다.

……이 외에도 이들 십대들은 여러 분야에서 자신들의 수적인 우위를 과시하고 있다. 예를 들어, 십대의 남자 청소년들은 남자 총인구의 12%에 불과하지만 모든 운동복의 40% 이상을 이들이 구입하고 있으며, 여자 청소년들은 미국이 생산하고 있는 화장품의 1/3에 해당하는 양을 구입하고 있다. 이와 같은 상품구입 외에도, 이들은 성인들의 금전사용액 중 최소한 350억 달러에 영향을 준다고 랜드(Rand) 소장은 말하고 있다.

시장 자문위원인 피츠－기본(Bernice Fitz－Gibbon)은 뉴욕에 있는 1,500명의 지도급 상인들에게 "만일 여러분들이 간과하기 쉬운 십대 청소년의 구매경향을 파악하지 못한다면, 틀림없이 여러분이 장사하는 데 불이익이 있을 것이다."고 하였다.[8]

경제에 미치는 상당한 영향 이외에도 청소년들의 풍요는 유행에도 영향을 준다. 이러한 문제로 인해서 미국에서는 전국적으로 '청소년 풍'의 물건을 파는 상점들이 점차 늘어나고 있다. 그래서 젊은 층들은 '성인들이 입는 옷을 입고자 하는' 상황이 뒤바뀌어 이제는 '성인'들이 젊은 층에서 유행하는 옷을 입고자 하는 상황이 되었다.

계속적인 풍요로 여러 나라의 사람들은 자신의 개인적인 취향을 생각하고 새롭고 신기한 것을 탐닉하게 되었다. 크랩(Klapp)이 지적한 바대로 여가시간의 증가는 자아 성찰로부터의 도피와 추구를 위한 새로운 기회를 제공하였다.

물질적인 '것'에 대한 인간의 선입관은 많은 '소외된' 젊은이들이 주장하는 불만족의 원인이었으며, 이들 젊은이들은 물질지향적인 것을 비인간화의 경향이라 본다. 그렇지만 풍요의 증대와 물질적인 '것'의 축적은 많은 다른 젊은이들에게 '행복한 삶'을 제공하

8) ARCH W. TROELSTRUP, *The Consumer in American Society*, 4th ed.(New York. McGraw－Hill Book Company, 1970), pp. 4 5.

기도 한다.

그러나 에너지 위기, 환경문제, 물가상승, 기타의 수많은 변화 등은 실제로 우리의 생활수준에 영향을 주어 왔다. 유사 이래 처음으로 요즘의 부모들은 자기 자식들의 생활수준이 자기들 세대보다 더 나아질 가능성이 희박한 것으로 본다는 사실이 최근의 여론조사를 통해 나타났는데, 이는 금후의 미래가 더욱더 암담해질 것이라는 사실을 뒷받침해 준다. 또한 물가상승으로 인해 사람들의 구매력은 감소되고 있다. 선택에 의해서가 아니라 필요에 의해 한 가정에서는 두 가지 수입원을 가지게 되고 이러한 경향은 예외적인 것이 아니라 당연한 것으로 받아들여지고 있다. 몇 년 전만 해도 전혀 고려되지 않았던 에너지자원이 요즘에는 일상적인 생활 용어나 형태의 한 부분으로 자리 잡고 있다.

대부분의 사람들이 앞으로 언젠가는 대처해야 할 필요가 있는 한 가지 변화는 '궁핍(wants)'에 해당되는 것들이 '욕구(needs)'로 된다는 것이다. 우리는 자신에게 '좋은 생활(good life)'을 보장하는 것들을 욕구(need)로 생각하는가, 아니면 궁핍(want)된 것으로 생각하는가? 생활수준과 관련된 변화를 다루는 데 있어 그것이 상향적인 것이라면 대부분의 사람들에게 있어 쉬운 문제가 되지만 하향적인 것이라면 그것은 아주 어려운 문제가 된다.

3. 가족구조의 변화

교육적 경험이나 가족생활에 있어서의 경험을 생각해 보건대 가족단위의 구조가 최근 몇 세대에 걸쳐 아주 급격하게 변화하고 있다는 것을 알 수가 있다. 얼마 전까지만 해도 가족단위는 최소한 3대의 가족이 모여 살았으며 변화가 완만하였다. 오랜 시일에 걸쳐 형성된 이러한 관습, 예절, 의식 등은 의심할 여지도 없이 일상적인 생활양식이 되기도 하였다. 미드(Margaret Mead)가 말한 대로 "변화가 아주 완만하고 미약해서 새로 태어난 손자를 팔에 안은 할아버지, 할머니는 손자들의 미래생활을 자신들의 과거생활 이외의 방법으로는 생각할 수가 없었다. 성인들의 과거는 새로운 세대의 미래였으며 성인들의 생활은 미래 세대들의 설계도가 되었다."[9]

이러한 형태의 가정에서 남자는 지배적인 권위를 갖는다. 시간이 흐른다고 해도 이러한 가정에서는 제약을 받지 않고 가족적인 강한 일체감이 유지된다. 또한 문화습관은 당연한 것으로 받아들여지며, 그래서 이러한 문화 속에서 살고 있는 사람들은 "자기 주변의 사람들이 어떠한 것을 의심한다고 해도 전혀 의심치 않게 된다."[10]

점차적으로 이러한 형태의 구조는 현대적인 형태의 가족단위로 변화되고 있다. 그리고 "이러한 가족구조 내에서 각 세대의 구성원들은 자신의 행동을 동년배 행동에 기반을 두고 — 특히 청년기의 나이에 들면서 —, 자신의 행동은 부모나 조부모의 행동과는 달라야 한다는 공통된 기대를 갖게 된다. 사람들은 또한 자신의 새로운 행동유형을 성공적으로 구체화하면서 그는 동년배의 다른 사람들에게 어느 정도 본보기가 되기도 한다."[11]

가족구조가 바뀌어 온 것 외에도 주변 환경의 변화도 또한 가족구조에 영향을 주어 온 요인이다. 우리 사회에서 변화는 항상 일어

---

9) MARGARET MEAD, *op. cit.*, p.1.
10) *Ibid.*, p.27.
11) *Ibid.*, p.32.

나고, 또 전에 없이 빠른 속도로 일어나고 있으며, 가족 내의 변화 역시 전과 다른 속도와 다른 정도로 발생하고 있다. 변화는 아주 적고 느리게 일어날 수도 있지만, 아주 빠른 속도로 일어나 지역사회에서 젊은 세대들의 경험이 구세대들의 경험과 전혀 다른 결과를 초래할 수도 있다. "대개 양육형태와 관련해서 겪게 되는 첫 번째의 단절은 부모가 자녀들에게 다른 형태의 교육과 새로운 직업목표를 선정하는 등의 교육문제와 관련해서 일어난다."[12] 그리고 변동이 증가되고 다른 교육적·직업적 기술을 습득하게 되면 새로운 생활방식이 뒤따르게 된다.

핵가족은 보통 조부모가 없고 부모와 자식만이 집안에서 생활하는 경우를 말한다. 그래서 3세대가 함께 사는 가정에서 볼 수 있는 권위적인 가족관계는 무너지고, 조부모와는 필수라기보다는 선택에 의한 관계를 맺게 된다. 또한 조부모가 손자들을 위한 본보기가 된다든지, 부모가 다 큰 자식의 결혼이나 진로에 대하여 요지부동의 통제를 가하는 등의 행동은 기대할 수 없게 되었다.

핵가족은 단지 두 세대가 함께 사는 경우로서, 이러한 가정에서 성장한 어린이들은 부모가 조부모와 다르며, 이들 어린이들이 장성하여 낳은 자녀들이 자신들과는 전혀 다를지도 모른다는 것을 안다. 이러한 형태의 사회에 있어 한 어린이가 받는 어린 시절의 훈련은 사회적 적응에 아주 중요하며, 이러한 훈련을 통해 어린이는 가족뿐만 아니라 다른 집단에 대한 앞으로의 참여방식을 부분적으로 배우게 된다.

종합해 보건대, 변화하는 핵가족에는 생활과 새로운 집단으로의 진입효

---

12) *Ibid.*, p.41.

과에 대한 경험은 사람들에게 세상은 계속 변하고 있다는 생활감각을 갖게 해 준다. 가족 내에서의 세대 변화와 새로운 집단에의 참여에서 오는 사회적 변화에 대한 경험이 강할수록, 사회체제는 더욱더 분화되고 개인은 불안정하게 된다. 불안정한 상황에 대한 논리적 근거가 되는 진보(progress)의 이념은 인정해 줄 만하다.[13]

우리가 가족구조의 변화를 핵가족에 국한한 감이 있지만, 실제로는 많은 다른 형태의 가족단위가 존재하고 또 받아들여지고 있다. 그래서 오늘날 '평균적인' 미국인의 가족형태를 단정적으로 말하기는 곤란하다. 독신생활(singleness)도 또한 '가족'단위의 다른 형태이다. 결혼을 하지 않고 동거하는 생활은 선택에 따라 실제로 있을 수 있는 것이며, 당사자들에게는 '가족'형태의 한 가지가 될 수 있다. 편모와 편부의 가족은 핵가족과 다를 바 없는 것으로 계속 증가하고 있으며, '혼합(blended)'가족 역시 핵가족과 마찬가지이며 계속 증가하고 있다. 사티르(Satir)는 어린이들이 자기를 낳지도 않은 한 명 이상의 다른 어른들에 의해 양육되는 가족을 혼합가족으로 기술하고 있는데, 예를 들어, 이혼한 부부가 재혼했을 때 자기들이 낳아 놓은 자식을 데리고 함께 사는 경우는 대표적인 예이다.[14]

이상에서 제시한 몇 가지 형태의 가족단위는 오늘날 널리 알려진 것들로서, 이외에도 많은 다른 형태의 가족단위가 있다. 그러나 이러한 형태의 가족단위는 새로운 것이 아니다. 다른 문헌을 참고하게 되면 우리는 '가족'이 아주 다양한 형태로 구성되어 있고 수세기에 걸쳐 형성된 것임을 알게 될 것이다.

---

13) *Ibid.*, p.59.

14) VIRGINIA SATIR, *Peoplemaking*(Palo Alto: Science and Behavior Books, Inc., 1972), p.170.

1. 소집단을 만든 다음 직업/진로분야에서 지난 10년이나 15년 동안 일어났던 변화를 열거해 보라.
2. 집단 내에서 이러한 변화가 자신의 진로선택에 어떤 방식으로 영향을 주었는지 토론해 보라. 집단에서 자신이 발견한 상호간의 유사점은 무엇이고 차이점은 무엇인가?
3. 스스로 생각하기에 가족구조의 변화는 자신에게 어떤 영향을 주었다고 생각하는가? (앞에서 실시한 방식대로 내용을 열거하고 이를 칠판에 적거나 백지에 적어 벽에 붙여라) 이러한 변화가 가족구조의 생활양식과 관련된 자신의 태도에 영향을 주었는가? 소집단을 만들어 같이 토론해 보라.

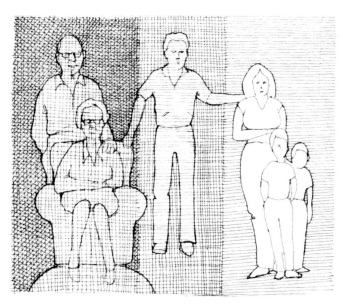

[그림 6-2] 최근에 이르기까지 가족구조는 급속히 변화되어 왔다. 위쪽의 그림에서 여러분은 몇 가지 형태의 가족단위를 제시할 수 있는가?

Ⅳ. 변화와 안정의 관계

우리는 모든 인간이 자신의 기본적인 욕구를 충족시키려 하지만 변화는 지속적이고 때에 따라서 이러한 변화는 욕구의 충족을 중단시키거나 방해하기도 한다는 것을 안다. 그러면 우리는 이러한 변화들을 어떻게 다루어야 하는가?

우리는 먼저 안정과 지속에 대한 욕구와 변화가 서로 상호작용한다는 것을 인정해야 한다. 또한 우리는 성장은 변화로부터 나온 결과이고 변화에 대한 개방은 그러한 성장을 촉진시킨다는 것을 알아야 한다. 이 밖에도 통제된 변화는 변화나 성장이 전혀 없는 것과 마찬가지로 파괴적이라는 것을 알아야 한다. 때에 따라 우리는 상황에 적응하기 위하여 급속하고 즉각적인 변화가 이루어질 필요가 있는 반면에, 어떤 때는 변화가 단계나 국면에 따라 이루어진다는 것을 알아야 한다. 그리고 사람들은 변화가 발생한 후에 '잠복기(sinking - in period)'가 있었던 경우를 경험한다. 즉 변화는 잠복기를 거치면서 내면화되고 특정인의 관점과 행동형태의 일부가 된다.

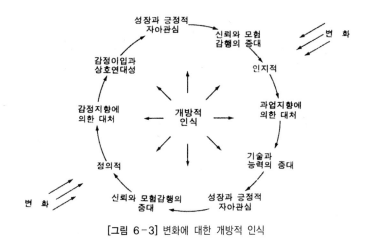

[그림 6-3] 변화에 대한 개방적 인식

변화와 안정은 역동적으로 변동하는 것처럼 보인다. [그림 6-3]은 우리에게 변화와 안정이 개방적 인식의 주변에서 상호 공존하는 경우에 어떤 일이 일어나는가를 말해 준다.

변화는 인간의 **인지적**(cognitive)인 생활영역과 정의적(affective)인 생활영역 모두에 영향을 준다. 인지적이라 함은 인간이 생각하고, 판단하고, 결정을 내리며, 그러한 결정에 따라 행동하는 것을 말하며, 정의적이라 함은 인간이 느끼고 감각을 갖게 되는 것을 말한다. 대부분의 경우에 변화는 인간의 인지적 측면과 정의적 측면에 스며들게 되지만, 처음에는 변화요인이 이러한 두 가지 측면에 전혀 영향을 주지 못하는 것처럼 보인다.

변화가 인간의 인지적 측면이나 과업/사고/행동 등에 영향을 주게 되는 경우, 사람들은 그러한 변화를 대부분 자기 자신이 갖고 있는 정의적 측면이나 감정의 일부로 결합시키는 의사결정 과정을 통해서 다루게 된다. 또한 변화가 자신의 정의적 측면이나 감정에 영향을 주게 되는 경우, 사람들은 그러한 도전적 변화를 자아방어와 피드백 등의 대인관계 기술을 통해서 다루며, 문제해결이나 의사결정 등이 아주 중요한 역할을 한다는 것을 알고 있다.

인지적인 측면에서, 변화에 대한 효과적인 대처는 기술과 능력(competence)을 증가시키는 것이며, 정의적인 변화에 대한 효과적인 대처는 대개 감정이입과 타인과의 상호 연대성을 증가시키는 것이다. 그리고 이러한 과정을 거치게 되면 두 가지 측면 모두에 있어 성장과 긍정적인 자아에 대한 관심이 있게 되고, 결국에는 자신에게 더 많은 모험을 경험할 수 있도록 하는 신뢰수준을 고양시켜 준다.

인지적 영역에서 처음에 접하게 되는 변화 중의 몇 가지 예를 들면, 교통 혼잡을 줄이기 위하여 차량의 운행노선을 재정비하고, 휘발유를 아끼기 위하여 자동차 공동운영협정(car pool)을 맺게 되는 등 비교적 단순한 일에서부터, 관공서에서의 업무처리 절차의 변화에 적응한다든지, 타자를 치고 청사진을 해독하는 기술을 개선하거나, 아니면 실직, 재훈련, 그리고 개인이 익힌 생활양식을 완전히 변화시키는 일과 관련된 아주 복잡한 상황도 있다.

정의적 영역에서 처음에 우리에게 영향을 미칠 수 있는 변화의 예로서는 수용과 인정을 통한 적응 새로운 친구와의 교제, 새롭고 신기한 상황에서의 적응과 같은 단순한 문제로부터 깨어진(broken) 대인관계와 사별, 그리고 이혼 뒤의 적응과 관련된 보다 심각한 문제도 있다.

[그림 6 - 3]에서 제시되었지만, 변화를 다루는 문제나 안정과 관련된 문제들이 항상 일관된 계열형태에 따라 이루어지는 것은 아니다. 어떤 변화는 초기에 인지적 영역에서 한동안 반복적으로 발생하다가 후에 다른 변화가 자신의 정의적 영역에 영향을 주는 경우도 있다. 인지적·정의적 기술 모두는 변화를 긍정적으로 다루는

데 아주 필요하다. 그리고 이러한 시점에서 기억해야 할 또 다른 요점은 변화와 안정은 서로 상호작용을 한다는 것이다. 인간이 어느 정도의 안정을 유지하지 못하고 계속해서 반복된 변화에 직면하게 되는 경우, 그는 '변화의 충격(change shock)'을 경험하거나 아니면 너무나 많은 변화에 지나치게 급격하고 반복적인 반응을 하게 된다. 그리고 나중에는 이러한 상황과 관련된 긴장이 근심으로 바뀌고 결국에는 자신에게 아주 해롭게 된다. 인간은 자신의 목적을 성취하는 데 필요한 효과적인 성장, 긍정적인 자아에 대한 관심, 그리고 고양된 신뢰수준을 위하여 변화와 안정 두 가지를 모두 필요로 한다. 이러한 전반적인 과정에서 가장 중심이 되는 것은 개방적 인식의 분위기이다. 그렇지만 사람이 살아가는 중에 변화를 다룬다는 것이 그렇게 손쉬운 과정은 아니다. 대부분의 사람들은 변화에 저항하기 마련인데 초기에는 더욱 그렇다. 왜냐하면, 대부분의 인간은 변화보다는 현재의 상태, '사람들이 지금까지 해 왔던 방식', 자신의 행동양식이나 습관에 안주하면서 편안한 감정을 갖기 때문이다. 그렇지만 변화가 현재 존재하는 요인이라는 것을 인식하고 그러한 변화를 효과적으로 다룰 수 있다는 자신감을 갖는 것은 개방적 인식의 태도를 유지하도록 하는 자신의 능력을 증대시켜 준다.

만일 인간이 변화에 개방적이지 못하게 되면, 그는 자신이 [그림 6-4]에 제시된 바와 같은 상황에 처해 있다는 것을 쉽게 발견할 수 있을 것이다.

우리가 저항에 대해 폐쇄적인 태도를 갖게 되면, 항상 변화와 싸우게 된다. 즉 변화의 발생이 계속 진행되게 되면, 그 변화는 어떤 사람이 마지못해 '굴복'할 때까지 그러한 저항을 잠식해 갈 것이며,

결과적으로 그 사람은 변화를 강요받았다는 느낌을 갖고 심리적으로 방어의 장벽을 쌓게 될 것이다. 그러나 변화를 다루는 것에 수용적이고 이를 개방적으로 인식하게 된다면, 그 사람은(앞에서 배운) 방어기제가 아니라 대처기술을 사용할 수 있고 변화를 보다 손쉽게 조절할 수 있을 것이다.

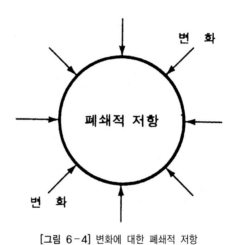

[그림 6-4] 변화에 대한 폐쇄적 저항

　강요된 변화를 다루는 것은 쉬운 문제가 아니다. 사람들은 변화를 원하지 않을 때가 있다. 그러한 경우에 그 사람은 당면한 변화를 싫어하고 자신의 변화에 대한 저항을 정당한 것으로 느낄 것이다. 그렇지만 그 사람이 새로이 객관적으로 그러한 변화를 수습할 수 있는 개방적 인식의 관점을 갖고 이를 실천하게 되면, 그는 자기 자신의 생활과 타인과의 생활 모두가 훨씬 더 편리하다는 것을 발견하게 될 것이다. 우리는 또한 확고한 관계를 설정한 사람은 자기보존(self-preservation)을 지향하게 되고 행동형태에 있어서의 변화로 인해 거북한 느낌을 가질 수 있다는 것을 인정할 필요가 있다. 행동형태를 변화시키지 못한다고 해서 그가 반드시 변화를 원하지 않는 것은 아니다. 여러 번 담배를 끊겠다고 다짐한 사람들을 생각해 보라. 변화를 이루지 못하는 것은 그렇게 해야겠다는 결정에 근거한 것이 아니라 오히려 행동으로 옮기지 못하는 문제에 연유한다.

인간이 의식적으로 변화를 내면화해서 자신의 사고와 행동의 한 부분이 되게 하는 것은 필요한 것이다. 새로운 영어 어휘를 가르치는 경우, 교사는 그러한 어휘를 학생들이 거침없이 사용하게 될 때까지 의식적으로 학생들이 그 어휘를 사용하거나 실생활에서 활용하는 것이 중요하다는 것을 아마 강조할 것이다. 「심리적 인공두뇌학(Psycho - Cybernetics)」이라는 책에서, 맬쯔(Maxwell Maltz)는 새로운 형태의 행동을 확고하게 배우는 데는 최소한 3주의 시간이 걸린다고 지적한 바가 있다.[15] 어떤 형태의 행동이 아주 확고하게 익혀져 자신의 것으로 내면화되는 데는 아주 긴 시간이 소요된다. 즉 이러한 일은 어떤 사람에게는 몇 년 동안의 시간이 걸릴 수가 있다. 그리고 다른 사람들은 이러한 변화가 아무리 시간이 지나도 자신에게 전혀 어울리지 않아 단지 소극적으로 보아 넘기기도 한다. 모든 변화는 인식의 과정을 통해서 시작되며 그 이후에 이에 대한 의사결정, 행동, 평가 등이 수반된다.

---

15) MAXWELL MALTZ, *Psycho - Cybernetics*(Englewood Cliffs, N.J. : Prentice - Hall, Inc., 1960).

1. a. 자기 자신에게 있는 '제2의 천성'으로 생각되는 행동형태나 습관을 열거해 보라.
   b. 스스로 생각하기에 이러한 행동이나 습관 중에서 변화시키기가 가장 어렵다고 생각하는 것은 어느 것인가? 있다면 왜 어려운가?
2. a. 자신이 아주 강력하게 저항했었던 변화의 예들을 열거해 보라.
   b. 자신이 아주 쉽게 변화시킬 수 있었던 예들을 열거해 보라.
   c. 무엇으로 인해 이러한 차이가 생겼는가?
3. 행동형태를 변화시키는 데 있어 첫 단계의 인식은 어떤 방식으로 이루어지는가?

V. 변화촉진자

인간은 변화와 관련된 선택을 하지 않을 수 없다. 변화는 불가피한 것이지만, 인간은 자신이 직면한 변화과업을 묻고, 지시하며 수행하는 적극적인 변화촉진자가 될 수 있다. 다음은 이들이 기억해야 하는 몇 가지 중요한 요점들이다.

(1) 과거의 경험을 통해서 배워라. 세월이 지나고 보면 때에 따라 인간은 과거에 어떤 변화가 정말로 불가피하였다는 것을 알게 된다. 그래서 사람들은 변화가 꼭 있어야 했었는데 하고 뒤늦게 아쉬움을 갖기도 한다. 인간이 변화와 이로 인한 결과를 예측할 수 있는가? 항상 그렇지는 못하다. 그렇지만 경험을 통해서 이러한 것을 어느 정도 예측할 수 있고 앞으로 있을 변화를 보다 객관적으로 이해할 수도 있다. 예를 들어, 지금 회고해 보면, 우리는 과거의 휘발

유 소비 형태 때문에 불가피하게 소형자동차를 만들고 연료를 절약하게 되었다는 것을 알 수가 있다. 그렇지만 이와 관련하여 얼마나 많은 사람들이 자신에게 강요된 변화에 저항했으며, 마지못해 그 '불가피한' 변화를 억지로 받아들였는지 생각해 보라.

(2) 변화의 근원지가 어디인지를 밝혀라. 당신은 변화의 원천에 대하여 어떻게 반응하는가? 그리고 그것이 '윗사람(the top)'이나 권력으로 인해 생긴 것인지를 알아낼 수 있는가? 사람들은 만일 변화가 자신에게 강요된 것이라고 느끼게 되면, 그들은 아주 불쾌하게 생각하거나 저항을 할 것이다. 여러분은 위기상황이나 예기치 못한 주변 환경에서 일어난 변화에 어떻게 반응하는가? 죽음이나 돌발사고와 같이 인간이 위기상황을 통제할 수 없는 경우는 너무나 많다. 그렇지만 사람들은 일단 충격이 사라지게 되면 그 상황에 접근하는 방법을 통제할 수 있다. 변화의 원천에 대한 자기 자신의 반응양식을 고찰해 보고, 자신에 관한 어떤 것을 다시 알게 되었는지를 알아보라. 그리고 자신을 가장 허용적이게 하였던 환경을 알아보아라.

(3) 변화에 대한 준비와 무관심은 아주 큰 차이가 있다. 준비성을 가지고 변화를 보는 사람은 반드시 모든 변화를 다 수용하는 것은 아니다. 오히려 그러한 사람은 그 변화에 관하여 질문해 보고, 따지고, 씨름해 보고, 그리고 나서 이에 대처함으로써 변화를 긍정적으로 내면화시킨다. 그러나 무관심한 사람은 장기판에서 수동적으로 움직여지는 졸(卒)과 같이 변화를 방관한다. 또한 저항적인 사람은 변화에 대하여 소극적으로 꾸물거리며, 이에 대항하여 싸우고, 변화와 단절된 상태로 있고자 한다.

(4) 자신의 관점이 외적인 힘에 의해 영향받을 수도 있다는 것을 염두에 두라. 변화가 여러분에게 심하게 영향을 주게 되면, 이는 평상시의 변화가 있을 때보다도 훨씬 더 많이 여러분의 관점에 영향을 주게 된다. 만일 자신이 다니고 있는 회사가 한 달 후에 문을 닫겠다고 발표한다면, 경제적인 사정으로 직원들에게 임금을 주지 못하고 한 주일 동안 공장 문을 닫는다고 하는 것보다 훨씬 더 기막힌 일이 될 것이다. 또한 변화가 어느 정도 강력한 효력을 갖는 개인적·철학적·종교적 관점에 역행하는 것이라면, 이는 변화가 여러분에게 단지, 그 '이상한' 것처럼 보였던 그 이상으로 다르게 느껴질 것이다. 이와 같이 자신이 어떤 변화에 개인적으로 깊이 관여하게 되는 경우, 어느 정도의 객관성을 유지하는 일은 아주 어려운 일이다. 그렇지만 이러한 객관성은 개방적인 인식에는 아주 필수적인 것이다.

Ⅵ. 요 약

인간이 가지고 있는 욕구는 때때로 자기 주변에 있는 갈등이나 변화에 의해 도전을 받는다. 그리고 때에 따라 자신의 욕구를 충족시키기 위하여 주도적으로 활용하기도 한다. 매슬로우(Abraham Maslow)는 현재 널리 알려져 있는 '욕구위계(Hierarchy of Needs)'를 설정하여, 인간의 욕구가 가장 낮은 수준에서부터 가장 높은 수준에 이르기까지 피라미드(pyramid) 형태로 배열될 수 있으며, 여기에는 생리적 욕구, 안전의 욕구, 소속과 사랑의 욕구, 존경의 욕구,

자아실현의 욕구가 포함된다고 하였다. 이러한 관점이 절대적인 것은 아니지만, 이는 전 세계의 대부분 문화권 어디에서나 인간의 욕구충족과 동기를 상당히 정확하게 기술하고 있다. '미래의 충격(Future Shock)'은 토플러(Alvin Toffler)에 의한 용어로서 이는 우리 사회의 점증하는 변화속도가 개인에게 갖는 효과에 대하여 언급하고 있다. 미드(Margaret Mead)는 전 세계의 여러 세대들에게 변화가 갖는 효과에 대하여 연구하였다. 변화는 불가피하며, 생활양식의 변화는 진로와 직업선택 및 기회, 생활수준, 가족구조에 이르기까지 거의 모든 인간의 생활영역에 항상 존재하고 있다. 안정과 지속의 욕구와 변화는 서로 상호작용을 한다. 변화는 인간의 인지적인 사고와 판단에 영향을 주는 동시에 정의적인 감정과 감각에 영향을 준다. 대부분의 사람들이 변화를 다루기는 쉬운 일이 아니며, 변화에 대한 저항은 흔히 볼 수 있는 것들이다. 변화에 대하여 폐쇄적이기보다는 개방적인 태도가 적극적인 변화촉진자가 되기에 더 도움이 된다. 그리고 이러한 촉진자가 되는 데 있어 ① 과거경험을 통해서 배우고, ② 변화의 원천에 대한 반응을 이해하며, ③ 무관심보다는 준비성의 관점에서 변화에 접근하고, ④ 개인의 관점은 종종 외적인 힘에 의해서 영향을 받는다는 네 가지 사실은 아주 중요한 지침이 된다.

연습문제

1. 개인으로서의 욕구와 집단구성원으로서의 욕구 사이에 때때로 갈등을 느꼈다면 어떤 방식으로 느꼈는가? 그리고 어떻게 대

처했는가?

2. 매슬로우(Maslow)의 욕구위계 중에서 지금 당장 여러분을 동기화시키는 욕구는 어느 것인가? 지난 10년 동안에 여러분의 욕구가 변하였는가? 앞으로 10년 후에 욕구는 어떻게 변화될 것 같은가? 소집단을 형성한 다음 자신의 반응과 타인의 반응을 비교하여 보라.

3. 여러분은 가족구조가 자신의 지각 및 관점에 어떤 영향을 주었다고 생각하는가? 그리고, 여러분은 자신의 가족구조가 어떻게 되기를 기대하며 어떤 형태로 되었으면 좋겠다고 생각하는가?

4. 여러분에게 있어 '궁핍(want)'과 '욕구(need)' 사이에 차이점이 있는가? 있다면 여러분이 '궁핍'한 것으로 생각하는 것과 '욕구'로 생각하는 것에 관한 것을 열거하여 보라.

궁핍 (WANTS)   욕구(NEEDS)

자신이 열거한 것을 비교해 보고 유사점과 차이점을 말하여 보라.

5. 소집단을 만든 다음 자신이 달리 손을 써 볼 수가 없거나 다루기 힘들다고 생각되는 변화와 손쉽게 다룰 수 있었다고 생각되는 변화들을 열거해 보라.

아주 어려웠다   힘들지 않았다.

여러분이 열거한 각각의 변화들에 의해 위협이나 도전을 받았던 욕구에는 어느 것이 있는가? 자신이 다루기가 아주 어려웠다고 생각되는 한두 가지의 변화를 선정한 다음 자신이 처음에 반응했던 내용을 다른 사람과 토론하여 보라. 각각의 변화는 어떤 형태의 효과를 갖고 있었으며, 어떤 방식으로 여러분은 그러한 변화에 효과적으로 대처할 수 있었는가?

6. 소집단을 만든 다음, 자신의 학과공부, 학교나 기관 또는 도시 생활에서 이익이 될 수 있는 변화를 결정하기 위하여 중지를 모아 보라(제5장의 창조적 문제해결에서 제시한 중지수렴의 기법(브레인스트밍) 활용). 실용적이고 실천이 가능한 방안을 선택한 다음, 효과적으로 변화촉진자가 되는데 사용될 수 있는 방안을 열거하기 위하여 다시 중지를 모아 보라. 여러분이 생산적으로 변화를 성취하기 위해 할 수 있는 것은 무엇인가?

제7장 가치와 생활

　인간은 가치를 지니고 태어나는 것이 아니라, 우리에게 가치를 갖게 해 주고, 가르쳐 주고, 전해 주는 문화와 사회 속에서 태어난다. 가치획득의 과정은 인간이 태어나면서 시작되는데, 정적(static)으로 이루어지는 것이 아니다. 인간의 가치는 자신이 생활하면서 계속 변화한다. 예를 들어, 어린 시절의 최고 가치는 놀이였을 것이고, 젊었을 때의 최고 가치는 이성과의 교제였을 것이며, 성인이 되었을 때의 최고 가치는 자신이 하고 있는 일이 었을 것이다. 그리고 나이를 더 먹게 되면 타인에 대한 봉사가 자신의 최고 가치가 되기도 한다.

　가치가 아주 빨리 변하는 것처럼 보이기 때문에, 사람들은 자신이 어느 한 시기에 가졌던 가치의 실체와 타당성에 대하여 종종 혼란을 갖게 된다. 모든 인간은 자신이 가지고 있는 가치를 왜, 그리고 어떻게 발전시켜 왔는 지 알아볼 필요가 있다.

스미스(Maury Smith)[1]

　6장은 변화가 인간의 생활에 주는 영향을 다루었다. 계속 일어나고 있는 변화를 확대시키면 이는 사람들이 일상생활에서 직면하고 있는 가치의 딜레마와 관련된다. 여러 가지 가치상황과 관련된 혼란과 다른 관점이 있는데, 이에 대한 해답은 그리 간단하게 발견되지 않는다. 즉 인간은 빈번하게 직면하는 선택적 대안들에 접하게

---

1) MAURY SMITH, *A Practical Guide to Value Clarification*(LaJolla: University Associates, Inc., 1977), pp.3 - 4.

되지만, 종종 도덕적 가르침, 설교, 양심에 대한 호소 등을 듣기 어렵다.

그러나 인간이 가지고 있는 가치체제와 개인적인 신념은 자신의 생활방향 설정의 좌표가 된다. 여러분은 자신에게 중요한 것이 무엇인가에 대한 명확한 해답을 갖고 있는가? 의미 있는 생활은 저절로 생기는 것이 아니라 자신이 계속적으로 그러한 생활을 만들고자 노력할 때 이루어지는 것이다.

7장에서는 ① 자신의 생활에 영향을 주어 온 요인들, ② 자신이 지닌 가치 결정을 위한 몇 가지 과정, ③ 인간의 가치체제 형성 등에 대해서 알아본다.

Ⅰ. 자신에 영향을 주는 요인들

이 장의 서두로 돌아가 인용문을 다시 읽어 보라. 모든 인간은 서로 다른 특이점을 가지면서도 많은 유사점을 지니게 된다는 것을 알 수 있다. 어렸을 때는 자기 자신의 독특한 환경과 경험을 가지고 성장하는 한편, 부모, 보호자, 친척, 선생님, 성직자, 기타 권위 있는 인물이나 자신이 존경하는 인물 등 자신의 생활에서 의미 있는 타인들(significant others)의 가치를 자신의 것으로 받아들이게 된다. 그렇지만 젊은이가 되면서 사람들은 변화하게 되고 그러한 변화로 인해서 많은 문제를 갖게 된다. 즉 새로운 영향을 받고, 새로운 관계를 맺고, 새로운 경험을 하게 되면서, 인간의 독립심은 증대되며 자신에 대하여 더 많은 문제의식을 갖고 이를 알고자 한다. 그리고 이는 인간이 성숙하고 발전하는 과정에서 수반되는 당연한 것들이다. 또한 인간은 강요되고 주입된 가치에 의존하는 시기를 벗어나게 되면, 자신이 독자적으로 선택한 가치를 명료화함으로써 독립적이고 문제의식을 갖는 시기로 접어들게 된다. 그러면 자신의 가치형성에 영향을 주어 온 요인들 중에는 어떠한 것이 있는가?

1. 종교적인 신념

종교적인 신념은 인간의 가치체제 형성에서 중요한 역할을 한다. 인류학자들은 모든 문화에 의하여 도덕률(moral codes)이 성립되었으며 이러한 도덕률이 특정문화의 당위적인 이상을 만들게 되었다는 것을 발견하였다.

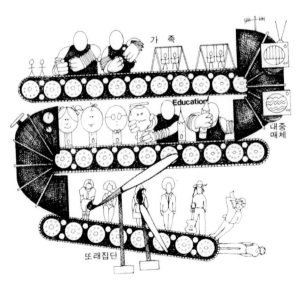

[그림 7-1] 여러 가지 요인의 영향을 받아 우리의 가치, 태도, 편견, 고정관념은 형성되었다

이러한 '규칙'은 문화권에 따라 다르게 표현되기도 하지만, 본질적으로 동일하거나 비슷한 것이다. 예를 들어, 종교가 존재하면서 이는 항상 인간적 경험의 한 부분이었다. 그리고 종교적 측면의 인간적 경험이 반드시 유일신, 다신(多神), 초자연에 대한 신념의 형태를 취하지 않는다고 할지라도 우리 사회에는 한 가지 이상의 종교가 있다.

전통적으로, 우리 사회는 종교를 자신의 생활에 궁극적인 의미를 부여하는 가치들 중에서 몇 가지를 제공한다고 여겨 왔다. 그리고 강한 종교적 신념을 가진 사람들은 신이 존재한다는 신념을 통해서 강력한 힘과 위안을 얻는다. 마이어(Henry Maier)는 종교의 이러한 측면에 대해 다음과 같이 적고 있다.

> 종교와 관념론적인(idealistic) 개념은 개인의 수양을 위한 지침으로서뿐만 아니라 인간의 능력으로 확실하게 알 수 없는 미래를 추구하도록 한다. 모든 인간은 지성적인 이론과 믿음에 근거하여 인생을 명확하게 설명하고자 한다. 종교와 관념론은 인간 이성의 관계를 뛰어넘는 것에 대한 설명을 해 준다.2)

자신이 가지고 있는 신념의 내용에 관계없이, 강한 종교적 신념을 가진 사람들은 자신의 신념을 모든 가치체제 형성에서 가장 중요한 것으로 본다. 또한 이들은 종교적 신념을 진리 추구에 대한 외적인 표현으로 생각하는 동시에 자신의 안녕과 안정에 관련된 내적인 지각의 근원으로 생각한다. 그리고 자신의 종교적 신념을 강력하게 표현하지 않는 사람들조차도 도덕률에 대한 관여를 통해

---

2) HENRY W. MAIER, *Three Theories of child Development*(New York: Harper & Row, Publishers, Inc., 1965), p.26.

서 자신의 인생목적과 미래의 목적을 규정하기도 한다. 이와 같이 인간의 종교적 신념, 도덕률, 개인적인 헌신(personal commitment) 등은 자신이 가지고 있는 가치체제의 통합적 부분이 된다.

[그림 7-2] 인생은 과거를 통해서 이해될 수 있지만 앞을 내다
보면서 살아야 한다.
− 키에르케가드(Soren Kierkegaard)

2. 태 도

인간의 가치체제에서 또 하나의 중요한 것은 태도이다. 그리고

자신의 태도가 타인에 의해서 해석되고, 인식되고, 이에 반응을 나타낸다. 이와 같이 태도는 인간이 살아가는 데 있어 아주 중요하다.

태도는 평상시에 자신의 행위나 행동에 영향을 주는 관념(ideas)의 군(群)이나 학습된 성향이라고 정의된다. 인간은 흑인, 백인, 남자, 여자 등의 인간집단에 대해서는 물론 부모, 교사, 친구 등의 특정인에 대한 태도를 갖는다. 뿐만 아니라, 인간은 음식, 음악, 업무의 분류나 여가활동과 같은 대상이나 물건에 대해서도 태도를 갖는다.

인간은 태도를 갖고 태어나지는 않지만 자신의 전 생애를 통해서 태도를 배우고 계발하게 된다. 그렇다면, 사람들은 어떻게 태도를 배우는가? 대부분의 다른 학습형태와 마찬가지로, 태도의 학습은 즐거움을 주거나 보상을 주는 긍정적인 상황에 호의적으로 반응하고, 불쾌감이나 불안감을 주는 부정적인 상황에 비호의적으로 회피 반응을 하면서 이루어진다. 그리고 일단 이러한 학습이 이루어지게 되면 이는 기대의 형태로 인생의 후반까지 영향을 주게 된다. 또한 유사한 상황에서는 같거나 비슷한 결과를 기대하게 된다. 일단 인간이 태도를 학습하게 되면 이는 거의 자신의 습관으로 굳어지며, 결국에는 한번 더 생각해 볼 겨를도 없이 이 습관에 의존하게 된다. 예를 들어, 여러분이 수강신청기간에 지도교수에게 "이번 학기에 회계학같이 어려운 과목을 제가 꼭 들어야 합니까? 저는 고등학교 시절에 공부를 형편없이 했거든요. 그래서 만일 제가 그 과목을 신청하면 낙제점수를 받을 것이 분명해요."라고 하며 자문을 구할지도 모른다. 여러분은 또한 "나는 항상 데이트에서 딱지를 맞았어."라고 하면서 친구가 애써서 준비해 온 이성 간의 만남을 거절할 수도 있으며, 청바지를 입고 장발머리를 한 선생님과의 첫 수업을 마치고 나서 "나는 그분이 선생님이라는 것을 도저히 믿을 수 없어, 전혀 기대했던 것과 달라!"라고 말할 수도 있다.

지금까지 제시한 예에서 보듯이 태도에 있어서의 학습과 관련된 측면은 아주 분명하며, 이는 과거 경험의 결과이다. 그리고 기대요인 또한 분명히 내재되어 있다.

자신의 태도가 발전함에 따라 이러한 태도는 일반화의 과정을 거치게 된다. 특히 자신이 다소 생소한 상황에 처해 있다고 하더라도 태도는 과거 경험의 소산이며, 이런 원칙은 새로운 상황에서도 유사하게 적용된다.

인간이 지니는 태도에는 **고정관념형**(stereotypes)과 **편견형**(prejudices) 두 가지가 있다. 편견은 호의적이건 비호의적이건 간에 미리 예상하고 있는 견해, 감정, 태도로서 충분한 조사나 지식이 없이 형성되어 버린 것이며, 정당화되지 않은 태도이다. 대부분의 경우 사람들은 편견을 개인이나 집단에 적대적인 적개심이나 부정적인 감정과 관련된 것으로 생각한다.

사람들이 다른 어떤 사람을 있는 그대로 보는 것이 아니라 이름을 붙이는(label) 경우 여기에는 편견적인 태도가 개재된 것이다. 이름붙이기는 인간의 학습과정에 있어 아주 큰 부분이었다. 인간은 일, 인간, 물체를 군집화하거나 유목화하는 법을 배워 왔다. 예를 들어, 사람들은 가령 장미, 호박꽃, 민들레, 할미꽃을 구분하기에 앞서 '꽃'이 무엇인지를 배웠으며, 발바리, 복슬개, 진돗개, 재래종 고양이, 도둑고양이를 분간하기에 앞서 '개'와 '고양이'가 어떤 형태의 동물이라는 것을 배웠다. 일반화하고 유목화할 수 있는 능력은 인간에게 도움을 주지만 인간이나 상황을 지나치게 일반화하기 시작하면 문제가 생긴다. 즉 인간의 편견적 태도가 사물, 인간, 상황을 유목화하는 데 있어 지나치게 단순화시켜 일반화하게 되면,

이는 그 사람을 **고정관념**에 빠지게 한다. 전체 집단이 기계적으로 똑같다고 생각하는 경우, 이는 자신을 한정시키는 것이며 고정관념의 함정에 빠지는 것이다. 각 개인의 특성을 개별적으로 생각하지 않고 '그들은(they)' 또는 '그들을(them)'로 묶어 말하거나 생각하게 되는 경우, 우리는 잠시 하던 일을 멈추고 자신이 어떤 편견이나 고정관념에 빠져 있지 않은가를 살펴보아야 한다.

편견이나 고정관념이 한층 더 심해지면 그 사람은 차별(discrimination)적인 생각을 하게 된다. 여기서 차별이라 함은 편견과 고정관념에 기초하여 사람을 분류하거나 구분하는 행위를 말한다.

고정관념은 인간 사회에 아주 널리 퍼져 있어 이러한 태도가 어느 정도인지 그 수를 헤아릴 수 없을 정도이다. 텔레비전이나 잡지에서 볼 수 있는 수많은 광고에 의해 전달되는 메시지에 대해 잠깐 생각해 보라. 텔레비전에서 방영되고 있는 프로그램들은 끊임없이 고정관념을 형성시켜 준다. 즉 '연속극', 편모나 편부 가족, '평균적인' 미국 가정, 범죄수사극, 서부극, 코미디, 오락 프로그램, 기타 텔레비전 프로그램들은 사람들의 고정관념을 광범위하게 형성시켜 주고 있다.

예를 들어, 다음의 문장내용에는 어떤 형태의 고정관념이 들어 있는지 알아보라.

1. 대부분의 오락 프로그램에는 '남자' 주역과 '여자' 주역을 두고 있는데 이들의 배역은 서로 어떻게 다른가?
2. 옛날 서양영화에서 '좋은 녀석'은 누구이고 '악한 녀석'은 누구이었는가?
3. 연속극에서 부부생활이나 가족관계를 묘사하는 데는 어떤 메시지가 사용되고 있는가?

4. 성 또는 종족에 근거를 두고 있는 해학이나 농담에 내포된 의미는 무엇인가?

고정관념에 관해 이해가 되었으면, 다른 생각을 하지 말고 자신에게 "이러한 고정관념은 무엇에 기초를 두고 있는가? 그 기초에 대한 이해는 정확한 것인가? 무엇이 이러한 고정관념을 강화시켜 주고 있는가? 나 자신은 이러한 고정관념을 가치체제의 일부로 받아들이길 원하고 있는가?" 등에 대하여 자문해 보라. 이러한 과정을 거치면서 인간은 자신에게 거슬리는 고정관념을 개인적으로 해소시킬 수 있게 된다. 그리고 인간은 자신의 이러한 고정관념을 알게 되면서 변화하게 되고, 고정관념에 대한 자신의 인식과 의식이 증대된 후에 고정관념을 변화시키느냐 않느냐의 선택 여부는 당사자의 문제이다.

1. 자기 자신이 갖고 있는 일련의 태도가 가치의 형성에 있어 가장 영향이 컸었던 요인들을 열거해 보라.
2. 초기의 훈련은 자신의 태도, 신념, 고정관념의 발전에 어떻게 영향을 주어 왔는가? 자신이 학습한 태도를 열거해 보고 다른 사람들과 이에 관해 의견을 나누어 보라.
3. 자신이 대중매체를 통해서 볼 수 있었던 고정관념을 심어 주는 광고의 예를 들어 보라. 현존하는 고정관념을 밝히고 이러한 관념이 어떤 '메시지'를 전달하는지 알아보라.

Ⅱ. 자신의 생활을 안내하는 원리

생활을 안내하는 원리는 이 책이 독자에게 제시하고자 하는 본질적인 문제이다. 저자는 개인의 가치에 대한 저자 자신의 신념을 확고히 말해 왔다. 모든 사람은 한 개인으로서 가치가 있고 소중하다. 그리고 다른 사람들도 가치를 갖는다는 신념에는 변함이 없다. 인간은 고립해서 살 수 없으며 타인들과의 관계 형성을 필요로 한다. 또한 우리가 가치 있고 소중하듯이 타인들도 가치 있고 소중하다. 뿐만 아니라, 우리가 타인들을 긍정할 수 없다면 자기 자신을 긍정하기도 어렵다. 이 점에 대하여는 가치명료화(values clarification; VC) 영역에 관심을 두고 있는 저자들이나 훈련에 종사하고 있는 사람들이 계속 밝혀내고 있다.

1966년에 래쓰스(Raths), 하민(Harmin), 사이몬(Simon) 등은 가치명료화의 골격이 되는 7가지 기준을 설정하였는데, 이들의 주장에 의하면 가치를 명료화하는 과정에는 다음과 같은 것이 포함된다.3)

---

3) 이와 관련되는 자료는 여러 가치명료화 이론가들의 저작을 토대로 하였는데, 주로 다음의 저작들을 많이 참고하였다. HOWARD KIRSCHENBAUM, *Advanced Value Clarification*(LaJolla: University Associates, Inc., 1977); SIDNEY B. SIMON and JAY CLARK, *Beginning Values Clarification: Strategies for the Classroom*(LaMesa, Ca.: Pennant Press, 1975); Maury Smith, *A Practical Guide to Value Clarification*(San Diego, CA: University Associates, 1977); L. RATHS, M. HARMIN S.B. SIMON, *Values and Teaching*(Columbus: Charles E. Merrill 1966).

선정(CHOOSING):	(1) 자유롭게
	(2) 여러 대안들 중에서
	(3) 각 대안의 결과를 심사숙고하여
평가(PRIZING):	(4) 자신이 한 선택은 소중하고, 중요하며, 만족스럽게 여겨
	(5) 자신이 한 선택을 공개적으로 확고히 한다는 의지를 갖고
실행(ACTING):	(6) 선택한 것을 모종의 실제 행동으로
	(7) 몇 가지 생활 형태에 따라 반복적인 행동으로.

역주: 1966년판에서는 여기서처럼 7기준으로 하였으나 커쉔바움(Kirschenbaum) 이 1975년 판에서는 다음과 같이 수정하여 VC2라고 하였으니 참고하기 바람. 더 자세한 것은 Bary Chazan, *Contemporary Approaches to Moral Education*(N. Y. Teachers College press, Teachers College, Columbia University 1985), pp.45 – 67과 Howard Kirschenbaum, "Clarifying values Clarification: Some Theoretical Issues" *Moral Education: It Comes with the Territory*, Darid Purpel and Kerin Ryan, eds. (Berkeley, Califormia: McCutchan Publishing Co., 1976), pp.116 – 125.

1975판(VC2)

Ⅰ. 사고(thinking)

(1) 여러 수준에서의 사고

(2) 비관적 사고

(3) 높은 수준에서의 도덕적 이성(reasoning)

(4) 확산적(divergent) 사고 또는 창의적 사고.

Ⅱ. 감정(feeling)

(5) 평가(prize)와 마음에 간직(cherish)

(6) 자체에 대해 좋게 느낌

(7) 자기감정을 의식

Ⅲ. 선정(choosing)

(8) 여러 대안들 중에서

(9) 각 대안의 결과를 심사숙고하여

(10) 자유롭게

(11) 달성계획

Ⅳ. 의사소통(communicating)

(12) 명백한 메시지 전달능력

(13) 감정이입(empathy) – 다른 사람의 참조체제로 경청, 받아들이기

(14) 갈등해소

V. 실행(acting)

(15) 반복적으로

(16) 일관되게 지속적으로

(17) 우리가 활동하는 영역에서 능숙하게 실행(능력, competence).

가치명료화 이론가들은 완전가치와 **부분가치**를 구별하고 있다. 즉 **완전가치**가 되기 위해서는 이상의 7가지 기준 모두를 충족시켜야만 하며, 그렇지 못한 가치는 부분가치라 불린다. 그러므로 행동으로 옮기지 못한 바람, 견해, 태도, 관심, 희망 또는 열망, 신념, 사고 등은 부분가치로 분류할 수 있을 것이다.

가치의 준거에는 세 가지 수준이 있는데, **선정**은 주로 인지적인 영역이나 사고의 영역과 관련되며, 평가는 정의적인 영역이나 감정의 영역과 관련되고, 실행은 행동적인 영역과 관련된다. 인간이 완전가치를 가졌다고 하는 경우 이는 자신의 사고, 감정, 행동이 서로 조화된 상태라는 것을 의미한다. 즉 자신이 생각하고, 말하고, 느끼고, 행동하는 것이 서로 일치하고 일상생활에서 확연하게 드러나는 것을 뜻한다.

7가지 준거를 좀 더 자세히 살펴보면 다음과 같다.

자유롭게 선정하는 것은 자기 자신이 스스로 선택한다는 것을 의미한다. 인간이 지니고 있는 대부분의 가치는 자신이 배운 것이거나 전달받은 것이다. 즉 완전가치는 강요된 것이 아니라 자신이 선택한 것이다. 부모가 갖고 있는 가치와 똑같은 가치를 선정할 수도 있지만, 그러한 가치가 완전한 것으로 되기 위해서는 자기 자신이

선정한 것이어야만 한다.

취사선택을 할 수 있는 경우 인간은 여러 대안 중에서 선정할 수 있다. 그러나 인간이 그러한 가치에 대한 다른 어떤 대안들을 전혀 고려할 수 없고 선택의 자유를 갖지 못한다는 가치는 순수한 완전가치가 아니다.

이성적이고 신중한 선택을 한다는 것은 **각 대안의 결과를 심사숙고한 후 선정한다**는 것을 뜻한다. 자신이 선택한 대안이 최종적으로 어떤 결과를 가져올 것인가에 대한 질문을 하게 되면, 이는 사람들로 하여금 충동에 근거해서가 아니라 심사숙고하여 선정할 수 있게 해 준다. 왜냐하면, 인간이 가지고 있는 문제들의 대부분은 충동적이며 안이한 결정들이거나, 자기 자신이나 타인에 대한 고려 없이, 취해진 행동들로 인해서 생긴 것이기 때문이다.

자신이 한 선택을 소중하고 만족스럽게 여기는 것은 그러한 선택을 통해 만족과 충만의 감정을 갖게 되기 때문이다. 즉 자신의 가치를 소중히 여기는 사람은 그러한 가치를 존중하고 자신의 입장을 바람직한 것으로 느끼게 된다.

자신이 갖고 있는 가치를 호의적으로 터놓고 이야기한다거나 타인과 그 가치를 공유하고자 한다면, 그 사람은 **자신의 가치를 공개적으로 확고히** 하고 있는 것이다. 그렇지만 이것은 우리가 지속적으로 자신을 과시해야 한다는 것을 의미한다기보다는 적절하게 응용해야 한다는 뜻이다. 즉 이는 자신이 의도적으로 적절한 시간에 자기의 가치를 공개적으로 공표해야 한다는 의미이다.

선택한 가치를 어떤 행동으로 옮긴다는 것은 행동을 개시한다는 의미이다. 즉 우리가 어떤 가치에 대한 강한 감정만을 갖고 이를 행동으로 옮기지 않는다면, 이는 부분가치에 불과하다. 왜냐하면, 완전가치란 인간이 그 무엇을 위해 일하고, 그 무엇과 관련해 어떤 것을 행하며, 이를 실제행동으로 옮기는 것과 관련된 것이기 때문이다.

어떤 가치를 **반복적으로 실행한다**는 것은 일관된(evident) 생활 형태를 갖추었다는 것을 의미한다. 즉 이는 자신이 나타내는 행동의 형태나, 자신이 선택한 친구, 자신의 진로, 시간과 돈을 소비하는 방식에 있어 일관된 행동이 갖추어졌다는 것을 말한다.

요약하면 나중의 결과가 어떻게 될 것인지를 신중히 고려하여 여러 대안들 중에서 자유로이 선택한 가치나, 자신감 있게 공표할 수 있을 정도로 떳떳하고 만족스런 가치, 반복적이고 일관성 있게 실행할 수 있는 가치를 우리는 완전가치라 칭한다.

스미스(Maury Smith)는 이상의 7가지 준거의 자연적인 발전으로 **"가치는 개인의 전체적인 성장을 조장한다."**는 여덟 번째의 준거를 첨가하였다. 즉 그는 가치가 앞의 7가지 준거를 충족시켜 완전가치로 확고하게 되면, 그 가치는 그 가치를 선정한 사람으로 하여금 그의 목적과 이상을 향하여 성장할 수 있도록 고무하고 조장시킨다고 하였다.[4]

스미스(Smith)는 계속해서 인간은 자신의 성장을 조장하도록 돕고, 자신이 설정한 목적을 달성하도록 돕는 그러한 가치에 근거해서 계속적으로 가치를 선정, 평가, 실행하게 된다고 진술하고 있다.

이러한 개념들을 설명하고 **자기 자신**이 어떤 가치를 신봉하며 자신의 가치를 어디에 두고 있는지를 실례를 통해서 알아보도록 다음의 문장을 완성해 보라.

---

4) MAURY SMITH, *op. cit.*, p.13.

1. 사람들은 언제나_____이다.

2. 내가 알고 있는 가장 훌륭한 사람은_____이다.

3. 내가 이룩한 최대의 업적은_____이다.

4. 내가 의아해하는 것은_____이다.

5. 나의 가장 절친한 친구는_____이다.

6. 앞으로 나는_____을 하고 싶다.

7. 나는_____에서 커다란 만족을 얻고 있다.

8. 나를 가장 걱정하게 하는 일은_____이다.

9. 나에게 있었던 가장 좋았던 일은_____이다.

10. 나는 대부분의 시간을_____하는 데 보낸다.

11. 돈이란_____한 것이다.

12. 내가 다른 어떤 일을 할 수 있었다면 나는 아마_____
_____하기를 원했을 것이다.

13. 나는 우리 가족이_____생각한다.

14. 나의 인생에서 내가 가장 사랑한 것은_____이다.

15. 교육이란_____이다.

16. 나의 생활에서 내가 변화시키고자 하는 것이 하나 있다면,
그것은_____이다.

17. 어린 시절에 나는_____했다고 생각한다.

18. 내가 가장 행복할 때는_____때이다.

19. 나는_____에 내 인생을 걸고 싶다.

이상의 문장을 다 완성했으면, 다음의 지시문이 시키는 대로 표시하라.

1. 자신이 가장 높이 평가하고 소중하다고 생각하는 진술문 앞에는 P(Prize — 소중한 — 의 두 문자) 자를 써라.
2. 자신이 공개적으로 단정할 수 있는 진술문 앞에는 PA(Publicly Affirm — 공개적으로 단정 — 의 두 문자) 자를 써라.
3. 자신이 여러 내안들을 숙고해 본 진술문 앞에는 CA(Considered Alternatives — 숙고한 대안 — 의 두 문자) 자를 써라.
4. 자신이 나중의 결과를 숙고해 본 진술문 앞에는 TC(Thoughtfully Considered — 철저히 숙고 — 의 두 문자) 자를 써라.
5. 자신이 자의로 선택한 가치, 즉 자신의 부모나 그 밖의 다른 사람들 또는 어떤 환경에 의해 구애받지 않고 선택한 가치와 관련된 진술문 앞에는 CF(Chosen Freely — 자유로이 선택한 — 의 두 문자) 자를 써라.
6. 자신이 실제로 행동에 옮긴 진술문 앞에는 AA(Actually Acted — 실제로 행동한 — 의 두 문자) 자를 써라.
7. 행동의 양식이나 습관을 가리키는 진술문 앞에는 PB(Pattern of Beharvior — 행동양식 — 의 두 문자) 자를 써라.
8. 몇 가지 측면에서 당신이 한 인간으로 성장해 가는 데 도움을 준다고 생각하는 진술문 앞에는 G(Grow — 성장 — 의 두 문자) 자를 써라.

이제 어느 것이 자신에게 중요한 것인가에 대하여 공개적으로 단정할 기회를 주고자 하는데, 먼저 소집단을 만든 다음 자신의 반응에 대하여 다른 사람들과 의견을 나누어 보도록 하라. 자신이 어떤 특정한 진술문에 대하여 견해를 달리한다면 단순히 '통과'라고만 말하라. 그러면 자신의 사적인 선택이 존중될 것이며, 그냥 통과시키고자 하는 여러분 자신의 권리는 항상 가치명료화에 의해 보장된다.

모든 가치가 다 완전가치일 수는 없다. 그래서 자신의 완전가치 수가 비교적 적을 수도 있을 것이다. 그렇지만 이러한 완전가치는 자신의 생활을 안내하고 지시하며 자신의 행동형태를 증명할 수 있는 핵심적인 원리이며 가치라는 것을 꼭 기억해야 한다. 관심, 열망, 바람, 태도, 목적, 신념, 이상 등은 자신이 갖고 있는 가치지수이며, 이러한 지수를 통해 인간은 자신의 가치가 어느 방향으로 발전하고 있는가를 알 수 있다. 만일 어떤 사람이 평등한 권리, 주위의 관심, 좋은 음악에 대한 감상과 독서, 기타 가치에 강한 애착을 갖고 있다 하더라도, 그에 대한 행동이 수반되지 않고 다른 어떤 사람이 이에 대해 이야기할 때만 감정을 느끼거나 '당연히 그렇게 되어야 한다.'는 감정만을 갖고 있다면 그 사람은 그러한 방향으로 **발전되고** 있을지도 모르나, 그 가치가 아직 **완전가치**로 통합된 것은 아니다.[5]

---

1. 완전가치와 부분가치, 그리고 이들의 가치지수가 서로 다른 점은 무엇인가?
2. a. 자신이 중요하다고 생각하는 10가지의 가치를 열거해 보라.
   b. 이러한 10가지 가치를 가장 중요한 것부터 순서대로 번호를 매겨 보라.
   c. 상위의 세 가치에다 가치명료화의 여덟 가지 준거를 적용해 보라.
   d. 당신은 여기서 무엇을 배웠는가?

---

5) SIDNEY B. SIMON, LELAND W. HOWE and HOWARD KIRSCHENBAUM, *Values Clarification: A Handbook of Practical Strategies for Teachers and Students*(Hart Publishing Company, Inc., 1978), pp.241－247; MAURY SMITH, *Ibid.*, pp.51－52.

1. 가치체제의 형성

자신의 가치와 가치지수를 잘 이해하게 되면, 이러한 가치나 가치지수는 자신의 생활을 안내하는 하나의 체제로 통합된다는 것을 알게 된다. 로키치(Rokeach)는 가치를 인간으로 하여금 사회적 문제에 대하여 특수한 입장을 취하도록 유도하고, 다른 사람에게 자신이 갖고 있는 어느 특정한 정치적·종교적 이념에 동참하도록 하며, 비교, 평가, 판단의 능력을 갖게 하며, 타인을 설득하고 이들에게 영향을 주도록 하는 등의 인간의 지속적인 활동을 안내하는 기준의 역할을 하는 것으로 보고 있다. 그러므로 **가치체제**는 여러 대안들 사이에서 선택하고, 갈등을 해소하며, 결정을 내리도록 돕는 학습된 원리나 규칙의 조직이라 할 수 있다.[6]

> 가치체제가 언어화되어 일관성 있게 활용되든 그렇지 않든 간에, 모든 인간은 자신의 가치체제에 따라 살아간다. 목적의 선정, 행동양식의 선택, 갈등의 해결 등에 있어서 인간은 언제나 자신에게 유익하고 바람직한 것이 무엇인가 하는 개념에 의해 영향을 받는다. 비록 모든 사람의 가치체제가 어느 정도 특이한 것이라고 할지라도, 한 인간이 갖고 있는 가치는 대개 자신이 속해 있는 문화의 핵심적 가치에 근거를 두고 있다. ……그리고 사람들은 바람직하고 유익한 인간적인 삶이 무엇인가에 대한 개념에 근거해서 타인에 대한 어떤 목적을 설정하고 무엇이 옳고 바람직한가에 대한 기준에 따라 자신의 행동형태를 결정한다. 사람들이 사업을 해 나가는 방법, 자기 처나 자식 그리고 다른 친구들과 맺게 되는 관계의 종류, 타인에 대한 존경은 물론 자기 자신에 대한 존경의 정도, 자신의 정치적·종교적 활동 등을 포함한 모든 활동은 자신이 신중히 고려해 보지 않았다고 할지라도 자기 자신이 갖고 있는 가치를 반영한다.[7]

---

6) M. ROKEACH, *The Nature of Human Values*(New York: The Press, 1973), pp.231 –232.

'체제'라는 말을 사람들은 보통 인간이 만든 조직, 기관, 기업체, 공장 등을 의미하는 것으로 사용한다. 그래서 사람들은 "그것은 그 체제가 운영하는 방식이야."라든가, 혹은 '체제'는 고정된 것이고 모종의 예정된 목적을 지니고 있어 변하지 않는다는 것을 의미하는 말로 "당신이 시청 청사를 무너뜨릴 수는 없어."라는 말을 듣는다.

그러나 여기서는 '체제'를 한 가지 궁극적인 목적을 성취하기 위하여 함께 작동하며 전체를 형성하는 개개 부분들의 집단으로 보고자 한다. 로키치(Rokeach)는 이와 관련하여 다음과 같이 주장하고 있다.

> 인간이 어떤 가치를 학습하게 되면 이미 조직된 가치체제의 일부로 통합되고, 각각의 가치는 다른 가치들에 비추어 보아 다시 우선순위가 정해진다. 그리고 이러한 상대적인 가치의 개념으로 인해서 사람들은 변화를 우선순위의 재배열로 정의하고, 동시에 시간이 지나면서 전체적인 가치체제가 안정되고 있음을 알게 된다. 또한 개인의 가치체제는 주어진 문화와 사회 속에서 사회화된 독특한 인성이 동질성과 지속성을 지닌다는 사실을 반영할 만큼 안정되기도 하며, 반면에 문화, 사회, 개인경험의 변화로 인해서 가치의 우선순위를 재정리해야 할 만큼 불안정하다.[8)]

5년 전에 자신의 가치체제에서 본질적으로 우선적이었던 가치가 지금도 여전히 그러한 가치일 수도 있지만, 반면에 그 우선순위가 바뀌어 재배열되었을 수도 있다. 그리고 이러한 점은 어느 한 가지 욕구가 충족되면 이제 그 욕구는 더 이상 욕구가 아니고 다른 종류의 상위 욕구가 나타난다는 매슬로우(Maslow)의 욕구이론에 밀접하

7) FLORENCE KLUCKHOHN, "Value Orientations", in *Toward A Unified Theory of Human Behavior: An Introduction to General Systems Theory*, ed. Roy R. Grinker, Sr.,(New York, Basic Books, Inc., Publishers, 1956), p.300.

8) MAURY SMITH, *op. cit.*, p.228.

게 관련되어 있음을 알 수 있다. 여기서 가치와 관련한 차이점은 이미 자신의 가치가 아닌 과거의 가치 대신에 새로운 가치를 받아들이게 되면서 가치의 우선순위에 이동이 생긴다는 점이다. 어떤 가치가 변하여 더 이상 자신의 가치체제 속에 포함되지 않을 경우도 있으며, 또한 새로운 가치들 사이에도 변동이 있을 수 있다. 이는 가치과정에 있어 자연적인 일부이며, 자신의 가치체제가 갖는 특이한 안정성과 융통성은 가치와 관련된 변화를 조절시킨다.

자신이 속해 있는 '체제'의 수를 생각해 보라. 가정, 직장, 학교, 지역사회, 친구, 친목단체, 기타의 다른 조직 등 그 수를 헤아리기는 아주 어려울 것이다. 그리고 이러한 모든 '체제'는 그 나름대로의 '행동규칙'과 그 집단이나 체제에 속해 있는 다른 구성원들에 의해 강화되는 신념과 가치를 갖고 있다. 그래서 만일 어떤 사람이 그 '체제'의 가치를 거역하게 되면 이는 체제에 속해 있는 당사자는 물론 나머지 사람들에게도 영향을 주게 된다. 즉 당사자는 고립되고, 용납받지 못하며, 거부감을 느껴, 자신이 '이방인으로' 되고 있음을 알게 될 것이며, 아니면 체제가 당사자로 하여금 자신이 잘못한 점을 밝혀 이를 시정하도록 해서 초기의 거북한 감정을 해소하고 다시 적응하도록 허용하기도 한다. 개방체제와 폐쇄체제 사이에는 상당한 차이가 있다. 즉 어떤 체제는 아주 경직되어 있어 현상태의 변화를 전혀 허용하지 않는 반면에 다른 체세는 안정성과 융통성을 동시에 보유하고 변화에 대처한다(이는 6장에서 변화와 안정의 관계를 통해 설명한 바 있다).

사람들은 어떤 문제가 '체제'로 인해 생긴 것인데도 사람이나 어느 개인으로 인해 생긴 것이라고 '문제'를 진단하는 경우가 있다. 그리고 체제는 체제 자체가 가치를 강화하며 그래서 사람들이 체제문제를 다루는 데는 특별한 기술을 필요로 하게 된다. 홀(Brian Hall)은 체제와 가치에 관련된 문제의 예를 다음과 같이 들고 있다.

[그림 7-3] 자기 자신의 가치체제를 확립한다고 하는 것은 자신의 생활에서 '사실'과 '당위'를 저울질하는 것이다.

　　몇 주 전에 학교로 버스통학을 하고 있는 흑인학생들을 상대로 처리해야 할 문제를 갖고 있는 백인교사들과 함께 일해 달라는 요청을 받은 적이 있다. 이때에 문제가 되었던 것은 "백인교사들이 흑인학생들의 가치를 이해할 수 있도록 도와줄 수 있겠는가?" 하는 것이었다.
　　그래서 우리는 "안 되지요. 할 수 없습니다. 그러나 우리는 백인교사들로 하여금 흑인학생들이 어떠한 가치에 접하면서 살고 있으며, 행정체제로부터 어떤 가치를 부여받고, 지역주민들은 행정체제에 어떤 가치를 부여하고 있는지…… 그리고 흑인학생들이 어떤 가치 환경에 의해 둘러싸여 있는지를 백인교사들이 이해하도록 도와줄 수 있다."고 말하였다. 백인교사들이 그 어느 것도 변화시킬 수 없다 할지라도, 이들은 적어도 흑인학생들의 상황이 어떤 것인가를 알게 될 것이다. 그래서 결과적으로 교사들은 덜

완고하게 될 것이다.9)

체제를 변화시키거나 뒤집는 것이 항상 가능하다거나 권고할 만한 것이라고는 할 수 없다. 그러나 체제의 구성요소에 대하여는 알아야 할 필요가 있다. 체제가 개방적인가 아니면 경직되어 있는가? '권력'구조는 어떻게 되어 있는가? 나 자신은 그 체제와 조화를 이루고 있는가? 이상의 물음은 자신이 가족, 학급, 직장, 친구집단 등 그 어느 체제에 속해 있든 간에 자기 자신과 관련되는 것들이다. '자기 자신의' 개인적인 체제에 안주하는 것은 해로운 것이 될 수도 있고 이로운 것이 될 수 있다. 그리고 하룻밤 사이에 세상이 뒤바뀌는 것도 아니다. 그렇지만 인간은 안정성과 융통성이 모두 보장하고 있는 보다 개방적인 체제로 자신의 노력 여하에 따라 더 접근할 수 있다.

안정성과 융통성을 가치나 가치체제와 관련시키면서 인간은 **순서와 선호와 경중**을 따지게 된다. 그리고 자신의 가치체제를 포함하는 개개의 가치는 순서와 우선순위에 얽매이게 되며, '나는 소수의견을 지지할까? 아니면 다수의견을 따를까? 의미 있는 타인(significant others)의 결정을 따를까? 아니면 독자적으로 한 결정을 따를까?' 하는 등등의 경쟁적인 가치 사이에서 선택이라는 갈등을 경험하게 된다. 여기에는 '옳고', '그른' 답이 없다. 왜냐하면, 선택이라고 하는 것은 주어진 상황에서 가치에 순서를 매기고 우선순위를 정하며 무게의 경중을 따지는 것이기 때문이다.

예를 들어, 자기 자신을 출세시킨 부모님이나 어떤 권위 있는 인

---

9) BRIAN P. HALL, "Values: Education and Consciousnes: The State of the Art", Challenge in Our times, in *A Practical Guide to Value Clarification*, ed. Maury Smith(LaJolla: University associates, Inc., 1977) pp.107 - 198.

물을 생각해 보라. 그리고 다음에 열거하는 가치들 중에서 그분들이 중요하게 여길 것이라고 여러분이 생각하는 바에 따라 최고 가치인 1에서부터 최하 가치인 6에 이르기까지 번호를 매겨 보라. 순서가 같은 수는 없으며 각 항목에 대해 1에서 6까지의 숫자 중 상이한 숫자를 배열하라. 이것은 여러분이 생각하기에 그 사람이 아마 그럴 것이라고 추측한, 즉 그 사람의 가치체제를 여러분이 지각한 것이지 실제 그 사람이 그렇다는 것은 아니다.

```
_____ 교육
_____ 가족
_____ 우정
_____ 여가활용
_____ 돈
_____ 일
```

순서의 배열을 다 끝냈으면, 다음에는 앞에서 열거한 여섯 가치에 대해 자기 자신의 가치체제에 따라 순서를 매겨 보라. 앞에서 한 것과 순서가 같은가? 여기서 여러분이 배운 것은 무엇인가? 순서가 달랐다는 것이 여러분이 다른 가치를 가졌다는 것을 의미하는가? 그렇지 않다. 오히려 이것은 여러분이 가치들의 순서를 다르게 보았으며, 그 가치들에 대하여 자신이 부여하고 있는 비중이나 강조점이 다르다는 것을 의미한다. 이는 앞에서 열거한 가치들의 우선순위를 여러분이 다르게 정했을 뿐이며 개개의 '가치' 항목들은 다 같이 중요한 것이다.

사람들 간의 가치의 우선순위와 서열에 있어서의 차이를 인정할 수 있게 되면, 그는 새로운 수준에서 가치와 가치체제를 이해하게 된다. 그리고 가치체제에 대해 더 많은 것을 알게 되면 인간은 그러한 체제를 구성하고 있는 개개의 가치들에 대해서도 더 많은 것을 알게 된다. "자신이 갖고 있는 완전가치는 무엇이며 또한 부분가치는 무엇인가? 그리고 그러한 가치들은 자신의 가치체제 속에서 어떻게 배열되어 있는가?"에 대해 다시 한 번 생각해 보라.

Ⅲ. 요 약

인간의 가치체제와 개인적인 신념은 자신의 생활을 이끌어 가는 주춧돌이 된다. 그리고 개인의 가치형성에 영향력 있는 요인으로는 종교적 신념, 태도, 고정관념 등 많은 요인이 있다. 가치명료화는 인간이 갖고 있는 가치를 명확히 밝히는 것으로, 여기에는 ① 자유로운 선정, ② 여러 대안 중에서의 선정, ③ 결과를 고려한 후의 선정, ④ 자신이 한 선택에 대한 가치부여와 평가, ④ 적절한 시기에 의도적으로 확고히 공표, ⑥ 선택한 가치를 실제 행동으로 실행, ⑦ 반복적으로 실행, ⑧ 개인의 전반적인 성장의 증대 등 여덟 가지의 절차가 포함된다. 완전가치는 이러한 여덟 가지 준거를 모두 만족시키는 것으로 자신의 생활을 안내하고 지시하는 핵심적인 원리가 된다. 그리고 인간은 자신의 가치지수에 의해 자신의 가치가 발전되고 있는 방향을 결정할 수 있다. 부분가치는 이상의 준거를 만족시키지 못하는 영역의 것들이지만 완전가치를 강화시켜 주기도 한다. 인간이 가치를 학습하게 되면, 이러한 가치들은 가치체제의 일부가 되며 거기서 각각의 가치는 순서가 매겨지고 우선순위가 정해지며 무게의 경중이 따져지게 된다. 그리고 사람들 간에 또는 그들의 가치체제 사이에서 우선순위의 차이를 수용할 수 있게 되면, 그 사람은 보다 더 긍정적인 인간관계를 형성하게 될 것이다.

연습문제

1. 고정관념은 인간의 태도형성에 어떻게 영향을 주는가?
2. "말보다 실천(actions speak louder than words)"이라는 옛 속담은 인간의 가치와 가치체제가 어떻게 반영된 것인가?
3 a. 소집단을 만들어 5분 동안 중지수렴의 기법(브레인스토밍)을 활용하여 고정관념의 예들을 열거해 보라.
   b. 열거한 내용들을 벽에 걸어 놓고 그 내용을 다른 집단의 것과 비교해 보라. 그리고 나서 여러 가지 고정관념 중에서 몇 가지를 골라 그 이면에 숨겨져 있는 '묵시적 비밀'이나 메시지에 관해 함께 토론해 보라.
   c. 여러 가지 고정관념들은 어떤 식으로 편파적인 생각을 갖게 하는가? 구체적으로 실례를 들어 보라.
4. 자신이 시청하는 텔레비전 프로그램에 나타난 고정관념, 편견, 가치 등과 관련된 실례를 일주일 동안 기록한 다음, 마지막 날에 학급에 가지고 가서 소집단을 만든 다음 공통적으로 발견한 실례들을 종이에 적어라. 적은 내용을 벽에 걸어 놓고 그러한 '메시지'가 어린이, 성인, 그리고 고정관념의 강화에 주는 영향에 관해 토론해 보도록 하라.

5. 4번의 연습문제에서 배운 것을 모두 "나는 _____을 배 웠다."라는 진술문으로 적어 보라.

6. 자기 자신이 앞으로 계속 발전시키고자 하는 가치를 하나 선 정해서 다음의 밑줄 친 부분에 적어 놓고 나서 다음과 같은 질문에 답해 보라.10)

발전시키고자 하는 가치: _____

   a. 이 가치를 발전시키기 위해 자신이 한 일은 무엇인가?

   b. 이 가치가 긍정적이라면 이에 대한 여러분의 견해는 어떠한가?

   c. 다른 대안을 배제시키고서 이 가치를 선택했다면, 자신이 배제시킨 대안들은 무엇인가?

   d. 이 가치를 실행하기 위한 장기계획을 갖고 있는가?

   e. "알고 있는 이 가치를 멀지 않아…… 할 예정이다."라고 말 한 적이 있는가?

   f. 이 가치와 관련시켜 미래의 꿈을 상상해 본 적이 있는가?

   g. 이 가치와 관련된 잡지나 책을 사서 읽은 적이 있는가?

   h. 이 가치가 자신의 생활목적 중의 하나에 해당된다면, 그 목 적이 무엇인지 밝혀 보라.

   i. 이 가치를 실현하기 위해 주말에는 어떤 일을 하는가?

   j. 이 가치를 실행하기 위해 다른 어떤 사람을 설득한 적이 있 는가?

   k. 잠을 자면서 이 가치와 관련된 꿈을 꾼 적이 있는가?

   l. 이 가치를 실행하기 위해 얼마나 많은 경비를 들이고 있는가?

   m. 한 달에 이 가치를 실행하기 위해 소비하는 시간은 얼마나 되는가?

---

10) MAURY SMITH, op. cit., pp.135-136.

n. 이 가치에 대해 생각하고 걱정하는 시간이 한 달에 어느 정도 되는가?

 자신이 이 가치를 실행하고 있다는 증명이 되는 관찰 가능한 행동을 세부적으로 다섯 가지만 들어 보라. 그리고 자신이 앞에서 제시한 물음에 그렇다고 대답할 수 있거나 다섯 가지 행동을 분명히 실행한 것으로 생각하면 이들 문항이나 행동에 대해 각각 1점씩 자기 자신에게 주어라. 그리고 이들 점수를 다음의 상대적 척도에 따라 자신이 발전시키고자 하는 가치의 정도를 읽어라.
 상대적인 척도: 16점~20점: 유망한 가치, 이 가치에 대해서는 가치명료화의 준거를 점검해 보라.

 11점~15점: 가치화되고 있는 도중의 가치.
 6점~10점: 가치화가 시작되고 있는 가치.
 0점~ 5점: 부적합한 가치.

 다음에는 소집단을 형성하고 자신이 작성한 내용에 관해 서로 의견을 교환해 보라. 그리고 서로 의견을 같이하는 특정한 가치를 발전시킬 수 있는 방도를 수립하도록 서로에게 도움을 주라. 새로운 방도가 창출되었으며, 자신이 열거한 가치를 계발하고 성장시킬 수 있는 새로운 계획을 세워 보라. 더 좋게 한다면 격려와 강화를 통해 이러한 가치를 발전시키는 데 도움이 될 수 있는 소집단을 만들어 함께 노력하는 방식을 적용하는 방법도 있다.

제8장 진로선택

　　물론 자신이 하고 있는 일상적인 직무를 즐겁게 받아들이는 소수의 행복한 사람들도 있다. 예를 들어, 인디아나(Indiana)의 채석공은 자신이 하는 일을 즐거운 것으로, 시키고(Chicago)의 피아노 조율사는 자신이 하는 일을 환희의 소리를 발견하는 것으로, 제본업자들은 자신이 하는 일을 한 편의 역사를 모으는 것으로, 브루크린(Brooklyn) 구의 소방대원은 자신이 하는 일을 한 생명을 구하는 것으로 보고 있다. ……그러나 유다(Jude)의 지식에 대한 동경과 같이 이러한 민족은 자신의 과업과 관련된 것을 말해 준다고 할지라도 인간에 대한 것을 말해 주지는 못한다. 그럼에도 불구하고, 인간은 자신의 과업에 돈 이상의 의미를 부여하는 공통된 특성을 갖는다.

터켈(Studes Terkel)[1]

　인간은 어떠한 방법으로 자신의 진로선택을 하는가? 어떤 사람들은 자신이 하고자 원하는 바에 따라, 반면 다른 어떤 사람들은 자신의 의지와는 관계없이 진로를 선택하기도 한다. 그렇지만 많은 사람들은 결정에 앞서 이러한 문제에 관해 상당한 기간 동안 신중히 생각한다. 직업선택은 아마도 여러분이 앞으로 해야 될 가장 중요한 결정 중의 하나일 것이다.

　가까운 미래에 자신의 완전한 직업을 준비해야 되는 사람들은

---

1) STUDS TERKEL, *Working: People Talk About What They Do All Day and How They Feel About What They Do*(New York: Pantheon Books, 1972,) pp.xiii−xiv.

많은 의문과 두려운 감정을 갖게 된다. "내가 직업을 갖는다면 어떤 직업을 선택해야 하는가? 그리고 선택한 직업에 대해 나중에 싫증을 느끼지는 않을까?" "정기적으로 매일, 매주 또는 매달 반복되는 생활에 나는 적응할 수 있을까?" "나는 내가 선택한 이 직장에 나의 나머지 인생을 투자할 만한 가치가 있는지를 확실히 알지 못하는데!" 이러한 생각과 감정은 대부분의 사람들에게 흔히 있을 수 있는 것들이다.

8장에서는 이러한 문제와 관련하여 인간이 일과 관련하여 갖게 되는 몇 가지 태도, 진로선택에 있어 계획과 목적의 위치, 그리고 자신이 하고자 하는 바와 실제로 자신이 갖고 있는 강점을 측정할 수 있도록 해 줄 몇 가지 실제적인 연습에 관한 문제를 알아보기로 한다.

또한 8장에서 독자들은 일과 관련된 자신의 태도와 강점을 고찰하는 과정에 참여하게 되고, 이를 위해 독자들은 본 장에서 계속적으로 제기하는 물음에 스스로 대답하기 바란다.

Ⅰ. 일은 왜 하는가?

"당신은 왜 직업에 대한 준비를 하는가?"라는 물음에 여러분은 어떻게 대답하겠는가? 지금 당장 자신이 대답할 수 있는 이유들을 모두 열거해 보라.

1960년에 맥그리거(Douglas McGregor)는 일하는 사람의 동기 유발(motivation)에 관한 경영이론을 개발하였는데, 그는 이 이론을 엑스(X)이론과 와이(Y)이론이라 명명하였다.[2] 여기서 엑스(X)이론의 체계를 옹호하는 사람은 다음과 같은 생각을 한다.

1. 대부분의 근로자들은 천성적으로 일을 싫어할 뿐만 아니라 가능하면
   일을 회피하려고 한다.
2. 천성적으로 일을 싫어하는 속성 때문에, 조직목표의 성취에 필요한
   적절한 노력을 유도하기 위해서는 처벌로 근로자들을 강압하고, 통
   제하고, 지시하고, 위협해야 한다.
3. 사람들은 지시받기를 좋아하고, 책임지기를 싫어하며, 야망이 아주
   적고, 무엇보다도 안정을 원한다.

반면에 와이(Y)이론의 체계를 옹호하는 사람은 다음과 같이 생각
한다.

[그림 8-1]　첫째, 나는 집중해야 한다. -스티븐슨(Barry
Stevens) - (Courtesy of Burroughs Corp.)

2) DOUGLAS MCGREGOR, *The Human Side of Enterprise*(New York: McGraw - Hill
Book Company, 1960), pp.47 - 48.

1. 일에 투자되는 육체적·정신적 노력은 놀이나 휴식과 같이 자연스런 것이다.
2. 외적인 통제나 처벌의 위협은 조직목표의 달성을 위한 노력을 유도하는 유일한 수단이 되지 못한다. 자신이 목표달성에 매진하는 사람들에게 자기 지시(self - direction)와 자기 통제(self - control)의 방법을 허용할 수가 있다.
3. 목표에 대한 매진은 일의 성취에서 얻는 보상과 관련된다.
4. 대부분의 사람들은 적절한 조건이 주어지면, 일에 대한 책임을 수락하고 책임을 지려고 한다.
5. 조직문제의 해결에 있어 대부분의 사람들은 높은 수준의 상상력, 재주, 창의성을 구사할 수 있는 잠재력을 갖고 있다.
6. 현대의 산업사회와 같은 조건에서 대부분의 인간들은 단지 일부분의 지적인 잠재력만을 활용할 뿐이다.

이 책을 읽고 있는 독자 자신은 엑스(X)이론적 인간인가? 아니면 와이(Y)이론적 인간인가? 어느 이론이 자신을 가장 정확하게 묘사하고 있다고 생각하는가? 사람들이 일하는 것은 아주 '자연적인' 것인가? 아니면 사람들은 천성적으로 일하길 싫어하는가? 사람들은 책임을 지려고 하는가? 아니면 회피하려 드는가? 사람들에게 일하도록 동기 유발시키는 것은 무엇인가? 지금 당장 동기 유발에 관한 자신의 입장을 요약하여 보라. 그리고 요약을 다 했으면 타인이 요약한 내용과 비교해 보라.

1. 주변에서 여러분이 잘 알고 있는 사람이나 우연히 매일 접하는 작업자들을 염두에 두고 다음의 지시내용을 작성하라.

   a. 그들이 자신의 일과 관련해서 갖고 있는 태도를 적어 보라.

   b. 자신의 일을 즐겁게 여기는 사람들, 그저 그렇게 하루하루를 보내는 사람들, 하루하루를 지겹게 보내는 사람들 사이에서 여러분이 발견할 수 있는 몇 가지 차이점을 들어 보라.

   c. 여러분은 그들이 자신의 일에 대해 어떤 감정과 태도를 가져 주길 바라는가?

   d. 여러분 자신은 이들과 비교해 볼 때 어떤 태도를 가졌다고 생각하는가?

2. a. 다음에 제시하는 문장 중에서 자신이 동의하는 진술문 앞에다 V표를 하라.

   b. V표 한 진술문 중에서 자신이 가장 강력하게 동의하는 순서대로 번호를 매겨라.

   (   ) "사람은 돈을 필요로 하기 때문에 일을 해야 한다."

   (   ) "만약 생활하기에 넉넉한 돈을 가지고 있다 할지라도 나는 여전히 일을 할 것이다. 왜냐하면, 아무런 일도 하지 않고 생활한다면 오히려 생활이 더 지루할 것이기 때문이다."

   (   ) "나는 일을 하지 않을 수만 있다면 일을 그만두겠다."

   (   ) "내가 옳게 생각하고 있는지 모르지만, 나는 일을 통해서 뭔가를 배우고 이를 토대로 다른 일을 벌여 놓겠다."

   (   ) "부모님은 계속해서 내가 밖에 나가 어떤 일을 하길 바란다. 그렇지만 나는 내가 하고 있는 일이 있는 한 부모님의 충고는 문제가 되지 않는다."

   (   ) "일이라는 것은 계속적인 도전을 필요로 한다. 나는 사람은 열심히 일해야 한다는 것을 알고 있으며 나 자신도 그렇게 되려고 노력한다."

   (   ) "내가 하는 일은 너무 힘들다. 그래서 내가 하는 일은 싫고 차라리 그만두고 싶다."

   (   ) "나는 선택을 아주 잘했다고 생각한다. 왜냐하면, 나는 내가 선택한 일에 필요한 기술과 적성을 갖고 있기 때문이다."

   (   ) "40년 후에 하게 될 일은 너무 오랜 뒤의 일이라서 나는 별로 관심이 없다."

   (   ) "일을 함으로써 사람은 돈과 자립과 자기만의 공간을 확보할 수 있다."

> 이상에서 제시된 진술문 외에 이와 관련된 진술문이 생각나면 다음에 적어 보라.
>
> _____
>
> _____
>
> _____
>
> 3. 이상에서 제시된 진술문 중에서 일에 대한 자신의 태도를 가장 잘 요약해 주는 두 가지 진술문을 골라 다음에 적어라.
>
> _____
>
> _____
>
> _____

Ⅱ. 본질적인 문제는 목적과 계획

사람들은 목적의 설정을 아주 어렵게 생각한다. "내가 오늘을 무사히 보냈다고 하지만, 내가 내일 이 자리에 있게 될는지 그 누가 알겠는가?" "목적을 설정해야만 하는 경우 나는 로봇(robot)같이 느껴져. 모든 것이 너무 기계적이야!" "목적은 잠깐의 여유도 허락지 않아. 그런데 나는 자연스런 것이 좋거든!" 이상의 인용문들은 목적의 설정을 회피하는 대표적인 말들이다. 그렇지만 창의적이고 현실적인 목적은 인간에게 자발성(spontaneity)을 제공해 줄 뿐만 아니라 현실(here and now)에 대한 올바른 이해를 북돋아 준다. 그래서 목적은 인간이 오늘을 살아가는 데 도움을 줄 뿐만 아니라 내일을 살아가는 데도 도움을 준다. 어느 날 아침에 잠을 깬 사람이 "내가 지금까지 살면서 이루어 놓은 것이 무엇이지? 그리고 이루어 놓은 것이 어디에 있지?"라고 묻는다면, 이는 그 순간을 위해 지금까지 오랫동안 이루어 온 것을 포기하는 것을 의미한다. 물론 사람은 지금까지 이루어 놓은 것이 있고 또 그것이 어디에 있는지를 모두 알 경우도 있다. 그러나 이렇게 되기 위해서는 한 번에 1분씩 또는 1시간씩 따지면서 재미있고, 즐겁고, 행복하게 사는 것뿐만 아니라 생각하고, 노력하고, 계획을 세우고, 일관된 재평가를 하면서 살아야 한다.

1. 계 획

캠벨(David Campbell)은 자신의 저서인 「당신이 어디로 가고 있는지를 알지 못한다면, 아마 당신은 의도하지 않은 곳으로 가게 될 것이다(If You Don't Know Where You're Going, You'll Probably End Up Somewhere Else)!」에서 계획을 아주 잘 정리해 놓고 있다. 이 책에 나오는 '좋은 소식/나쁜 소식(good news/bad news)'의 이야기는 계획과 관련된 좋은 예가 된다. 이 말은 큰 민간상업 비행기에 탑승하여 비행하던 도중에 비행 조종사가 "승객 여러분 제 말에 귀를 기울여 주십시오! 지금 승객 여러분께 좋은 소식과 동시에 나쁜 소식을 전해 주고자 합니다. 나쁜 소식은 우리가 타고 있는 비행기가 항로를 잃었다는 것이고, 좋은 소식은 우리가 아주 소중한 시간을 보내고 있다는 것입니다."라고 말한 데서 연유한 것이다. 이러한 경우 당신이 급히 계획을 세우지 않는다면 ─ 어디로 가고 있는지 알지 못한다면 ─ 전혀 다른 곳으로 가게 될 것이다.

학생들에게 "앞으로 — 5년, 10년, 20년 후에 자신이 어디에 있기를 원하느냐?"고 물으면, 대부분의 학생들은 전혀 모르겠다는 듯이 나를 바라보기만 한다. 또한 그러한 5년, 10년, 20년을 더 세분하여 자신이 하게 될 일을 쪼개 보라고 한다면, 그 일은 거의 불가능한 일이 될 것이다. 그렇지만 사람들이 내거는 오늘의 계획과 결정은 미래에 자신이 어디에 있을 것인가 하는 문제에 영향을 주는 것은 물론, 5년, 10년, 20년 후에 있게 될 자신의 생활방향에도 영향을 준다. 그리고 장기적인 목적을 단기적인 목적으로, 단기적인 목적을 소목적으로, 소목적을 세부적이고 달성가능한 현실적 목적으로 범위를 좁혀 가게 되면 장기적인 목적은 융통성 있고 성취가능한 계획으로 수립될 수 있다. 그래서 한 번에 1분씩 또는 5분씩 따지면서 현실(here and now)에 부합되게 산다는 것은 인간이 장기적 목적을 가졌다는 것을 의미할 뿐만 아니라, 자신의 선택권을 늘리고 "내가 오늘 해야 될 일이 무엇인가?"라는 문제에 대한 해답을 가능하게 해 준다.

목적은 자아를 확대시키는(self-extending) 것이다. 즉 인간은 어느 한 가지 목적을 성취하고서 끝나는 것이 아니라, 한 가지 목적을 성취하게 되면 또 다른 목적이 생기게 된다. 캠벨(Campbell)은 인생을 끝없는 도로에 비유했는데 그 도로에는 인간이 계속적으로 선택할 수 있는 많은 측면의 도로와 통로가 딸려 있다. 그리고 이러한 측면의 도로와 통로는 자기에게 개방되어 있거나 폐쇄되어 있는 문(gate)을 가지고 있다. 마찬가지로 인간은 새로운 선택을 할 때마다 똑같은 행로를 따라갈 것인가, 아니면 새로운 방향의 행로를 따라갈 것인가 하는 문제에 영향을 주는 두 가지 요인이 있다. 그중의 하나는 자격증(credentials)이고 나머지 하나는 동기 유발

(motivation)이다. 여기서 사람들이 교육, 훈련, 기술 등에 의한 자격증을 갖게 되면, 그는 자신에게 유용한 선택권을 갖고 새로운 행로를 선택할 수도 있고 하지 않을 수도 있다. 그렇지만 자격증이 없는 경우, 선택의 문은 자신이 아무리 동기 유발되었다고 할지라도 닫혀 있게 된다. 환언하면, 자신이 아무리 그러한 선택권을 원한다고 할지라도 자격증을 갖고 있지 않으면 그 소망은 무용지물이 되고 만다.3)

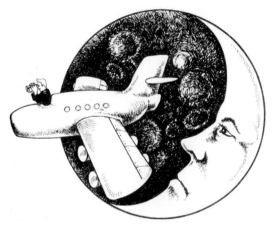

[그림 8-2] 인간은 좋은 소식과 함께 나쁜 소식도 갖는다.

자격증은 단지 교육이나 기술 영역에만 한정된 것이 아니라, 자신에게 유용한 대인관계의 기술, 경험, 직무습관, 다른 자원의 분류 등에도 관련된다. 즉 자신이 타인과 어떻게 생활하며, 어떤 형태의 경험을 갖고 있으며, 어떤 사람을 알고 있고, 일에 대하여 어떤 태도를 갖고 있느냐 하는 문제는 모두가 자신의 자격증과 관련되는

---

3) DAVID CAMPBELL, *If You Don't Know Where You're going, You'll Probably End Up Somewhere Else*(Niles, Ⅲ, Argus Communications, 1974), pp.20-25.

것이고, 자신에게 닫혀 있던 몇 가지 문을 여는 데 도움을 준다.

목표설정에서 계획단계는 아주 중요하다. 인간은 자신의 나머지 생애를 정확히 예측할 수는 없지만, 자신이 가치 있게 생각하는 것이 무엇이며, 인생에서 얻고자 하는 것이 무엇이며, 앞으로 무엇을 할 수 있는지를 결정할 수 있고, 이를 기초로 해서 앞으로의 계획을 세울 수 있다. 캠벨(Campbell)은 자신의 생애에서 일어나길 원하는 것들을 위한 학생들의 '공간 만들기(making a space)'를 제안하였는데, "자신의 손을 앞으로 쭉 펴서 손바닥을 함께 모은 후 천천히 벌려라. 목화더미 속에서 이와 같이 한다 할지라도 공간은 점점 더 넓어지게 될 것이다. 실제로 여러분은 자신이 원하는 모든 것들을 위한 공간을 만들 수 있다는 사실을 알게 될 것이다."[4]

[그림 8-3] 여러분은 풍성한 정원을 만들기 위해 어떤 씨를 뿌리고 비료를 주었는가?

일상생활에서 자신이 원하는 것을 위한 공간을 만드는 데는 시

---

4) *Ibid.*, pp.31 - 32.

간, 정력, 관심, 금전 등의 투자가 따라야 함은 물론 항상 일을 많이 해야 한다. 사람이 정원을 가꾸고자 할 때는 무엇보다도 먼저 공간을 확보해야 한다. 이 말은 부지를 준비하고, 땅을 일구는 데 필요한 도구를 갖추어야 하며, 기존의 나무와 돌을 제거하는 일을 끝마쳐야 한다는 뜻이다. 그러나 이렇게 한다고 해서 정원이 다 완성되는 것은 아니다. 이 외에도 씨를 뿌리고, 물을 주고, 잡초를 제거하며, 비료를 주는 노력이 있어야 그 정원은 풍성하게 된다.

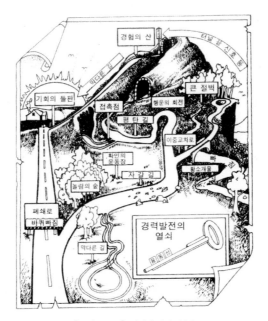

[그림 8-4] 경력발전의 열쇠

정원을 가꾸는 것과 마찬가지로 여러분은 또한 자신이 원하는 것을 위한 공간을 만들어 거기에다 자신이 의도하는 모종의 씨앗을 뿌려야 한다. 그렇지만 심은 씨앗이 모두 싹트고 성장하게 될 것인지는 장담할 수 없다. 계획단계에서 자신이 심은 씨앗 중의 얼마는 수확하지 못할 수도 있을 것이다. 그러나 이들 씨앗으로 해서 사람들은 많은 선택권과 대안을 가질 수도 있을 것이다. 그리고 늦은 여름에 고향에 되돌아오게 되면, 호숫가 아래의 정원에 내가 심어 놓은 꽃들은 한창 꽃 피게 될 것이다. 설사 내 자신이 그 꽃을 보지 못한다 할지라도 다른 사람들이 오랜 시간 동안 그 꽃을 보게 될 것이다. 또한 주변의 이웃 사람들은 내가 떠날 때 익지 않았던 나머지 것들을 수확할 것이며, 이웃 사람들의 즐거움은 나에게 즐거움과 기쁨을 주게 될 것이다. 실사 자신이 심은 씨앗을 전혀 수확하지 못한다 할지라도 그 씨앗들은 자신에게 부가적인 선택권을 제공해 주는 것은 물론 경험을 통해서 자신은 더욱 성장하게 될 것이다. 이렇게 해서 새로운 기회의 문은 열리게 될 것이고, 유용한 새로운 행로를 취하든 취하지 않든 간에 여러분은 선택의 기회를 갖게 될 것이다.

인간은 자신이 5년, 10년, 20년 후에 어디에 있게 될지 확실히 알수 없다 하더라도, 어느 정도의 이상과 꿈을 가질 수 있다. 그리고 오늘을 계획하는 사람은 행운이나 운명에 의존하다가 표류하지 않고 자신이 가고자 원하는 곳으로 가게끔 도움을 받게 될 것이다.

1. 10년 후에 자신의 (a) 진로와 (b) 대인관계가 어떻게 될 것 같으며, 어떻게 되기를 바라는가?
2. 공간을 만들고 씨앗을 심는 데는 자신의 습관이나 생활양식의 변화가 요구될 수도 있다. 다음의 사람들이 변화에 대처하고 자신의 미래를 위한 계획을 수립하는 데 있어 어떠한 변화가 있어야 되겠는가?
   a. 새로운 기계의 도입으로 직장을 잃은 노동자가 진로변화에 직면해 있는데 현재 나이는 45세이다. 그는 혼자서 처와 세 자식을 부양하고 있다.
   b. 37세의 아주머니가 난생처음으로 직장을 구하려고 한다. 자신이 부양해야 할 두 명의 어린이가 있으며 학력은 고등학교 졸업이고 특수한 훈련을 받은 경험은 없다.
   c. 고등학교를 중퇴한 학생이 2년 이상을 세차장에서 일해 오고 있는데 더 좋은 직업에 종사하길 원한다.
   d. 공간을 만들고 여기에다 자신이 원하는 씨앗을 심고자 한다. 어떤 것이 준비되어야 하는지 구체적으로 열거해 보라.

2. 목적의 설정

다음에 열거하는 내용들은 자신의 목적설정에서 고려하는 사항들이다.

(1) 목적의 설정에서 제일 먼저 고려해야 될 것은 **그 목적에 대한 소유의식**(ownership of the goal), 즉 특정의 목적이 진정 자신의 것인가 아니면 타인의 것인가 하는 문제에 관한 것이다. 자기 자신에게 "나는 진실로 이것을 하길 원하는가?" 하고 자문해 보라! 그것은 타인의 견해로서 아주 좋은 것일 수도 있다. 그러나 여러분 자신은 현재 그 목적을 갖고 있으며, 그 목적을 달성하고자 하는가? 어떤 사람은 하찮은 일에 애를 태우고, 다른 사람들을 위해 설정한

타인의 목적을 완수하려 시도하여, 결국에는 그 목적을 못마땅하게 여기거나 그 목적이 달성되지 않을까 의심하게 된다. 자신이 설정한 목적은 반드시 자신의 것이어야 하며, 그 목적은 자신이 성취하길 원하는 것이어야 한다.

(2) 목적은 세부적이고 시간을 고려한 것이어야 한다. 가령, "나는 몸무게를 줄이길 원해."라고 말하는 것은 모호하고 일반적인 진술이다. 이보다는 "나는 몸무게를 10㎏ 정도로 줄일 거야."라고 한다면 구체적인 진술이 되고 '2주 내에'라는 단서를 첨가한다면 현실적인 시간을 고려한 진술이 된다.

(3) 목적은 현실적이고 성취가능한 것이어야 한다. 예를 들어, "나는 1주 내에 몸무게를 30㎏ 정도 줄일 거야."라고 하는 말은 미심쩍기는 하지만 성취될 가능성도 있다. 그러나 비현실적인 목적의 설정은 자성예언(self-fulfilling prophecy)과 부정적인 자아개념의 형성에 큰 영향을 줄 수 있다. 또한 성취될 수 없는 목적을 설정하게 되면 사람들은 대개 "내가 해낼 수 없을 줄 알았지!"라고 말하는데, 그러한 '예언'은 거의 적중한다.

(4) 목적은 자신의 가치체제와 일치해야 한다. 목적의 성취가 자신의 가치체제와 타협해야 한다고 생각하면, 먼저 그 목적이 가치가 있는 것인지를 따져 봐야 한다. 특히, "이 목적의 최종적인 결과는 어떻게 될 것인가?" 그리고 "이 목적을 성취하는 데 드는 비용은 얼마나 되는가?" 하는 물음은 이와 관련하여 고려해야 될 두 가지 주요한 문제들이다.

(5) 자신의 목적을 간결하고 단순한 상태로 유지하라. 때때로 사람들은 복잡하고 혼란된 목적에서 헤어나지를 못한다. 따라서 자신의 목적을 명료하고, 간결하며, 요점을 확실하게 유지하는 것은 아주

중요하다. 왜냐하면, 목적이 너무 복잡하게 되면 이는 부정적인 영향을 주기 때문이다.

(6) 목적은 **측정과 관찰과 보고가능한**(measur able, observable, or reportable) 것이어야 한다. 기대를 명백히 하는 것은 아주 큰 도움이 된다. 예를 들어, "나는 자신에 대해 더 좋은 감정을 갖고 싶어."라는 목적은 측정가능하지도 관찰가능하지도 못하다. 그렇지만 "나는 의사소통 과목의 학점을 D에서 C로 올려놓을 거야."라는 목적은 측정가능하고, "나는 다음 주에 학급에서 세 번 정도 발표함으로써 수줍음을 극복할 거야."라는 목적은 보고가능하고 관찰도 가능하다.

(7) **평가를 해 보라.** 자신이 목적을 달성하지 못했으면 이유를 따져 보라. 그러고 나서 부족한 점을 수정하여 목적을 다시 수립하고, 이러한 경험을 통해서 좋은 점을 배우도록 하라. 목적의 성취는 긍정적으로 자아개념을 형성하도록 해 주며, 목적을 재조정하는 경우 또한 긍정적으로 영향을 준다. 이와 관련하여 자신이 갖는 태도는 중요하다.

---

1. 이 목적설정에서 고려해야 할 준거에 맞도록 다음의 진술문들을 고쳐 보라.
   a. 나는 좋은 직업을 갖고 싶다.
   b. 나는 워드 치는 기술을 더 숙달시켜야 한다.
   c. 나는 삶을 행복하게 영위하길 원한다.
   d. 나는 지난주에 50㎏의 몸무게를 줄였다.
   e. 학교를 졸업한 후에 나는 좋은 직장에 취직하기를 원하는데, 부수적인 조건으로 이 도시에 있는 직장에 취직하되 많은 돈을 저축할 수 있고 많은 여행을 할 수 있는 직종을 원한다.
2. 자신의 목적을 성취하는 데 있어 동기 유발과 바람은 어떤 측면에서 중요한가?
3. 자신의 가치체제와 모순될 것으로 생각되는 목적의 예를 열거해 보라.

Ⅲ. 자신의 선호와 강점의 평가

자신이 하고 있는 일에서 헤어나지 못하는 사람과 그 일에서 성취감과 즐거움을 느끼는 사람 사이에 많은 차이가 있다. 여기서 가장 분명한 사실 중의 하나는 자신이 하고 있는 일을 좋아하느냐 하는 문제인데, 자신이 하고 있는 일을 좋아하는 사람은 일을 잘하고, 직업에 대한 긍정적인 태도를 갖게 될 뿐만 아니라 그러한 일에서 상당한 만족감을 얻게 될 것이다.

여러분이 하고 싶어 하고 또한 상당히 즐거운 일들을 지금 즉시 열거하여 보라. 이러한 일들에는 자신의 취미나 흥미뿐만 아니라 생활의 한 부분을 차지하고 있는 일상적인 일에 해당될 것이다.

이제 지난 2, 3년에 걸쳐 자신에게 만족감과 긍지를 심어 준 업적과 성취를 아래의 지시에 따라 열거하라. 내용을 다 열거한 후에 각각의 내용이 사람(people)과 관련된 것이면 그 내용 앞에 P 자를, 자료(data: 아이디어, 사실, 수자)와 관련된 것이면 그 내용 앞에 D 자를, 사물(things/objects)과 관련된 것이면 그 내용 앞에 T 자를 표시하도록 하라.

앞에서 한 것을 반복해서 다시 실시해 보라.

직무 분류(job classifications)와 흥미 및 적성검사는 보통 **사람, 자료, 사물**과 더불어 일하는 세 가지 범주로 묶인다. 자신이 좋아하고 싫어하는 어떤 일관된 형태가 있는가? (역주: 예를 들어, 사람에 관련된 일을 좋아하거나 자료와 관련된 일을 싫어한다든지 하는 경우) 다음의 연습문제를 하면서, 여러분은 다음에 열거하는 특성을 어느 정도 좋아하고 싫어하는지 알게 될 것이다.

사람을 대하는 데	아주 싫어한다	많이 싫어한다	약간 싫어한다	그저 그렇다	약간 좋아한다	많이 좋아한다	아주 좋아한다
타인을 지도하고 지시하기							
타인의 지시에 따르기							
타인의 말에 경청하기							
타인에게 말하기							
타인을 가르치고 안내하기							
활동을 조직하기							
타인을 지원하고 격려하기							
타인의 지원과 격려를 구하기							
타인을 설득하고 납득시키기							
집단과 함께 일하기							
혼자 일하기							
타인의 감정에 민감하게 됨							
타인이 좋은 일을 하도록 촉구하고, 동기 유발시키기							
타인을 대표하기, 대변인 노릇 하기							
여러 사람 앞에서 말하기							
타인들 앞에서 말하기							
주도적으로 행동 시작하기							

이 표에서 제시한 내용을 보고 '타인을 지도하고 지시하기'라는 항목부터 자신이 잘하는 것, 즉 자신의 강점을 잘 묘사한다고 생각되는 칸에다 V표를 하라. 다 했으면 자신의 어떤 점을 발견했는지 정리해 보라. 자신이 하기 싫어하는데도 불구하고 잘하는 것들이 있는가? 자신이 좋아하고 동시에 잘하는 것들이 있는가?

사람을 대하는 데 자신이 **좋아하고 강점으로** 가지고 있는 것을 요약해서 적어 보라.

자료를 대하는 데	아주 싫어한다	많이 싫어한다	약간 싫어한다	그저 그렇다	약간 좋아한다	많이 좋아한다	아주 좋아한다
정보를 모으고 수집하기							
숫자를 계산하고 통계 내기							
자료를 편집하기; 사실을 종합하기							
숫자와 그림을 기록하고 다루는 일하기							
정확을 기하기 위해 사실과 정보를 검증하기							
정확을 위해 수적 자료를 재검하기							
문제해결하기							
돈 관리와 예산편성하기							
빨리 숫자 계산하기							
논리적인 일관성이 있게 자료 조직하기							
정확하게 기록 정리하기							
사실적 보고자료 준비하기							
통계적인 보고자료 준비하기							
정보 분석하기							

앞에서 제시한 내용을 보고 '정보를 모으고 수집하기'라는 항목부터 자신이 잘하는 것, 즉 자신의 강점을 잘 묘사한다고 생각되는 칸에다 V표를 하라. 다 했으면 자신의 어떤 점을 발견했는지 정리해 보라. 자신이 하기를 싫어하지만 잘하는 것들이 있는가? 자신이 하기를 좋아하며 동시에 잘하는 것들이 있는가?

자료를 대하는 데 자신이 **좋아하며 강점**을 가지고 있는 것을 요약해서 적어 보라.

사물을 대하는 데	아주 싫어한다	많이 싫어한다	약간 싫어한다	그저 그렇다	약간 좋아한다	많이 좋아한다	아주 좋아한다
손으로 일하기							
기계적인 장비나 기구를 설치·수선·수리하기							
물건 조립, 물건 합치기							
정밀장비의 사용							
작고 복잡한 물체 다루기							
기계류나 장비를 조작하기							
어떤 물체나 대상을 창조적인 방식으로 조립하기							
신체적인 근육이나 힘을 사용하기							
수공구를 다루기							
신속·정확하게 물건을 다루기							
건축이나 건설하기							

앞에서 제시한 내용을 보고 '손으로 일하기'라는 항목부터 자신이 잘하는 것, 즉 자신의 강점을 잘 묘사한다고 생각되는 칸에다 V표를 하라. 다 했으면 자신의 어떤 점을 발견했는지 정리해 보라. 자신이 하기를 싫어하는데도 불구하고 잘하는 것들이 있는가? 자신이 하기를 좋아하고 동시에 잘하는 것들이 있는가?

사물을 대하는 데 자신이 **좋아하고 강점을** 가지고 있는 것을 요약해서 적어 보라.

자신이 어떤 활동을 즐겨 하고 또 그것을 잘한다고 해서 그 활동을 자신의 진로로 선택해야 하는 필연적인 근거는 없다. 예를 들어, 어떤 사람이 스키(skiing)를 즐기고 또 그것을 아주 좋아한다고 할지라도 자신의 생활을 영위하는 데 도움을 주는 기술은 다른 것일 수도 있다. 또한 자신이 상당한 수준의 아마추어(amateur) 목공

수로서 차고를 짓고 지붕을 수리한다 할지라도, 다른 사람이 그 일을 계속하도록 그에 대한 대가를 지불해 줄지는 확실치 않으며 그 자신도 그 일로 계속 생계를 유지할 것이라고 생각지 않을 수도 있다. 즉 사람들은 엄밀한 의미에서 몇 가지 활동을 취미로 즐기기도 하며 이를 통해 기분전환을 하기도 한다. 그러나 **자신이 갖고 있는 숨겨진 많은 재능을 간과해서는 안 된다.** 왜냐하면, 이러한 재능은 일상적인 진로의 선택과 무관하다고 할지라도, 자신이 갖고 있는 취미나 과거의 경험은 앞으로 자신이 종사하고자 하는 분야를 심도 있게 알아보고자 하는 진취적인 사람들에게 보상적인 진로선택의 기회를 줄 수 있기 때문이다.

때문에 사람들은 자신의 선택권을 개방시켜야 하며, 이를 위해 자신에게 유익한 모든 종류의 자격증을 갖추어야 한다.

이제까지 자신에 대해서 평가한 것을 종합해 보라. 여기서 여러분은 무엇을 배웠는가? **사람, 자료, 사물**을 대하는 데 있어 자신이 선호하는 순서를 매긴 다음, 아래의 간단한 문장을 완성해 보라.

"나는 _____를(을) 상대로 일하기를 좋아하고, 이 중에서도 _____활동을 좋아한다."

자신이 알지 못하는 숨겨진 재능이 또 있는지 다시 한 번 확인해 보라. 남모르게 해 온 일, '팀(team)'의 구성원이 되었던 일, 집안이나 사교모임 또는 자원봉사대와 관련된 일을 조직하고 운영했던 경우, 교육적인 기술이나 논리적이고 합리적인 분석력을 필요로 하는 업무 등 자신의 과거 경험을 되돌아보라. 다시 떠오른 새로운 아이디어(ideas)가 있는가? 있다면 그것들을 열거하고 그 내용을 자신의 진로 개발에 활용하라.

1. 대인관계의 기술

대인관계의 기술은 자신이 갖고 있는 자격증의 통합이라 할 수 있다. 자신이 사무적 기술과 방법적 지식을 갖고 있다 할지라도 이를 타인과의 관계에 적용하지 못하면, 그 사람의 진로에서 성공하기는 어렵게 된다. 대인관계와 관련하여 다음에 제시하는 특성 중 자신이 갖고 있는 강점이나 앞으로 개선시킬 필요가 있는 부분이 무엇인지 알아보고 해당되는 칸에다 V표를 하라.

	나는 이러한 특성을 갖고 있는데 이는 나의 강점이다.	나는 이러한 특성에 있어서 앞으로 개선시켜야 한다.
주장적		
재치		
경청자		
인내력		
협동적		
긴장상태에서도 일을 잘함		
적절한 자기 개방을 함		
타인을 신뢰함		
타인의 신뢰받기		
적절한 열정		
의존적		
건설적인 비판 수용능력		
주도권		
지시에 따르기		
타인의 의미 이해		
융통성		
기타		

앞에서 제시한 내용을 토대로 하여 성공적인 진로선택을 하는데 도움이 되는 특성 중 자신이 현재 지니고 있는 대인관계상의 강

점이나 기술을 열거하면 다음과 같다._____

_____

_____

반면에 앞으로 개선할 필요가 있는 대인관계의 영역을 열거하면 다음과 같다._____

_____

_____

그리고 문제성 있는 각각의 대인관계 영역을 개선하기 위한 세부적인 첫 단계로는 다음과 같은 조치의 진술이 필요하다. "나는 _____까지(시간계획)_____을 통해서(취할 행동)_____하려고 한다."

덧붙여 조언을 한다면, 여러 가지의 목적과 행동이 담긴 진술을 하되 한 번에 너무 많은 것을 하려고 시도하는 데서 오는 실패를 염두에 두라. 어떤 목적을 우선적으로 고려하느냐는 성공의 열쇠가 된다.

2. 진로선택의 고려점

먼저 자신이 고려하고 있는 진로의 여러 대안들을 열거하여 보라.

_____

그리고 나서 자신이 고려하고 있는 진로를 관심의 정도에 따라 서열을 정하라. (1)_____ (2)_____ (3)_____

(4)_____(5)_____ ······

이상의 서열에서 최종적인 진로선택에 있어서의 대안을 2, 3개 정도를 취하고 나머지는 포기하라. (1)_____ (2)_____ (3)_____

자신이 선택한 진로에서 성공하기 위해 첫 번째 단계로서 앞으로 취해야 하는 조치를 각각의 진로별로 정리하여 보라.

(1 – 1)_____

(1 – 2)_____

(2 – 1)_____

⋮

미래에는 자신의 긍정적인 자아개념의 형성에 기인하는 가장 큰 요인 중의 하나가 풍요하고 만족스런 진로의 선택이다. 45년간을 일하는 사람은 평균 90,000시간을 일하는 데 투자한다는 점을 생각한다면, 좋은 진로의 개발과 결정이 얼마나 중요한 것인가는 재론의 여지가 없다. 즉 자신이 하고자 원하는 일을 하고, 그 일을 잘하며, 그로부터 즐거움과 만족감을 얻으면서 그 많은 시간을 보낸다면 무엇보다도 바람직한 일이다. 이를 위해서는 먼저 자신의 사무적 기술과 대인관계의 기술에 대한 평가가 있어야 하며, 흥미있는 진로생활에 도움이 되는 몇 가지 목적을 설정해야 하는 것이 가장 기본적인 문제라 하겠다.

Ⅳ. 요 약

진로선택 때문에 사람들은 종종 많은 의문과 함께 두려운 감정을 갖게 된다. 맥그리거(McGregor)의 경영 이론은 직업인의 동기유발에 관한 두 가지의 다른 관점을 제시하고 있다. 여기서 엑스(X)이론은 ① 인간은 선천적으로 일하기를 싫어하고, 이러한 속성 때문에 사람들로 하여금 일을 하도록 하기 위해서는 처벌로 강압하고 위협해야 하며, ② 인간은 지시받기를 좋아하고 야망이 거의 없으며 무엇보다도 안정을 원한다는 입장이다. 반면에 와이(Y)이론은 ① 일을 한다는 것은 자연스런 것이며, ② 자기 지시와 자기 통제는 일에 매진하는 사람들에게서 흔히 발전할 수 있는 것이고, ③ 대부분의 인간은 책임감을 배우려 할 뿐만 아니라 일에 대한 책임을 지려고 하며, ④ 창의성과 재능은 대부분의 사람들이 지니고 있고, ⑤ 이들의 잠재력의 일부분만이 활용되고 있다는 입장이다. 계획과 목적설정은 장기적인 목적과 단기적인 목적 모두에서 아주 본질적인 것이다. 그리고 목적이 성취가능한 것으로 되려면, 그 목적은 ① 소유의식이 있어야 하며, ② 구체적이고 시간이 고려되어야 하며, ③ 현실적이고 성취가능하고, ④ 자신의 가치체제와 일치하며, ⑤ 간결하고 단순하며, ⑥ 측정가능하며, ⑦ 관찰과 기록이 가능하고, ⑧ 평가될 수 있는 것이어야 한다. 사람, 자료, 사물을 대하는 데 있어서 자신의 강점을 평가해 보면 자신이 가야 할 목적의 방향을 결정하는 데 많은 도움이 될 것이다.

연습문제

1. 소집단을 만든 다음, 사람들이 일하는 이유를 들어 보라. 이유의 내용을 백지나 칠판에 적어 놓고 나서 자신의 일을 수행하게 되는 동기 유발에 대하여 토론해 보라. 여러분은 왜 일을 하게 되는가?

2. 앞에서 자신이 진술한 내용을 맥그리거(McGregor)의 엑스(X)이론과, 또 와이(Y)이론과 비교해 보라. 만일 여러분이 경영자라면 일과 작업자에 대한 자신의 태도가 자신의 동기 유발 및 감독유형에 어떤 영향을 주겠는가?

3. 자기 자신의 목적에 대한 소유의식을 갖지 못하는 경우 어떤 일이 일어나겠는가? 타인의 목적을 자기의 목적인 것같이 생각하는 사람에게서 일어날 수 있는 상황을 열거해 보라. 이러한 경우에 있게 되는 궁극적인 결과는 무엇으로 나타나겠는가?

4. 자신의 '이상적인' 직업을 구성하는 요소를 몇 가지 적어 보라.

제9장 취업준비

> 훈련과 실무경험의 정도가 동등하다면, 나는 말을 가장 유창하게 하고, 가장 성실하며, 가장 자신감 있는 지원자를 채용하겠다.
>
> 똑같은 자리에 응시한 두 사람 중에서 한 사람을 채용하고자 하는 경우, 어떤 근거에 의하여 사람을 채용하겠는가? 나는 아마 업무와 사람이 잘 맞도록 하려고 노력할 것인데 그러기 위해서는 용모와 판단력은 물론 태도, 경험 등을 가장 일차적으로 고려하게 될 것이다.
>
> 다른 모든 것이 다 비슷하다면, 나는 지원자들의 '과거 행적'을 알아보겠다. 왜냐하면, 과거의 성공이나 성취의 경험은 대개 앞으로도 계속될 것이라 생각하기 때문이다. 즉 학교생활에서 또 이전의 직장에서 성공적으로 생활을 했다면 그가 새로운 직장에서도 성공할 것으로 기대되기 때문이다.[1]

8장에서 여러분은 일에 관한 자신의 가정(假定)과 태도에 대하여 고찰하였는데, 주요내용은 자신이 좋아하는 일과 싫어하는 일을 정의하고, 자신이 잘하는 일과 자기에게 즐거움과 만족감을 주는 일을 규명하였으며, 자신에게 적합한 몇 가지 진로를 모색하고 이에 따른 몇 가지 목적을 설정하였다.

초기의 계획 단계에 관한 정리를 마치고 이제는 계획 국면의 두 번째 단계인 '자신에게 가장 유용한 직업을 발견하는 문제'를 논의

---

[1] 이러한 내용은 미국 내의 지도적인 사업가인 *B. F. Goodrich Company*의 W. T. Duke와 *Sherwin Williams Company*의 E. B. Stadler가 보낸 편지를 인용한 것이다.

하려 한다. 여러분이 원하는 취직자리의 형태를 어떻게 발견할 것인가? 고용주로 하여금 여러분의 자격과 훈련내용을 어떻게 알 수 있도록 할 것인가? 여러분이 앞에서 인용한 편지를 보낸 회사의 인사부장과 면접을 하게 된다면, 여러분은 자신을 어떤 수준이라고 평가하겠는가?

9장에서 다루는 내용은 다양한 취업정보의 출처, 준비단계, 면접의 비결 등이다.

Ⅰ. 취업정보의 출처

자신에게 알맞은 직업을 찾고자 할 때 도움을 주게 될 아주 많은 정보제공처가 있는데 이들 중 몇 가지 출처에 대하여 살펴보면 다음과 같다.

1. 학교의 직업안내소

아마도 가장 확실한 출처는 자기 자신이 속해 있는 학교나 훈련기관의 직업안내소(취업정보센터)일 것이다. 직업안내는 안내소에 따라 다를 수 있겠지만, 대부분의 안내소는 자신의 교육, 훈련, 경험, 기타 적합한 정보를 적은 일련의 기록이나 서류를 완성해서 제출하라고 할 것이다. 이러한 기록이나 서류는 즉시 정리, 보존되고 일자리가 있게 되면 이에 대한 자료로 활용된다. 대개 비어 있는 일자리는 필요한 모든 사람들이 볼 수 있도록 잘 보이는 곳에 게시

된다. 직업안내소의 직원들은 보통 회사, 정부기관, 기타 기업조직과 많은 접촉을 갖고 있으며, 사람과 직업을 연결시키는 직업중개소(clearinghouse)를 넘나들며 수많은 일자리에 관한 정보를 갖고 있다. 때에 따라서는 학교를 졸업한 후에도 이러한 안내소의 도움을 받을 수 있지만, 무엇보다도 중요한 것은 자기 스스로 이러한 안내소를 찾아 다녀야 한다는 것이다. 만일 자기 학교에 이러한 안내소나 대행기관이 없으면 자신의 은사와 상담할 수도 있을 것이다.

2. 공공 고용상담소

미국에는 공공 고용상담기관이 있는데, 이 기관은 특정 직업분야에 국한하지 않고 여러 분야를 망라하여, 직업선택을 할 수 있도록 다양한 일자리를 목록으로 만들어 갖고 있다. 또한 여기서는 모든 사람에게 상담, 진로에 대한 자문, 적성과 숙련도검사 등을 무료로 봉사하고 있다. 대부분의 주요 도시와 많은 소도시에서는 일자리 은행(job banks)을 컴퓨터에 입력시키고 있는데, 이로 인해 대도시나 다른 지역에서 필요로 하는 일자리에 관한 최근의 정보를 잘 활용하고 있다(역주: 우리나라의 겨우 노동청 산하에 직업안내소가 있다).

3. 구인광고

자신이 살고 있는 지방 신문을 잘 분석해 보면 사람들은 다른 지역으로 이동하지 않고도 자신이 찾고 있는 분야의 고용기회에 관한 좋은 정보를 얻을 수 있다. 그러나 구인광고가 여러 종류의 일자리를 알려 준다 하더라도 서술적인 정보는 적고 자신이 그에 적합한 자질을 갖추었는지 여부를 결정하기에는 충분한 정보를 얻을 수 없기 때문에 좀 더 자세히 알아본 후에 결정하도록 하는 것이 좋다 (역주: 우리나라 신문이나 생활정보지에 사기성 구인광고가 많으니 충분히 조사하고 나서 지원해야 한다.).

4. 개인적인 접촉

친구, 친척, 이웃, 다른 사람들과의 접촉을 통해서 얻기 어려운 정보의 출처를 자신이 쉽게 알게 된다. 그러나 다른 사람들이 일자리에 관해 지나가며 하는 말이나 현재 떠돌고 있는 정보의 이면에 담긴 내용을 포착하기만 하면 행운의 출발이 되기도 한다.

5. 기타의 정보처

대부분의 미국 지방 우체국들은 연방정부의 공무원직을 포함한 다른 공무원직에 관련된 지원양식이나 정보를 제공해 준다(역주: 미국의 우체국은 이런 서비스를 해 준다). 지방의 상공회의소도 종종 특정분야에서 직원을 채용하려고 하는 회사의 명단을 사람들에게 제공해 준다(역주: 이것도 미국의 경우임).

사설의 고용대행기관들을 대개 몇 가지 종류의 직업에만 국한시켜 직종을 안내해 주는데 여기서는 보통 봉사료를 받는다. 때문에, 사설의 대행기관을 이용하려 한다면 신청서류를 내거나 서명하기에 앞서 봉사료의 수준과 액수를 알아봐야 한다.

전화번호의 황색 페이지에 있는 광고란도 몇 가지 세부적인 정보를 제공해 준다. 산업별, 직업별 노동조합은 몇몇 회사에 대해서 독점적인 고용의 권한을 갖고 있으며 제한된 수의 직종을 취급한다. 때문에 이러한 분야의 직종에 지원하려 한다면 노동조합을 잘 알아보아야 한다(역주: 최근에는 취업박람회와 인터넷으로 많은 정보를 얻을 수 있다).

1. 자신이 살고 있는 지방의 신문에 나온 직원채용광고를 보고, 자기가 관심 있는 것을 몇 가지 수집해 보라. 거기서 요구하는 자격이 무엇인지를 확인하고 자신이 갖추고 있는 자격과 어느 정도 일치되는지 알아보라. 이들 중에서 앞으로 자신이 흥미를 더 갖게 될 것은 어느 것인가? 자신이 발견한 것을 요약해 보라.

2. 직업안내소가 어디에 위치하고 있는지 아는가? 안다면 거기를 찾아가서 자신이 취직하고자 하는 직종의 초 임금, 자격, 그리고 그 직종의 유용성에 관한 몇 가지 일반적인 정보를 얻어 오라. 만일 자신이 찾고 있던 직종과 상당히 유사한 직종이 있다면 다시 찾아가 필요한 양식이나 서류를 완성하여 제출하라. 앞으로 새로운 직종을 찾고자 할 경우에 취해야 할 이러한 절차를 잘 알아 두어야 한다.

3. 자신이 직장을 구하고자 할 경우에 접촉할 수 있는 친구나 회사에 근무하고 있는 사람들의 목록을 적어 보라. 자신이 찾고 있는 직장은 어떤 형태이며, 앞에서 열거한 사람들에게는 어떻게 접근할 것인가를 알아보라.

4. 소집단을 만든 다음 여러 가지 형태의 직업과 관련된 출처를 사용하는 데 있어서 장점과 단점을 생각해 보라. 생각한 내용을 백지에 열거한 다음 자신이 발견한 것을 기록해 보라.

Ⅱ. 준비의 단계

어떤 직종에 지원하고자 할 경우에는 여러 가지가 준비되어야 한다. 여기서는 대개 자신의 이력서를 작성하고, 지원절차를 잘 알며, 면접에 대비하는 문제가 있다.

1. 이력서(résumé)의 준비

이력서는 자신의 교육, 훈련, 경력, 기타 자격을 기록한 최종 결산서이며 요약서이다. 대부분의 고용주들은 이력서를 예비적인 지원절차의 한 부분으로 생각하는 반면, 다른 고용주들은 이력서를 면접시간에 참고할 자료로 생각하기도 한다. 그리고 어떠한 방식이 적절한 것인가의 문제는 상황에 비추어 결정할 문제이다.

자신의 이력서를 준비하는 데 있어 참고해야 할 몇 가지 기본적인 정보는 다음과 같다(역주: 여기서는 미국 이력서의 양식이므로 한국의 이력서 양식을 구하여 자신의 이력서를 써 보라).

(1) 주소, 전화번호와 같은 **개인적인 배경자료**(personal data)부터 쓰도록 하라. 그러나 생년월일, 결혼 여부, 부양가족 수 등과 같은 정보는 **임의적인**(optional) 것이기 때문에 써도 되고 안 써도 된다. 만일 이러한 정보를 쓰고자 한다면, 이는 자신의 이름과 주소 다음에 적거나 아니면 **옵셋**(offsetting)인쇄가 된 측면의 여백에 적어야 한다.

(2) 두 번째 고려해야 할 점은 자신이 지원하고자 하는 분야에 관한 **직업목적**(occupational goal) 또는 **고용목표**(employment objective)이다. 이것은 자신이 찾고자 하는 일자리의 형태를 밝히는 것이

며, 자신이 만일 여러 가지 분야에서 일할 수 있는 자격을 갖추었으면 이들을 다 명시해야 한다.

(3) 가장 최근의 경력부터 자신이 **해온 일**(work history)과 **경력**(experience)을 순서대로 열거하라(역주: 미국에서는 최근 것부터 적어 나가나 한국은 과거의 것부터 적어 나간다). 이 부분에서는 자신이 어떤 형태의 책임을 갖고 일했으며 앞으로도 도움이 될 특수한 경력을 명시해야 한다.

(4) **교육적 배경**에는 자신이 받은 형식적인 교육을 적는데, 면접을 받고 더 나아가 채용될 가능성을 높이는 데 도움이 될 전공영역을 강조해서 명시해야 한다.

(5) 기타 자신의 과외활동, 취미, 군복무 경력, 특별한 기술, 자신의 능력이나 자질을 나타내는 수상경력 등의 **임의적**(optional) 정보도 포함시킬 수 있다(역주: 외국에서는 학생회 활동, 동아리 활동, 수상경력, 장학금 등도 관심 있게 본다).

(6) 참고인(references)에는 자신에 관한 각별한 안목과 정보를 갖고 있는 사람의 이름을 쓰는데, 참고인으로 이름을 사용할 수 있도록 사전에 허락을 받는 것이 중요하다. 그리고 참고인은 가급적 자신과 전에 같이 근무한 적이 있는 사람이 가장 좋고, 자신을 신뢰하고 스스로 돕고자 하는 사람이면 더욱 좋다. 이렇게 하는 것은 친밀한 관계에 있는 친척의 이름을 참고인으로 쓰는 것보다 더 의미 있는 일이다. 자신의 친척을 참고인으로 쓰고자 하는 것은 별로 바람직하지 못하다(역주: 여기서 참고인이라고 했지만 '추천인', '신원보증인'에 해당되어 외국에서는 아주 중요한 역할을 한다).

다음에 제시할 [그림 9-1]은 미국 이력서의 견본으로, 여기에는 필수적인 정보만을 아주 간단하게 적고 있다. 자기 나름대로의 필요에 따라 이력서의 양식을 바꾸고 싶은 사람도 있겠지만, 훌륭한 이력서는 실수 없이 완벽하고, 간결하며, 타자로 친 것이어야 한다(역주: 우리나라에서는 자필 이력서를 많이 요구함)는 것을 명심하라. 어떤 사람들은 매번 지원을 할 때마다 이력서를 인쇄하기도 한다. 자신의 판단에 따라 할 일이지만, 이러한 이력서는 깔끔하기는 하나 타인들로 하여금 성의가 없는 것으로 느껴져 결국에는 자신의 합격가능성에 부정적인 영향을 주기도 한다. 따라서 가능하다면 매번 지원할 때마다 지원하는 자리에 맞춰 이력서를 새로 만드는 것이 현명한 방법일 것이다.

2. 지원절차의 숙지

대부분의 회사나 기업은 사전 평가도구로 지원서식이나 양식을 사용한다. 즉 이러한 양식으로 지원자들로 하여금 완성하도록 함으로써 고용주는 지원자들의 자격을 비교하는 데 사용할 수 있는 정확한 자료를 수집할 수 있다. 그리고 이와 같은 서류심사에 의해서 합격가능자의 범위는 좁혀지고 거의 75%의 지원자가 탈락하게 된다. 따라서 지원서 양식의 작성은 아주 중요하다고 볼 수 있다. 여기서는 서류심사의 과정을 무난하게 통과하도록 돕는 몇 가지 요령을 제시하고자 한다.

```
┌─────────────────────────────────────────────────────────────────────┐
│                        RÉSUMÉ(이력서)                                  │
│                                                                       │
│ MARCY KENWOOD                          (Date of résumé)               │
│ (이름)                                  (작성일)                        │
│                                                                       │
│ 268 Market Street                      (Optional information)         │
│ Moorhead, MN 56560                     (임의적인 정보)                  │
│ 218 - 470 - 3170(집주소)                                               │
│                                                                       │
│ OCCUPATIONAL OBJECTIVE (직업적 목표):    Computer Operator, Com-        │
│                                        puter Programmer               │
│                                                                       │
│ WORK EXPERIENCE(경력):                                                 │
│                                                                       │
│ June '80 - Present H & T Realty         Data Entry and                │
│ 4980 Main                              Computer Operator              │
│ Moorhead, MN 56560                     (했던 일)                        │
│ (직장주소)                                                             │
│                                                                       │
│ Dec. '78      Burger King               Food Preparation              │
│               235 South 75             and Ssrvice                    │
│               Moorhead, MN 56560                                      │
│                                                                       │
│ EDUCATION(학력):                                                       │
│                                                                       │
│ Sept. '78 - June '79   Moorhead State Univ.   General Studies         │
│                        1104 South 7 Avenue    (2.9 GPA)               │
│                        Moorhead, MN 56560                             │
│                                                                       │
│ Sept. '75 - June       Moorhead Senior High   High School diploma     │
│ '78                    2202 Fourth Avenue     B Average               │
│                        Moorhead, MN 56560                             │
│                                                                       │
│ REFERENCES(참고인, 추천인):                                             │
│                                                                       │
│ James Hanson,          H & T Realty, 4980 - Main, Moorhead, MN 56560  │
│ (이름)                 218 - 496 - 1730(주소, 전화)                     │
│                                                                       │
│ Mary Frost,            3970 Highway 81, Fargo, ND 581Q2               │
│                        701 - 467 - 2373                               │
│                                                                       │
│ Jean Ansett,           497 North 18th, Moorhead, MN 56560             │
│                        218 - 496 - 2416                               │
│                                                                       │
│ Arnold Rockwall,       2175 Concord Aenue, Moorhead, MN 56560         │
│                        218 - 470 - 3547                               │
└─────────────────────────────────────────────────────────────────────┘
```

[그림 9-1] 미국식 이력서

	주민 등록 번호		이 력 서	

1. 성 명 ( )	2. 생 년 월 일	3. 성별 ☐ 남 ☐ 여	4. 본 적 5. 현주소	

6. 학 력

기 간		학 력	사 진
부터	까지		

7. 자격면허		8. 상 벌	
년 월 일	종 별	년 월 일	종 류

9. 훈 련

기 간		훈 련
부터	까지	

10. 경 력

기 간		부 서	직 위	직 명	보 수	발령청
부터	까지					

인사서식제1호

(뒷면)

보충 번호	보 충 란		
11. 비 고	위에 기재한 사항은 사실과 틀림이 없음 년 월 일 성 명 인		

[그림 9-2] 한국식 이력서 양식

(1) **지시문을 자세히 읽고 그 지시를 정확하게 이행하라.** 자신의 이름을 활자체로 쓰라면 쓰고, 어떤 정보를 적으라면 적어라. 깔끔하고 분명한 글씨체는 모든 직종에 있어서 다 중요한데, 지원서 양식에 적은 자신의 글씨체는 특히 이러한 점으로 인해서 더욱더 중요하다. 지시에 따라 일을 수행하는 능력은 이와 같은 지원서 양식을 완성하는 방식에 의해서도 나타난다.

(2) **좋은 펜으로 잘 쓰도록 하라.** 연필로 지원서 양식을 작성하길 원하는 사람이 있을지 모르나 지원서는 반드시 펜을 사용해서 작성해야 한다. 또한 조심스럽고 깔끔하게 요구사항을 작성하는 데 필요한 시간을 충분히 확보해라. 수정 잉크로 인한 얼룩, 휘갈겨서 쓴 필체, 그리고 다른 지저분한 상태 등은 자신의 지원서가 천대받을 가능성을 증대시킬 것이다.

(3) **자신이 필요로 하는 모든 정보를 항상 준비해 가지고 있어라.** 자신의 사회보장 번호(Social Security Number, 역주: 미국인 모든 사람이 가지고 있는 고유번호)를 외우고 있지 못하면, 그 증서를 갖고 다니거나 그 번호를 수첩에 적어 가지고 다녀라. 또한 자신이 지원하고자 하는 업무가 어떤 다른 자격증이나 면허증을 필요로 할 수도 있다. 그리고 도안이나 제도 등 자신이 전에 종사했던 대표적인 일이 앞으로 할 일에 도움이 되고 이를 면접에서 자연스럽게 보여 줄 수 있다면, 이에 필요한 도구를 손가방에 넣어 준비할 수도 있을 것이다. 또한 철자(spelling)의 해독에 어려움이 있으면 소사전을 휴대하는 것도 좋다.

(4) **모든 질문문항에 응답하라.** 질문에 응답할 수 없거나 자신과 관련된 내용이 아닐 경우에는 질문사항을 잘 읽은 다음 여백에다 그 이유를 간단히 적거나 '해당 없음'이라고 적어라. 지원서 양식

을 작성하는 데 있어서 정직은 아주 필수적이다. 허위의 정보를 적거나 부정직한 응답을 해서 나중에 이러한 사실이 발견되면, 당사자가 취직한 후에라도 해고될 것은 분명하다. 응답하기에 다소 난처한 질문에 대한 응답은 정직하고 단도직입적으로 응답하되, 가장 긍정적인 시각으로 자기 자신의 태도나 관점을 밝혀라. 예를 들어, 자신의 상사(boss)와 뜻이 맞지 않아 전에 근무했던 회사를 떠났을 경우에는 "더 좋은 직장을 찾기 위해 떠났다."라든가 "상급학교에 진학하기 위해 떠났다."라고 답변하는 것이 좋을 것이다.

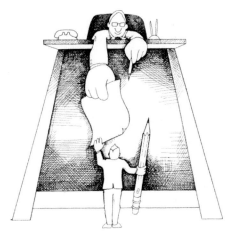

[그림 9-3] 준비되지 않은 상태에서 직장에 지원
서를 낸다는 것은 어리석은 일이다.

자신에게 불리할 것으로 생각되는 과거의 전과(police record)나 오명이 있다면 이를 분명히 밝히되, 이러한 경험을 통해서 많은 것을 배웠으며 그래서 더욱더 좋은 일을 하고 싶다는 결심을 밝혀라. 세상에는 두 번의 기회를 주지 않는 고용주도 많지만, 새로운 출발을 할 수 있도록 도움을 주고자 하는 고용주가 훨씬 더 많다.

자신이 응답하는 방법을 모르거나 면접자와 사적으로 질문내용을 이야기하고 싶은 경우에는 '잘 모르겠음 - 협조요망'이라고 적어 놓으면, 이러한 말 자체가 질문에 대한 응답이 되며 개인적인 설명의 여지가 필요하다고 밝히는 것이 된다.

---

1. 자신의 이력서를 써 보기에 적절한 몇 가지의 채용광고를 수집하라.
2. 자신의 직업적 영역에 합당한 신문의 채용광고에 따른 이력서[그림 9 - 1]의 방식에 따라 작성하되, 각자의 지원분야에 적용할 수 있도록 작성하라. 최종적인 이력서를 작성하기 직전에 연습해 보고 작성하라.
3. 자신에게 훌륭한 참고인(추천인)이 될 수 있는 사람을 세 사람 열거해 보라. 고용주가 여러분에 관한 정보를 이들을 통해 알고자 할 때, 이들은 각각 어떤 정보를 제공하겠는가? 이들이 언급할 자신의 속성을 열거해 보라 (역주: 세 사람 정도의 추천서를 제출하도록 하는 경우도 많으나 참고인만 적어 내게 하고 회사에서 직접 조회하는 경우도 많으므로 중요하다. 미국에서는 이 추천서나 참고인이 아주 중요하다. 또 그만큼 신뢰롭다).

Ⅲ. 면접방법

자신이 처음으로 면접하러 가는 경우를 생각해 보라. 어떤 감정을 갖게 되겠는가? 아마도 걱정되고, 겁나며 불안한 감정일 것이다. 그러나 긴장을 풀어라! 면접자도 한 인간이며 얼마 전까지만 해도 여러분과 같은 처지에서 면접을 받았던 사람이다. 면접은 자신의 정보를 면접자와 주고받는 양방적 과정이라는 것을 명심하라. 자신이 의문 나는 것을 몇 가지를 문의하길 원할 수도 있으며, 면접자 또한 피면접자에 관해 여러 가지를 알고자 하는 데 관심이 있을 수도 있다. 자신이 취직할 기회가 주어지느냐에 아주 큰 영향을 준다.

사전의 선별과정을 통과하면 면접자는 이제 면접의 절차를 밟게 된다. 이러한 시점에서 자신의 긍정적인 면모를 면접자에게 어떻게 보여 줄 것인가?

무엇보다도 먼저 자신이 취직을 하려는 많은 다른 사람들과 경쟁하고 있으며, 자신의 첫인상이 아주 중요하다는 것을 기억하라. 필요한 모든 자격을 다 갖출 수도 있겠지만 다른 사람들도 또한 여러분과 마찬가지로 모든 자격을 다 갖추고 있을 경우가 있다. 면접장에서는 자신의 업무기술뿐만 아니라 대인관계의 기술까지도 면접자에게 전달해야 한다. 어떤 사람은 외모로 평가하는 것은 부당한 것이라고 말할지 모르나, 사업세계에서 사원 한 사람 한 사람의 얼굴은 그 회사의 얼굴이라는 점을 명심할 필요가 있다. 그러므로 단정하고, 깔끔하며, 잘 가꾸어진 사업가다운 개인의 용모는 아주 긍정적인 효과를 갖는다고 하겠다. 모든 회사들은 근무복장에 관한 나름대로의 규약과 방침을 지니고 있을 것이며, 이는 개개인이 상식적인 선에서 해결해야 할 문제이다. 구직이란 경쟁에서 자신이 최종 주자가 되고 싶거든 자신의 참신한 용모를 보여 주도록 하라!

[그림 9-4] 첫인상은 중요하다. 왜냐하면 사람은 첫인상을 통해서 앞으로 자신의 상사가 될 사람에게 자신이 다른 사람들과는 특이한 존재라는 것을 심어 줄 수 있기 때문이다.

자신감 있고 적절한 용모를 보여 주도록 하라. 자신이 처음에 부정적인 인상을 보여 주게 되면 상대방에게 자기 자신에 관한 마지막 인상으로 남게 될 것이다. 오늘날의 고용주들이 대개 사원의 복장과 용모에 관한 개개인의 개성을 존중하고 있다 할지라도, '고상한 취향(good taste)'의 범위를 벗어나는 지나친 복장형태에 탐닉하는 데서 오는 자기만족으로 인해 좋은 직장을 놓칠 수 있다는 가능성을 항상 염두에 두는 것이 좋다.

면접의 과정에서 시기포착(timing)은 중요하다. 시간을 넉넉히 할애하라. 일찍 면접장에 도착하여 자신의 마음을 안정시키고 용모와 준비사항에 관해 거듭 점검하라. 접수직원에게 인사를 하고 자기 자신을 소개한 다음 자신이 왜 여기에 오게 되었는지(면접받으러 왔다고)를 밝혀라. 면접자를 만나게 되면 먼저 자신의 이름을 밝히고 인사를 한 후 면접받을 자세를 취하라. 이 말은 지원자가 소극적으로 가만히 앉아 있는 것을 의미한다고 하기보다는 면접자의 면접을 유도해 내는 것을 의미한다. 면접자의 호출을 앉아서 기다리되, 담배를 삼가고 면접 시에 면접자의 책상 위에 자신의 소지품을 두지 말며 자신의 비언어적 메시지를 의식하라. 안절부절못하는 손놀림, 의자 주변을 맴도는 일, 기타 몸짓들은 자신의 마음이 산란하다는 증거를 내보이는 행동이 된다. 그러므로 다양한 위치에 앉아서 자신이 생각하기에 편하다고 생각하는 손의 위치를 알아보는 연습이 필요하다.

효과적으로는 의사소통하는 능력은 아주 중요한 자산이 된다. 대부분의 직종에서 연설가처럼 행동할 필요는 없지만, 사람은 자신이 어떤 말을 하기 전에는 반드시 생각을 해 봐야 한다. 그리고 이야기하는 도중에 '아뇨 - 글쎄요 - 모릅니다 - 예 - 아닙니다 - 고맙습니다'라고 답변하는 지원자는 중복된 질문을 받지 않을 것이다.

자신이 면접을 받는 도중에 너무 불안해하지 말라. 이러한 불안은 충분히 있을 수 있는 일이며 대부분의 고용주들은 지원자들이 갖는 어느 정도의 이러한 우려를 이해하고 있다. 면접자는 지원자를 함정에 빠뜨리고자 노리는 적이 아니라 적재적소에 사람을 배치하고자 하는 사람이며, 적합한 사람이면 그는 채용되기 마련이다.

면접자로 하여금 면접을 통제하게 하고, 질문에 대해서는 관련된 정보를 가지고 간략하게 답변하라. 자신의 비평은 솔직하고 긍정적인 방식으로 전개하라. 또한 자신의 강점을 강조하되 단도직입적인 요청이 있다 하더라도 자신의 약점을 나열하지 말라. 자신이 전에 상대했던 고용주에 관한 질문을 받으면, 그에 대한 비판이나 불평을 늘어놓지 말라. 그렇게 되면 자기 자신의 부정적인 시각을 드러내는 결과를 초래하게 될 것이다.

면접하는 도중에 자신에게 긍정적인 측면을 더해 주는 의사소통의 한 가지 특수한 측면은 미소이다. 왜냐하면, 미소는 인간의 진실하고 순수한 온정, 자신감, 그리고 우정을 느낄 수 있도록 하기 때문이다.

면접이 종료될 때가 가까워진 시간대를 알아채라. 면접자가 자신에게 베풀어 준 시간에 대해 감사한 마음을 갖되 죄송한 마음을 가질 필요는 없다. 여기에는 큰 차이가 있다. 왜냐하면, 면접자는 지원자가 갖고 있는 기술을 사려고 하는 사람이고 지원자는 면접자에게 자신의 기술을 팔려는 사람이기 때문이다.

면접자가 지원자에게 "자신에 관한 것을 저에게 말해 주십시오."라고 요청했을 경우, 이는 지원자 자신의 성장사(life history)를 말하도록 요청한 것이라기보다는 자신이 받은 교육경험과 훈련경험에서부터 자신의 진로목적과 관계된 몇 명의 참고인의 진술, 그리고 지원자 자신이 갖고 있는 의문점이나 면접자에게 분명하게 밝히고 싶은 사항을 말해 달라고 요청한 것이다.

대부분의 경우에, 면접자는 지원자가 받게 될 봉급과 특별급여에 관해 얘기를 하겠지만, 그가 말하지 않는 경우에는 지원자 자신이 자청하여 이에 대해 논의하려 할 것이다. 자신이 지원한 직종의 봉급을 비교하여 보고 앞으로 받고자 하는 초 임금이나 그 이후에 받게 될 임금의 수준에 관해 나름대로 적정한 수준을 정하고 있어라. 그래서 나중에 면접자가 어느 정도의 봉급을 받고자 원하는지에 대해 질문하게 되면 준비한 대답을 말하고, 미처 결성하지 못했으면 "좀 더 생각을 해 보고 나서 타협하지요."라고 말하라.

면접은 흥미 있거나 무미건조한 것일 수도 있으며 이로 인해 보상이나 욕구좌절의 감정을 갖게 될 수도 있다. 그러나 이보다도 더 중요한 것은 지원자 자신이 그 직종에 적합한 사람이어야 한다는 사실로서, 지원자 자신이 회사를 위해 베풀 수 있는 그 무엇을 가져야 하고 동시에 회사도 지원자에게 베풀 그 어떤 것을 보유하고 있어야 한다. 즉 서로를 도울 수 있어야 한다. 지원자 자신이 목적의 설정에 필요한 충분한 수준의 능력과 열의를 갖고 있으며, 또 그 목적의 성취에 필요한 노력을 경주하고 있는가? 이런 점에 관하여 지원자 자신이 충분한 자신감을 갖지 못하고 있다면, 면접자 또한 지원자를 믿지 못하게 될 것은 뻔하다. '왜 면접자가 당신을 채용하는지에 관한 이유'를 '알 수 없다면', 아마 여러분 대신에 다른 어떤 사람을 채용할 것이 분명하다.

자신이 갖고 있는 강점과 소질에 관심을 두고 이러한 것들을 면접자에게 전달하도록 하라. 면접자와 다정한 눈길을 주고받으며, 그가 하는 말에 귀를 기울여라. 그리고 자신이 이해하지 못한 내용이 있으면 이에 대해 분명히 이해할 수 있도록 요청하라. 떠날 때에 지원자는 자신에게 면접의 시간, 정보, 기회를 제공해 준 면접자에게 고맙다는 말을 하라. 마지막으로 여러분에게 행운이 있기를 바란다.

지금 당장 면접자가 여러분에게 질문할 수도 있는 다음 질문에 응답할 내용을 준비하라. 여러분은 다음 질문에 대하여 각각 어떻게 응답하겠는가?

"당신에 관한 것을 나에게 이야기해 주시오."

"학교 다닐 적에 가장 좋아했던 과목과 싫어했던 과목은 무엇입니까?"

"자신의 가장 큰 강점은 무엇이라 생각합니까?"

"다른 사람들과 함께 일하는 것과 혼자 일하는 것 중에서 어느 것을 더 좋아합니까?" "시간 외 근무에 대하여 어떤 생각을 갖고 있습니까?"

"앞으로, 5년 후까지의 구체적인 자신의 진로목적은 무엇입니까?"

"자신의 업무경험을 말해 보십시오."

"당신을 채용한다면 언제부터 출근할 수 있겠습니까?"

"당신은 지시에 어떻게 잘 따르겠습니까?"

"당신은 건설적인 비판에 어떻게 반응합니까?"

"당신은 어떤 형태의 사람과 함께 일하고자 하는가?"

"자신이 지원한 직종에 적합한 구체적인 기술은 무엇인가?"

"당신은 왜 이 회사에 지원했는가?"

"내가 무슨 이유로 당신을 채용해야 하는가?"

이제 여러분이 문의하길 원하는 몇 가지를 질문사항을 살펴보도록 하자. 면접자들은 대부분 모든 적절한 자료를 숨기려 들 것이며 설사 그렇지 않다고 하더라도 자신이 그렇게 느끼면, 여러분은 아마 이러한 정보를 알고자 할 것이다. 위에 제시된 의문문을 아래의 밑줄 친 부분에 재진술하였다. 그리고 여러분은 아래의 문장이 훨씬 더 긍정적으로 진술된 것임을 알아챘을 것이다. 나머지의 의문문을 이와 같이 보다 긍정적인 진술문으로 바꾸어 써 보라.

"당신은 저를 채용하겠습니까?"
재진술문: "이 회사에 취직하기 위해 제가 할 수 있는 일이 무엇입니까?" 또는 "저는 이 회사의 여러분과 함께 일하고 싶습니다."
"저는 누구의 명령을 받아 일하게 됩니까?"
재진술문: "저는 앞으로 누구에게 보고를 해야 합니까?"
"제가 얻을 수 있는 병가는 며칠입니까?"
재진술문: _____

"그것이 당신이 취급하고 있는 유일한 업무입니까?"

재진술문: _____

"앞으로 얼마의 시간이 지나야 휴가를 얻습니까?"

재진술문: _____

1. a. 소집단을 만든 다음 앞의 질문에 답한 내용을 서로 비교하여 보라.
   b. 여러분은 표현법이나 질문에 응답하고 정보를 제공하는 방법과 관련해
      서 타인에게 어떤 새로운 아이디어(idea)를 배웠습니까?
   c. 자신이 여기서 배운 것을 적어 보라.

IV. 요 약

다양한 취직자리를 찾고, 취직하기 위한 준비를 하고, 면접을 성
공적으로 수행하는 것들은 모두가 올바른 직업을 얻는 과정의 한
부분이다. 학교의 직업안내소(취업정보센터), 공공 고용대책기관, 직
원채용 광고, 개인적인 접촉, 그리고 다양한 기타의 정보출처 등은
취직을 하는 데 있어 일차적으로 생각해야 할 것들이다. 이력서를
작성하는 데는 미국식으로 자신의 개인적인 배경자료를 먼저 쓰고,
자신의 직업 목적이나 목표, 경력, 학력, 참고인(추천인) 등을 차례
로 열거한다(역주: 한국 이력서 양식 참조). 지원절차의 숙달은 중
요한데, 여기에 적용할 수 있는 요령에는 지시문을 자세히 읽고 그
지시에 따르며, 지원서 양식에 맞춰 작성하는 데 필요한 정보나 필
요사항을 모두 채우고, 모든 질문에 답하는 등의 몇 가지 주의점이
있다. 자신이 응답할 수 없거나 응답하고 싶지 않은 질문이 있으면,

여러분은 '해당 없음' 또는 '잘 모르겠음 – 협조요망'이라고 쓰는 것이 좋다. 면접에서는 첫인상이 중요하고, 늦지 않도록 시간을 넉넉히 잡아야 하며, 자신의 의사소통 능력을 개선하고, 자기 자신의 능력과 강점에 대하여 자신감을 가질 필요가 있다.

연습문제

1. 소집단을 만든 다음 면접에서 적절한 용모가 갖는 역할을 토론해 보라. 고용주가 자기 회사의 직원을 채용할 때 지원자들의 용모를 많이 참작하겠는가? 이와 관련된 찬반양론에는 어떤 것이 있는지 알아보라.

2. 여러분이 지원하고자 하는 직장에서 여러분은 얼마만큼의 봉급을 받길 기대하는가? '실제로 받게 될 봉급'은 얼마나 될 것 같은가? 여러분이 받는 봉급의 사용계획과 관련한 예산안을 작성해 보라.

3. 자신과 같은 분야에 근무하고 있는 사람과 면접을 해 보라. 그의 전형적인 하루 일과는 무엇인가? 또 그 사람이 자신의 직종에서 가장 좋아하는 것과 가장 싫어하는 것은 무엇인가. 그의 봉급은 보통 얼마나 되는가? 특별급여에는 어떤 것이 있는가? 상대방과의 면접에서 여러분은 어떤 조언을 얻을 수 있었는가?

4. 두 명의 다른 사람들과 함께 면접과 관련한 실제적인 역할을 맡아 하되, 면접자, 지원자, 관찰자 또는 평가자의 역할을 서로 바꿔 가면서 해 보라. 여러분은 여기서 무엇을 배웠는가? 가능하다면, 여러 가지의 상황을 가정해서 역할극을 실시하여 녹화한 다음 녹화된 필름을 통해서 평가를 하고 자신이 배운 것을 적어 보도록 하라.

제10장 직장에서의 성공적인 인간관계

　나는 사업에 전념하고 있다…… 판매업은 증권시장의 거래나 도박과 같다. 여러 가지 품목을 사들이고 약간의 이윤을 붙여 파는 모험을 한다. ……나는 음식전문점을 경영하고 있는데 현재 하고 있는 일이 참 좋다. 다시 대기업에 들어가 일하기는 힘들 것 같다.

　한 직장에 얽매여 느끼는 감정에 관한 당신의 질문은 실로 나의 급소를 찌르는 말이다. 전혀 들어갈 마음이 없던 직장에 근무하여 연간 2,000만 원을 받은 것 같다. ……이제 나는 굳게 마음먹고 하고 싶었던 일을 할 수 있는 분야로 진출하려고 한다. 그러나 앞으로 만나게 될 고용주들은 나를 이상한 사람으로 생각하거나 아니면 나의 경험을 살려서 전과 똑같은 분야에서 근무하길 원할 것이다. 하지만 나는 이상한 사람이 되고 싶지도 않고 전과 똑같은 분야에서 일하고 싶지도 않다.

　비서생활 8년에 나는 나 자신의 태도에서 상당한 변화를 체험했다. ……상사(boss)들 중에는 비서에게 아주 적은 것을 기대하거나 너무 많은 것을 기대하는 두 가지 부류가 있다는 것을 발견했다. 어떤 상사는 나에게 커피는 블랙(black)으로 준비해 주고, 잔심부름을 해 주고, 독자적인 생각의 금지, 직장에서의 사생활 금지, 정시출근, 늦게 퇴근, 점심시간 엄수 등등의 요구사항이 너무 많았다. 자리를 비우는 것은 당치도 않은 일이며, 상사 자신의 보고서를 1,000부나 찍고 있는데도 내가 어디에 있는지 모르겠다고 그는 말한다. ……이제 나는 나를 믿어 주는 상사를 만났다. 그리고 인조인간 같은 타자수이기보다는 하나의 인간이 되길 나는 원한다. 경험은 없지만 책임감을 갖고서 떠맡은 일을 훌륭하게 해냈다. ……위에 나를 믿어 주는 상사가 있다고 생각했기 때문이다.

　나는 도덕적인 판단을 하기 위해 이 회사에 온 것이 아니고 먹고살기 위한 돈을 벌어야 하기 때문에 온 것이다. 때문에 회사에서 아무리 모욕적인 일을 당한다고 할지라도 돈만 많이 준다면 견디어 낼 것 같다. 이제야 새로운 직장을 찾는다는 것은 거의 불가능한 일이다. 그리고 나는 직원들이 아무리 보기 싫고 인사과 직원들이 차별적인 대우를 한다 할지라도 직장을 그만둘 만한 여유가 없다.

「현대심리학 조사연구지(Psychology Today Survey)」의 "인간은
자신의 직업에서 무엇을 원하는가(What You Really Want
From Your Job)"를 옮김.[1]

　앞에서 제시한 내용을 읽으면서 각각의 내용에는 욕구좌절, 열성, 체념, 거절, 안심, 강화 중 어떤 감정이 반영되어 있다고 생각하는가? 이러한 감정 모두는 작업의 현실과 성공적인 진로선택에 있어 한 부분이 되는 것들이다. 사람들은 '이상적인' 직업에 관해 환상적인 생각을 하지만 현실적으로 대부분의 사람들은 함께 일하면서 '보통의' 직업을 특별한 기회, 단순한 생존, 아니면 처참한 함정으로 바꾸도록 도움을 주고받는다.

　사람들은 취직해서 새로운 일을 시작할 경우에도 여전히 염려의 마음을 갖게 된다. 그래서 자기 자신에게 "자신의 직장에 근무하는 것을 함정에 빠진 것으로 느끼는 똑똑하고 교양 있는 다른 사람들을 목격하게 되면, 나 자신에게는 이와 같은 경우가 발생하지 않는다고 장담할 수 있을까?" "이 일은 정말로 나에게 맞는 직종인가?" "나는 정말로 일하고 싶고 성공하길 원하는데 아직도 나는 이 직종

---

1) EDWARD E. LAWLER, PATRICIA A. RENWICK, and the *Psychology Today* staff, "What You Really Want From Your Job", *Psychology Today*, vol.11 no.12(May 1978): 62, 57, 58, 55.

이 나에게 행복을 가져다줄 것인가에 대해서는 확신이 서지 않아!" 등과 같이 자문을 하게 된다.

이상의 물음에 대한 확실한 보장이나 쉬운 해답 또는 성공에 이르는 확실한 지름길도 없다. 분명한 것은 자신의 성공잠재력이 어떤 것인가를 알아내는 유일한 방법으로는 자신의 진로선택에서 시행착오의 과정을 거치면서 열심히 일하는 것 이외의 다른 방도가 없다는 것이다.

본 장에서는 사람과 일을 적재적소에 조화시킴으로써 상호 이익을 증대시키는 데 기여하는 요인들 중의 몇 가지를 고찰해 보고자 한다.

Ⅰ. 경영자의 기대

고용주와 직원들은 모두 일에 대한 여러 가지 기대를 갖는다. 여기서 이들 쌍방 모두가 자신의 입장을 상호 이익의 기회로 생각하지 않거나 상대방의 임무와 기대를 이해하지 못하게 되면, 이들 사이의 관계는 아마도 덜 행복한 것으로 형성될 것이다.

고용주-직원들 사이의 상황과 관련되는 상호 이익을 생각하여 보라. 경영자인 고용주들은 소비자들이 원하고 필요로 하는 재화와 용역을 생산하고 사업을 지속시키기 위해 이익을 남기며, 그 이익으로 자신의 사업을 번창시키고 자본을 가진 새로운 투자자들을 끌어들이며 능력 있는 직원들을 채용하게 된다.

반면에 직원들은 자기 자신과 가족을 부양하는 데 필요한 소득을 제공하는 일자리를 필요로 하게 된다. 이들은 또한 자신에게 의미 있고 흥미 있는 일자리를 찾고자 하며 결국에는 일에 대한 자신의 기여가 가치 있다는 느낌을 갖게 된다. 만일 사업을 하거나 기업을 운영하는 데 능력 있는 직원들이 없다면, 그 사업이나 기업은 계속해서 생존하지 못할 것이다. 그렇지만 능력 있는 직원들은 사업이나 기업이 무제한의 자원을 갖지 않는다는 사실, 즉 회사가 이익을 내지 못하게 되면 자신들이 일자리를 잃게 된다는 사실을 현실적으로 인정할 필요가 있다. 직업시장의 동요나 대기업의 재정적 파산이 직원들에게 어떻게 영향을 주었는가는 최근에 일어나는 사태로 충분히 인식할 수 있을 것이다. 이익, 손실, 소득, 그리고 지출 등은 고용주와 직원들 사이에 있게 되는 상호 이익의 전체적인 순환요소이다.

셔윈 윌리암스(Sherwin Williams) 회사의 법인이사이며 인사담당자인 스태들러(E. B. Stadler) 씨는 고용에 있어서의 상호 이익의 측면을 아주 간결하게 요약하고 있다.

> 나는 일을 하고자 하는 학생들이 개선(improvements)에 기여할 수 있다고 믿는다. 이것은 개인과 분배된 책임 모두에 있어서 그렇다. 우리 회사의 경우에 우리 모두는 각자가 이러한 개선을 조장하도록 조직구조를 가동할 의무를 갖고 있다고 느낀다. 이는 이익을 얻고자 하는 자본주의 사회의 욕구와 그 맥을 같이한다. 나는 사업세계에서 학생, 미래의 직원들, 경영자 모두의 열망에 기여하는 수단이나 이익이 없을 경우에 이들의 열망이 충족될 수 있다고는 전혀 생각지 않는다.[2]

기업의 본질적인 목적은 유능한 사람을 얻고, 이들을 잘 훈련시

---

2) E. B. STADLER가 보낸 편지를 그대로 인용함.

켜, 적재적소에 배치하고, 그들에게 기업이 걸고 있는 기대가 무엇인지를 이해시키며, 이들이 성공하도록 돕고, 자신의 업무를 책임지도록 하며, 업무수행에 따른 보상을 해 주는 것이다. 이러한 원리들은 말하기는 쉽지만 실제 적용하기는 훨씬 더 어렵다. 그리고 이러한 요소들 중에서 가장 핵심적인 것은 **유능한 사람**을 얻는 것이다. 왜냐하면, 유능한 직원들을 발굴하지 못하면 나머지의 것들은 쓸모없는 것이 되어 버리기 때문이다.

'유능한 사람'이란 무엇을 의미하는가? 기업은 사람들의 어떤 측면을 보고서 직원을 채용하고자 하는가? 대부분의 기업들은 어떤 결과를 산출해 낼 수 있는 지적이고 다재다능한 사람들을 원할 것이다. 기업은 아마 교사가 학생들에게 기대하는 것과 똑같은 어떤 특성들을 직원들한테서 발견하고자 원할 것이다. 그래서 학업에서 긍정적인 성공의 여운을 교사에게 남겨 주고 주변 사람들과 유쾌하고 협동적인 관계를 유지해 온 학생들은 여러 가지 능력 측면에서 기업에 발탁될 가능성이 높을 것이다.

기업은 대체로 자기 자신을 원만하고 적응력 있다고 생각하는 직원을 원한다는 것을 강조해 두지 않을 수 없다. 학업성적은 학생들이 자신의 직업에서 성공할 가능성을 평가하는 데 사용되는 전체적인 인물판단에서 중요한 한 부분이 되나, '인간을 대하는 기술'은 기계를 다루는 기술이나 학생의 학업성적 이상으로 더 중요하다. 그렇지만 대부분의 경우 학교공부에서 성공적이었던 학생은 '인간을 대하는 기술'에서도 또한 성공적이다.

그러면 새로운 직원을 채용하는 데 있어 경영자가 갖는 몇 가지 기본적인 기대에는 어떤 것이 있는가?

능력과 기술(competence and skill)은 직원의 채용과 관련된 일차적인 필수요건이다. 학교에서 배운 지식과 현장에서 실제로 적용하는 지식 사이에는 차(gap)가 있을 수 있다. 그렇다 하더라도 고용주들은 피고용인들에게서 자신이 부여받은 업무를 수행하는 데 필요한 기본적인 기술을 구비하기를 기대한다. 물론 직종에 따라서 요구되는 필수요건이 다를 것이기 때문에 기본적인 기술을 한정하기는 어렵다. 예를 들어, 법률서기에게 요구되는 기술은 상업 미술가한테 요구되는 기술과 다르다. 가령 법률서기가 법률전문용어, 사업법규 등은 물론 일반적인 서기의 기술을 지녀야 한다면, 상업 미술가는 사진술, 설계기술에 관한 전문지식은 물론 일반적인 예술과 도안에 관한 지식을 지녀야 한다. 그리고 두 직종 모두에 걸쳐 나름대로의 계속적인 정교한 다듬질과 전문화가 있어야 될 것이다.

직업시장 내의 경쟁에서 일차적으로 채용되는 사람은 마땅히 갖추어야 할 기본적인 기술 이상의 것을 갖추도록 나름대로 준비를 해 온 사람들이다. 최상의 기술을 소지한 학생들은 자신의 직무를 이해할 수 있고, 또한 새로운 일에 접해서도 자신감을 갖고 이를 수행할 수 있다.

> 우리가 요구하는 것은 직무수행에 필요한 기본적인 기술(raw skills)과 주어진 시간 내에 적합한 수준까지 일을 숙달하는 능력이다.
> 우리는 직무에 적합한 기술수준을 요구한다. 그래서 완전히 계발된 기술을 필요로 하는 상황이 아니라면, 배운 것을 학습하고 이해하는 능력을 갖고 과오를 되풀이하지 않는 사람을 요구한다.
> 기술은 특정지위에 따라 다르고 일을 완성하는 문제와 직접적으로 관련된다. 즉 조직 내의 모든 지위에는 그 업무와 직접 관련된 특정한 기술수준이 요구된다.[3]

---

3) 이러한 내용은 고용주와 피고용인의 관계에 관한 저자의 질문에 응답해 준 미국 내 사업계의 지도자들의 회신내용을 그대로 인용한 것으로, *B. F. Goodrich Company*의 W. I. DUKE;

직무에 요구되는 필요한 기술수준을 구비하는 것과 능력의 정도는 자신의 자격증에 반영되고, 앞으로의 자신의 직무성공에 있어 디딤돌이 된다.

주도성(initiative)은 스스로 강한 동기를 갖고 타인의 계속적인 감독을 필요로 하지 않으며 기대 이상으로 일을 해내는 사람, 즉 '솔선수범하는 사람(self-starter)'에 의해 연출되는 자질(quality)을 말한다. 사업을 하거나 기업을 운영하는 사람들은 점차적으로 직장의 문제에 직면해서 도전적이고 창조적인 안목을 발휘하는 사람들을 찾고자 한다.

사업계의 지도자들과 대화를 하게 되면, 주도성에 대한 이들의 공통적인 반응은 "더 많은 피고용인들이 주도성을 발휘해 준다면 우리 모두는 더 행복하게 될 것이오." 등과 같은 것이다.

> 우리는 도전적이고 기대 이상으로 일하는, 즉 정상적인 업무수행 수준을 능가하는 사람들을 찾는다.
> 주도성은 회사 내에서 개인의 장기적인 승진의 가능성을 높여 주는 가장 중요한 요인 중의 하나이다. 만일 사람들이 자기 개선을 위해 주도성을 보여 주고, 직무와 관련된 훈련이나 계속적인 교육을 받게 되면, 그 사람이 갖는 진로의 잠재가능성은 자연히 증대될 것이다. 또한 주도적으로 자신의 일을 만족스럽게 완성하게 되면, 그는 계속해서 성장하게 되거나 자기 분야의 일에 대한 이해를 증대시킬 수 있을 것이다.
> 훌륭한 일꾼은 업무를 잘 처리하고 있는 힘을 다해서 필요한 정보를 찾아내서 업무를 빨리 처리할 뿐만 아니라, 해결방안이 나올 때까지 문제와 끝까지 씨름하며 적절한 시기에 자신이 갖고 있는 견해를 표현한다.

승진의 기회가 왔을 때 누군가가 자신을 지목할 것이라고 기대

*Lincoln National Life Insurance Company*의 DAVID A. HOPPER; *NCR Corporation*의 R. E. LUDWIG; *Sherwin Williams Company*의 E. B. STADLER 등이 도움을 주었다.

하면서 홀로 옆줄에 앉아 있기만 하든지, 아니면 주도성을 발휘할
기회를 찾든지 하는 결정에서 어느 쪽을 선택하느냐 하는 문제는
자기 자신의 자유의사이다. 여기서 명심할 것은 주도성의 발휘가
다른 직원들을 마구 짓밟으며 입신출세하라는 말은 결코 아니며,
이보다는 오히려 자신이 일에 전념하고 나름대로의 특별한 다른
활동을 하면서 회사를 도울 수 있고 전 직원의 일반적인 작업조건
을 개선할 방안을 찾으라는 말이다.

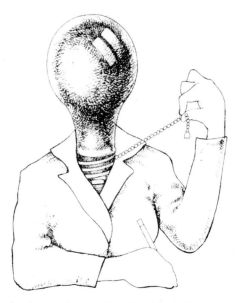

[그림 10-1] 주도적이고 혁신적인 생각은 자신의
진로의 성공에 아주 큰 도움이 된다.

채용을 통해서 사업조직에 관여한다 함은 협동적 팀(team)의 일
원이 된다는 것을 뜻한다. 그리고 **협동**(cooperation), **동기화**
(motivation), 그리고 **상호 의존성**(dependability)은 이러한 노력에 있

어 중요한 측면이다. 한 개인으로서 인간은 자신의 특정한 직무를 수행하고 체제와 조직의 전반적인 목적에 기여하게 된다. 자신이 맡은 일을 하겠다는 의욕을 갖고 타인과 효과적으로 일하며 자신에게 부여된 과업에 대하여 책임을 질 수 있게 되었다는 것은 모두가 이러한 협동, 동기화, 그리고 상호 의존성이 최종적인 결과로 생성된 것이다. 자신의 직분을 이해하고 세밀한 감독을 하지 않아도 일관되게 일하며 작업장에서 융통성을 발휘하는 것은 자신의 직무수행기록의 일부가 된다.

회사에 대한 **충성심**(company loyalty)은 또 하나의 당연한 경영자들의 기대이다. 이러한 충성심은 회사의 제복을 입음으로써 표현되기도 한다. 농구경기를 하는 경우에 자신이 입은 통일된 운동복의 색깔을 통해서 특정한 팀의 한 구성원으로서 자신을 인식하게 된다. 직원들이 반드시 제복을 입을 필요는 없지만, 이런 제복을 입은 상태에서의 그들의 행위, 말, 행동 등은 자기 회사에 대한 충성심을 돋보이게 해 준다.

충성심은 말로만 하는 것이 아니다. 자기 회사에 대하여 긍지를 느끼지 못하고 회사와 그 회사의 생산품을 하찮은 것으로 생각한다면, 이는 자신이 인식하든 인식하지 못하든 간에 충성심이 없다는 표현에 해당된다. 이렇게 되면 자기 자신이 그 회사에 계속 머물러 있을 것인가 하고 의문을 제기하는 것은 당연한 것이다.

[그림 10-2] 타인과 일을 함께 할 경우에는 협동적
노력이 있어야 한다.
(역주: 영어로 협동이란 글자에 페인트칠을 하고 있다)

어떤 경우에는 충성심이 회사의 안전문제와도 직접 관련된다. 회
사가 기밀을 요하는 자료를 취급하거나 연구를 수행하게 되면, 회
사의 안전과 관련된 기본정책이 있게 된다. 그러나 충격적이지도
또는 내용상 '중요한' 것으로 보이지도 않는 대화, 부서 간에 오가
는 메모 또는 무심코 듣게 되는 논평 등과 같은 일상적인 사업상의
'비밀'과 직원의 충성심은 어떠한 관련성을 갖고 있는가? 불행하게
도 어떤 직원들은 회사의 정보를 '누설하는' 경향이 있다. 자신의
부주의로 정보를 누설했든 아니면 자신이 중요한 요직에 있다는
것을 타인에게 과시하기 위해 누설했든 간에, 이러한 정보의 누설
은 아주 나쁘게 오도되거나 회사에 손해를 입힐 수 있다.

회사 내의 모든 정보를 알고 있는 것처럼 행세하거나 이러한 것
을 근거로 해서 타인에게 자기를 중요한 사람으로 보이게 하려는
정신병적인 경향성은 회사에 대한 충성심의 결여를 단적으로 나타
내는 것이다. 회사의 정보가 밖으로 누설되어서는 안 된다. 수위로

부터 사장에 이르기까지 정말로 충성스럽고 '중요한' 직원은 회사의 정보를 타인에게 누설함으로써 자신이 중요한 요직에 있다는 것을 과시하지 않는다. 그리고 가격인하, 다른 회사와의 통합, 자동화, 기타 정책결정 등과 같은 정보를 누설하는 것이 갖는 의미는 회사정보에 대한 충성심(비밀 준수)의 윤리적인 문제이다.

적절한 용모(appropriate appearance)는 현대와 같이 '마음이 내키는 대로 생활하는' 사회에서는 아주 낡고 시대에 뒤떨어진 것으로 생각될지 모른다. 그리고 어떤 사람들은 사람이 일을 하는데 어떻게 보이는가 하는 것은 중요한 문제가 아니라고 주장한다. 그렇지만 현실적으로 '용모'는 사업을 하거나 기업을 운영하는 데 있어 단골손님이나 고객 모두에게 영향을 주는 아주 중요한 요인이 된다. 용모의 적절성이 일의 세계에서 생활양식의 중요한 부분이 되는 것과 마찬가지로, 복장과 용모의 개성화는 모든 사람들의 생활양식에 있어서 중요한 부분이 된다. 사업체에서는 적당한 복장이 있어야 한다는 태도가 완화되었지만, 경영자들은 아직도 직원들의 복장과 용모에 대한 일반적인 기준이 있어야 한다고 주장하고 있다.

고용주들은 근무하고 있는 직원들이 '회사의 이미지'를 반영한다고 느끼기 때문에, 직원들이 현명한 판단을 하여 깔끔하고 단정한 용모를 하고 일해 주길 기대한다. 대부분의 인사정책편람을 보면 엄격한 복장규정을 설정하지 않고 있지만, 대신에 '간편한 복장', '점잖은 복장', '청결과 단정', '취향에 맞는 복장', '요란한 복장은 삼가' 등과 같이 일반적인 지침을 정해 놓고 있다.

어떤 경우에는 사람이 하고 있는 일의 형태에 따라 입어야 되는 복장의 형태가 결정되기도 한다. 공장에서 입는 복장이나 안전을 요하는 데서 입는 복장은 일부의 사람들만이 입는 것이고, 어떤 지역에서는 안전사고예방을 위해 장발머리를 권장하며, 반면에 안전 문제 때문에 보석을 몸에 휴대하는 것을 금지하기도 한다.

특정한 '최신 유행' 형태의 복장은 어떤 형태의 직장에서는 허용되나 다른 직장에서는 전혀 허용되지 않는 경우가 있다. 그리고 자신이 거주하고 있는 지역의 위치나 도시의 상황에 따라 복장의 형태는 상당히 영향을 받게 된다. 좋은 취향을 가진 개인으로서 사람들은 또한 자기 자신과 자신이 다니고 있는 회사에 어떤 복장이 적합한가에 관해 자신의 판단력을 동원해야만 한다.

> 책임질 수 있는 수준의 좋은 취향과 자신이 일하고 있는 환경과 부합되는 적절성을 충족시키도록 하기 위해 우리 회사는 주로 직원들의 훌륭한 판단에 따라 복장을 입게 하고 있다. 그러나 이는 회사가 위치한 입지에 따라 다를 수 있다. 예를 들어, 공장이 위치한 지역은 상가가 위치한 지역과 정반대의 경향을 띤다.
>
> 복장과 행동은 작업환경에 부합되어야 한다. 지나칠 정도로 평상복이나 보수적인 복장을 입는 것은 자신의 전문직업에도 도움이 되지 못하고 타인들에게도 긍정적인 영향을 주지 못한다.
>
> 우리가 요구하는 복장은 작업장소와 하는 일에 적합하되 예절과 위생을 고려한 것이어야 한다. 이런 점 때문에 우리는 합리적인 업무판단이 먼저 표현되길 기대한다.
>
> 적절한 근무복장이 요구된다. 그리고 용모는 타인에게 거부감이나 혐오감을 줘서는 안 된다. 즉 용모는 수행될 작업의 성격에 적합해야 하며 항상 단정하고 청결하며 고상한 풍취를 풍겨야 한다.

태도(attitude)는 모든 다른 특성에 중복되어 나타나고 영향을 주고 있는 다른 어떤 특성보다도 빈번히 거론되는 특성으로, 7장에서 태도를 "평상시에 자신의 행위나 행동에 영향을 주는 관념(ideas)의 군(群)이나 학습된 성향"으로 정의한 바 있다. 잠시 하던 일을 멈추고

8장에서 연습했던 일에 대한 자신의 태도를 다시 생각해 보라. 그러한 태도는 자신의 업무를 성공적으로 수행하도록 하는 데에 어떤 방식으로 영향을 주는가? 본 장의 서두에 제시된 인용문을 다시 한 번 더 읽어 보라. 여러분은 여기에 제시된 각각의 작업자들이 갖고 있는 태도와 그들의 직무수행에 어떤 영향을 주었다고 생각하는가? 업무와 관련하여 인간이 갖는 정신자세, 경향성, 그리고 태도 등은 아주 광범위한 효과를 가지게 될 것이다.

우리는 부가적인 책임을 지려는 바람을 강하게 가지고 있는 사람과 회사 내에서 직무 수행의 효과성에 영향을 주는 개인적인 편견을 갖지 않는 사람을 원한다.

우리가 바라는 사람은 ① 수용적인 태도를 갖고 배우며 자신의 직무를 수행하는 사람, ② 자발적으로 직장의 규칙을 준수하는 사람, ③ 동료직원에 대한 관심을 갖고서 그들과 동고동락하려는 사람 등이다.

직원은 책임감과 전문적인 자질을 갖고 자신의 업무에 임해야 한다. 이러한 태도는 직무수행과 승진에 크게 기여한다. 또한 근면과 변화를 수용하려는 자세도 아주 중요하다.

타인과 협동하고 타인을 존중하는 태도, 업무와 관련된 높은 수준의 성실성과 윤리의식, 공동이익에 기여하는 과업수행에 있어서의 온당한 융통성 등을 발휘할 수 있는 사람이어야 한다.

인간이 갖는 태도는 자신이 수행하는 업무의 모든 영역에 영향을 준다. 그래서 자신이 하고 있는 업무를 중요하지 않은 것으로 생각하는 태도는 자신의 업무수행, 주도성, 용모, 타인과의 관계 등 모든 영역에 반영될 것이다.

1. 자신이 전임직(full-time job)에 종사하지 않았다고 하더라도, 어떤 과업이나 업무를 수행하지 않으면 안 되는 경우가 여러 번 있었을 것이다. 이러한 상황들은 자신이 하고 있는 업무, 친목단체나 조직 또는 학급업무와 관련될 수도 있었을 것이다.
   a. 평소에 그러한 과업을 어떤 태도를 갖고 수행하여 왔는지 적어 보라.
   b. 자신의 역할을 자기 자신의 과업수행을 감독하는 것으로 생각하고, 자신의 태도, 용모, 주도성, 협동성, 의존성, 기술 등에 비추어 자신의 과업수행에 대한 평가서를 작성해 보라. 가능하다면 세부적으로 적고 필요하다면 실례를 들어서 작성하라.
   c. 이러한 절차를 통해서 자신이 배운 것을 요약해 보라.
2. 자기 자신이 손님이나 고객이 된 것으로 생각하고, 자신이 대하고 있는 직원이 업무를 중요하지 않은 것으로 여긴다면 여러분이 지각한 상황을 기술해 보라. 무엇이 여러분에게 그러한 인상을 주었는가? 어떻게 해서 여러분은 그러한 느낌을 갖게 되었는가? 자신의 경험을 다른 사람에게 이야기하고 그 사람들의 경험을 들어 보도록 하라. 유사점과 차이점은 무엇인가? 이것은 업무수행에서 태도의 중요성과 관련하여 무엇을 말해 주고 있는가.

II. 사업계의 지도자가 보내는 충고

사업계의 지도자들 역시 모든 인간들이 갖는 성냄(pet peeves)이나 신경질(irritations)적인 요소를 갖고 있다. 사업계 지도자들은 직원들의 잘못이나 자신들을 신경질 나게 하는 요소들로서 다음과 같은 것들을 들고 있다.

   a. 직원들이 만들어 낸 생산품의 질에 대한 관심의 결여
   b. 소극적인 정신적 태도

c. 게으름

d. 형편없는 몸치장과 개인적인 위생상태

e. 퇴근 시간까지 시계만 쳐다보는 모습

나의 생각으로는, 직원들이 범할 수 있는 가장 나쁜 모습은 내가 맡은 일이니까 한다, 시키니까 한다, 나의 관심분야가 아니라서 하고 싶지 않다…… 등과 같은 인상을 풍기는 것이다.

신경질을 돋우어 주는 행동을 예로 들면, 잡담을 해서 남을 괴롭히는 것, 다른 사람을 멸시하는 것, 남을 헐뜯는 것, 승진과 관계된 헛소문을 유포하는 것, 구질구질한 일이나 일터 등이 있다.

학생, 공무원, 회사원들은 자신의 지위가 무엇이든 간에, 거의 모든 사람들은 너무나도 안이한 수단을 택하고 있으며, 회사는 이렇게 저렇게 잘못하고 있고 행정기관은 자신들을 기만하고 있으며, 학교는 마땅히 이행해야 하는 책무를 수행하지 못한다고 말한다. 즉 사람들은 이 모든 기관들을 구성하고 있는 각각의 사람들이 자기 자신이라는 사실을 너무나 자주 망각하고 있다. 따라서 우리 모두는 개선될 수 있는 그러한 영역을 변화시키도록 서로의 책임을 분담하고 있다는 사실을 항상 명심해야 될 것이다.

"사람들은 이 모든 기관들을 구성하고 있는 각각의 사람들이 자기 자신이라는 사실을 너무나 자주 망각하고 있다. 따라서 우리 모두는 개선될 수 있는 그러한 영역을 변화시키도록 서로의 책임을 분담하고 있다는 사실을 항상 명심해야 될 것이다."라는 위에 제시된 마지막 두 문장을 다시 읽어 보라. 이 말은 실로 우리들 모두가 각자 관계하는 기관에 대해 책임감이 있다는 것을 말해 준다. 그어느 누구도 자기 자신이 갖고 있는 습관, 결점, 합리화, 투사 등을 변화시켜 줄 수 없다. 따라서 무엇보다도 먼저 인간은 자기 자신이 갖고 있는 이러한 측면을 인식하고 그러한 것들을 변화시키도록 하여야 할 것이다. 인간은 다른 사람들과 관계를 맺고 일하지만 책임감은 각자가 드러내는 행동을 통해 시작되고 또 종결된다.

새로운 직원들이 지녀야 할 가장 중요한 특성에 관해서 몇 명의 지도자들은 다음과 같이 말하고 있다.

> 나는 당사자가 갖고 있는 지식과 기술을 그 사람이 어떻게 활용하느냐
> 가 중요하다고 본다. 그리고 당사자의 능력과 지적인 수준이 어느 정도이
> 든 간에, 이러한 능력과 수준에 비추어 최소 달성자보다는 초과 달성자를
> 나의 참모로 삼고 싶다.
> 　나로 하여금 보편적으로 중요한 특성을 선택하라고 한다면, 나는 자발
> 적으로 책임감을 수용하고 부과된 업무를 완성하는 자발성(willingness)을
> 선택할 것이다.
> 　사람이 성공하는 데 필요한 유일한 특성은 없다. 이보다는 오히려 지능,
> 기술, 협동심, 의사소통의 능력을 주도성, 성실성, 일을 잘 수행하게 하는
> 올바른 판단능력에 잘 조화시키는 능력이 있어야 될 것으로 생각한다.

책임감을 갖고 일을 수행해 나가고자 하는 자발성이 문제로 될
때 여러분은 그것을 어떻게 평가하겠는가? 자신의 성취수준은 어느
정도인가? 자신이 갖고 있는 능력을 활용하고 또 이를 신장시키고
있는가? 아니면 그럭저럭 자신이 성취한 것으로 만족하고 있는가?
우리는 성공의 토대 위에서 또 다른 성공이 있게 된다는 것을 알고
있다. 따라서 우리는 자신이 성취하고 이루어 온 것을 토대로 새로
운 성공의 경험을 쌓아 나가야 할 것이다.

1. 마지막 조언

사업계의 지도자들은 지금까지 여러분과 취직준비를 하고 있는
학생들에게 여러 가지로 조언을 해 주었다. 이들의 조언을 토대로
여러분의 경험에 도움이 될 수 있는 방안을 제시하면 다음과 같다.

자신이 처음에 갖고 있던 진로의 목표를 확인하라. 계속적이고 지속적인 변화에 대비하고, 자신의 직업분야에서 다른 사람과 어깨를 나란히 하거나 이를 보다 앞서기 위해서는 부가적인 교육과 훈련이 필요하다는 사실을 인식하라.

자신이 현재 하고 있는 일에서 탁월성(excellence)을 발휘하도록 하라. 즉 자신이 하고 있는 일에 최선을 다하고 긍지와 즐거움을 갖고 임하라.

자신의 능력을 알도록 하라. 자신의 배경에 비추어 볼 때 적절한 것으로 생각되는 분야에 취직할 수 있도록 노력하라. 면접 시에는 정신을 차리고 자신감을 갖고 임하도록 하며 자신감을 잃지 않도록 하라. 여기에 관련된 지침은 다음과 같다.

(a) 선택을 하고, 신중하게 조사를 하고, 그리고 나서 가능하다면 학문적으로나 태도에 있어서나 경험적으로나 자신이 선택한 진로에 대해서 가능한 범위 내에서 철저하게 준비하라.

(b) 자신의 진로나 선택이 변화될 수 있는 만큼 어느 정도의 융통성을 유지하도록 하라. 그리고 방심하지 말고 기회를 포착하라.

(c) 무엇보다도 먼저 자기 자신, 자신의 진로, 그리고 자신의 생활에 대한 긍정적인 정신자세를 갖도록 하라.

확실히 최우선적으로 고려할 것은 학생이 갖고 있는 개인적인 기대일 것이다. 그러므로 학생은 먼저 자신이 느끼고, 하고 있고, 잘 할 수 있는 것이 무엇인지 결정해야만 한다. 학생은 "나는 비행조종사, 간호사 등이 되고 싶다."는 등의 말보다는 자신이 갖고 있는 특수한 재능, 기술, 지식을 토대로 결정해야 할 것이다. 이것은 몇 가지 점에 관해 대략적으로 열거한 것에 불과하다. 이제부터는 사업계의 여러 가지 직업을 고찰해 보고, 그 직업의 업무기능을 특정인이 갖고 있는 능력과 기대에 밀접하게 조화시키는 것이 논리적인 순서이다. 이렇게 하는 것은 사실상 직무명칭에 근거해 일하고, 매력 있는 분야로 이끌리고, 업무의 구성요소가 결코 인간의 강력한 소질에 의존하지 않는다는 것을 발견하기보다도 더 투사적인 (projective) 것이 될 것이다. 대부분의 고용주들은 지원자들의 소질이 특정한 업무에 있어서의 성공에 도움이 될 것인지에 관하여 철저하게 알아보기를 원한다. 따라서 온전하게 사람과 일을 조화시키는 것은 고용주와 지원자 모두의 상호 관심사가 된다.

[그림 10-3] '신나게' 산다는 것은 생산적이고,
인간을 초월하는 어떤 목적을 위
해서가 아니라 바로 자신을 위하
여 힘을 사용하고, 존재의미를 갖
고, 인간적이란 의미이다.
프롬(Fromm)
(Courtesy of Burroughs Corp.)

　이상 사업 지도자들이 여러분에게 말하고자 하는 핵심은 무엇인
가? 여러분은 이들의 조언을 자신에게 어떻게 적용시킬 것인가? 여
러분은 8장 이후에서 지금까지 개관해 놓은 단계를 밟았는가? 여러
분 자신의 업무에 적용할 기술에는 어떤 것이 있는가? 이러한 기술
은 여러분이 원하는 일과 잘하는 일에 어떻게 관련되는가? 여러분
은 자신이 하고 있는 일에 대해 긍지를 갖고 있는가?

Ⅲ. 미래의 직업생활에 임하는 자세

진로의 개발은 한 사람의 일생 동안 계속적으로 이루어지는 과정이다. 다시 말해 자신의 부모가 지금까지 직업을 바꾸었던 것보다 여러분은 더 자신의 직업을 바꾸게 될지도 모른다. 그래서 요즈음에는 일생 동안 6, 7번 또는 그 이상으로 자신의 진로를 바꾸는 것이 별로 이상할 것이 없는 시대가 되었다. 「현대 심리학 조사연구지」는 작업태도에 관하여 다음과 같이 결론을 내리고 있다. 즉 "사람들은 힘든 일과 직장에서 자기발전을 도모하는 것을 가치 있는 것으로 믿는 것처럼 보인다. 반면에 이들은 직원으로 근무하는 것에 대해서는 만족하지 않고 그러한 상태에 계속 머무르고자 하지도 않는다. 이들은 또한 많은 것을 요구하며, 이러한 요구를 채울 수 없다고 생각되면 다른 곳에서 이를 찾으려 한다."[4]

미국의 사업체나 기업체들은 직업전환을 미국인의 생활방식으로 수용하게 되었고, 이러한 직업전환을 긍정적인 힘으로 사용하려 시도하고 있다. 대기업이나 중소기업들이 전체적인 법인조직으로 운영되고 있다 할지라도, 실제로는 소규모 업체들의 집합적인 집단으로 조직되어 있다. 어떤 이유에서 자신의 직업을 전환시키고자 한다면, 자신이 현재 다니고 있는 직장의 인사담당부장을 찾아가서 그와 면담을 해 보라. 그래서 외부에서 다른 직장을 찾으려 하기 전에 먼저 자신이 현재 근무하고 있는 직장에서 자리를 바꾸어 볼 기회를 갖도록 하라. 대부분의 신규채용 업무를 맡고 있는 부서들

---

4) EDWARD E. LAWLER, PATRICIA A. RENWICK, and the *Psychology Today* Staff, *op. cit.*, p.65.

은 자기네 회사의 지속적인 성공이 직원 개개인의 성공과 이들의 만족감에 의해 결정된다는 것을 안다.

많은 고용주들은 처음 배정받은 부서에서 참아 가며 일을 잘 해 보려고 노력도 하지 않고 다른 부서로 옮겨 가려고만 하는 직원들을 아주 꺼려한다. 그리고 처음 배정받은 부서에서 일을 훌륭히 해내지 못하는 사람이 근무하는 부서를 바꾼다고 해서 그곳에 가서 일을 잘 하리라는 보장도 없다. 그러므로 회사에 취직하고자 하는 사람은 어느 직업이나 다소 자신의 취향에 맞지 않는 부분이 있다는 것을 일찍 터득할 필요가 있다.[5]

그러면 직장생활의 시작부터 취향에 맞지 않는 직업을 갖게 되면 자신은 어떠한 위치에 있게 되는가? 이미 앞에서 우리는 자신의 가치, 흥미, 태도, 기술과 능력을 평가해 보았고, 이와 관련된 세심한 준비를 해 왔고, 융통성 있게 활용할 수 있는 자격증을 개발하였으며, 이러한 것들을 자신의 업무에 쓸모 있게 적용시키는 방법을 배웠기 때문에, 이제는 성공적인 직업생활에 들어서는 단계에 놓여 있다.

자신의 업무를 수행하다 보면 거기에는 같이 일하고 싶지 않은 동료직원과의 문제, 욕구좌절과 불만족의 경험 등과 같이 자신이 좋아하지 않는 몇 가지 측면이 있을 것이다. 반면에 일을 잘 해낸 데서 오는 만족감, 자신의 업무와 관련된 주체성 의식, 전문적으로나 개인적으로 다 같이 성장할 수 있는 기회 등도 있을 것이다.

동료직원과 더 좋은 관계를 촉진시키고, 자신의 업무로 인해 더 많은 보상을 얻을 수 있도록 자신이 변화시킬 수 있는 그러한 측면

---

5) 이는 Dow Chemical Company에서 제작한 팜플렛의 내용인 "Job - Hunting(and Job - Switching) Takes Planning" 중에서 pp.15 - 16을 인용한 것임.

을 변화시키기 위해 인간관계에 관하여 지금까지 이해한 것들을 이용하도록 하라. 자신이 맡은 첫 번째 업무나 그 이후의 업무가 자기 자신에게 충만감을 주게 될지는 알 수 없을 것이다. 그러나 성공할 기회를 자신의 업무뿐만 아니라 자기 자신한테서 찾도록 하라. 즉각적인 만족감은 기대하지 말라. 업무에서 성공하려면 자신이 일을 잘 배워야 하고, 어느 정도의 긍정적인 경험을 해야 되는데 여기에는 상당한 시간이 걸린다. 물론 이러한 모든 것에 예외가 있다면, 그것은 황당무계하거나 엉성한 계획에 의한 결과를 너무 성급히 받아들인 직업의 경우일 것이다.

어떤 형태의 '체제'가 자신에게 최고의 행복을 안겨다 주고, 어떤 체제 안에서 일을 가장 훌륭하게 수행할 수 있는지를 인식하라. 또한 업무에서의 성공을 결정하는 데 있어 가장 결정적인 요인이 되는 것은 자신의 상사나 감독자라는 것을 명심하고, 가능한 범위 내에서 '최적'의 여건을 만들도록 하라.

세상에는 완전한 직업도 완전한 인간도 없다. 그러나 자신의 업무태도는 업무를 매력적이고 바람직하게 만드는 주요한 요인이 될 것이다. 도전할 만한 일을 찾고, 자신의 능력을 발휘하고, 자신의 업무에 대해서 최선의 노력을 경주하도록 하라. 자신이 받는 보상은 인간이 자신의 업무에 쏟는 노력의 직접적인 근거가 된다는 것을 알게 될 것이다. 기회는 온다. 자신이 할 수 있고 하기를 원하는 일이 무엇인가를 알아보고, 최선의 노력을 경주하여 열심히 일할 수 있는 조직이나 체제가 무엇인지를 찾아라.

Ⅳ. 요 약

직무에서 성공하는 길은 주로 사람을 어떻게 일에 맞추어 적재적소에 배치하느냐에 의해 좌우된다. 경영자가 갖는 기대는 상호이익의 개념에 기초한 것인데 여기에는 여러 가지가 있다. 새로운 직원을 선발하는 데 있어 경영자가 갖는 기대 중의 몇 가지를 들면, ① 능력과 기술, ② 주도성, ③ 협동성, ④ 동기화, ⑤ 상호 의존성, ⑥ 회사에 대한 충성심, ⑦ 적절한 용모, ⑧ 긍정적인 태도 등이 있다. 사람들이 이러한 기대를 어떻게 평가하느냐는 자신의 직업적 성공에 영향을 주는 일차적인 요인이 될 것이다.

연습문제

1. a. 동료직원으로서 여러분과 함께 일하고 싶은 사람의 특성들을 적어 보라.

   b. 동료직원으로서 함께 일하고 싶지 않은 사람의 특성들을 적어 보라.

   c. 여러분이 최선을 다해 일해 주고 싶은 상사나 감독자의 특성들을 적어 보라.

   d. 이상의 것들은 여러분에게 최선의 행복을 안겨다 줄 수 있는 '체제'나 회사의 형태에 관해 무엇을 말해 주는가?

2. 소집단을 만든 다음 문장의 서두에서 제시한 네 개의 인용문과 관련 지어 느낀 점에 대해 말해 보라. 여러분이 10년 후에 이들 상황 중에서 어느 한 경우에 처해 있다는 것을 알게 되

었다면, 여러분은 어떤 감정을 가졌겠는가?

3. 소집단을 만든 다음 8장에서 논의한 바 있는 일하는 이유를 다시 고찰해 보라. 오늘날 직업을 선택하는 데 있어 가장 영향력 있을 것으로 생각되는 이유들에 대해 서열을 매겨 보라. 자신이 매긴 순서를 서로 비교하여 보고 자기 자신의 취업동기에 관해 토론해 보라.

4. 어떤 상황하에서 돈이 자신의 진로선택에 있어 가장 영향력 있는 요인이 되는가? 어떤 상황하에서 일에 대한 흥미와 도전이 가장 영향력 있는 요인이 되는가? 두 가지 경우에 있어서의 차이점은 무엇인가?

5. 새로운 업무가 자기 자신에게 적합한 것인지 아니면 부적합한 것인지를 결정하는 데 최소한 어느 정도의 시간이 걸릴 것 같은가? 직원의 관점과 고용주의 관점으로 나누어 생각해 보라.

6. 소집단을 만든 다음 동료직원으로서 또는 손님이나 고객으로서 자신이 경험했던, 자신을 화나게 했거나 신경질 나게 했던 특성들을 중지수렴의 기법(브레인스토밍)을 활용하여 열거해 보라. 자신이 열거한 것들을 벽에 걸어 놓고, 이러한 특성들을 보여 주는 문제성 있는 동료직원을 다루는 방법에 대하여 토의해 보라.

7. 소집단을 만든 다음 자신이 함정에 빠져 있어도 어쩔 수 없이 현재의 직장에서 헤어나지 못하고 있음을 느낀다면, 헤어나지 못하게 하는 요인들 중에는 어떠한 것들이 있는지 토론해 보라.

8. 새로운 업무의 시작은 학습의 과정이다. 어떤 직원들은 다른 사람들보다도 더 빨리 자신의 업무에 적응하여 일상적인 업무를 처리해 나간다. 소집단을 만든 다음 새로이 들어온 직원들에게 도움이 될 수 있는 조언(가령, "모르는 것이 있으면 다른

사람에게 여쭈어 보라." "자그마한 일이나 윗사람이 하는 얘기 등은 잊지 않도록 적어 놓으라." 등등)들을 중지수렴(브레인스토밍)을 통해 수집해 보라. 수집된 내용들을 벽에 걸어 놓고 자신의 것을 타인의 것과 비교해 보라.

9. 여러분은 업무를 처리하는 데 필요한 자격과 기술을 갖고 있기 때문에 그 직장에 채용될 것이다. 그 직장에서 여러분이 발전하고 승진할 가능성은 있는가? 사람들은 흔히 '인간적 기술'을 가지고 있기 때문에 승진을 하기도 하고 계속 같은 자리에서 머물러 있기도 한다고 알고 있다. 다른 사람들과 잘 어울리고 문제 상황이나 문제인물에 잘 대처하는 능력은 인간이 갖는 가장 훌륭한 자산 중의 하나가 될 것이다.

다음의 경우는 몇 가지 전형적인 '문제인물'의 사례들이다. 소집단을 만들어 각각의 경우에 있어서의 문제점을 토론하고 여러 가지 가능한 대안들을 창출해 보라. 그러고 나서 소집단의 결정을 내린 다음 나머지 학급구성원들에게 이를 보고하라. 자기 집단의 '해결방안'을 역할극을 통해서 보여 주고, 재연(replaying)과 평가를 위해서 이를 녹화하고, 자기 집단의 결정을 다른 집단의 것과 비교해 보는 방법을 적용하는 것도 좋다. 다음에 제시된 것은 이상에서 제시한 방법을 적용해 볼 수 있는 여섯 가지의 사례이다.

A. 여러분은 조그만 자동차 부문회사에서 10개월 동안 근무해오고 있다. 회사가 번창함에 따라 여러분은 아주 바빠졌다. 사실 여러분은 한가한 시간을 누릴 수 있는 시간제 직원이 되고 싶은 마음을 갖고 있다. 현재 근무하고 있는 직장에 저

음 발을 들여놓았을 때, 사장이 여러분에게 "6개월 후에 당신이 일하는 것을 보고 나서 그때 봉급인상을 생각해 봅시다."라고 말한 적이 있다. 그 이후 사장은 "언제 시간이 나면 우리 같이 당신의 봉급인상에 관해 얘기 좀 합시다."라고 누차 말하였지만, 사장은 말뿐이었다. 여러분이 생각하기에는 여러분은 현재 업무를 훌륭하게 처리하고 있으며, 봉급인상은 실현되어야 한다고 믿고 있다.

(1) 여러분은 어떤 대안을 갖고 있으며, 앞으로 어떻게 처신하겠는가?

(2) 여러분이 처음 회사에 발을 들여놓았을 때 사장이 봉급인상에 관해 아무런 말도 하지 않았지만, 회사 직원들한테 입사한 지 6개월이 지나면 통상적으로 봉급을 인상해 준다는 '소문'을 들었다면, 이는 당신의 결정에 어떤 영향을 주겠는가? 이러한 경우에 여러분은 어떤 다른 대안을 갖고, 어떤 결정을 내리겠는가?

B. 동범이는 자신의 업무수행이 사생활 문제로 인해 방해를 받고 있다. 그의 기분은 변덕스럽다. 그래서 그는 오늘 즐겁다가도 다음 날에는 풀이 죽거나 불쾌한 감정을 갖는 경우가 많다. 기분이 나쁘면 동범이는 주변 사람들에게 자신의 감정을 토로하는 경향이 있다. 여러분은 동범이를 인간적으로 참 좋아하고 있으며, 그가 일에 몰두하기만 하면 훌륭하게 일을 해낸다는 것을 알고 있다. 그렇지만 여러분은 그의 일관성 없는 행동이 그의 업무수행에 영향을 주기 시작했다는 것을 알게 되었다.

(1) 동료직원으로서 여러분은 어떤 대안을 갖고 있으며, 앞으로 어떻게 처신하겠는가?

(2) 여러분이 동범이의 상사나 감독자라고 한다면, 그와 관련해 어떤 선택을 하겠는가?

C. 감독자나 경영자로서 여러분이 맡은 업무가 어느 작업장에나 다 불가피하게 생기는 대인간의 사소한 성냄이나 성가신 문제들을 다루는 일이다. 그런데 여러분은 두 명의 직원들이 잡담하며 보내는 시간이 점차 늘어나고 있다는 것을 알게 되었다. 새로운 소문이 떠돌 때마다 여러분은 그 소문의 근원지가 본인들임을 추적할 수 있었다. 이들 중 한 사람은 아주 능률적이고 능력이 있는 반면에, 다른 한 사람은 보통수준이었으며 단지 시간만 허비하는 것 같았다. 여러분은 전에 이들에게 주의를 준 적이 있는데 그 당시엔 행동에 변화가 있는가 했더니 두 주 정도가 지나면 사전과 마찬가지의 행동을 하고 있었다.
(1) 여러분은 어떤 대안을 갖고 있는가?
(2) 여러분은 어떤 선택을 하려 하는가?

D. 여러분 중에는 커피를 마시거나 점심을 먹는 시간에 인종차별주의자나 남녀차별주의자를 늘 비판하는 동료직원이 있다. 그는 이러한 문제에 대한 비판을 재미있게 생각하고 주요 관심사로 생각한다. 그는 이러한 비판이 장소로 보아 맞지 않을 뿐만 아니라 교양 없고 비위에 거슬린다는 것을 깨닫지 못하는 것 같다.
(1) 여러분은 어떤 대안을 갖고 어떤 선택을 하겠는가?
(2) 여러분의 상사, 경영자, 감독자가 이러한 비판을 하고 있다면, 이러한 비판이 여러분의 결정에 어떤 방식으로 영

향을 주겠는가? 영향을 준다면 왜 그렇고, 그렇지 않다면 왜 영향을 주지 않겠는가? 다시 여러분의 대안을 설정하고 앞으로 어떻게 할 것인가를 결정하라.

E. 상우는 지방의 직업/지역사회 대학에서 2년제 회계학 과정을 이수했다. 그는 자신의 궁극적인 목적인 공인회계사(CPA)가 되기 위해 계속적인 교육을 받길 원하지만, 이보다도 먼저 일자리를 구해 어느 정도의 돈을 모으는 것이 좋겠다고 생각했다. 그 당시에 취업의 문이 아주 좁아서 그는 중소기업의 급료지불을 맡는 서기직에 취직할 수밖에 없었다. 취직한 지 2년 반이 지난 지금 그는 한 단계 승진을 했으나 그 회사에서 더 승진할 가능성은 희박하다. 그는 불만 없이 자신의 일을 해내고 있지만, 현재 하고 있는 일이 도전적이라고는 생각지 않는다. 또한 아주 안전하고 안정된 직장이라고 생각하지만, 미래의 꿈을 펼칠 만한 곳이 못 된다고 생각하고 있다. 그의 봉급인상은 물가가 상승하는 정도에 불과하다. 그는 자신의 봉급으로 승용차 구입비를 매달 끊어 줘야 되고 앞으로 결혼도 해야 된다.
   (1) 여러분이 상우라면 어떤 대안들을 생각해 보겠는가?
   (2) 여러분의 경우라면 앞으로 어떻게 하겠는가?

F. 경순이는 가나다 회사의 판매부에서 2년째 근무하고 있다. 그녀의 판매실적은 대단하고, 어려운 문제들을 해결하는 비결도 갖고 있다. 함께 일하는 동료직원들은 그녀의 판매기록을 높이 평가하지만 그녀와의 관계는 불편하다. 경순이도 동료직원들에게 거리감을 두고 또 그들에 대해 무관심하며, 동료직원

들을 이해한다기보다는 무시하려 들며, 자신의 말은 많이 하려 드나 동료들의 말은 경청하려 들지 않고, 자신이 동료들보다는 우월하다는 태도를 취한다. 부장 자리가 비어 있는데 경순이의 자리가 될 가능성이 크다. 그녀는 자신이 그 자리에 앉기를 원한다는 마음을 은근히 표시하고 또 그렇게 되기를 간절히 바라고 있다. 그러나 경영자는 그녀를 따돌리고 그녀보다 늦게 들어오고 판매실적도 적정수준을 유지하고 있는 은영이에게 부장 자리를 주었다. 경순이는 화가 나고 상심해서 가나다 회사를 그만두겠다며 벼르고 있다.

(1) 경순이가 승진에서 따돌림을 받은 이유가 무엇이라고 생각하는가?

(2) 여러분이 경순이를 따돌린 경영자라고 한다면, 은영이를 승진시킨 이유를 어떻게 설명하겠는가?

(3) 여러분이 경순이의 경영자라고 한다면, 여러분은 경순이가 자신의 약점을 극복하고 강점을 살리며, 앞으로 있게 될 훈련을 통해서 장차 훈련받은 일꾼으로 계속 성장할 수 있도록 직업발전계획을 수립하는 데 어떤 제안을 제공해 주겠는가?

G. 인간관계와 관련된 대부분의 문제의 '해결 방안'이 해낼 수 있는 문제인지를 알아보기 위해 다른 사람과 그 문제에 관해 의견을 나눔으로써 자신과 '문제 인물' 모두를 돕는 것이라 생각한다. 그런데도 본보기로 직원을 해고함으로써 문제를 해결하고자 하는 경우가 종종 있다. 여러분이 고용주라고 한다면, 즉각적인 해고의 근거로서 어떤 상황을 생각하겠는가? 여러분의 행동이 충분한 근거가 된다는 것을 정당화시켜 보라.

제11장 이성 간의 인간관계

　　자신의 성(性)에 대한 수용은 자기 자신을 수용하는 가장 중요한 부분
중의 하나이다. 인간은 모두가 다 성적인 감정을 갖고 성적인 행동을 한
다. 이러한 것들을 현실적인 것으로 보고, 이에 대처하되 파괴적인 것이
되지 않도록 하라. 될 수 있는 대로 자신의 생활에서 성을 건설적으로 활
용하도록 하라. 인간이 갖는 파괴적이고 부정적이며 반인간적 행동은 성에
대한 욕구좌절과 감정을 부정한 결과로 생긴다. 성을 직접적으로 표현할
필요는 없지만, 우리는 자기 자신의 성을 바로 보고 이에 관심을 두어야
한다고 생각한다.

　　흥미로운 것은 인간이 성을 폐쇄적으로 대하기보다는 개방적으로 대할
때 성을 더 잘 다룰 수 있다는 점이다. 그리고 생활하면서 접하게 되는
많은 즐거움들은 자신이 남자 또는 여자라는 사실에서, 자신이 인간의 모
든 감정들을 보고 가질 수 있으며 또 이성적으로 잘 다룰 수 있다는 사실
에서 온다는 점을 인식할 필요가 있다.

레어(Jess Lair)[1]

　복잡한 사회 환경 속에서 이루어지는 많은 다른 사람들과의 관계
는 자기 자신의 성을 수용하는 데 영향을 줄 것이다. 인간의 적응방
식과 변화하는 상황은 인간으로서의 다양한 역할을 필요로 한다. 아
마도 자신이 직면하는 대부분의 불안한 순간이나 만족스런 순간은 성

---

1) JESSE LAIR, *I Ain't Much Baby, But I'm All I've Got*(New York: Doubleday & Co., Inc., 1972), pp.84 - 85.

에 대한 수용과 이것이 타인과의 관계에 주는 영향에 의해 결정된다.

성이란 자기 자신을 남성 또는 여성으로 구분하는, 다시 말해 성의 확인(gender identification) 그 이상의 것이다. 즉 성은 자신이 갖게 되는 남성으로서의 의식 또는 여성으로서의 의식과 관련되는 태도, 감정, 성격, 행동 등을 총칭하는 것이다. 그리고 성적 정체성(sexual identity)을 확립하는 것은 젊은이들에게 아주 중요하다. 11장에서는 사회화된 관습, 사회에 대해 변화하는 태도 등을 고찰하고, 성역할 계발의 영향을 생각해 보고, 양성(androgyny)의 개념을 논의해 보고자 한다.

Ⅰ. 사회적 관습으로서의 데이트

모든 문화는 다 젊은이들을 미혼에서 기혼으로 사회화하는 어떤 종류의 의식이나 행동형태를 확립해 오고 있다. 미국 문화에서도 이러한 형태나 의식이 엄격하게 확립되지는 않았지만 분명히 존재하고 있다. 이는 결혼에 이르는 사전작업이며 기초가 되는 데이트라는 절차에서 알 수가 있다.

데이트는 결혼을 위한 주요한 목적도 일차적인 목적도 아니다. 십대 청소년들은 보통 결혼을 데이트와 관련시켜 생각하지 않고, 오히려 이성들과 동료로서 즐기며 자기 자신에 대한 수용을 강화시킬 수 있도록 젊은이들에게 제공되는 사회화의 절차로 생각한다.

대개 젊은이들의 맨 처음의 데이트 상황은 집단적 활동을 통해 이루어진다. '여러 명의 숙녀'와 '여러 명의 총각'이 모여 함께 경기를 하고, 춤을 추며, 기타 활동 등 집단적 상호작용을 통해서 이성에 대한 일반적인 흥미가 싹트기 시작한다.

데이트는 시행착오의 과정을 겪게 되며, 이러한 과정을 거치면서 이성집단과 친해지며 편안한 감정을 느끼게 된다. 데이트를 하는 당사자들은 대개 '자신의 순수한 모습'보다는 '좋은 인상을 상대방에게 주려는 데' 더 관심이 있기 때문에 여러 면에서 비현실적인 상황으로 보일수도 있다. 그래서 '위장된 매너(party manner)'가 사용되며 상대방의 긍정적인 측면만을 보게 된다. 즉 상대방을 너무 '이상화시키는' 경향이 있기 때문에 그 사람의 흠이나 결점을 알아채지 못하게 된다.

[그림 11-1] 사람들은 데이트를 통해서 이성과의 편안한 감정을 느끼고 자기 자신의 성을 더 잘 이해할 수 있게 된다.

데이트는 당사자로 하여금 점차적으로 독자성(liberating force)을 갖게 한다. 그리고 이러한 관계를 통해서 젊은이들은 본질적인 자기 자신의 모습을 알 수 있게 된다. 또한 이들은 점차적으로 부모와 접촉하기보다는 데이트 파트너(dating partner)와 상대하려 든다. 여기서 긍정적인 데이트관계는 자신감을 증대시켜 주지만 만족스럽지 못한 부정적인 데이트관계는 반대효과를 준다. 그래서 자신에게 "내가 무얼 잘못했나?" "내가 데이트를 왜 했지?" "나는 데이트를 하면서 다른 친구들처럼 자연스런 감정을 느낄 수 없을까?" 하고 자문하게 된다.

젊은이들에게 더 많은 자유를 허용하려는 경향성, 변화하는 기준의 적극적인 수용, 미국 사회의 점증하는 풍요, 10대 청소년들의 자가운전의 증가, 기타 많은 다른 요인들 때문에 오늘을 사는 젊은이들의 데이트습관이 바뀌고, 이들로 하여금 혼란을 경험하게 된다. 여러 가지 사회적인 요인들이 데이트의 단계를 변화시켜 처음부터 1 : 1의 지속적인 데이트를 하기도 한다. 이로 인해 젊은이들은 그들의 '자기정체성(self identity)'과 대조되는 '성적인 정체성(sexual identity)'의 위기를 겪고 있다. 인기와 데이트에 대한 사회적인 관심집중은 종종 성역할의 혼란을 야기하고 개인의 성적인 행동규약에 많은 의문을 제기하고 있다.

Ⅱ. 결혼 전의 성에 대한 태도

"성적 혁명이 계속 진전되고 있는가?" "오늘을 사는 젊은이들에게 피임약은 어떤 효과를 갖는가?" "많은 사람들이 생각하는 것처럼 성적인 혼란은 만연되어 있는가?" 이러한 물음들은 최근에 들어 많이 논의되고, 이와 관련된 많은 책이 출판되고 있으며, 이와 관련된 많은 우려가 있었으며, 아마 앞으로도 계속될 것이다. 여러분은 이러한 물음에 어떤 답변을 하겠는가? 여러분은 상상으로 가능한 거의 모든 형태의 성적인 행동을 적나라하게 적은 소설을 읽고, 장시간 동안의 성적인 관행에서부터 그 어느 누구와도 잠자리를 같이하는 것을 '정상적인' 행동으로 묘사하는 영화를 본 경험이 있을 것이다. 여러분은 자신의 성적인 행동에 관해 개인적으로 어떤 태도를 갖고 있는가?

성적인 행동과 관련된 갈등은 일상적이거나 우연한 데이트의 경우에는 일어나지 않으나, 계속적인 데이트 관계를 유지하거나 약혼의 단계에 이르면 종종 더 많은 갈등이 생긴다. 그리고 이러한 형태의 데이트에서 상대방을 독점하고 또 상대방에게 독점되기를 바라게 되면 행동기준이 재정립되어야 한다.

1. 일반적인 태도

학생들을 상대로 결혼 전의 성적인 습관에 관한 많은 연구가 수행되어 왔는데 그 연구결과는 아주 다양하다. 이러한 연구들은 아주 가치 있고 의미 있는 것들이지만 단정하여 결론을 내릴 수 있는 것은 아니다.

자기 자신의 성적인 행동을 규제하는 가장 강력한 것은 외부에서 부여된 가치가 아니라 자기 자신의 내적인 가치라는 견해를 지지하는 명백한 증거가 있는데, 이는 사람들이 타인이 옳다고 하거나 그르다고 말하는 것보다는 자기 자신이 옳다고 느끼는 바에 더 동조한다는 것을 말해 준다.

라이스(Reiss)는 결혼 전의 성에 대한 태도를 다음에 제시된 네 가지 범주로 구분하였다.

> (1) **금욕**(abstinence) – 어떤 상황이라도 성교는 남녀 모두에게 잘못된 것이다.
> (2) **애정이 있다면 가능**(permissible with affection) – 남녀 간에 약혼, 사랑, 강한 애정이 변함없이 지속될 수 있다면 결혼 전의 성교는 남녀 모두에게 정당한 것이다.
> (3) **애정이 없어도 가능**(permissible without affection) – 서로에게 육체적인 만족을 줄 수 있다면, 결혼 전의 성교는 애정이나 지속성 여부에 관계없이 남녀 모두에게 정당한 것이다.
> (4) **이중기준**(double standard) – 결혼 전의 성교는 남자에게는 있을 수 있지만, 여자에게는 있을 수도 없고 잘못된 짓이다.[2]

오늘날 **이중기준과 금욕적** 태도는 여전히 많은 사람들에게 통용되고 있는 것처럼 보인다. 그렇지만 최근 몇 년에 걸쳐 수행된 연구들은 젊은이들 사이에서 **애정이 있으면 가능**하다는 쪽으로 태도의 변화가 일고 있다. 그렇다고 이러한 태도가 성혼란의 만연을 의미하는 것은 아니다. 헌트(Hunt)의 조사연구는[3] 결혼 전에 성적인 교제를 한 대부분의 여성들은 자신이 결혼하게 될 상대만을 대상으로 교제했다는 사실을 밝혀냈다. 그리고 이 조사에서 대부분의 미국 남성들은 약 여섯 명의 혼전 여성들을 상대한 것으로 나타났다. 초기의 조사에서는 대부분의 사람들이 혼전 성적인 교제를 인정하

---

2) IRA L. REISS, *Premarital Sexual Standards in America*(New York: Macmillan Inc., 1960), pp.83 – 84.

3) MORTON HUNT, *Sexual Behavior in the 1970s*(Chicago: Playboy Press, 1974).

지 않았으나, 1972년의 조사에서는 대부분의 응답자들이 두 남녀 사이에 강한 애정이 있고 특히 약혼한 관계라 한다면 결혼 전의 성적인 교제는 인정될 수 있다고 답했다.

성적 정체성의 발달과 관련된 이러한 측면은 많은 사람들로 하여금 과거의 영향력, 기준, 가치, 시대적 압력(current pressures)문제, 달라지는 태도들 사이에서 갈등을 경험하게 한다.

대부분의 남녀(couples)에게 정해진 경향성이 있는 것은 아니다. 어떤 쌍은 한쪽 또는 양자가 모두 성적인 교제는 결혼을 했을 경우에만 이루어질 수 있다고 확고하게 믿는다. 반면에 다른 쌍들은 약혼을 했거나 앞으로 결혼할 예정인 경우에 한하여 성적인 교제가 허용될 수 있다고 믿는다. 종교적인 신념, 가족의 태도, 과거의 경험, 공포, 사회적 분위기 등의 모든 요인들은 이와 관련된 의사결정의 과정에 영향을 준다. 결정은 합리적이고 신중하게 이루어질 수도 있지만, 갑작스럽게 '허용'이 정당한 것으로 보일 경우 감정에 휘말린 결정을 내릴 수도 있다.

남녀 간의 관계가 영속적인 것은 못 되지만 여전히 의미 있는 관계일 경우, 자신 있게 '허용'을 단언하기는 어렵다. 사람들은 성적인 교제의 허용이 자신들의 관계에 어떠한 영향을 줄 것인가에 대해 의문시한다. 그래서 '성적인 교제가 서로를 더욱더 깊은 관계로 맺어 줄까? 교제 후에 상대방이 나에 대해 어떤 감정을 갖게 될까? 교제 후에 나는 나 자신에 대해 어떤 감정을 갖게 될까? 교제한 사실을 부모에게 말해야 하는가? 결국 나만 마음의 상처를 입는 것이 아닐까?' 하고 고민하게 된다. 성적인 교제 후에 정서적으로나 성적으로 계속 친밀한 관계를 유지하고, 자유를 만끽하며, 마음 내키는 대로 타인을 만나고, 교제하고 있는 상대방과의 지속적인 관계를 유지한다는 것은 쉬운 일이 아니다. 이러한 문제는 '새로운 도덕성(new morality)'에 의해 제기되는 심각한 딜레마(dilemma)에 빠지게 한다.

준수해야 할 안전수칙은 매년 줄어든다. 결혼 이전에 성적인 교제를 해서는 안 된다는 과거의 논리적인 논지는 논쟁 이외의 것이 될 수도 있으며 그런 고로 자유의 기회는 더 허용되고 있다. 기숙사 수칙이 없다는 것은 학생들이 누리는 새로운 자유, 즉 자신이 준비했다고 느끼기 전에 성적인 교제를 하는 자유의 좋은 예이다. 결정은 자기 자신이 하는 것이고, 이는 아주 무서운 것이 될 수도 있다. 우리에게 타당한 것으로 보이는 한 가지 견해는 자신이 성적인 교제를 할 근거를 찾지 못한다면 하지 말아야 한다는 것이다.

대학 1년생은 성적인 가치와 관련하여 갈등과 혼란을 경험할 수 있다. 자기의 생각에서 가족은 멀어지고, 가족이 갖는 견해는 자신이 대학 캠퍼스(campus)에서 보고 듣고 경험하는 것과 대립하게 된다. 이러한 대립은 자신이 다른 사람들에 의해 멋있고 지적인 사람으로 인식되고, 다른 사람들이 자신과의 결혼 전의 성적인 교제를 허용할 것이라고 믿게 되면서부터 경험하게 될 것이다. 또한 피임이 자신에게 아주 쓸모 있다는 것도 알게 될 것이다. 거기에는 성적인 교제를 고무하는 여러 가지 압력, 즉 교제를 지체하지 않고 성에 대해 민감성을 입증하는 압력, 애인을 사귀도록 하는 압력, 친구와 함께 이야기를 나눌 어떤 관심사를 갖도록 하는 압력 등이 있다.

우리 사회는 '본능'을 억압하는 것은 나쁘다는 견해를 지지한다. 그래서 성경험을 갖지 않았다고 죄책감을 느끼고 비정상적인 것으로 생각한다. 어떤 여학생들은 자신의 처녀성을 거추장스런 것으로 간주하기도 한다. 또한 자신의 처녀성을 없애는 성적인 교제를 한 여학생들은 그러한 교제를 별로 재미없는 또는 만족스러운 경험 정도로 여긴다.

성적인 교제에 관한 속담, 격언, 기쁨, 결과 등에 대한 아주 많은 이야기가 있으며, 성적인 수단은 성적 교제 그 이상으로 많이 있다는 것을 망각하는 경향이 있다. 두 남녀는 신체적인 삽입 없이도 깊은 성적인 관계를 나눌 수 있다.

많은 사람들은 키스(kissing)를 다른 행동과 마찬가지로 깊은 성적인 관계로 생각한다. 포옹, 애무, 상호간에 쾌감(orgasm)을 주는 행동이 성적으로 깊고 만족스런 경험을 제공해 준다는 것은 분명하다. 즉 이러한 경험은 사람에 따라 차이가 있다. 어떤 사람들은 애무를 성적인 교제보다 덜 '자연스런' 것이라고 느낀다. 그렇지만 다른 사람들은 이러한 문제들이 독특한 도덕적 차이에서 기인한다고 느낀다. 때문에 이는 개인적인 문제로서, 각자가 옳다고 느끼는 바에 따라 결정해야 할 것이다.[4]

---

4) PHILIP SARREL, *Student Guide to Sex on Campus*(New York: New American Library, 1971), pp.40 – 42.

많은 사람들은 자신이 집을 떠나 혼자 생활하는 경우, 절제와 전통적 기준들이 갑자기 도전받고 이상하게 느껴진다는 것을 알게 된다. 부모로부터 독립하여 생활하는 것은 한편으로는 자신이 편안함을 느낄 수도 있지만, 다른 한편으로는 책임감을 수반하는 도덕적이고 개인적인 규약의 확립을 필요로 한다. 많은 사람들에게 있어서 이러한 규약은 자신의 부모가 갖고 있는 태도와 크게 다르지 않을 것이다. 다시 말해 어떤 사람들은 관점이 아주 변하여 자기 부모의 규범에서 크게 이탈하는 현상을 보여 주는 반면 어떤 사람들은 자신의 관점을 거의 변화시키지 않을 것이다.

　자신이 성적인 친교(intimacy)를 포함한 성적인 행동을 하기로 결정했다면, 이러한 결정에 있어서 출산통제(birth - control) 측면에 대해 책임을 져야 할 것이다. 피임정보가 널리 알려져 있어 어떤 사람들은 이러한 것이 문제가 안 된다고 생각할지도 모른다. 그런데도 미국에서 10대 미혼모의 출현 비율은 최근 몇 년에 걸쳐 극적으로 증가하고 있다. 따라서 출산통제 정보의 필요성에 대한 강조는 아주 중요하다. 만일 자신이 성에 관해 적극적인 행동을 원하지만 예상치 못한 임신을 원하지 않는다면, 효과적이고 안전하며 쉽게 사용할 수 있고 서로에게 불편을 주지 않는 피임방법을 선택하는 것은 아주 중요하다.

1. 자신이 지금까지 성장해 오는 동안 동료들이 자신의 데이트 형태에 어떤 방식으로 영향을 주어 왔는가? 그리고 이러한 영향은 상대방과 하나가 되어 데이트하는 데 있어 중요했는가?
2. 소집단을 만든 다음 자기 자신으로 하여금 우연한 데이트 또는 지속적인 데이트를 하게 했던 긍정적인 효과나 부정적인 효과를 주었던 것들을 열거해 보라.
3. 소집단에서 다른 사람들과 함께 네 가지 결혼 전의 성에 대한 태도에 관해 토론해 보라. 여러분은 어떤 것이 가장 일반적인 태도라 생각하는가? 각각의 범주와 관련된 자신의 태도에 영향을 주어 온 몇 가지 요인에 관해 토론해 보라.

Ⅲ. 성역할

대부분의 사람에게 있어서 '남자답다'라든가 '여자답다'고 하는 것은 자신의 자아상(self-image)에 있어 아주 중심이 되는 부분이다. 미국의 문화나 사회에 있어 대부분의 사람들은 남자는 남자답고 여자는 여자다워야 한다는 기대를 갖고 있다. 그런데도 어떤 사람들은 종종 자신이 '반대'의 성으로 인식되고 있음을 발견하는 경우가 있다. 여성은 수동적이며 비공격적이고 감상적이며 비논리적이고 연약하며 의존적인 반면에, 남성은 적극적이며 공격적이고 비감성적이며 논리적이고 강하며 독립적인 존재로 묘사되어 왔다. 이론적으로, 사람은 온순한 반면에 거칠고, 불안정한 반면에 자신감도 있고, 직관적인 반면에 논리적인 면도 갖고 있다. 그러나 **성역할**에 대한 **고정관념**(sex role stereotyping)이 철저히 스며들어 사람들은 종종 혼란을 경험한다. 그러나 인간의 태도는 변화될 수 있다.

[그림 11-2] 우리 집 개 이름은 보일러공이야.
그리고 몇 가지 특징이 있지.

보일러공(plumber)이라는 이름을 가진 우리 집 개

우리 집 개 이름은 보일러공인데 틀림없이 남자일 거야.
그 녀석이 가장 좋아하는 장난감을 들라면.
그것은 냄비 모양을 한 장난감 난로(stove)야.
보일러공은 그 난로를 아주 좋아하고 잘 갖고 놀아.
그는 아마 여자일지도 몰라. 하는 짓이 그래.
왜냐하면 그는 공을 던지거나 담을 기어오르지 못하거든.
보일러공 아빠도 이건 못 해. 그렇지만 그가 남자라는 것 나는 알지.
엄마는 여자고 집안의 살림을 이끌어 나가거든.
사람이 잘하는 것을 보고 그 사람이 누군지를 알듯이.
보일러공의 경우도 마찬가지일 거야.

그린버거(Dan Greenberg)[5]

성역할은 어느 한 가지 성을 수행하거나 이행하도록 일반적으로

---

5) DAN GREENBURG, "My Dog is a Plumber", in *Free To Be······You and Me*(출판지
미상: McGraw-Hill Book Company, 1974).

요구되는 사회적으로나 문화적으로 규정된 기대이다. 즉 성역할은 대부분의 사람들이 남자나 여자는 어떠해야 하고 어떻게 행동해야만 한다고 생각하는 방식이다. 대부분의 성역할들은 생물학적인 차이보다는 문화적인 고정관념에 기초를 두고 있다. 여기서 고정관념은 학습된 것이며, 성의 차이(gender differences)는 타고난 것이다. 최근 몇 년에 걸쳐 사람들은 성역할과 관련된 고정관념에 관해 더 많은 관심을 보이고 있는데, 여기서는 이러한 점들에 대하여 좀 더 자세히 고찰하려 한다.

1. 고정관념은 어디서 오는 것인가?

어린이들은 세 살쯤 될 시기에 자신이 '남자(boys)' 또는 '여자(girls)' 중에 어디에 속하는지를 알고, 다른 사람들에게 자신이 어떻게 행동하도록 요구받고 있는지를 말할 수 있다. 자신의 모든 어린 시절의 경험을 회고해 보면, 우리는 성장했을 뿐만 아니라 '남자로 성장하고' 또 '여자로 성장했음'을 알게 된다.

인간은 자신의 성과 자신이 속해 있는 문화에 어떤 행동이 적절한 것인가를 학습하면서 **성역할의 형태**를 갖추게 된다. 부모에 대한 동일시나 같은 성을 가진 사람에 대한 역할모델은 어린 시절에는 특히 중요하다. 많은 다른 출처로부터 오는 메시지 또한 다른 차원의 성역할의 고정관념화를 더해 주거나 강화시켜 준다. 그리고 TV, 광고, 노래, 서적, 신문 등의 **매체**들도 중요한 사회화의 힘을 갖고 있어 고정관념화된 역할을 가르쳐 준다.

어린이들의 **동화책**과 교과서는 성역할의 고정관념화를 강화시키는 다른 자원이 된다. 수업자료에 대한 많은 연구들은 대부분의 교육 자료들이 여자들은 조연적이고 수동적이며 한정된 역할을 하는 것으로, 반면에 남자들은 비현실적으로 강하고 용감한 것으로 보는 교육과정의 잠재적 측면에 관한 사례가 많았음을 지적하고 있다.

소년과 소녀들은 대개 자신의 감정을 각각 다르게 표현하도록 고무되어 왔다. 귀여운 소녀가 넘어져 무릎에 찰과상이 생겼을 경우, 그 소녀는 "저런 - 내가 일으켜 주마!"라는 말을 듣기가 쉽다. 반면에 귀여운 소년이 이와 똑같은 경험을 하게 되었을 경우, 그는 "자! 이리 와 - 용감하고 착한 사람이 되어야지, 나중에 크게 될 어린이는 울지 않아!"라는 말을 들을 것이다. 비록 소년들이 정말로 강인한 것을 느끼지 않는다 할지라도, 미국 문화권에서 성장하고 있는 소년들에게는 강인한 사람이 되라는 형언하기 어렵지만 분명한 압력이 가해지고 있다. 즉 소년들에게는 일을 좋아하고 즐기는 것 못지않게 경쟁, 승리, 타인보다 잘되는 것이 더 중요하다. 그리고 점잖음, 조심성, 양육(nurturing) 등과 같은 전통적인 '여성적' 특성들은 종종 '나약한' 것으로 여겨지며, '참된' 사내가 되기를 소년이 원한다면 멀리해야 할 것들이다. 아들에게는 '독립성'이 보상적인 요인이지만, 딸에게는 동조성, 의존적 행동, 아양, 수동성 등의 특성을 갖춘 '아리따운 소녀'가 더 보상을 받게 된다.[6]

미국에서 1970년대 말에 전 여성 중 노동력에 종사하고 있는 수가 절반가량 되지만, 아직도 여성들은 자신의 본분이 되는 역할을 아내, 어머니, 주부 등의 전통적인 것으로 생각하고 있다. TV, 광고, 심지어 교육과정 자료까지도 여성의 일차적인 역할을 아내와

6) FLORENCE L. DENMARK, "Growing Up Male", in *Women and Men: Roles, Attitudes, and Power Relationships*, ed. E. L. Zuckerman(New York: The Radcliffe Club of New York, Inc., 1975).

어머니로 제시하고 있다. 여성들 자신도 가정에서 부분의 역할을 계속해야 한다고 생각하고 있다. 그러나 가정을 벗어난 여성들의 계속적인 사회진출로 인해 점점 더 많은 여성들이 이러한 역할을 소홀히 하고 있는 것도 사실이다.

'절실한' 성역할에 관한 기대는 시대가 바뀌면서 계속 변화를 겪게 될 것이다. 우리 사회의 대다수 사람들이 성역할과 기대에 대한 아주 전통적인 통념을 여전히 갖고 있다고 할지라도, 과거 몇십 년에 걸친 태도의 변화는 점차적으로 더 분명하게 나타나고 있다.

남성과 여성에 관련된 고정관념을 더 잘 인식할 수 있도록 성에 따라 소집단을 만들어라. 학급구성원들이 어느 한 가지 성만을 가진 경우라면, 구성원 중에서 절반가량을 반대의 성을 가진 것으로 지명하고 나서 각 집단의 구성원들로 하여금 다음 연습문제와 관련하여 자신들이 갖게 될 역할을 가정해 보도록 하라.

1. 넓은 용지에다 자신과 반대되는 성에 관하여 가능한 범위 내에서 많은 특성들, 즉 사람들이 고정관념적으로 '남성다운' 또는 '여성다운' 것으로 생각되는 그러한 특성들을 열거해 보라. 중지수렴(brainstorming)의 방법을 사용하되 처음에는 집단토의 없이 자신이 생각하는 모든 특성을 열거해 보라.

2. 다 열거했으면 열거된 내용에 대한 자신의 반응을 적어 보되, 다음의 지침에 의해 작성하라. (a) 어떤 특성들이 '긍정적인' 것으로, 어떤 다른 특성들이 '부정적인' 것으로 생각되는 것은 어떤 조건 아래서인가? (b) 명료화나 정의를 필요로 하는 특성에는 어떤 것들이 있는가? (c) 자신이 생각하기에 이러한 각각의 특성들이 학습된(learned) 것이면 L 자를, 타고난(inborn) 것이면 I 자를 그 특성들 앞에 적어라.

3. 자신이 경험한 것을 생각할 때, 각각의 특성들 중에서 '수줍음 타는' 소년들보다는 '말괄량이' 소녀들에게 더 '어울리는' 것이 있는가? 이러한 예들을 자신이 경험했을지도 모르는 놀이 활동(play activities)과 관련시켜 범주화하거나 어떤 명칭을 부여할 수 있는 다른 예들을 생각해 보라. 자신이 생각하기에 이러한 일이 왜 일어났다고 생각하는가? 이러한 예들은 자신과 타인들에게 어떤 효과를 갖는가?

2. 성의 차이

　연구자들이 남성과 여성 사이에 존재하는 차이점의 기원에 대해
서로 다른 견해를 갖고 있지만 분명히 몇 가지 차이점이 존재한다.
남성과 여성 사이의 신체적 차이는 분명한 사실이며 보편적인 것
이다. 즉 전반적으로 남자는 여자보다 키가 더 크고 몸무게가 더
나가며 신체적으로 더 강하다. 반면에 여자도 몇 가지 다른 종류의
장점을 갖고 있다. 즉 여자는 남자보다 더 오래 살 뿐만 아니라 생
존 능력이 강하고 높은 수준의 긴장상태를 더 잘 견디어 낸다. 통
계적인 수치를 보면 심장병, 궤양, 고혈압으로 인한 사망자는 남자
가 더 많다. 긴장과 관련된 질병이나 사망은 유전적이라고 하기보
다는 환경적인 것이라 할 수 있다. 그리고 여성들은 계속적으로
'인습적이 아닌' 새로운 직업에 종사하고 있는 것이 통계적인 수치
로 나타나고 있으며, 이러한 직업들은 대개 증가된 긴장과 압력에
관련된 것들이다. 이런 점으로 보아 여자들은 남자보다 더 강한 점
이 있다고 하겠다.

　맥코비(Maccoby)와 재크린(Jacklin)은 3년 동안 성과 성차이에 관
계있는 2,000편 이상의 책과 논문을 수집하여 읽으면서 다음과 같
은 결론을 내렸는데, 이러한 결론들은 과거의 연구들을 아주 철저
하게 고찰한 끝에 나온 것이다.[7] 이들에 의해 확실하게 밝혀진 차
이를 보면 소녀는 소년보다 더 많은 언어적 능력이 있는 반면, 시
각적·공간적(어떤 대상이나 모양 그리고 이들 간의 관계에 대한
지각), 그리고 수리적 영역에서는 소년들의 능력이 더 우수했으며,

---

7) ELEANOR EMMONS MMACCOBY and CAROL NAGY JACKLIN, *The Psychology of
　Sex Differences*(Stanford: University Press, 1974).

소녀들보다는 소년들이 더 공격적이었다. 그렇지만 이러한 차이가 생물학적인 것에 의한 것인지 아니면 환경적인 것에 의한 것인지를 단정하기는 아주 어렵다. 예를 들어, 공격성에 있어서는 성차이가 있다고 일반적으로 인정한다 해도, 이러한 공격성이 성호르몬과 같은 생물학적인 요인에 의한 것인지, 아니면 사회화와 같은 환경적인 요인에 의한 것인지를 기계적으로 추론할 수는 없다. 성차이는 환경적 요인과 생물학적 요인 또는 이들 모두에 의해 생길 수가 있기 때문이다.[8]

어떤 성차이가 존재하든 간에, 우리는 먼저 집단 간보다는 집단 내에 더 많은 변화가 있다는 것을 알아야 한다. 현실적으로, 어떤 소년들은 수학적 능력에 있어 소녀들보다 더 우월하고, 어떤 소년들은 언어적 능력에 있어 소녀들보다도 더 많은 능력을 갖는다고 할 수 있다. 그리고 개인들을 독립적인 개체로 생각하게 되면 성의 확인은 덜 증오하게 된다(역주: 여기서 어떤(some)이란 말은 일부의 특정한 남자 또는 여자를 지칭한다).

---

1. 고정관념이 자신으로 하여금 편안한 감정을 갖게 하면 인간은 자신이 일상적으로 갖는 고정관념을 강화하는 경향이 있다는 말이 있다. 이러한 말을 성역할의 차이나 고정관념에 관련시킬 경우, 여러분은 이러한 진술문에 어떻게 반응하겠는가?
2. 사회화나 성역할 기대가 자신의 진로나 교육적·직업적 선택에 영향을 준 어떤 방식이 있는가? 자신의 경험과 반응을 다른 사람과 비교해 보라.
3. 소집단을 만든 다음 "집단 간보다는 집단 내에 더 많은 변화가 있다."는 말을 설명할 수 있는 사례들을 열거해 보라.

---

8) JANET SHIBLEY HYDE, *Understanding Human Sexuality*(New York: MCGraw-Hill Book Company, 1979), p.290.

3. 우리는 어디로

1960년대 말까지 대부분의 성역할 연구는 소녀들이 어떻게 '여성다움'을 학습하고 소년들이 어떻게 '남성다움'을 학습하는가 하는 문제를 다루었다. 또한 연구자들은 "그러한 학습이 갖는 효과는 무엇인가?"를 묻기 시작했다. 전통적인 '남성다움' 또는 '여성다움'이 소년 또는 소녀, 남자 또는 여자에 대해서 긍정적 효과를 갖는가 아니면 부정적 효과를 갖는가? 많은 사람들은 두 성이 극단적인 형태로 성역할을 고정관념화함으로써 단기간에 변화된다고 믿는다. 소년들이 감정을 표현하는 것은 남자답지 못한 것이라고 가르침을 받게 되는 경우, 이들은 나중에 타인과의 감정적인 관계에서 방해를 받게 될 것이다. 마찬가지로 소녀들이 성취지향적이고 경쟁지향적인 것이 여성답지 못한 것이라고 가르침을 받게 되어, 이들이 매력적인 것과 위협적인 것 모두에서 성취감을 갖게 되면 나중에 양면적인 가치(ambivalence)로 인해 방해를 받게 될 것이다.

4. 양성(androgyny)

남자이든 여자이든 간에 인간은 독단적인 동시에 점잖으며, 강력한 동시에 양육적이고, 때에 따라서 수동적인 동시에 공격적으로 될 필요가 있다고 점점 더 많은 사람들이 믿기 시작하고 있다. 양성(androgyny)이란 말은 이러한 관념을 구체화하는 개념이다. 그리고 이는 그리스(Greek)의 말인 남자를 의미하는 andro(앤드로)와 여자를 의미하는 gyn(진)의 합성어이다. 양성이라 함은 각 개인 속에 내재된 남성다움과 여성다움의 특성들 중에서 '최상의 것'을 통합한 개념으로서, 오늘날과 같이 복잡한 세상에 필요한 융통성을 갖게 해 준다. 이는 단성(unisex)이나 동성(samesex)을 의미하지 않으며, 자기에게 있는 모든 특성들을 활용하고 전인적인 인간이 될 수 있도록 하는 모든 잠재력의 개발을 의미한다.

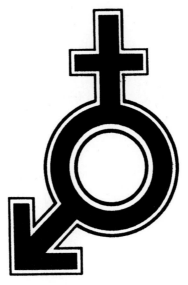

[그림 11-3] 양성은 엄격한 역할의 분리 대신에
융통성 있는 역할을 갖게 한다.

양성을 옹호하는 사람들은 모든 소녀들이 딱딱한 철모를 쓰고 광산에서 일하도록 요청하거나, 모든 소년들이 앞치마를 두르거나 무용교습을 받으라고 강요하지는 않는다. 양성은 역할을 한정시키거나 고정관념화하는 등의 역할전환이 아니다. 오히려 이것은 각 개인의 '남성적인' 잠재력 또는 '여성적인' 잠재력 계발을 의미하기보다는 자신이 갖고 있는 모든 잠재력의 계발을 의미한다.

양성으로 인한 영향은 무엇인가? 인간은 자신이 속해 있는 기관이나 사회에서 계속적으로 변화를 경험한다. 우리들은 새로운 역할에 보다 성공적으로 적응할 수 있고, 또한 긴장감을 덜 갖고, 변화하는 여러 역할들을 수행할 수 있는 양성적인 인간이 될 수가 있다. 사람이 남성적인 면이나 여성적인 면의 극한에 치우치게 되면, 남성적이거나 여성적인 성역할은 개인의 대처기술 범위가 제한되고 융통성을 잃게 된다. 양성은 자신에게 있는 남성다운 기질과 여성다운 기질 모두를 최고로 활용하는 것이다. 이러한 양성이 인간에게 주는 이점을 몇 가지 열거하면 다음과 같다.

> 모든 사람들이 자신이 원하고 좋아하는 진로나 직업 또는 자신이 어떤 가르침을 받았기 때문에 당연히 종사해야만 하는 선택대안보다는 자신에게 적당한 진로나 직업을 고려하도록 함으로써 **진로선택의 기회**(career options)가 더 많아질 것이다. 오래 지속된 태도는 변화속도가 느리기 때문에, 대부분의 사람들은 계속해서 '전통적인' 형태의 진로에 종사할 것이다. 그러나 **선택과 대안**(choices and options)은 앞으로 더 다양해질 것이다.

이중적인 가족의 역할(dual family roles)이 계속 확대되게 될 것이다. 점차적으로 더 많은 여성들이 직업을 갖게 되면서, 모든 가족구성원들의 새로운 적응이 요구된다. 그리고 이러한 경향성이 계속되어 1980년대에 대다수의 어머니들은 가족에 대한 책임 외에 다른 일을 맡게 될 것이다. 이에 따라 양성적인 가족구성원들은 더 높은 수준의 융통성을 갖고 가정생활에 적응해야 될 것이다.

남자와 여자 모두는 더 긴 삶(longer life)을 살고 있다. 은퇴는 보다 융통적인 역할을 지향하는 사람들에게는 더 많은 것을 채울 수 있는 기회가 된다. 예를 들어, 은퇴한 사람들은 재직 당시의 경쟁적이고 바쁜 업무로 보내던 생활을 보다 느슨한 생활로 바꾸는 것이 어렵다는 것을 발견하기도 한다. 또한 다양한 관심사에 보다 개방적이고 수용적인 그런 양성적인 여성들은 은퇴 후가 더 즐길 만하다고 생각하기도 한다.

배우자의 죽음은 대부분의 사람들이 '계획한' 그런 것이 아니며, 현실적인 것으로, 특히 많은 여성들에게 있어서 그렇다. 그러나 이러한 불가항력적인 경험도 결혼생활에서 더 많은 양성적인 역할을 경험한 사람들에게는 덜 엄청난 경험으로 받아들여질 수 있다.

편모와 편부의 가족(single - parent families)이 계속 증가하고 있다. 이러한 상황에서 양성적인 가장은 상당한 수준의 융통성을 갖고 곤란, 문제점, 변화 등에 대처할 수 있을 것이다.

이미 앞에서 성역할의 고정관념화에 학교교육과정(school curriculum)의 여러 영역이 갖는 영향을 살펴본 바가 있다. 체육, 가정학, 기계조작이나 공장, 기타 영역에서 성에 의한 자동적인 역할구분은 옛날에나 있었던 일이다. 오늘을 사는 젊은이들이 더 많은 양성적인 수업경험을 하게 되면서, 이들의 시야는 더 넓어지고 선택의 여지도 더 많아지게 되었다.

변화는 쉽게 오지 않는다. 학습이나 처신의 형태가 안락한 것으로 '느껴진다고' 해도, 이것이 항상 자신에게 건전한 것이라고 하기는 어렵다. 새로운 것이 옛것을 대신하게 되면서 안락한 정도도 물론 증대된다. 양성적인 모형은 계속적으로 발생하는 사회적 변화를 반영하고, 사람들에게 미래에 대한 새로운 전망을 갖게 한다. 미래가 자기 자신에게 걸고 있는 기대는 무엇인가?

Ⅳ. 요 약

성은 성의 확인 이상의 의미를 갖는다. 즉 성은 자신이 남자 또는 여자라는 인식을 갖게 하는 태도, 감정, 특성, 행동 등을 모두 포함한다. 성적 정체성을 확립하는 것은 청년기에 접어든 사람들에게는 아주 중요하다. 데이트와 결혼 전의 성에 대한 태도는 성적 정체성 확립에 중요한 부분이다. 라이스(Reiss)는 결혼 전의 성에 대한 태도를 ① 금욕, ② 애정이 있다면 가능, ③ 애정이 없어도 가능, ④ 이중기준 네 가지 범주로 분류하였다. 부모로부터 독립을 한다는 것은 또한 자신이 안락한 감정을 갖고 개인적인 책임감을 수반하는 도덕적이고 개인적인 규칙의 확립을 포함한다는 의미이다. 성역할은 많은 사람들의 자아개념 형성에 핵심적인 부분이다. 왜냐하면, 성역할은 어느 한 가지 성을 가진 사람이 일반적으로 수행하거나 실행하도록 요구되는, 사회적으로나 문화적으로 규정된 기대이기 때문이다. 즉 성역할은 대부분의 사람들이 남자나 여자가 마땅히 실행할 것이라고 생각하는 방식이다. 성역할과 관련된 많은 고정관념이 있다. 성역할을 고정관념화하는 데 사용되는 메시지는 전달매체, 동화책, 교과서, 그리고 전반적인 사회화과정에서 많이 발견된다. 연구자들은 남자와 여자 사이의 성차이의 기원에 관해 견해가 일치되지 않고 있지만, 몇 가지 차이는 실제로 존재한다. 맥코비(Maccoby)와 재크린(Jacklin)의 연구는 남녀 간의 성차이가 언어적·시각적-공간적·수리적 능력과 공격성에서 나타난다고 한다. 그렇지만 성차이가 생물학적인 것에 의한 것인지 아니면 환경적인 것에 의한 것인지를 단정하기는 어렵다. 양성은 각 개인 속에 내재된 남성다움과 여성다움의 특성들 중에서 '최상의 것'을 통합한 개념으로서, 단성이나 동성을 의미하지 않으며 사람들에게 융통성을 부여해 준다. 그래서 양성적인 사람들은 모든 진로선택의 기회를 활용할 수 있을 뿐만 아니라, 가족의 역할에서 더 융통성을 발휘할 수 있고, 많은 사람들에게 긍정적인 선택안들을 제공할 수 있다.

연습문제

1. 생산품을 팔기 위해 성역할의 고정관념화를 반영할 수도 있는 광고의 사례들을 수집해 보라. 소집단을 만들어 수집된 사례들을 살펴보고 고정관념 유형들의 목록을 만들어 보라. 각각의 사례에는 어떤 메시지가 담겨 있는가?

2. TV에서 방영되는 남녀의 역할문제를 다룬 일일 연속극을 일주일 동안 주목해서 보라. 그리고 (a) 성역할에 관한 고정관념, (b) '전통적인' 역할의 전도(reversal), (c) 양성적인 생활형 등과 관련된 다양한 상황들의 사례를 발견하는 즉시 간략하게 적어두라. 마지막 날에 자신이 수집한 사례들을 정리하여 그 내용을 전체 학급성원들에게 발표하고, 각각의 사례들에 대한 일반적인 반응을 알아보고 서로 토론하여 보라.

3. 여러분으로 하여금 성역할과 그 차이를 완전히 또는 다소 변화하도록 하는 것에는 어떤 것이 있는가? 여러분으로 하여금 성역할과 그 차이를 계속 고수하도록 하는 것에는 어떤 것이 있는가? 변화하도록 하거나 계속 고수하도록 하는 것들을 열거해 보고, 소집단을 만들어 타인과 함께 이러한 문제들을 토

론해 보라. 성역할과 그 차이를 변화하도록 하는 것과 계속 고수하도록 하는 것에 관련된 이로운 점과 불리한 점에 대해서도 토론해 보라.

4. 다음의 단어와 관련하여 여러분에게 가장 잘 어울리는 정도를 7가지 척도로 측정해 보라.[9]

(1) 절대로 그렇지 않다.

(2) 대개 그렇지 않다.

(3) 때때로 그렇지만 빈번하게 그렇지는 않다.

(4) 때때로 그렇다.

(5) 자주 그렇다.

(6) 대개 그렇다.

(7) 절대적으로 그렇다.

_____ 1. 자기신뢰

_____ 2. 복종

_____ 3. 도움이 되는

_____ 4. 독립심

_____ 5. 수줍음

_____ 6. 양심적

_____ 7. 강건

_____ 8. 정겨운

_____ 9. 행복

_____ 10. 분석적

9) SANDRA LIPSITZ BEM, "The Bem Sex-Role Inventory (BSRI)", in *The 1977 Annual Handbook for Group Facilitators*, eds. J. E. Jones and J. W. Pfeiffer (LaJolla: University Associates, Inc., 1977).

_____ 11. 동정적

_____ 12. 질투적

_____ 13. 지도력 보유

_____ 14. 타인의 욕구에 민감

_____ 15. 신뢰로운

_____ 16. 자발적 모험심

_____ 17. 이해심

_____ 18. 비밀성

_____ 19. 결정을 쉽게 내린다

_____ 20. 자비로운

_____ 21. 성실하다

_____ 22. 참을성이 있다

_____ 23. 온정적

_____ 24. 우호적

_____ 25. 개인주의적

_____ 26. 거친 말을 않는다

_____ 27. 적응성

_____ 28. 경쟁력

_____ 29. 어린이 사랑

_____ 30. 재치

각각의 단어에 대한 점수를 부여했으면, 첫 번째 번호와 그다음의 세 번째 번호(1, 4, 7, 10……)에는 M(남성) 자를, 두 번째 번호와 그다음의 세 번째 번호(2, 5, 8, 11……)에는 F(여성) 자를, 세 번째 번호와 그다음의 세 번째 번호(3, 6, 9, 12……)에는

N(중성) 자를 표시하라. 앞에서 열거한 각각의 단어들은 통상적으로 고정관념화된 남성(masculine), 여성(feminine), 중성(neutral)의 특성들을 반영하고 있다. 만일 여러분이 대부분의 남성적인 특성들에 높은 점수(가령 5, 6, 7)를 준 반면에 대부분의 여성적인 특성들에 낮은 점수(가령 1, 2, 3)를 주었다면, 여러분은 자신을 고정관념적으로 남성다운 것으로 보고 있는 것이다. 그러나 여러분이 대부분의 여성적인 특성들에 높은 점수(가령 5, 6, 7)를 준 반면에 대부분의 남성적인 특성들에 낮은 점수(가령 1, 2, 3)를 주었다면, 여러분은 자신을 고정관념적으로 여성다운 것으로 보고 있는 것이다. 또한 만일 여러분이 남성다운 특성과 여성다운 특성 모두에 높은 점수(가령 5, 6, 7)를 주었다면, 여러분은 자신을 양성적인 것으로 보고 있는 것이다.

여러분이 자기 자신과 자기 자신을 보는 방식에 관해 배운 것을 간단한 요약문으로 적어 보라. 소집단 내의 다른 구성원들과 함께 각자가 평정한 내용과 요약문을 서로 비교해 보라. 여기서 여러분은 다른 사람들도 여러분과 마찬가지로 여러분을 평정하는지에 대해서 집단 내의 다른 사람들로부터 피드백을 얻어 낼 수도 있을 것이다(이 연습문제는 벰(Sandra Lipsitz Bem, 1977)이 개발한 **벰 성역할 조사**(Bem Sex - Role Inventory: BSRI)를 수정한 것이다).

5. 앞의 연습문제에서 사용된 단어들의 목록을 토대로 해서, 개인적으로 여러분이 (1) 상사, (2) 절친한 친구, (3) 부모, (4) 배우자 등이 갖추어 주길 바라는 가장 중요한 자질 중에 다섯 가지를 열거해 보라. 그리고 다섯 가지 특성을 토대로 가장 중요한 것을 1번으로 해서 서열을 매겨 보라.

서열을 다 정했으면 소집단 내의 다른 사람들과 자신이 매긴 서열을 비교하고 토론해 보라. 그리고 모든 사람들이 각자가 매긴 서열에 관해 비평하고 의견을 나눌 수 있는 충분한 시간을 갖도록 하라.

여러분은 엄밀히 남성적이거나 여성적인 어떤 서열을 발견했는가? 만일 이들 다섯 사람 중의 일부 또는 전부가 남성적이거나 여성적인 특성 중에서 어느 한 가지 특성만을 갖고 있을 경우 여러분은 어떤 반응을 보이겠는가? 각자가 배운 것들을 집단적 합의내용으로 진술해 보라.

제12장 결혼에 대한 기대

   나는 다른 어떤 사람과 나의 인생을 함께하고 싶은데 바로 결혼이 나에게는 최상의 선택인 것 같다. 결혼은 내가 배운 학습내용이나 교육내용과 잘 어울린다. 그리고 나는 결혼 때문에 안락한 감정을 갖게 되었다.

   결혼이란 말 자체가 정말로 나를 못살게 괴롭혔다. 나의 부모님들은 그들이 이혼하기 전까지 수년 동안 지겹게도 싸움을 많이 했다. 부모님들은 결혼을 통해서 '행복'을 누리는 금슬 좋은 부부가 아니었다. 부모님들은 함께 있을 때보다는 따로 떨어져 있을 때가 더 행복했다. 나는 결혼해서 그 누군가와 나의 인생을 함께하고 싶지만, 나의 결혼생활이 부모님들처럼 될 경우 극복할 수 있을지 걱정이다.

   나는 때때로 사람들이 결혼의 '부정적인' 측면에 대해서만 알고 있고 결혼의 행복하고 성공적인 측면에 대해서는 알고 있지 못하다는 생각을 한다. 나의 부모님들은 처음에 많은 어려운 문제와 의견충돌이 있었지만 이러한 문제들을 해결함으로써 멋있는 결혼생활을 해 오고 있다. 내가 생각하기에 나의 어머니는 결혼에서의 태도에 적용할 만한 훌륭한 인물이다. 왜냐하면, 그녀는 장미 덩굴에 가시가 있는 것을 불평하면서도 그 가시덤불에서 아주 아름다운 꽃이 피는 것을 즐거워하기 때문이다. 내가 장밋빛 안경을 끼고 세상을 보고 있는지 모르지만, 나는 부부가 서로 노력을 한다면 결혼은 부부 모두에게 성공적일 수 있다고 믿는다.

자신의 결혼에 대한 생각이나 감정들이 다른 학생들의 것과 어느 정도 일치하는가? 지난 몇 년에 미국 내 가족의 구조나 특성들을 변경시킨 많은 변화들이 있었다. 미국에서 네 가족 중에 한 가족만이 아직도 부양책임자인 아버지와 주부인 어머니, 그리고 의존적인 어린이들로 구성되는 '이상적'인 가족에 대한 낡은 고정관념적인 생각에 동조하고 있다. 1970년대 말 당시에 취학아동을 둔 기혼여성 중에서 반수 이상이 가정 일 이외의 몇 가지 형태의 직업을 갖고 있다. 그리고 편모 편부의 가족은 수백만으로 증가되었다. 또한 재혼한 부모와 재혼하기 전에 낳은 자식으로 구성되는 '혼합(blended)가족'은 비일비재하다.[1]

미국 내 가족의 구조가 변하고 있다. 그리고 이러한 현상은 결혼과 가족생활이 와해되고 있다는 의미이기보다는, 앞으로 결혼하게 될 사람이 자신의 결혼과 가족을 가급적 안정되고 안전하게 유지시키고자 원한다면 이러한 변화에 적응해야 된다는 것을 의미한다.

12장에서는 결혼의 몇 가지 이유와 결혼에 대한 몇 가지 일반적인 기대를 살펴볼 것이다. 이러한 논의는 독자들의 결혼에 대한 생각의 폭을 넓혀 줄 것이다. 그리고 이는 올바른 배우자의 선택을 보장하지는 못한다 하더라도 최소한 그릇된 절차를 밟게 하지는

---

1) U.S. Department of Labor, *Handbook on Women Workers*, 1975.

않을 것이다. 결혼은 성인들에게 관심의 대상이 되는 것이다. 본 장에서는 성인이 된 독자 자신이 갖고 있는 결혼에 대한 태도, 기대, 이유 등을 분류하고 자기 자신의 결혼에 대한 문제를 보다 만족스럽게 해결하도록 도움을 주게 될 것이다.

I. 사람들은 왜 결혼하는가?

1. 사랑하기 때문에

아마도 대부분의 사람들이 결혼하는 이유는 사랑 때문일 것이다. '사랑'은 아주 애매한 단어로서, 사람들이 "우리는 사랑하고 있다."고 말하는 경우 사랑이란 말은 종종 다른 것을 의미하기도 한다. 앞에서 논의한 바 있지만 사랑은 인간이 갖는 기본적인 욕구 중의 하나로, 여기서 강조한 내용은 타인을 사랑할 수 있고 타인을 사랑할 수 있는 인간으로 자신을 받아들이는 것이 중요하다는 것과 사랑의 종류에는 여러 가지가 있다는 점 등이었다.

결혼관계에서의 사랑은 조합된 형태의 사랑으로 여러 가지 형태의 사랑을 내포하고 있다. 그런데도 성숙하지 못한 사람은 이러한 측면을 인식하지 못하고 "사랑이 나를 위해 무엇을 해 줄 것인가? 사랑이 나의 욕구를 만족시켜 줄 수 있을까?" 하는 측면에서 사랑을 보는 경향이 있다. 이러한 형태는 사랑을 받는 것으로만 생각하는 관점이다.

사랑인가 열정인가(Is it love or infatuation)? 여러분은 정말로 사랑

에 빠져 있는가? 여러분은 사랑과 열정 사이의 차이점을 어떻게 알아내는가? 이러한 문제를 쉽게 구분하기는 어렵다. 왜냐하면, 사랑과 열정을 정의하는 분명한 규칙이 없기 때문이다. 낭만적인 사랑은 미국인의 생활양식의 한 부분을 차지하고 있으며, 많은 사람들은 앞으로 언젠가 그러한 사랑이 자신에게 다가와 자기 자신이 사랑에 빠져 있음을 알게 될 것이라고 기대한다.

사랑과 열정은 어떤 차이점이 있는가? 진실한 사랑은 사랑에 '빠지는(falling)' 것이 아니라 사랑을 '키워 나가는(growing)' 과정인 것이다. 이러한 말이 '사랑에 빠지는' 이야기를 많이 들은 사람이나 '사랑에 빠져 있는' 당사자에게는 아주 비낭만적인 것으로 들릴 수도 있을 것이다. 이렇게 '빠지는' 것은 종종 열병이 되어, 순진하게 사랑에 '빠짐'으로써 사람들은 종종 자신이 사랑하는 사람의 결함을 보지 못하게 되기도 한다. 그래서 사람들은 사랑하는 사람을 '완전하고', '이상적이며', 기타 신성한 존재로 생각하는 경향이 있다. 진실한 사랑을 하는 사람은 상대방의 '완전한 측면'과 결점 양측면을 모두 본다. 그러므로 '완전한' 애인을 찾았다고 하는 경우 그 사람은 순간적이고 감정이 앞선 열병을 앓는 것이라 할 수 있다. 그러나 사랑은 상대방의 결점을 알고 그러한 결점을 수용할 수 있게 해 주는 것이다.

사랑은 사람들로 하여금 사랑하는 사람에 대해서 안정감과 신뢰감을 갖게 한다. 또한 사랑은 새로운 관계에서 생기는 상호 이익의 감정과도 관련된다. 예를 들어, "나는 여러분을 필요로 해! 그러니까 나를 사랑해 줘."보다는 "우리가 힘을 합하면 이 문제를 해결할 수 있을 거야."라는 태도가 사랑의 감정에 더 관련된다고 하겠다.

열정은 '사랑하는 사람'과 떨어져 있을 경우 사람들로 하여금 불안정한 감정을 갖게 한다. 의심, 변덕, 불확실성, 그리고 이별에 대한 두려움은 열정에 수반되는 대표적인 감정들이다. 예를 들어, "그와 헤어지면 앞으로 나는 어떻게 해야 하지?" 또는 "그녀가 나를 사랑한다고 한 말이 진심인지 알 수가 없어!" 등은 열정의 감정을 표현하는 경우라 하겠다. 이러한 경우에 지속적인 사랑이 유지될 가능성은 희박하다.

열정은 지속적인 관계성의 감정을 일으켜 주지 못했기 때문에 사랑보다 더 조작적인 경향이 있으며, 고로 당사자들은 계속해서 주로 자신의 욕구와 만족에만 관심을 갖게 된다. 반대로 사랑의 감정은 진실하고 거짓이 없는 것으로, 이로 인해 사람들은 상대방에 대한 관심을 자연스럽게 계발할 수 있게 된다.

육체적인 매력은 사랑과 열정 모두가 아주 중요한 부분이다. 그렇지만 피상적인 매력은 사랑에 있어서 덜 중요하다. 왜냐하면, 사랑을 하고 있는 남녀는 단순한 육체적 매력보다 더 넓은 토대에서 자신들의 관계를 형성해 나갈 것이기 때문이다.

진실한 사랑이 남녀 모두가 지향하고 있는 이상적인 것이라고 할지라도, 사랑하기 위해 완벽하게 되어야 한다는 것은 아니다. 타인을 수용하고, 존중하고, 신뢰하도록 하기 위해서, 진실한 사랑에는 어느 정도의 자기수용, 자기존중, 그리고 자부심이 있어야 된다. 그렇다고 성취불가능한 수준의 이러한 자질을 갖추어야 한다는 것은 아니다.

사랑의 구성요소에는 어떤 것이 있는가? 사람들은 사랑에 대하여 언급할 때 저마다 서로 다른 것을 의미할 것이며 같은 사람이라도 자신이 살고 있는 모습에 따라 다른 것을 의미할 수도 있다. 사랑이란 용어는 보통 존중, 동반자의식, 신뢰, 보살핌, 그리고 상호보완의식 등과 같이 가급적 '이상'에 가까운 성질을 갖추고 있어 이들과의 관계가 자신의 행복에 중요할 경우에 사용된다. 상호간 사랑하는 관계에서 이러한 구성요소들은 남녀 모두에게 있으며, 사랑은 이러한 성질을 서로에게 보여 주는 양방적인 과정인 것이다.

존중(respect)은 긍정적인 관점에서 상대방을 보게 하는 구성요소, 즉 타인을 찬미하고 인정하려는 것이다. 신뢰(trust)는 타인의 맹세를 받는 것으로 자기확신(self-assurance)을 갖도록 해 준다. 신뢰하는 관계에는 모험이 뒤따른다는 것을 인정하지만 상호간의 신뢰감에 기초하고 있다.

사랑에 있어 보살핌(caring)의 요소는 타인의 감정과 욕구에 정서적으로 민감하게 반응하는 것이다. 자기 자신의 욕구와 마찬가지로 타인의 욕구에 의해 영향을 받거나 행동을 하게 되는 것은 배려의 특징이다.

상호보완의식(complementariness)은 독립(separateness)과 결합(completeness)의 합성체이다. 비록 사람들이 각자 자기 나름대로 독립적이고, 온전하며, 독특한 존재라 할지라도, 부부관계에서 상이하고 독립적이며, 독특한 개인이 각자의 개인적인 존재성을 희생함이 없이 보다 완전한 관계를 형성할 수 있는 것은 바로 상호간의 보완의식 때문이다.

동반자의식(companionship)을 포함하는 사랑의 관계는 오늘날과 같이 긴장이 팽배한 사회에서 특히 긴요하다. 우정을 갖고 일하고자 하는 바람은 동반자의식의 예가 된다. 그리고 이러한 의식은 공동의 관심사를 갖게 하기도 하며, 단순히 서로를 친구로 만들어 주기도 한다.

결혼과 가정생활에 있어서의 대인관계에 대한 강조는 배우자와의 관계의 주요 척도로서 근래에는 동반자의식을 강조하는 원인이 되었다. 낭만적 사랑(romance)은 부부를 결합시키는 유혹적인 매력(lure)이지만, 만일 이러한 사랑이 지속되게 되면 부부를 합심단결하게 하는 관계의 질은 그들로 하여금 동반자가 되도록 해준다. 따라서 서로가 사랑을 하고 있을 뿐만 아니라 동반자로서 서로의 생활을 함께할 수 있는 충분한 공통적인 특성과 관심사를 갖는 부부가 행복하고 지속적인 결혼생활을 하게 될 것임은 불문가지의 사실이라고 하겠다.[2]

결혼에는 아주 드문 경우이지만 또 다른 종류의 사랑이 있다. 이러한 사랑이 존재할 경우, 이는 상호 의존성(mutuality)의 감정과 서로를 위한 공통관심사로 표현되는 사랑이다. 이러한 사랑은 단순한 '나의 바람'이나 '동반자 의식' 이상의 것으로서, 상대방의 현재 모습과 앞으로의 성취가능성에 관심을 갖고 지원해 주는 문제와 관련된다. 이와 같이 수용은 결혼 상대자에 대한 지원과 지속적인 성장에 기여하는 바람을 낳게 된다. 사람들은 이러한 사랑을 지원적인(supportive) 사랑이라 부른다.

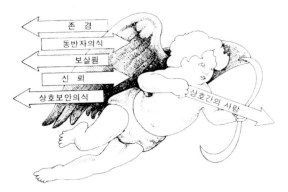

[그림 12-1] 상호간의 사랑은 많은 구성요소를 갖는다.

2) PAUL H. LANDIS, *Making the Most of Marriage*, 4th ed.(Englewood Cliffs, N.J: Prentice-Hall, Inc. 1970), p.19.

지원적인 사랑을 하는 사람은 자기 자신의 욕구와 관계없이 사랑하는 사람을 돕길 원한다. 이는 훌륭한 결혼으로 더욱 '원숙해지며' 원만한 관계를 형성토록 해 주는 사랑의 형태이다. 이는 또한 바람이나 동반자의식을 대신해 주지는 못해도 그러한 바람이나 의식을 신장시키는 데 도움을 준다.

2. 결혼을 하는 기타 이유들

사람들이 확대된 성적인 자유에 관해 많은 얘기를 듣고 또 책을 읽었다고 할지라도, 결혼은 대다수의 사람들이 인정하는 자신의 성적인 욕구를 만족시키기 위해 받아들일 수 있는 가장 공인된 수단이다. 인간의 **성적인 욕구**는 아주 정상적인 것이고, 자신의 인성에 있어 현실적인 부분이라 할 수 있다. 결혼한 상태에서 자기 자신과 배우자의 성적인 욕구를 만족시키는 것은 사랑의 표현이며, 이러한 경우에 성과 사랑은 건전한 방식으로 결합하고 있는 것이다

> 성욕은 현실적인 육체적 욕구이다. 결혼한 상태에서 이러한 욕구를 서로 표현하는 것은 사람들로 하여금 성공되고, 안정되며, 원만한 감정을 갖도록 도움을 주는 인간의 욕구충족의 요소들 중의 한 부분이다. ……그리고 성에 대한 욕구가 있으나 욕구가 미국 내에서 완전하게 만족될 수 있는 방도는 결혼관계의 지속이라고 하겠다.[3]

「삶의 여정(Passages)」이란 책에서 쉬이(Gail Sheehy)는 사랑을 위하여 결혼하는 것은 신화이며, 대부분의 젊은이들에게 있어서 결혼

---

3) *Ibid.*, p.30.

은 동년배집단의 기대에 부응하는 문제로 인식되고 있다고 주장했다. 결혼은 나이가 차면 '해야만 하는' 것으로 생각된다. 즉 결혼은 기대된 것이며, '자연적이고', '정상적인' 것이다. 쉬이(Sheehy)는 젊은이들로 하여금 결혼을 하도록 재촉하는 다른 힘으로는 안전에 대한 욕구, 자신의 마음속에 있는 허전함을 떨치려는 욕구, 가족에서 벗어나고자 하는 욕구, 명예에 대한 욕구, 그리고 실용성 등이 있다고 지적했다.

> 계속적으로, 여자와 남자 모두로부터, 사람들은 "나는 어떤 사람이 나에게 관심을 갖고 돌봐 주기를 바라." 라는 상투적인 말을 듣는다. '관심을 갖고 돌봐 준다'는 구절에 담긴 소망의 내용들은 분명히 어린 시절부터 있었던 것들이다. 아동 중심의 중산층 미국 가정에서 양육된 대부분의 사람들은 아주 심하게 이러한 문제에 관심을 갖고 있으나, 자신이 이러한 말을 하고 있다는 것을 거의 알아채지 못한다. 고독을 강화하는 그 어떤 것이나 가족에서 벗어나고자 하는(학교를 마치고, 취직을 하고, 병을 앓고, 자신이 이상한 위치에 있음을 발견하고, 부모가 이혼을 하게 되는 등의 경우도 마찬가지) 경우에 수반되는 안정감의 상실 등은 가정의 절대적인 안전을 회복하도록 하는 감정을 증가시킨다.4)

결혼은 긍정적인 의미에서든 아니면 부정적인 의미에서든 안전과 안정을 반영할 수 있다. 이러한 안전과 안정을 앞에서 논의한 동반자의식, 보살핌, 상호보완의식의 관점에서 본다면, 결혼은 아주 타당하고 실행가능한 방안이 될 수 있을 것이다. 반면에 만일 결혼을 일방적인 '자신의 욕구충족'의 모험으로 여긴다면, 그 결혼은 아마도 이기적인 피난처에 불과할 것이다.

'도피'를 위해서 결혼을 한다는 것은 가장 미성숙한 결혼의 이유

---

4) GAIL SHEEHY, *Passages: Predictable Crises of Adult Life*(New York: E.P. Dutton & Company, Inc., 1976), p.146.

이다. 이러한 이유가 의식적인 수준에서보다는 무의식적인 수준에서 보다 널리 채택되고 있다 할지라도, 어떤 사람들은 결혼을 행복하지 못한 상황으로부터의 도피수단으로 사용하고 있다. 그러나 결혼을 통해서 불행한 가정생활이나 고독감으로부터 '도피'하고자 하는 젊은이들은 잠재적으로 결혼을 하기 전보다 더 고독하고 불행한 사태에 빠질 가능성이 크다. 결혼을 도피행각으로 여겨서는 절대 안 된다. 자신의 마음속에 그러한 생각을 깊이 간직하고 있는 사람은 아마도 결혼에 관련된 신중한 측면에 대한 명료한 생각을 하고 있지 못하다.

많은 결혼 중 아주 일부분이기는 하지만 혼전 임신으로 인해 결혼하게 되는 경우가 있다. 그런데 단순한 혼전 임신 때문에 마음에 내키지 않는 결혼을 해야 한다는 문제는 감정적인 거부감을 유발하는 것 같다. 그리고 분명히 개인적인 사정은 고려되어야만 할 것이다. 문제는 대부분의 다른 결혼에서 볼 수 없는 '강요된' 결혼으로 인해 생기는 것 같다. 그렇지만 이미 결혼하기로 약속한 남녀의 결혼 날짜 전에 임신이 되었다면, 그러한 경우의 임신은 중요한 요인이 되지 못한다. 만일 이것이 결혼의 유일한 이유가 되거나 또는 아주 주요한 이유가 된다면, 그것은 남녀가 결혼 초기에 더 열심히 노력해서 처리해야만 하는 몇 가지 특별한 어려움을 제공할 수도 있다.

지위, 돈, 명성 등과 같이 여기서 논의되지 않는 결혼에 관련된 많은 이유가 있다. 그러나 이제까지 고찰한 것들은 아주 대표적인 것들에 해당된다. 대부분의 사람들은 단지 어느 한 가지 이유에서가 아니라 여러 가지 복합적인 이유 때문에 결혼을 한다. 그리고 바람직한 이유를 갖고서 결혼을 하게 되면 실패의 기회가 감소되는 것은 물론 좋은 반려자를 선택할 수 있을 것이다.

1. 자신이 결혼을 염두에 두고 있거나 또 있었다면, 가장 중요하게 고려해야 될 것으로 생각되는 다섯 가지 이유에 대해 서열을 매겨 보라. 그리고 소집단 내에서 자신의 서열을 타인의 것과 비교한 다음 유사성과 차이점에 관해 토의해 보라.

2. 결혼을 생각하고 있는 두 남녀에게 임신이란 일이 생겼을 경우에 특별한 문제점과 고려해야 할 사항에는 어떤 것이 있는가? 이와 관련하여 논의되고 결정될 필요가 있는 요인에는 어떤 것이 있는가?

3. 여러분은 결혼을 하는 다양한 이유의 '의미', 정의, 상대적 중요성 등이 해가 지남에 따라 변하게 될 것이라고 생각하는가? 예를 들어, 오늘날의 '동반자 의식'이 10년 후 또는 20년 후에도 똑같은 것을 의미할 것이라고 생각하는가? '사랑'과 사랑의 구성요소들도 같은 것을 의미할 것이라고 생각하는가? 소집단을 만든 다음 자신의 관점을 타인과 함께 토론해 보라.

4. 소집단을 만든 다음 삶의 여정(passages)에서 인용한 문장(각주 4의 내용)을 다시 읽어 보라. 그리고 자신이 느끼기에 어떤 연령이 되면 결혼을 하도록 재촉하는 사회나 가족에 의해 부과되는 압력의 사례들을 열거해 보라. 또는 자신에게 기대되고 있는 것이 무엇인가? 자신의 관점에 관해 토론해 보라.

5. '나에게 관심을 갖고 돌보는' 어떤 사람을 소유하기 위해 결혼하는 일에 대한 자신의 반응을 토론해 보라. '어떤 다른 사람을 돌보기 위해' 사람들은 결혼을 하는가? 여러분은 자신에게서 무엇을 기대하는가?

II. 결혼에 대한 기대

사춘기를 지나면서 사람들은 자신의 성인의식을 확립하고 성인생활에서 자신이 원했던 사람의 모습을 거의 다 갖추기 시작한다. 소수의 의미 있는 타인과 신뢰로운 관계를 맺거나 확립하는 일은 이러한 과정에서 중요한 단계로 여겨진다. 결혼을 하게 되면, 자신이 선택한 배우자와의 결속은 대부분의 사람들에게 공유, 대면, 상호 의존, 그리고 앞서 사랑을 묘사하는 그러한 구성요소들과의 영구적이고 지속적인 일차적 관계에 대한 바람을 설명해 준다.

1. 약혼기간은 탐색의 시기

두 남녀가 일단 결혼을 하여 같은 삶을 살아가기로 결정하게 되면, 이들은 보통 형식적이거나 비형식적인 약혼을 하게 된다. 약혼의 가장 중요한 측면은 약혼기간의 연장이나 공식성이 아니라 그 기간에 무엇을 달성하느냐 하는 문제이다. "아주 친숙한 관계를 형성하는 것은 약혼에 있어서 가장 가치 있는 성과이며, 거의 모든 경우에 친숙한 관계를 형성하는 데는 시간을 요한다."[5]

약혼에 앞서 자신이 상대방을 얼마나 오랫동안 알고 지내 왔느냐 하는 문제는 자신의 약혼기간을 결정하는 데 도움을 주는 한 요인이 된다. 만일 여러분이 상당한 기간 동안 상대방과 만남을 가졌을 경우, 약혼은 아주 짧은 기간 동안 만남을 가졌을 경우보다 더 짧은 시간이 걸릴 것이다.

'순간적인 감정'으로 구혼을 하여 곧바로 결혼을 하였을 경우, 그 사람은 결혼 후에 예상치 못한 많은 '놀라움'을 발견하게 될 것이다. 이러한 놀라움은 상대적인 중요성에 따라 다르다. 예를 들어, 입맛의 차이는 아주 사소한 '놀라움'이 된다. 그렇지만 역할기대, 재정적 문제, 그리고 성에 대한 태도에 있어서의 차이는 아주 큰 놀라움을 안겨다 줄 것이다.

---

5) PAUL H. LANDIS, *op. cit.*, p.332.

아주 간략한 구혼이나 결혼이 멋진 결과를 맺는 경우도 있다. 그러나 '순간적인 감정'으로 결혼을 한 경우 두 남녀가 결혼 전에 서로를 잘 알 수 있을 만한 충분한 시간을 갖지 못했기 때문에, 이들 남녀는 대개 이혼 법정에 서는 경우가 많다.

두 남녀가 변함없는 동반자 관계를 지속적으로 발전시킬 수 있는 적응방식을 계발할 수 있는지의 여부를 알 수 있을 만한 충분한 시간을 가진 후에 약혼을 하는 것은 아주 중요하다. 그렇지만 긴 약혼기간이 상대방에 대한 적응을 올바른 방향으로 이끌지 못하여 남녀 모두가 무익한 것이 될 수도 있다. 또한 자신들이 전적으로 만족스런 관계를 계발할 수 없다는 것을 이들은 알아야만 한다. 그러나 긴 약혼기간이 올바른 방향으로 진전되고 있는 사람들에게는 자신들에게 이로운 여러 가지의 적응기법을 배울 수 있는 기회를 제공해 줄 수도 있다. 두 가지의 결과는 모두 중요하다. 여기서 한 가지는 현명하지 못한 결혼을 차단하는 것이며, 나머지 한 가지는 두 남녀의 관계가 결혼관계의 지속에 필요로 하는 자질을 갖추고 있다는 확신을 갖는 것이다.[6]

[그림 12-2] 영원히 행복한 것은 아니다. 그러므로 낭만적인 환상은 재고될 필요가 있다.

---

6) *Ibid.*, pp.332-333.

그러므로 약혼기간의 길이는 그 기간 동안에 계속되는 과정, 즉 서로를 잘 알 수 있게 되고 자신의 결혼을 지속적으로 만드는 데 필요한 몇 가지 적응기법을 결정하게 되는 과정만큼 중요한 것이 아니다.

결혼 여부에 대한 결정은 사람들이 해야 될 가장 중요한 결정 중의 하나이다. 실패하든 성공하든 간에 이러한 결정은 자신의 나머지 생활에 영향을 주게 될 것이다. 이러한 각도에서 본다면, 약혼기간은 아주 중요하다. 왜냐하면, 이 기간은 결혼에 대한 최종적인 준비단계이기 때문이다.

이러한 단계에 들어서면, 사람들은 어떤 언질을 하게 될 것이다. 그래서 사람들은 "우리는 사랑하고 있고 결혼을 원하고 있어."라고 말한다. 그리고 전보다 함께 보내는 시간이 더 많아질 것이고, 이로 인해 사랑하는 사람에 관해 더 많은 것을 발견하게 될 것이다. 약혼기간은 또한 결혼과 관련해서 통념적으로 갖게 되는 많은 잘못된 생각과 그릇된 생각을 들추어내는 시간으로 사용되기도 한다. 다음에는 이와 관련된 몇 가지 잘못된 성격과 그릇된 생각을 고찰하려 한다.

(1) 우리는 서로를 완전히 이해하고 있다

그렇지만 많은 남녀들은 데이트를 하는 동안에는 정직하게 의사소통을 하지 못한다. 즉 이들은 일종의 '가면'을 쓰고 있거나, 가면을 쓰고 있다는 사실조차도 모르면서 의사소통을 한다. 이들은 또한 상대에게 좋은 인상만을 심어 주려고 노력한다. 때때로 이들이 서로를 '이해하고' 동질의식을 느낀다고 말하는 것은 이들이 그렇게 해야만 한다고 생각하기 때문이다. 이와 같이 사람들은 상대방의 감정이 상할까 두려워서 자신의 진실한 면모를 위장한다.

어느 개인의 이해는 최상의 것보다 더 완전할 수 있다. 그러나 이러한 이해가 가족에 대한 자신의 계획(가령, 아기를 둘 것인가 두지 말 것인가. 아기를 둔다면 몇 명을 두고 언제 둘 것인가)까지 포함시켰는가? 그리고 이러한 이해가 경제적인 문제(가령, 결혼 후에 부부가 다 같이 직장에 다닐 것인가, 다닌다면 언제까지 다닐 것인가, 가족생활을 꾸려 나갈 경우 어떤 일이 발생할 것인가)까지 포함시켰는가? 또한 이러한 이해가 성적인 문제에 대한 일치(가령, 자신의 결혼이 성적인 매력 이상의 것에 기초를 두고 있는가, 서로의 욕구와 공감대를 이해하고 있는가)까지 포함시켰는가. 서로를 완전히 이해하는 데는 이러한 문제까지 포함되어야 한다.

결혼한 지 20년 이상이 되는 사람들도 "우리는 아직도 서로를 완전히 이해하지 못하고 있어, 그리고 이렇게 이해하지 못하는 것을 다소 좋아하기도 하지. 내가 상대방의 모든 것을 알게 되었다고 생각하게 되면 그 사람은 뚱딴지같은 예상치 못한 짓으로 나를 놀라게 하거든. 이러한 짓은 생활에 흥미를 더해 주기도 해."라는 말을 한다. '상대방의 모든 것을 알' 정도의 이해는 아마 불가능할 것이다. 그러나 기본적인 원칙에 대해서 일치하고 있다는 의미에서의 이해는 멋있는 결혼에 있어 아주 도움이 되는 요소가 된다. 이해는 시간과 인내를 필요로 한다. 그리고 이해는 결혼한 이후에도 계속해서 키워 나가야 할 것이다.

(2) 나는 당신과 결혼하는 것이지 당신의 가족과 결혼하는 게 아니다

분명히 인간은 어느 한 사람과 결혼하는 것이다. 그러나 그 사람은 그의 과거 경험, 특히 그의 가족들 사이의 경험에 의하여 형성된 산물이다. 그리고 인간은 가정에서 가족관계(예를 들어, 가족의 주도권을 쥐고 있는 사람이 어머니냐 아니면 아버지냐, 가족관계가 보다 더 양성적이냐, 그 집안에서 사용하는 자녀의 훈육방법이 무엇이냐, 형제간의 우애는 어떠한가)에 의해 영향을 받는다.

자기 자신과 자신이 사랑하는 사람은 각자가 자신의 집안에서 배운 많은 것들을 결혼생활까지 연장시키게 된다. 자신의 기대, 역할지향, 심지어 자식에 대한 훈육방식까지도 자신이 길러진 방식이 의해 영향을 받게 될 것이다.

오늘날같이 유동적인 사회에서 사람들이 자신의 가족과 멀리 떨어져 사는 것은 자주 볼 수 있는 일이다. 그러나 사람들은 몇 가지의 가족적 계약(family contracts)을 갖고 생활한다. 시집이나 처가와의 갈등은 자신의 결혼에 현실적인 위협을 주는 것이지만 꼭 그렇게 볼 필요는 없다. 그렇지만 한 가지 분명한 것은 시집이나 처가와의 갈등 그리고 가족 내의 갈등은 단시일 내에 없어지는 것이 아니라는 것이다. 이러한 갈등은 당사자가 불화의 근원을 이해하지 못하고 이에 적응하지 못하며 견디어 내지 못하면, 한층 더 가속화되고 촉진될 것이다.

가족적 배경과 관련된 또 다른 문제는 자신의 부모나 가족에 대한 지나친 의존이다. 만일 여러분이 결혼 전에 이러한 문제의 징후를 보게 되면, 이를 위험 신호로 인식하고 그 문제를 당장 해결토록 하라. 부모에 대한 지나친 애착(attachment)은 개인적인 자유를 잃어버린 징후일 수가 있다. 결혼하기 전이든 아니면 그 후이든 가족 간의 관계에 관한 몇 가지 '밑바탕이 되는 규칙'을 설정하는 것은 때에 따라 아주 필요한 것이 된다. 이러한 규칙의 설정은 가족 간에 서로 아주 밀착된 관계를 유지하면서 생활하는 경우에 특히 필요하다. 여러분과 여러분의 부모는 '집에만 처박혀 있거나', 아기를 보거나 일요일 점심식사 준비 등의 문제에 관하여 어떤 느낌을 갖고 있는지 각자 알아보도록 하라.

인척이나 친밀한 가족관계는 자신의 결혼에 있어 굉장한 부분을 차지할 수 있다. 이는 상호 관계성의 문제로서, 여러분이 따로 떨어져 사는 '가족'일지라도 여러분은 여전히 이들과 관계를 맺고 있는 것이기 때문이다. 친족들 간의 행복한 상호 관계에 있어 핵심적인 열쇠 중의 하나는 상호 존중으로, 이는 사람들로 하여금 다른 사람에게 강요하지 않고 자신의 삶을 살게 하며 타인을 압도하지 않고서도 긴밀한 관계를 유지할 수 있게 해 준다.

(3) 두 사람의 생활비는 독신생활비와 큰 차이가 없다

소수의 사람들은 아직도 두 사람이 같이 쓰는 생활비는 혼자 살 때 쓰는 생활비와 큰 차이가 없다고 믿고 있다. 그러나 이러한 생각을 갖고 있는 세대는 빚을 얻어(borrowing) 쓴다고 눈살을 찌푸릴 것이 못 되며 사실상 하나의 생활방식이라는 '신용경제(credit economy)'에서 성장한 사람들이다(역주: 크레디트 카드사용, 가계수표 사용, 월부판매 등으로 우리나라 생활 속에도 신용경제가 일반화되고 있다).

대부분의 사람들은 단독 층을 사용할 수 있는 집과 자기 차를 갖고 휴가를 즐기며 '소비층(consumeritis)'에 속하는 '중산층' 출신에 속할 가능성이 크다. 그래서 자기 자신이 이러한 것들을 갖고 있지 않은 경우 그는 아마도 이러한 것들을 갖기를 원할 것이다. 그러므로 서로 사랑을 하며 생활하는데 자신이 금전적으로 넉넉지 못할 경우에도 단지 '사랑만 있으면' 결혼생활을 꾸려 나갈 수 있다고 가정하는 것은 비현실적인 생각임에 분명하다. 오늘을 사는 젊은 부부들은 대개 자동차 유지비, 보험료(근무하는 직장에서 생명보험이나 건강보험에 대한 '금전적 특혜'를 주지 않는 경우), 그리고 '빠짐없이' 매달 지불하는 집세, 수도세와 전기세, 전화세, 부식비 및 피복비 외에도 가구, 음향기기, 텔레비전 구입비 등에 대한 금전부담에 직면하고 있다.

금전문제는 결코 낭만적인(romantic) 것이 아니다. 통계에 의하면 금전부담은 오늘날 결혼생활을 하고 있는 부부들이 접하고 있는 주요문제 중의 하나이다. 필요한 금전의 양이 항상 문제되는 것은 아니며, 문제는 오히려 **잘못된 소비생활**과 낭비하는 습관으로 인해서 생긴다. 대부분의 사람들은 가계예산을 짜고 그 계획에 따라 예산 집행하는 것을 아주 싫어하지만, 어떤 경우에는 이러한 방법이 큰 골치 아픈 문제에 대한 유일한 논리적 해결책이다.

결혼을 준비하는 단계에서 금전문제에 관한 서로의 태도를 논의하는 것은 현명한 방법이다. 부부가 다 같이 직장에 다니기로 계획했을 경우, 각자가 받는 봉급을 각자 따로 관리할 것인가 아니면 함께 관리할 것인가, 한 사람분의 봉급으로 생활하고 한 사람분은 저축할 것인가 아니면 두 사람분 중에서 어느 일정량을 따로 떼어 둘 것인가, 누가 현금을 관리할 것인가, 각자가 실제로 받는 봉급은 얼마나 될 것인가, '생활필수품'의 구입에는 어느 정도의 논을 사용할 것인가, 결혼한 후에 갚아야 될 빚은 없는가 등에 관한 문제는 결혼 전에 서로 충분한 상의를 해야 될 것이다.

각자가 자신이 자기 집안에서 사용했던 소비습관에 비추어 상대방의 소비습관을 고찰해야만 할 것이다. 자신의 집안에서 돈을 어떻게 취급했으며, 누가 돈을 관리했고, 돈에 관한 '문제'를 해결한 사람이 누구이었는가 하는 등의 몇 가지 문제를 알아보고 이야기를 함으로써, 각자는 서로 일치의 영역과 불일치의 영역을 발견할 수 있게 될 것이다. 이러한 문제를 분명하게 알아보라. 그러면 결혼 후의 문제가 수월하게 풀릴 것이다.

(4) 서로의 사랑이 충만하다면 해결하지 못할 문제가 없다

젊은이들이 이런 말을 하는 경우 이는 무엇을 의미하는가? 젊은이들은 "그가 나를 충분히 사랑한다면, 그는 나와 같은 사고방식을 가지게 될 거야." 또는 "그녀가 나를 진실로 사랑한다면, 그녀는 나의 욕구를 이해하게 될 거야."라고 말하지 않는가? 만일 부부가 중요한 문제에 관해 서로 반대되는 관점을 가졌을 경우, 여러분은 자신이 상대방을 사랑하고 있다는 사실로 해서 상대방의 관점이 옳고 자신의 관점이 그르다고 하여 서로 간에 차이점이 없다고 하겠는가?

여러분이 사랑에 의해서 저절로 해결될 수 있다고 기대하는 문제에는 어떤 것이 있는가? 종교인가? 성(性)인가? 진로계획인가? 어떤 문제는 오히려 사랑의 감정에 치명적인 상처를 주는 바로 그것일 수도 있다. 약혼기간은 각자가 애정을 갖고 이러한 문제 중의 몇 가지를 극복해 나가는 기간인 것이다. 갈등을 일으키는 문제가 있으면, 나중에 저절로 '해결되겠지' 하는 예상을 하지 말라. 오히려 이를 통해서 자신이 기대하는 것과 자신에게 진실로 중요한 것을 명확하게 발견해 내도록 하라. 그렇게 하면 여러분은 아주 만족스런 해답을 얻을 수 있거나, 아니면 자신의 문제가 아주 중요하다는 것을 발견하게 될 것이다. 사랑과 마찬가지로 결혼 그 자체가 모든 것을 해결해 주지는 못한다. 왜냐하면 결혼은 문제를 해결하는 사람, 특히 사랑하는 사람을 필요로 하기 때문이다.

(5) 일단 결혼만 하면 모든 것이 변화하게 될 것이다

사람들은 결혼하기 전까지 어떤 행동형태나 습관, 특성 등을 '고수하고' 결혼 후에는 이전의 모든 것을 다 잊고 '새로운 출발'을 하겠다는 계획을 하는 경우가 있다. 그러나 자신이 상대방의 결점을 전혀 받아들일 수 없는 경우라면, 결혼하기 전에 상대방의 결점에 대한 자신의 결단을 내리는 것이 훨씬 더 바람직하다. 결혼한 후에 상대방을 변화시키겠다는 생각은 전혀 하지 말라. 의도한 바대로 될 가능성은 희박하다. 왜냐하면 모든 사람이 계속적으로 변화하지만 그 변화는 의식적인 조작보다는 개인적인 바람을 통해서 이루어지는 것이기 때문이다.

결혼 이후의 많은 갈등은 부부 중에서 어느 한 사람이 상대방을 변화시키려고 시도하는 데서 일어난다. 살아나가면서 불가피하게 발생하는 변화와 '나는 너를 변화시키고야 말겠다.' 하는 태도 사이에는 아주 큰 차이가 있다. 자기 자신에게 "처음에 나로 하여금 매력을 갖게 했던 상대방의 특성이 무엇이지? 나는 상대방의 결점에 대해서도 알고 있는가? 나와 같이 일할 사람에게 기대하는 것과 똑같이, 나는 상대방의 매력과 결점 모두를 대하면서 살아갈 수 있을까?" 하고 스스로에게 물어보라.

자신을 괴롭히는 '성냄'이나 사소한 화풀이가 있다면, 결혼할 때까지 미루지 말고 결혼하기 전에 이러한 문제에 대해 토론을 통해 충고하라. 아마 여러분이 사랑하는 사람도 여러분이 인식하지 못한 비슷한 화낼 일이 있을 것이다. 그리고 서로가 이러한 문제들을 함께 청산할 수 있도록 노력할 수 있을 것이다.

(6) 결혼은 공통의 관심사를 만들어 줄 것이다

자신이 아주 다양한 관심사를 갖고 있다면 결혼이 실패할 가능성은 적다. 그렇지만 결혼한다고 갑자기 공통적인 관심사가 많이 생기리라 기대하지는 말라. 약혼기간은 몇 가지 공통의 관심사를 개발해 낼 수 있는 시간이다. '둘이서 같이 즐길 수 있는 일에는 무엇이 있을까?' 하고 자신에게 물어보라. 만일 두 사람 중에서 어느 한쪽이 스키광(avid skier)이고 나머지 한 사람이 운동을 싫어한다면, 두 사람은 스키 타는 것을 포기하거나 혼자 타러 가는 방안과 좋아하는 사람은 타고 싫어하는 사람은 그냥 따라다니거나 억지로 배우는 방안 중에서 선택을 하지 않으면 안 될 것이다. 여기서 전자의 방안은 관심사의 계속적인 분리를 의미할 수 있다.

관심사에 있어서 어느 정도의 차이는 좋은 것이다. 즉 관심사가 '너무 똑같아도' 재미가 없을 수 있다. 여러분은 얼마나 많은 차이를 원하는가? 약혼기간은 마음속으로 자신의 관계를 장기적으로 재평가함으로써 이러한 물음에 대한 응답을 발견할 수 있는 좋은 시간이다. 자신이 결혼하게 되기까지 여러 해에 걸쳐 어떠한 관심사를 가지게 될 것인지를 알아보라. 여러분은 아마 대부분 관심의 초점을 그러한 영역에 두고 그 영역을 계속 개발시키기를 원할 것이다.

(7) 내가 만난 사람은 나와 천생연분이다

'천생연분'의 반려자는 사실 시간과, 환경의 결과로서 자기 자신의 일부가 된다. 사람이 사랑하고 또 사랑받고 있다는 열렬한 감정을 가지는 경우, '열렬하게 사랑하고 있는 사람'이 자신에게 어울리는 인생 반려자가 될 가능성이 있는 사람들 중의 한 사람에 불과하다는 사실을 깨닫기란 힘든 일이다. 즉 현재 사랑하고 있는 두 남녀는 우연하게 바로 그 시간 그 장소에서 만나게 된 것인지도 모른다.

약혼기간 동안에 자신이 생각하기에 서로에게 '어울리지' 않는다는 것을 알게 되었다면, 모든 일을 없었던 것으로 하고 서로 갈라서는 것이 나중을 위해서 바람직하다. 왜냐하면, 결혼 후에 이러한 문제를 해결하는 데 소요되는 고통이나 혼란보다는 약혼의 파기가 더 바람직하기 때문이다.

(8) 결혼은 나의 모든 문제를 해결해 줄 것이다

결혼이 도피처를 제공해 준다는 생각은 결혼에 대한 잘못된 생각 중에서 가장 심각한 것이다. 결혼이 불행한 가정생활이나 고독한 생활에서의 환영할 만한 행복한 탈출구가 될 수도 있다. 그러나 만일 자신이 아주 젊고, 불행하고, 고독하고, '사랑하는' 감정에 대한 확신이 서지 않는다면, 그 사람은 결혼한 후에 아주 실망하게 될 것이다. 결혼을 하는 데는 노력, 인내, 이해, 확신, 신뢰, 사랑,

기타 많은 미덕이 필요하다. 남녀 모두에게 어울린다고 생각되기 때문에 결혼을 한다는 확신이 서지 않는다면, 결혼에 돌입하지 말라. 그리고 어떤 문제를 해결하기 위한 결혼이라면 더욱 위험하니까 하지 말라.

2. 약혼기간은 문제제기의 시기

약혼한 두 남녀는 서로가 대답해야 하는 몇 가지 문제에 대하여 아주 분명하게 논의하길 원할 것이다. 논의되어야만 하는 몇 가지 문제들은 다음과 같은 일반적인 영역들이다.

(1) 금전

금전적인 이야기는 결코 '낭만적인' 것이 아니라, 오히려 두 남녀가 서로의 금전상태에 대하여 알아 두는 것은 아주 근본적인 문제이다. 금전은 결혼의 전후에 걸친 여러 가지의 일, 특히 신혼여행, 주거지 결정, 주택마련, 하루하루의 살림살이 등에 많은 영향을 주게 될 것이다.

(2) 자녀

자녀를 가진다면, 몇 명의 자녀를 갖고 어떤 자녀를 가질 것인가 하는 문제는 결혼 전에 반드시 논의되어야 한다. 또한 가족계획과 피임기구의 문제에 대해서도 서로 간의 합의가 있어야 한다. 여러분은 이러한 문제에 대해서 서로 합의하고 있는가? (역주: 우리 실정에 안 맞는 노골적인 표현을 하고 있으나 어느 정도는 탐색해 봐야 할 것이다).

(3) 성에 대한 태도

자신의 성에 대한 태도를 논의하는 것을 주저하거나 난처한 것으로 여긴다면, 서로 합의상태하에서 상담자나 의사에게 조언을 구하는 방안도 고려해 볼 수 있다. 건전한 성에 대한 태도는 성공적인 결혼생활을 하는 데 있어서 중요한 역할을 한다. 이 문제는 결혼 전에 반드시 논의되어야 한다(역주: 최소한 변태적인 태도가 아닌지는 확인할 필요가 있으리라 본다).

(4) 부모

자신의 부모에 대한 태도는 터놓고 논의되어야 한다. 인척에 대한 문제는 단순히 희극이나 만화의 소재가 아니라, 결혼에 있어서 아주 현실적인 문제라 할 수 있다. 물론 서로의 태도가 일반적으로 일치하는지를 결정하기 위해 결혼 전에 각자의 감정을 밝힌 바가 있으면 필요하지 않을 수도 있다(역주: 특히 우리나라에서는 시부모 또는 처부모를 모시는 문제가 있으므로 중요한 항목이라고 본다).

(5) 직업

인간은 자아충족, 진로개발, 성취 등 여러 가지 이유에서 일을 하지만, 가장 일차적인 이유는 아마도 재정적인 문제 때문일 것이다. 사람들은 대부분의 남자들이 경제적인 필요를 위해 일하는 것으로 생각하지만, 최근에 들어서 여자들도 대부분 경제적인 필요를 위해 일하는 것으로 인식하게 되었다. 1976년에 70퍼센트의 미국 여성들이 자기 자신이나 자녀의 부양을 위해서 또는 자기 가족의 수입을 늘리는 데 필수적으로 도움을 주고 있다.[7] 결혼 후에 부부가 같은 직업에 근무할 것인가 아니면 다른 직업에 근무할 것인가? 그리고 이러한 직업이 선택에 의해서 결정된 것인가 아니면 필요에 의해서 어쩔 수 없이 결정된 것인가? 이러한 문제에 대해서도 서로 간에 합의가 있어야 한다.

(6) 의사소통의 형태

자신의 의사소통 방법이나 형태를 알아보라. 상대방에게 빗대어 놓고 말하는가 아니면 진실한 마음으로 의사소통을 하는가? 피드백을 어떻게 효과적으로 주고받는가? 자신이 상대방한테서 받는 비언어적인 메시지에 관심을 두는가? 감정적 수준에서 의사소통을 할 수 있는가? 자신이 의사소통을 시도하는 경우에 사용하는 반복적인 행동이나 어구가 있는가?

(7) 역할

결혼과 가족환경 내에서의 역할에 관한 자신의 기대는 무엇인가? 자신의 기대가 고정관념적인 형태를 따르는가? 다소 전통적인가? 어느 정도 융통성을 갖는가? 서로의 관계를 양성적이라 특징지을 수 있는가? 서로가 각자의 역할지향에 대해 합의를 하고 또 편안한 감정을 느끼는가?

---

7) U.S. Department of Labor, *Women Workers Today*, 1976.

이러한 문제들을 포함한 많은 문제들이 두 남녀가 결혼을 하기 전에 반드시 논의되어야 한다. 왜냐하면, 결혼에 앞서 이러한 문제들을 고찰하게 되면 이는 결혼 후의 적응에 아주 큰 도움을 주기 때문이다. 그리고 실제로 극복할 수 없는 문제들이 발생하는 경우, 여러분은 결혼을 취소하거나 최소한 당분간 연기시키는 것이 좋을 것이다.

결혼이 성사될 것인지에 대해서는 아무도 완전하게 확신할 수 없다. 사랑은 때때로 비극이 될 수 있으며, 결혼은 자주 실패의 결과를 낳기도 한다. 만일 여러분이 이러한 가능성을 인정한다면, 여러분은 자신의 결혼을 성공적인 것으로 이끌기 위해 더욱 열심히 노력해야 될 것이다.

Ⅲ. 요 약

미국 내 가족의 구조가 변하고 있다 할지라도 사람들은 여전히 결혼을 하고 있다. 다양한 사랑의 구성요소들 중 몇 가지는 존중, 동반자의식, 신뢰, 보살핌, 그리고 상호보완의식 등이 해당된다. 사람들은 또한 성적인 욕구를 만족시키기 위해, 사회의 기대 때문에, 안전과 안정을 위해서, 아이를 갖기 위해서 결혼을 한다. 결속 및 신뢰 있는 관계의 확립은 결혼에 의해서 충족되는 중요한 욕구이다. 약혼기간은 결혼에의 적응기법을 배우고 결혼에 대한 잘못된 생각이나 그릇된 생각을 없애는 시기이다. 또한 약혼기간은 서로에 대한 기대, 재정, 자녀, 성에 대한 태도, 부모, 직업, 의사소통의 형태, 그리고 역할기대에 대한 문제를 제기하고 이에 대해 논의하는 기간이다.

연습문제

1번에서 6번까지의 다음 물음에 대해 개인적으로 답해 보고 나서, 소집단을 만든 다음 거기서 자신의 유사점과 차이점에 대하여 토론해 보라.

1. 결혼은 기본적으로 '욕구충족'의 문제라고 말한다. 만일 이 말이 사실이라면, 결혼관계에 여러분은 무엇을 주고 무엇을 받기를 기대하는가?

2. 여러분이 결혼을 하기 전에 결혼 상대자와 함께 점검해야 할 중요한 합의내용에는 어떤 것이 있는가?

3. "당신이 결혼할 사람을 좋아하는 것은 그 사람을 사랑하는 것과 마찬가지로 중요하다."는 진술문에 대한 반응을 적어 보라.

4. "행복한 결혼을 성사시키는 데는 두 명의 행복한 사람이 필요하다."는 진술문에 대해 여러분은 어떤 방식으로 동의하고 또 동의하지 않는가?

5. 약혼기간이나 결혼을 하기 전에 제거되어야 할 가면의 형태에는 어떤 것이 있는가?

6. 사람들은 어떤 방식으로 결혼 상대자의 가족들과 관계를 맺는가?

7. 소집단을 만든 다음, 여러분의 집단이 '결혼과 가족에 관한 법령 위원회(the Commission on the Status of Marriage and Family)'의 임무를 수행하게 되었다고 가정하자. 여기서 부여받은 위원회의 임무는 결혼과 가족 단위를 안정시키고 강화하는 일이다. 여러분은 많은 선택대안들을 가지고 있다. 즉 여러분은 법령을 있는 그대로 두는 방안을 선택할 수 있다; 즉 여러분은 결혼을 하고자 하는 사람들을 위한 몇 가지 제안적인 지침을

설정할 수도 있다. 여러분은 결혼이 허용되기 전에 지켜야 할 몇 가지 강제적이거나 필수적인 규칙을 설정할 수도 있다. 여러분은 결혼을 전적으로 폐지하거나 폐기할 수도 있다. 여러분은 또 다른 선택대안을 설정할 수 있다. 자신이 부여받은 임무를 생각하면서, 위에서 제시한 각각의 대안에서 나올 수 있는 가능한 성과 및 각각의 대안이 갖는 이점 및 단점을 열거해 보라. 여러분의 제안내용을 백지에다 적은 다음, 이를 집단의 결정에 넘기고 그다음에 모든 제안내용을 기록해 두라. 그리고 나서 여러분 집단의 결정내용을 나머지 모든 학급구성원들에게 보여 주고, 각각의 대안들을 요약하여 정리한 다음 여러분이 최종적인 결정을 왜 그렇게 내렸는지에 대한 이유를 들어 보라. 다음의 체제를 활용하라.

	있는 그대로 두겠다	
이점	단점 제안적인 지침 설정 (구체적으로 상세하게 열거)	가능한 성과
이점	단점 필수적인 규칙 설정 (구체적으로 상세하게 열거)	가능한 성과
이점	단점 결혼의 폐지	가능한 성과
이점	단점 다른 선택대안들	가능한 성과

각각의 집단이 그들의 결정내용을 제시하면, 그 내용을 비교하고 자신의 반응내용에 관해 토론을 하라.

제13장 성공적인 결혼은 바로 적응

> 사람들은 결혼을 할 때 너무나 자질구레한 언쟁으로 고민을 한다. 그리고 그 언쟁이 무엇 때문에 시작된 것인지를 알아내기 위해 아주 오랫동안 고심을 한다.
>
> 프라더(Hugh Prather)[1]

> 누구나 다 알듯이, 결혼은 장난 비슷한 모험인 동시에 아주 심각한 모험이 되기도 한다.
>
> 레서(Richard Lessor)[2]

> 가족은 해병 훈련소의 비전투요원들과 같은 존재로서, 사람들에게 전투와 생활의 즐거움을 준비시켜 준다.
>
> 쥬라드(Sidney Jourard)[3]

여러분은 집안환경을 밝게 꾸미기 위해 아름다운 초록색 정원수를 집에 가져와 심은 적이 있는가? 그리고 불과 얼마 후에 그 나무가 시들고, 노랗게 바래면서 잎이 떨어지는 것을 본 적이 있는가? 이 때문에 여러분은 정원수의 농장을 찾아가 도움을 청하기도 하

---

1) HUGH PRATHER, *Notes to Myself*(Moab, Utah: Real People Press, 1970).

2) L. RICHARD LESSOR, *Love & Marriage and Trading Stamps*(Niles, Ill.: Argus Communications, 1971), p.74.

3) SIDNEY M. JOURARD, *The Transparent Self*(New York: D. Van Nostrand Company, 1971), p.103.

고, 믿을 만한 식물도감을 펼쳐보기도 하고, '원예솜씨가 뛰어난' 이웃을 찾아가 조언을 구하기도 하였지만, 결국 어떤 신통한 해결책을 얻지 못한 경우가 있을 것이다. 아마 여러분은 그 정원수에 물을 너무 많이 주었거나 너무 적게 주었을 것이며, 아니면 거름을 너무 주었거나 너무 주지 않았거나 그 나무에 맞지 않은 영양분을 사용했을지도 모른다. 또한 여러분은 그 나무가 너무 많은 햇빛이나 너무 적은 햇빛을 받게 하는 등 적절치 못한 관리를 하였을지도 모른다. 그리고 어느 정도의 시행착오와 인내, 실습을 거쳐서, 여러분은 정원수에 알맞은 물과 영양분과 햇빛을 조절하는 방법을 알게 되고 결국에 그 나무는 다시 튼튼하게 자라게 되는 것을 볼 수도 있을 것이다.

앞에서 예로 든 유추가 너무 단순화된 것이긴 하지만 결혼도 옮겨 심은 정원수와 어느 정도는 같은 것이다. 만일 사람들이 결혼에 필요한 음식과 영양분과 환경을 제공하지 못한다면, 그 결혼도 시들시들해져서 결국에 끝장나고 말 것이다. 만일 사람들이 결혼에 필요한 것이 무엇인지를 알지 못한다면, 그 사람들은 식견이 있고 믿을 만한 사람에게서 도움을 얻고 인내를 갖고서 결혼이 충실하고, 전전하고, 번성하도록 노력해야 할 것이다.

13장에서는 결혼과 가족의 발전을 위하여 몇 가지의 가장 공통된 적응과 변화의 단계를 고찰해 보고자 한다.

Ⅰ. 신혼단계

집을 떠나 친구와 같이 한방을 쓰며 생활을 해 본 사람은 신혼 단계에서 일어날 수 있는 몇 가지 문제들을 이미 경험했을 것이다. 각기 다른 학습 경험을 하면서 각기 다른 가정에서 자란 사람들과 같이 생활하게 되면, 여기에는 어느 정도의 적응기간이 있어야 된다. 예를 들어, 한 아파트(방)에서 같이 생활하게 되면, 자기의 '임무'가 배정되고 사람들은 자기 자신을 변화시키지 않았는가? 쓰레기는 누가 치웠는가? 식사시간은 언제로 하였는가? 식사는 누가 준비했는가? 청소는 누가 했으며 청결규정은 누가 정했는가? 친구와 같이 한방을 쓰며 생활할 때, 여러분은 적응을 하려는 자신의 시도가 이루어지지 않았을 경우 언제든지 이사를 해서 다른 친구와 같이 생활할 수 있었다. 그렇지만 결혼에 있어 여러분의 '계약'과 약속은 장기적이며, '다른 사람에게로 이사한다'는 것은 보다 잘 어울리는 친구를 발견하는 것 이상의 의미를 갖는다. 그리고 결혼에서의 적응은 언제나 쉬운 일만은 아니다.

때때로 결혼에서의 큰 문제는 사소한 문제보다 더 쉽게 풀릴 수도 있다. 왜냐하면, 큰 문제는 관계를 지속시키기 위해서 반드시 해결되어야 할 문제이기 때문이다. 그렇지만 부부가 그냥 보아 넘길 수 있다고 생각하는 여러 가지 사소한 문제가 복합적인 효과를 낳는 경향이 있다. 점차적으로 사람들은 자신의 사소한 문제가 큰 문제로 되고 나서야 그 문제를 중요한 것으로 여긴다. '사랑만 충만하다면 무슨 문제든지 해결할 수 있다.'고 생각할지 모르나, 치약을 아무렇게나 짜고, 쓰레기 치우는 일을 잊고, 잠자리를 정리하려

하지 않는데 무슨 수로 사랑이 충만해지겠는가? '사랑'이 자신의 문제를 해결해 줄 수 있으려면, 스스로가 도움을 주려고 노력해야 할 것이다.

이와 같은 사소한 문제들은 어마어마한 비중을 차지할 수 있다. 이러한 문제들을 어떻게 처리할 수 있는가? 다음의 내용들은 이러한 문제해결을 위한 조언들이다.

1. 장기적 전망에서 일을 처리하라

아마도 부부간의 적응에 있어 첫 번째 계율은 장기적 전망에서 일을 처리해야 한다는 점일 것이다. 사람들이 자신의 문제를 전체적인 시각에 비추어 해결하려고 한다면 문제는 그렇게 크게 보이지 않는다. 그렇지만 장기적인 전망에서 문제를 본다는 것은 어려운 일이다. 여러분은 철자가 틀린 광고 게시물이나, 금이 간 벽 또는 흠집이 난 천을 본 적이 있는가? 여러분은 다른 누군가가 이러한 것들에 관심을 두라고 하기 전에는 틀린 철자나, 금 또는 흠집을 보지 못했을 것이다. 그러나 일단 여러분이 이런 것들을 보고 나면, 그 후에는 여러분의 눈에 이런 것들이 계속 들어올 것이다. 그리고 그러한 자그만 결점으로 인해서 그 나머지가 모두 결점을 가진 것처럼 보일 것이다.

장기적 전망을 가지지 못하게 하는 가장 큰 요인 중의 하나는 결혼생활에서 '우리(we)' 대신에 '나(I)'를 강조하는 경향 때문이라 하겠다. 즉 사람들은 "당신이 나를 사랑한다면 나는 당신이 나의 욕구에 따라 주기를 바라오!"라고 말한다. 사람들은 종종 몇 가지 아주 이기적인 이유 때문에 결혼을 하기도 한다. 그리고 비록 사람들이 '우리(we) 관계'에 관심을 두고 있다고 말하면서도, 그들은 자신의 눈과, 생각과 '나에게 좋은 것은 우리의 관계에도 좋은 것'이라는 토대에서 부부간의 관계를 왜곡하는 경향이 있다.

장기적 전망에서 문제를 처리한다는 것은 신혼부부에 있어서 아주 어려운 일이다. 왜냐하면, 신혼부부들은 '그가 나를 진정으로 사랑한다면 이 문제는 그의 사랑을 확인하는 적절한 방법임에 틀림없어. 나는 아주 많은 것을 요구하지 않았거든.' 하고 느끼는 경향이 있기 때문이다. 사랑을 '확인'하는 의미로 매사를 생각하게 되면, 이는 아주 염려스러운 일이다. 그리고 상대방이 사랑을 확인해 주기를 바라는 사람은 "당신은 내가 중요하게 여기는 것을 중요하게 생각해 주지 못해요. 내가 그렇게 말하면 나에게 관심을 가져 줘요."라고 무의식적으로 말한다.

자신의 손가락을 눈앞에 가까이 갖다 대면, 그 손가락은 실제보다 더 크게 보일 것이다. 마찬가지로 장기적 전망에서 일을 보지 못하면, 때에 따라 사소한 문제도 과장되어 보인다.

2. 현실적인 기대를 해라

부부에 따라 기대는 다양하겠지만, 대부분의 부부들은 금전, 직업, 역할이란 세 가지 중복된 영역의 기대를 갖게 된다.

(1) 금전에 대한 기대

신혼부부들은 대개 금전이나 재정적인 문제를 아주 낭만적으로 생각한다. 결혼 전에 이들은 '금전은 우리에게 중요한 것이 아냐, 우리는 오로지 멋지게 사는 거야.'라고 생각하는 경향이 있다. 해링턴(Michael Harrington)은 「또 하나의 미국: 빈곤의 나라(The Other America: Poverty in the United States)」라는 책에서 대략 1/4가량의 미국 시민들이 자신들의 만족스런 결혼생활과 가족생활을 꾸려 나가기에는 부족한 수입이라고 지적했다. 그러나 예상되는 금전의 액수가 고려해야 할 유일한 요인은 아니며, 어떻게 금전을 사용하느냐 하는 문제가 중요시되어야 한다. 윌리암슨(Williamson)은 "배우자가 지출을 조직하고 통제하는 데 무능력하고 또 소득이 부족하기 때문에 많은 부부들이 결혼에 실패한다."고 보았다.[4] '금전에 대한 감각'이 부족한 사람들의 실례를 등한시해서는 안 된다. 이들 중에는 적절한 소득을 받으면서도 효과적으로 그 돈을 쓰지 못하는 사람들이 있다. 예를 들어 소득이 많은 사람들 중에는 사업의 실패에 의해서가 아니라 지출을 적절하게 조직하고 통제하는 능력의 부족으로 인해 파산하는 경우가 있다.

건실한 재정적 기반도 없이 결혼에 임하는 사람들은 결혼 후의 앞날이 어려운 곤경에 처할지도 모른다. 여기서 '건실한' 재정적 기초를 구성하는 요인이 무엇이냐 하는 문제는 사람에 따라 다르다. 예를 들어, 어떤 사람은 적은 소득을 가지고 여유 있게 살아가는 반면, 아주 많은 소득을 가지고도 찌든 생활을 하는 사람도 있다. 결혼을 하기 전에 많은 문제에 대해서 사람들은 답변해야 할 것이다. 그리고 이러한 문제를 결혼 전에 협의하지 않는 경우 당사자들은 결혼 후에 몇 가지 문제에 대한 적응을 필요로 할 것이다.

---

4) ROBERT C. WILLIAMSON, *Marriage and Family Relations*(New York: John Wiley & Sons, Inc., 1966), p.385.

예를 들어, 자기 자신이 집에 벌어 오는 돈을 고정적인 지출과 경비에 어떻게 충당할 것인가 하는 문제는 좋은 예이다.

금전의 관리에 대한 부부의 태도에는 종종 결혼 전의 경험과 습관이 반영되기 쉽다. 결혼한 두 남녀는 결혼 전에 소비와 금전의 관리에 대하여 완전히 다른 태도를 배웠을 경우가 있다. 이러한 경우 그들은 두 사람 모두가 다 수용할 수 있는 새로운 형태의 태도를 가져야 할 것이다.

'개인중심(single)'의 소비습관을 '부부중심(married)'의 소비습관으로 바꾸는 데는 상당한 적응을 필요로 한다. 이러한 습관 전환은 식료품 구매, 상품 고르기, 주어진 일정한 금액으로 한 달간 무리 없이 쓸 수 있도록 배분하는 등의 문제에 관한 훈련을 별로 받지 못한 사람에 있어서는 더욱더 그렇다. 부부가 각자 서로의 필요에 따라 상품을 구입하는 것은 또한 아주 실망을 주는 경험이 되기도 하며, 적절한 적응이 이루어지는 데는 어느 정도의 시간이 필요할 것이다.

젊은 '부부들'은 할부(월부)구매로 알려진 몇 가지 품목들을 구입하고 장만해야 할 필요에 직면한다. 이와 관련된 경제용어를 '신용경제(credit economy)'라 하며, 오늘을 사는 소비자들은 자신들이 원하는 물건을 갖기 위해서 돈을 꾸는 것을 대수롭지 않게 생각한다. 이러한 현상은 많은 신혼부부들에 있어 더 그런 것 같다. 즉 외상에 의한 신용구매(credit)는 어렵지 않고, 텔레비전, 최고급 침대, 새로운 음향기기를 갖추고 사는 것은 아주 멋있는 생활로 보일 것이다.

외상구매에 관한 결정은 부부 모두의 합의에 의해 내려져야 한다. 그리고 현명한 부부라면 구매의 결정을 내리기 전에 외상구매에 관련된 모든 측면을 철저히 저울질하고 조사할 것이다. 자신에게 각자 "실제로 내가 지불하게 될 금액은 얼마나 될까? (이자율을 포함해 계산하면, 놀랄 정도의 액수가 될 수도 있다)", "이 물건이 다 낡아 못쓰게 될 때까지 잔금을 다 청산할 수 있을까?" "정말로 우리가 이 물건을 살 형편이 되는가?" "그 물건은 정말로 살 만한 가치가 있는 것인가?" 등의 질문을 해 보라. 부부 중 어느 한 사람이 다른 사람보다 '금전에 대한 감각'이 우수하다면, 더 우수한 사람이 대체적으로 가계를 꾸려 가게 될 가능성이 높다.

세상의 많은 좋은 충고가 무시되기 일쑤이다. 그리고 젊은 부부들은 너무나 자주 "우리가 항상 원했던 것 중의 몇 가지를 갖는다고 생각하면 좋아서 어쩔 수가 없어! 부부가 함께 버는데 '안 될 일이 뭐 있어?' 우리는 상품을 구입해 놓고 나서 곧잘 금전문제로 다투어요. 우리가 이렇게 될 줄은 미처 생각하지 못했어요! 외상구매를 해 놓고 우리는 돈이 없어 아주 고생했어요, 그리고 예상한 것보다 훨씬 더 많은 지출을 했어요. 외상값을 이제야 마무리 지었거든요."라고 복잡한 심정을 토로한다. 외상구매는 훌륭한 수단이 될 수도 있지만 현명하게 대처하지 못하면 이는 아주 큰 짐이 되기도 한다.

결혼에 있어 금전 지출과 관련된 적응에 한 가지 중요한 사실을 기억해 두라. 여러분의 결혼이 금전적 문제로 인해 위험받게 될 것인지의 여부는 여러분이 금전을 얼마나 많이 갖고 있느냐보다는 주로 그 금전을 어떻게 현명하게 사용하느냐에 의해 결정된다.

(2) 역할에 대한 기대

역할기대는 대개 결혼 후에 아주 쉽게 수정될 수 있다. 그러나 일반적으로 이러한 수정은 점진적이고 또 계속적인 과정을 통해서 이루어진다. 부모님들은 오랜 기간을 거쳐 자신들의 '역할'을 확립해 왔다. 그리고 결혼을 하는 사람은 임무나 역할에 관한 일련의 관념을 가지고 배우자와 관계를 맺는데, 이러한 역할기대는 종종 자신의 부모님들이 갖는 역할기대의 실례에 기반을 두게 된다.

결혼 전에 자신이 가정에서 경험한 것을 돌이켜 보면, 여러분은 남편과 아내가 각자 해야 하는 일이 있다는 것을 이해할 수 있을 것이다. 집안에서 돈을 관리하는 사람은 누구인가? 정원의 잔디를 깎는 사람은 누구인가? 시장을 봐 오는 사람은 누구인가? 요리는 누가 하고, 집안의 청소는 누가 하는가? 승용차의 세차는 누가 하는가? '가장'의 역할을 하는 사람은 누구인가? 이러한 질문과 기타 질문에 대한 자신의 응답은 결혼한 후의 몇 가지 역할기대를 더 잘 이해하도록 도움을 줄 것이다.

남편이나 아내의 임무로 자신이 당연시하는 역할들은 여러분의 배우자가 갖고 있는 역할분담과 어긋날 수도 있다. 배우자가 성장해 온 집안을 자세히 살펴보라. 배우자의 집안에서 통용되는 역할의 형태와 자신의 집안에서 통용되고 있는 역할이 다른가? 여러분과 배우자 모두는 어떤 일이 전적으로 상대방에게만 해당된다는 생각을 갖고 결혼에 임하기도 한다. 이러한 경우 각자는 서로 자신의 역할성향을 정해야만 할 것이다.

집안에서 자질구레한 일을 처리하는 방식은 집집마다 다를 것이다. 그리고 그 방식이 어떻든 이는 가정에서 자녀에게 제2의 천성을 길러 주게 될 것이다. 즉 어떤 임무는 엄마 또는 아빠가 수행하여야 될 것으로 자녀들은 '기대'한다. 그리고 이러한 기대는 자기자신의 결혼생활에도 그대로 반영된다.

(3) 직업에 대한 기대

때로는 역할기대에 있어서의 갈등은 직업에 대한 태도에서도 일어난다. 오늘날의 신혼부부들은 부부가 함께 맞벌이를 한다. 이러한 현상을 대단한 문제로 여길 필요는 없지만, 여기에는 특별한 형태의 적응이 필요하다. 맞벌이 가정에서는 집 밖의 일은 물론 과거에 많은 부인들이 전통적으로 해 오던 요리, 청소, 장보기, 세탁 등의 가정에서의 역할 수행이 기대된다. 그러나 오늘날에 들어서면서 맞벌이 부부는 이러한 책임을 서로 분담하고 있다.

지금 잠시 시간을 갖고서 자신이 갖고 있는 태도와 기대를 알아보도록 하자.
1. 부부가 모두 집 밖에서 직장을 갖고 있을 경우, 집안일과 관련하여 어떤 역할분담이 있어야 될 것으로 생각되는가?
2. 결혼 상대자와 일치하거나 불일치하는 자신의 기대에는 어떤 것이 있는가?
3. 전통적인 역할의 고수와 새로운 역할분담에서 찾을 수 있는 좋은 점과 나쁜 점에는 어떤 것이 있는가?
4. 자신의 태도에 영향을 주는 요인에는 어떤 것이 있는가?
5. 자신의 역할과 작업에 대한 기대를 자녀를 갖고 또 양육하는 문제와 연관시킬 경우 자신과 배우자는 둘 다 자기의 역할과 기대에 대해 의견을 같이하는가?

부부가 모두 결혼 당시에 직장을 갖고 두 사람의 소득으로 생활을 꾸려 나가는 데 익숙해 있다면, 어린이가 생길 경우에 한 사람의 소득을 포기하기란 아주 어려울 것이다.

기대와 관련된 전형적인 혼란 중의 하나는 부인이 전에 다니던 직장을 계속 다녀야 할 것인지 아니면 그만두어야 할 것인지의 문제이다. 이러한 문제는 어린이를 갖고 난 후에 특히 더 그렇다. 요즘은 이와 관련된 보편적인 사회적 행동양식이 없기 때문에, 많은 부인들은 직장에 계속 다니거나 아니면 그만두거나 하는 문제를 다 같이 떳떳치 못한 것으로 느끼고 있다. 이들이 어떻게 하든 간에, 부인들은 거의 자신의 역할을 만족하게 생각지 않으며, 남편과 평등한 관계를 유지하고 있는 부인들조차도 두 가지 방식을 모두 달갑지 않게 여기는 것 같다. 그래서 이 문제에 관한 혼란은 본질적으로 결혼관계에서 많은 긴장감을 일으킨다.[5]

전보다 더 많은 여성인력이 활동하고, 자녀를 다 키웠거나 어느 정도 성장시킨 후에 직장에 복귀하는 여성들이 많아지면서, 이러한 문제는 부부 모두에 의해 논의될 필요사항이다. 부부 모두가 혼자벌이 또는 맞벌이의 가정생활에 관한 합의를 한다면, 이들이 행복한 방식으로 필요한 적응을 할 수 있는 가능성은 높아진다. 즉 만일 배우자 중의 어느 한쪽이 일방적으로 결정한 것을 상대방이 받아들이도록 강요한다면, 부부가 만족스런 해결방안을 발견하기는 아주 어렵다.

직장여성 중의 2/3가 단지 '용돈'이나 자기 성취감을 얻기 위해서가 아니라 오히려 경제적 필요성 때문에 일하고 있다는 사실이 밝혀졌다.[6] 이들은 집단의 가장이거나, 아니면 자기 집안의 소득에 보탬을 주는 사람들이다. 그리고 '직업선택'이 보통 사람들이 생각하는 것처럼 명확한 것이 되지 못할 수도 있다.

5) RICHARD H. KLEMER and MARGARET G. KLEMER, *The Early Years of Marriage*(New York: Public Affairs Committee, 1968), p.10.

6) U.S. Department of Labor, *Women Workers Today*, 1976.

1. 자신이 느끼기에 수지타산을 맞추기 위해 부부가 맞벌이를 해야 한다면 이 문제는 중요한가?
2. 직무수행으로 인해 권태감이나 긴장감을 갖게 되는 경우, 이러한 것들이 부부관계에 영향을 주지 않도록 하기 위하여 자신은 어떻게 처방할 것인가?
3. 직무수행에서 성공적인 사람이 되기 위해 자신이 감수해야겠다고 각오한 희생에는 어떤 것이 있는가?
4. 가족과 함께 보낼 시간을 빼앗는 출장, 이사, 회의참석 등에 대해서는 어떻게 생각하는가?

(4) 성적인 적응은 시간과 인내를 요한다

만족스럽고 즐거운 성관계의 형성을 위해서는 대부분의 부부들에게 시간과 인내를 요한다. 남녀 모두는 조건화된 태도, 관념, 절제력을 갖고 결혼에 있어서의 성적인 측면에 접근한다.

의사소통은 상호간의 성적인 충족감을 갖게 하는 데서 아주 중요하다. 즉 부부가 무엇이 상대방을 즐겁고, 화나고, 혐오감을 갖고, 흥분하게 하는지를 알도록 서로를 도울 수 있다면, 부부는 보다 훌륭한 상보적 경험을 할 수 있을 것이다.

신혼부부는 새로이 사랑의 기술과 기능을 배우고 익혀야 되는 풋내기들로서, 이들이 처음에 실수를 하는 것은 거의 확실하다. 이들은 자신들의 무지가 너무 크며 서툰 정도가 너무나 많음을 느낄 것이다. 때문에 이들은 속단해서 결론을 내릴 필요가 없으며 자신들의 결혼을 실패라고 단정할 필요는 없다. 이들은 실수를 통해서 배운다. 인내, 이해, 지성, 자기분석, 충만한 사랑, 유머감각의 자유로운 발산 등을 통해서 자신들의 잘못을 교정할 수 있다. 처음에 성적 적응이 완전하지 못하거나 상호간의 실패경험 때문에 자포자기하는 것은 잘못이다. 사람이 처음에 넘어지면 다시 걷기 위해 일어서서 나머지 삶을 준비하는 경향성에 비추어 볼 때 자포자기는 불필요하고도 어리석은 처신임에 틀림없다. 모든 성공적인 성적 교제의 행위는 미래의 성공을 용이하게 하도록 부부 모두를 조건화시키는 데 중요한 역할을 한다. 이 외에도 보살핌, 인내, 전망, 그리고 성공하고자 하는 의지 등은 장기적인 행복의 측면에서 큰 이득을 준다.7)

부부가 서로 상대방의 기대와 태도를 이해하고 수용할 수 있게 되면, 이는 성의 조화를 이룩하는 첫 단계가 된다. 터놓고 솔직하게 사랑하는 마음을 갖고 의사소통을 하면 성적 일치에 큰 도움이 될 것이다.

결혼에서 '훌륭한 성적 적응'이란 무엇인가? 어떤 의미에서 이는 각각의 부부에 따라 다를 것이다. 성적 적응이란 부부 모두에게 수용될 수 있는 어떤 한 가지 형태로 각각의 부부가 갖는 기대를 혼합하는 것을 뜻한다. 상호간에 만족할 수 있는 성적인 관계를 성취하는 데는 어떤 고정된 시간표가 있는 것은 아니다. 즉 어떤 사람은 아주 빨리 만족스런 관계를 형성할 수 있으며, 또 어떤 다른 사람에게는 몇 달, 아니 몇 년이 걸릴지도 모른다. 만족스런 성적인 관계는 지속적인 적응양식에 달려 있다. 왜냐하면, 사람은 해마다 변하는 것은 물론 매달 변하고 있기 때문이다. 만족스런 적응은 부부 모두에게 달려 있다. 그리고 이는 지배나, 복종의 문제라기보다는 상호 수용과 융통성의 문제이다.

---

7) HENRY A. BOWMAN, *Marriage for Moderns*, 6th ed.(New York: McGraw–Hill Book Company, 1970), p.425.

1. 결혼 초에 자신에게 가장 문제가 된다고 생각하는 적응형태를 순서대로 나열해 보라. 소집단을 만들어 자신이 만든 서열을 다른 사람과 비교해 보라. 이와 관련해 자기 부모나 잘 알고 있는 젊은 부부를 관찰했던 경험이 자신의 생각에 어떤 영향을 주었는가?
2. 요리, 청소, 시장 보기, 돈 관리 등 결혼에 있어서의 역할과 관련해 자신이 지녀 왔던 '메시지' 중의 몇 가지는 무엇인가? 가정에서 해야 될 일의 목록을 만들고, 소집단 내의 다른 사람들과 함께 각자에게 책임이 어떻게 분배될 것인가를 결정해 보라.
3. 자신에게 선택권이 주어진다면, 결혼 후에 혼자 벌이와 맞벌이 부부 중에서 어느 것을 원하겠는가? 자신의 태도에 영향을 준 요인들은 무엇인가? 자신이 반응한 내용을 다른 사람과 비교해 보라.

Ⅱ. 어버이의 단계(parenting stage)

많은 사람들은 자녀를 갖는 것을 결혼의 일차적인 기능으로 생각해 왔다. 그렇지만 1970년대에 들어서면서 미국인들은 늦게 결혼하고 적은 수의 자녀를 갖길 원하는 경향이 두드러지고 있다.

버나드(Jessie Bernard)는 '자녀출산 이전의' 시기에 "부부가 서로를 발견하는 기쁨, 상대방과의 상호작용을 통한 자아의 향상, 상호 이해의 환희 등이 있고, 싫은 감정이 적고 새로운 관계에서 오는 신기함이 모든 결점을 감싸 주는 시기"라고 특징지어 말하였다.[8]

부부가 자신들의 첫아기를 갖길 갈망하면서 기다리는 것은 아마 좋은 신호일 것이다. 부부가 어버이가 되기 이전의 관계가 굳건하

---

8) JESSIE BERNARD, *The Future of Marriage*(New York: World Publishing, 1972), pp.69 - 70.

고, 강력하며, 사랑과 상호 일치, 그리고 배려 등의 특징을 갖고 지속될 경우, 아기의 탄생은 그러한 관계를 더욱 깊게 하며 더 많은 상호 만족을 갖게 해 줄 것이다.

1. 육아에 대한 통설

사실적인 현실보다는 통설이나 민속을 믿고 어버이 시기에 접근한다면, 어버이로서는 너무나 미숙할 것이다. 이러한 통설에는 어떤 것들이 있는가?[9] 다음의 통설들이 자신에게 친숙하게 생각되는지를 알아보고, 그 '통설'을 보다 현실적인 것으로 수정할 수 있는 몇 가지 방안을 고려해 보라.

"어린이를 양육하는 일은 즐겁다." "어린이는 사랑스럽고 귀엽다." 현실적으로 이러한 말들에 '때로는'이란 단어를 첨가할 필요가 있다. 때에 따라서 그 귀여운 '기쁨의 덩어리'가 고집이 세고, 고약하고, 아프고, 짓궂고, 성가시고, 심술궂고, 기타 무수한 좋지 못한 형용사들로 묘사되는 행동을 할 수 있다. 어린이 양육과정에는 종종 재미, 흥분, 즐거움, 충족감 등이 수반되지만, 거기에는 또한 신경을 건드리고, 실망과 속상함과 욕구좌절의 감정도 수반된다. 여하간 엄격한 의미에서 반드시 즐거운 일만은 아니다. 나의 딸들이 어렸을 적에 '소꿉놀이'하던 것을 기억하는데, 그때 한 아이가 다른 아이에게 "그만 놀자, 재미가 없어!"라고 말한 것을 기억한다. 그러나 아이들 같이 재미가 없다고 해서 어린이 양육을 중

---

9) R.E. LEMASTERS, *Parents in Modern America*(Homewood, Ⅲ.: The Dorsey Press, 1970), pp.18 - 29.

단할 수는 없는 일이다. 왜냐하면, 어버이는 자신이 동원할 수 있는 모든 능력과 나머지 여분까지를 자식을 위해 헌신하는 아주 큰 책임을 진 사람이기 때문이다.

"문제 어린이는 없다, 오직 문제 어버이가 있을 뿐이다." "훌륭한 어버이 밑에서 착한 어린이가 자란다." 분명히 이러한 통설은 모두 '나쁜, 착한, 그리고 **훌륭한**'이란 용어를 자기 자신이 어떻게 규정하느냐에 의해 달라진다. 자녀를 위해서 희생을 아끼지 않고 자녀들에게 사랑과 관심을 보여 주고, 육아에서 성공한 부모를 가장 좋은 말로 '훌륭한' 어버이라고 칭하는 것 같다. 그렇지만 그러한 상황을 복잡하게 하는 많은 요인들이 있고 예외적인 경우는 이에 해당되지 않는 것 같다. 반면에 '나쁘거나'를 불우한 가정에서 부모의 도움이 거의 없이 자랐지만 착한 어린이로 성장한 실례도 생각해 볼 수 있다.

어리다는 것을 지나치게 강조함으로써 어린이들이 잘못을 저지를 때마다 어버이들은 '희생의 제물'이 되기도 한다. 나쁜 일이 일어날 때마다 "우리가 뭐 잘못하고 있는 것 아냐?"라고 자신을 책망하는 어버이들은 너무나 공공연하게 자기 자신을 저주하는 것 같다. 앞으로 어버이가 될 사람들은 분명히 자녀들이 성공할 수 있도록 도울 수 있는 일은 무엇이든 하고자 할 것이다. 그러나 여러분의 부모가 생각한 만큼 여러분을 성장시키거나 성숙시키지 못한 것과 마찬가지로, 여러분도 자녀들을 위해 생각하는 만큼 해 주지 못할 것이다.

성교육과 관련된 통설도 있다. "어린이들이 생활에 관한 사실적인 이야기를 배워 왔다면 문제가 없을 것이다." 이러한 통설이 현실적이고 또 적절하며, 사실적인 성에 관한 정보를 가정이나 학교에서 배웠다고 할지라도, 지식 자체가 그들의 성적인 행동을 결정하지는 못한다. 이보다는 오히려 적절한 지식과 자기존중이 자녀들로 하여금 그를 자신의 행동을 책임지도록 하는 것 같다.

[그림 13-1] 인간의 자연적 심층은 창조 그 자체이다.
- 두센(Wi1son van Dusen) -

"훌륭한 어버이 노릇은 사랑만으로 족하다." "현대의학, 아동심리학, 현대적인 시설 등은 오늘날에 들어와 양육을 더 용이하게 해 주고 있다." 사랑이 훌륭한 출발점은 되지만 훌륭한 어버이의 충분조건은 못 된다. 즉 훌륭한 판단, 경험, 안목, 자기 통제가 수반되지 않는 사랑은 온전하지 못하다. 역으로 방금 언급한 속성들을 모두 구비했다고 할지라도 사랑이 결여된 상태라면 이 또한 온전하지 못하다. 따라서 적절한 기술과 훌륭한 의도의 건실한 결합이 필요하다.

현대적 시설, 아동심리학, 타인에 대한 기대 등은 종종 오늘날의 완전한 어린이 양육에 대한 완벽의 악순환 요소가 되고 있다. 현대의 통신망 및 방법적 기술은 사람들로 하여금 이들이 모든 사람들에게 적용하게 되기를 기대하는 기준을 알도록 만들었다. 사람들은 타고난 능력을 갖고 어떻게 해서든지 완전한 어버이가 되어 첫아이의 삶이 계속해서 아름답고 행복한 '장밋빛' 인생이 되도록 하고자 하는 사회적 압력을 느낀다. 그러나 때때로 이러한 '완벽'에 대한 기대는 다소 비현실적인 것 같다.

대부분의 경우에 사람들은 어버이가 되기 위해 받은 준비훈련보다는 자동차 운전을 위한 준비훈련을 더 많이 받아 왔다. 그리고 합리적인 사람은 철저하고 완전한 운전교육이나 훈련을 받지 않은 사람에게 차를 운전하도록 맡기겠다는 생각을 하지 않는다. 또한 인간은 본능적으로 훌륭한 어버이가 되는 법을 알게 된다는 생각에 대해 긍정한다. 즉 인간은 '어버이한테서 태어났기' 때문에 나중에 어버이가 된다. 긍정적이고 행복한 경험을 한 사람은 나중에 유리하게 된다. 스스로 생각하기에 자신의 부모가 자기에게 저질렀다고 생각되는 과오를 되풀이하길 원치 않는다면, 행동과학과 아동발달 연구가 제공하는 지식을 활용하라. 어버이를 위한 강좌를 수강하고, 어린이가 기대하는 것을 알 수 있도록 아동발달을 배우도록 하라. 또 긍정적인 행동을 강화해 주고 부정적인 행동에 대한 보상을 피하는 방법을 배워라. 어버이가 되는 데 필요한 기술을 지니고, 여기에 넘치는 사랑과 인내를 조합시킬 수 있는 사람은 틀림없이 훌륭한 어버이가 될 수 있을 것이다!

'어버이 노릇 하는 것(parenting)'은 '어머니 노릇 하는 것(mothering)'과 같다는 또 하나의 일상적인 통설이 있다. 아버지의 역할은 어머니의 역할과 마찬가지로 중요시되어야 한다. 이렇게 될 경우 어린이들은 어버이의 역할을 양육, 의사결정, 훈육 등으로 볼 것이다. 아버지가 임신 및 출산과정에 대하여 관심을 보이고 참여를 지원하고 어머니와 함께 어버이를 위한 강좌에 참여하고 양육의 전 단계에 대한 더 많은 적극적인 참여를 하는 것은 아주 건전한 신호라고 할 수 있다. 그래서 어린이 양육과정에 대한 아버지의 적극적인 관여는 관련된 모든 사람들에게 많은 도움을 준다.

"양친(two parents) 모두 있는 것이 편부 편모(one parent)보다 항상 더 좋다." "모든 부부는 아기를 가져야 한다." "자녀가 없는 부부는 불행하고 자기 본위이다." "아기는 부부의 결혼생활을 더 좋게 해 준다." 때때로 편부 편모가 양친이 모두 있는 것보다 더 좋을 수도 있다. 자녀를 잘 양육하는 데 반드시 양친이 모두 있어야 된다는 생각은 그릇된 것이다. 할 일과 책임을 서로 분담하는 것이 양육을 더 용이하게 할 수도 있지만 반드시 그런 것은 아니다. 어떤 경우에는 이혼이 불행한 결혼에 대한 최선의 해결책일 수도 있다. '자녀를 위해서' 양친이 언제나 같이 있어야 된다는 생각은 잘못된 것이다. 왜냐하면, 자녀는 부부간의 긴장, 갈등, 가정불화 등이 있음으로써 심리적으로 손해를 입을 수도 있기 때문이다. 이러한 경우에는 오히려 긴장이 없이 한 분의 사랑을 받으면서 양육되는 것이 긴장이 상존하면서 양친이 있는 경우보다 훨씬 더 바람직하다.

어버이가 되는 것은 모든 사람들이 가입해야만 하는 '클럽(club)'이 아니다. 부부 중에는 자녀를 갖지 말아야 하는 사람도 있다. 만일 다른 사람들과 같은 모습으로 살기 위해서 자녀를 갖는다면, 그것은 비극이다. 부부는 자녀를 갖도록 압력을 받아서는 안 되며, 단순히 '타인의 기대' 때문에 자신들이 원하는 수보다 더 많은 자녀를 갖도록 압력을 받아서도 안 된다. 어버이가 되어서 갖는 책임은 아주 현실적인 것으로, 자녀를 갖고 안 갖고 하는 문제에 대해서는 사전에 신중히 고려되어야 한다.

자녀 없이 결혼생활을 하는 많은 부부들도 대단히 행복하다. 자녀 없는 부부가 자녀를 갖지 않기 때문에 '자기 본위'로 된다는 가정은 자녀 있는 부부가 자녀를 원하면서도 가질 수 없다는 가정과 마찬가지로 거짓이다. 르마스터스(LeMasters)는 "어린이를 두고 있는 아주 많은 부부들이 불행하고 욕구좌절을 경험한다는 사실은 아주 흥미로운 사실이다. 그러므로 어버이가 된 사람들이 자녀를 갖지 못한 부부들에 대해서 측은한 마음을 갖는 것은 다시 생각해 봐야 할 문제이다. 오히려 그들이 어버이가 된 사람들을 그렇게 생각할지도 모른다."라고 지적하였다.[10]

자녀들이 있다고 해서 반드시 결혼생활이 좋아지는 것은 아니며, 이들이 파산지경의 결혼관계를 다시 회복시켜 주는 역할을 하는 것도 아니다. 오히려 자녀들로 인해서 어떤 결혼관계는 약해지며, 어떤 어버이들은 결혼생활 중에 다른 여타의 영역보다도 자녀문제로 인해 갈등을 더 겪는다. 그러나 한편으로 자녀들은 어버이들이 경험하는 최대의 감동과 기쁨의 원천이 될 수 있고 사실 또 그렇다. 하지만 자녀들이 스스로 어버이의 결혼생활을 강화시켜 준다고 생각하는 것은 그릇된 생각이다. 그리고 결혼생활이 곤경에 빠져 있다고 해서 자녀들이 이 문제를 해결해 줄 수는 없다.

---

10) *Ibid.*, p.28.

2. 자녀의 영향

자녀들은 여러 가지로 남편과 부인 사이의 관계에 영향을 주고 또 이를 변화시킨다. 먼저 자녀들은 가계에 압력과 긴장을 더하는 재정적인 영향을 준다. 어버이에 대한 자녀들의 요구가 다른 욕구보다 더 강해지면서 성적인 접근은 대개 감소된다. 그리고 사회적 활동의 중단 및 교체가 일어난다. 예를 들어, 부부는 외식이나 영화구경을 위해서 즉흥적으로 외출을 결정할 수 없게 된다. 만일 부부가 '자기들만의 시간'을 계획하는 경우, 그들은 아마 자녀나 기타 사람들과 떨어져 한적한 시간을 가질 여유가 거의 없다는 것을 알게 될 것이다. 이 문제가 심각한 피해를 주지는 않지만 부부는 자신들의 관계를 강력하고 굳건한 상태로 지속시키기 위해 자신들을 위한 시간을 확보할 필요가 있다.

이는 부부와 자녀들에 의해 동시에 제기되는 아주 정상적이고 기대된 긴장이라는 점을 고려한다면 이해가 갈 만하다. 잠시 다른 생각을 제쳐 두고 자녀들이 10대의 청소년이 될 때 부부의 나이가 대략 얼마가 되는지 생각해 보라. 자녀들이 나이가 13세에서 19세가 되면 부부의 나이는 30대에서 40대 사이의 나이가 될 것이다.

다소의 차이가 있겠지만 이는 대략 정확한 추정치가 된다. 이 시기에 부부에게는 어떤 일이 생기는가? 이 시기는 흔히 직업의 문제가 야기되는 시기이며, 또한 부부가 가정을 갖고서 살림을 꾸려 가기 위해 직업을 바꾸기도 하는 시기이기도 하다. 소비지향의 미국사회에서 이 시기는 부부가 집을 마련하거나 더 큰 집을 구입하고, 휴가용 별장에 투자를 하고, 식구들의 치열을 교정하고, 자녀들이 학교를 다니도록 뒷받침을 해 주는 시기, 즉 부부가 긴장과 압박을 느끼는 전환점이기도 하다. 자녀들에게는 어떤 일이 생기겠는가? 자녀들은 또래의 압력, 새롭고 상이한 체험, 독립심, 반항, 고집, 책임감 등의 경험을 하는 시기로 이들 또한 긴장과 압박을 느끼는 시기이다. 종종 갈등이 야기되며, 가족체제는 부모와 자녀 모두가 느끼는 긴장에 적응하도록 해야 한다.

자녀들이 성인기에 들어서면, 새롭고 다른 종류의 긴장과 압박이 그들을 엄습한다. 이 단계에 들어선 사람들은 집에서 멀리 떨어져 살거나(역주: 미국에서 대학생 나이만 되면 대개 떨어져 사는 경우가 많다), 학교에 다니거나, 재정적인 책임을 갖고 있지만 집과 어느 정도의 유대관계를 계속 맺고 산다. 대학이나 직장에 다니기 위해 집을 떠나 생활한 경험을 갖고 있는 사람은 자신이 쓰던 방을 자기 동생이나 여동생 중에서 어느 누가 재빨리 차지한 것을 알고 "그건 내 방이야!"라고 외치는 것을 본 적이 있을 것이다. 이는 비록 '멀리 떠나서 살고' 있지만, 자기 집과 계속 유대관계를 맺고 '소속감'을 느끼며, 과거에 자신이 사용했던 방이 아직도 자기 방이라는 인식을 갖는 좋은 예이다. 자기 집을 따로 장만했으면서도 이러한 의식을 갖고 있는 경우 당사자와 그 부모는 다 같이 약간의 적응을 필요로 할 것이다.

이 시기에 들어서면서 부모님들은 자식들이 이제는 어린이가 아니며 나름대로 독립한 젊은 성인이라는 인식을 갖고, 이러한 인식과 관련하여 큰 손실, 깊은 고통, 축하 등 복합적인 다양한 감정을 갖는다. 부모님들은 또한 첫딸을 출가시키고 다른 딸은 집을 떠나 대학 기숙사에 보낸 것을 생각하면서 눈시울을 적시고 목이 메는 것을 느낀다. 그러나 자녀들을 특별한 한 명의 독립된 성인이 되게 하기 위해서는 사랑하는 마음으로 그들에게 구속이 아닌 자유를 부여하면서 느끼는 부모의 심정은 훌륭한 감정이고 축하하는 마음일 것이다. 인간은 이렇게 다양한 감정을 경험하는 감정의 존재이다.

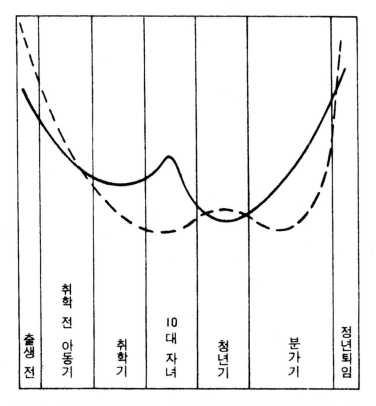

| 출생 전 | 취학 전 아동기 | 취학기 | 10대 자녀 | 청년기 | 분가기 | 정년퇴임 |

[그림 13-2] 자녀가 결혼에 미치는 효과와 관련하여 부부의 만족과 불만족을 그림으로 표시한 것이다. 로린스(Rollins)와 펠드만(Feldman)은 남편과 부인에 있어 최고의 만족시기는 신혼기간이라는 것을 발견하였다. 이 시기에 의사소통 및 동반자의식의 점수는 다른 어떤 시기보다도 높았다. 위의 그림에서 알 수 있듯이 부부의 불만은 자식이 청년기에 들어섰을 때 가장 낮은 수준을 나타냈으며, 만족은 자녀를 출가시키고 부부끼리만 살게 되면서 현격하게 증가했다.[11] (역주: 그림에서 점선은 남편의 만족 정도를, 실선은 부인의 만족 정도를 가리킨다.)

그대의 자녀는 그대의 것(소유물)이 아닙니다.

그들은 자신의 삶을 꾸려 가고자 하는 아들이요 딸입니다.

그들은 그대의 몸을 빌려서 이 세상에 왔을 뿐 그대의 창조물은 아닙니다.

---

11) BOYD C. ROLLINS and HAROLD FELDMAN, "Marital Satisfaction Over the Family Life Cycle", Journal of Marriage and the Family(February 1970), p.24

그리고 비록 그들이 그대의 품 안에 있을지라도 그대의 전유물은 아닙니다.

그대는 그들에게 사랑을 베풀 수는 있어도 그대의 생각을 강요할 수는 없습니다.
왜냐하면 그들도 나름대로의 생각을 갖고 있기 때문입니다.
그대는 그들의 육체를 키워 줄 수는 있어도 영혼을 길들이지는 못합니다.
왜냐하면 그들의 영혼은 그대의 손이 미치지도 않고, 그대가 찾아갈 수도 없는 미래라는 집에 머물고 있기 때문입니다.

그대가 그들과 같이 되려고 노력할 수는 있어도 그들을 그대와 같은 사람으로 만들어서는 안 됩니다.
왜냐하면 삶은 앞으로 나아가는 것이며 과거에 머물지 않기 때문입니다.
그대는 활이니, 그 활로 살아 있는 화살인 그들을 멀리 쏘아 보내십시오.
사수이신 신은 저 먼 곳에 과녁을 겨누어 온 힘을 다하여 그 화살이 멀리 날아가도록 활시위를 잡아당깁니다.
신의 손에 팽팽히 당겨진 활은 기쁨이 충만하여라.
왜냐하면 신이 나는 화살을 사랑하듯, 신은 흔들리지 않는 활인 그대도 사랑하시기 때문입니다.

지브란(Kahlil Gibran)12)

Ⅲ. 요 약

신혼단계와 어버이 단계는 대부분의 결혼에 있어 최초 적응을 하는 시기이다. 그리고 이는 독신생활로부터 결혼생활로 전환하는 시기로, 특히 금전, 역할, 직업에 대한 기대와 성적인 적응문제와 관련된다. 자녀들은 가족에 다양한 효과를 갖고 있으며, 어버이가 되는 단계를 거치면서 부부들은 새로운 적응을 한다. 어버이 시기

---

12) KAHLIL GIBRAN, *The Prophet*(New York: Alfred a. Knopf, Inc., 1923), pp.17 - 18.

와 관련된 통설이나 민속을 통해서 보면, 가정에 자녀가 늘어나면서 거기에는 장점과 단점이 모두 나타난다는 것을 알 수 있다. 부부가 자신들이 갖고 있는 태도를 고찰하고, 이러한 태도가 결혼 후의 적응에 영향을 준다는 사실을 인식하는 것은 현명한 태도라 할 수 있다. 사람들은 어버이한테서 태어났기 때문에 나중에 자연스럽게 어버이가 된다. 그렇지만 보다 적극적인 어버이가 되는 기술을 학습할 수 있다. 부부가 느끼는 만족과 불만족을 그래프로 제시한 바와 같이, 만족은 부부 모두 신혼기간과 자녀를 출가시키고 부부끼리만 살게 될 시기에 훨씬 높았으며, 불만족은 자식이 청년기에 들어섰을 때 가장 높았다. 그리고 이러한 감정은 부부와 자녀들 모두에게 제기되는 아주 정상적이며 기대된 긴장이란 점을 고려한다면 충분히 이해가 될 수 있을 것이다.

연습문제

다음의 질문에 대해서 개별적으로 답변하고, 이어서 소집단을 만들어 자신이 대답한 내용에 대해 서로 토론해 보라.

1. 맞벌이 부부가 될 경우에 재정문제를 어떻게 풀어 가겠는가? 부부가 서로 찬성하거나 반대하는 문제에 대한 대안을 들어 보라. 자신의 결정과 관련된 요인은 무엇인가?
2. 여러분과 배우자가 모두 직장을 갖고 있다고 가정해 보라. 그런데 여러분은 다른 도시에서 더 좋은 대우를 해 주겠다는 제안을 받았다. 그러나 그 도시로 가면 배우자가 있을 만한 직장이 거의 없다. 여러분은 어떤 요인들을 고려해서 이 문제에

대한 결정을 내리겠는가?

3. 사람들은 어버이한테서 태어났기 때문에 나중에 자연스럽게 어버이가 된다. 잠시 자신의 어린 시절을 기억해 보라. 자신의 자녀를 양육하는 데 있어 여러분이 부모님과 달리하고자 하는 것은 무엇인가? 부모님이 했던 방식을 그대로 적용하고자 하는 것에는 어떤 것이 있는가?

4. 자신의 자녀가 어떠한 성적인 정보나 태도를 갖길 원하는가? 그리고 몇 살 먹어서 이에 관해 알려 주길 원하는가? 자신의 자녀들이 자기와 같은 성에 대한 태도를 갖길 원하는가? 원한다면 어떻게 이를 실천하겠는가?

5. 훈계, 처벌, 폭언 사이의 차이점은 무엇인가? 자신의 마음속에 수용될 수 있는 훈계와 처벌에는 어떤 형태가 있는가?

제14장 성공적인 가족생활

> 가정생활을 통해서 사람들은 여러 가지를 보고 듣는다. 이러한 경험 중
> 에는 즐거운 감정도 있고 고통스런 감정도 있고, 또 몇 가지는 거북함을
> 느끼게 한다. 어떠한 감정이든 간에, 가족구성원들이 이러한 감정을 인식
> 할 수 없거나 설명할 수 없을 경우, 그 감정들은 가족구성원들의 마음속에
> 잠겨 들어 가족들의 평안을 좀먹게 될 것이다.
>
> 사티르(virginia Satir)[1]

  가족이 함께 생활하면서 사람들은 여러 가지 감정을 갖게 된다.
그리고 사랑, 성냄, 공포, 분노, 안도감, 실망, 기쁨, 후회 등의 전반
적인 정서를 순간적으로 또 개별적으로 경험한다. 자신의 가족생활
을 돌이켜 보면서 사람들은 자신의 감정과 관련된 여러 가지 많은
종류의 '보고', '듣는' 경험을 했던 것을 기억할 것이다. 또한 그들
은 자신의 감정이 표현되지 못했던 경우를 기억할 것이며, 그때마
다 문제점이나 어려움이 곪고 또 더 커짐을 알게 될 것이다. 본 장
에서는 이와 관련하여 체제로서의 가족을 논의해 보고, 효과적인
갈등해소를 위한 몇 가지 제언에 관해 생각해 보기로 한다.

---

1) VIRGINIA SATIR, *Peoplemaking*(Palo Alto: Science and Behavior Books, Inc., 1972), p.99.

Ⅰ. 체제로서의 가족

결혼을 하기로 결정한 두 명의 당사자들은 앞으로 새로운 단위의 가족을 구성할 것이다. 미연방 인구조사국은 가족을 혈연, 합법적인 결혼 또는 양자결연 등에 기초한 관계라고 규정하고 있다. 7장에서 소개된 바 있는 '체제'의 개념은 14장에서도 같은 의미로 통용된다. 즉 체제를 한 가지 궁극적인 목적을 성취하기 위하여 함께 작동하며 전체를 형성하는 개개의 부분들의 집단으로 보고자 한다. 그리고 어떤 체제는 '개방적'인 반면, 어떤 체제는 '폐쇄적'이다. 또한 개개의 체제는 그 나름대로 일련의 '행동규칙'을 갖는다.

가족 또한 체제로서, 모든 가족체제 내에는 지위와 역할이 있다. 지위는 '어머니', '아내', '아버지', '장녀', '장남' 등과 같은 혈족관계나 그 명칭이며, 역할은 '생활비 조달자', '요리자', '생활비 지출자', '훈계자', '양육자' 등과 같은 관련된 행동을 말한다. 대개 하나의 지위에는 여러 가지 역할들이 포함되는 것으로 생각된다. 예를 들어, 전통적인 관점에서 아버지라는 지위에는 생활비 조달자라는 역할이, 어머니라는 지위에 대해서는 양육자라는 역할이 주된 것으로 생각되었다. 그러나 보다 양성적인 체제 내에서는 이러한 지위에 대해서 보다 비전통적인 역할이 강조되기도 한다. 즉 편모 편부의 가족에서는 책임을 분담할 사람이 없을 경우 '과중한' 역할을 경험하기도 할 것이다.

가족체제 내에서, 심리적이고 물질적인 두 측면과 관련된 지위들 사이에는 상호 관계가 있다. 가족에 대해 '체제이론'을 적용시켰던 사티르(virginia Satir)는 사람과 사람을 연결하는 끈에 비유하여 이러한 상호 관계를 설명하고 있다. 즉 그녀는 이 실험을 다섯 명의 인물을 등장시킨 역할극을 통해서 설명하고 있는데, 여기에는 아버지인 지천, 어머니인 양희, 첫째 아들인 경대, 둘째 아들인 경호, 막내인 딸 경아가 등장한다.

역할극 내용은 다음과 같다.

빨랫줄이나 기타 끈을 6m 길이로 20개를 만들어 개인당 4개를 갖도록 하고 1m 정도의 길이로 5개를 만들어 개인당 1개씩 갖도록 하라. 그러고 나서 1m 길이의 짧은 끈을 각자 자신의 허리에 매도록 하고(어떤 사람은 이 끈을 각자의 목에 매는 것이 좋다고 하지만 나는 허리에 매는 것이 좋다고 생각한다), 6m 길이 4개 끈의 한쪽을 각자 허리에 맨 짧은 끈에 맨 다음 다른 쪽을 나머지 4명의 허리끈에서 오는 끈에 매도록 하라.

이제 다섯 명의 식구들은 각자 상대편 사람의 끈에 자신의 끈을 모두 연결하였다. 예를 들어, 아버지인 지천은 아내인 양희의 끈에 자신의 끈을 연결하였고, 양희 역시 지천의 끈에 자신의 끈을 연결하였을 것이다. 그래서 다섯 명 모두가 자신의 허리끈에 매달린 4개 끈의 한쪽을 나머지 네 사람의 끈에 연결하였다면, 준비는 다 끝난 셈이다. 마지막으로 상대방에게 미안한 감정을 표현하고, 자신의 허리 양쪽에 연결된 끈을 꽉 잡는다.

그다음 상대방에게서 받은 끈이 자신의 허리끈에 연결된 긴 끈의 다른 한쪽에 연결되었나 확인하라(사람들은 거의 무의식적으로 끈을 곧바로 연결한다)! 다 준비된 모습의 상태는 아래의 그림과 같다.

경대

지천

경아

경호

[그림 14-1]

　다음의 실험이 진행되는 동안 자기 허리에 매인 끈을 꼭 잡아라. 그리고 반지름이 1m 이상인 원 내에 의자를 놓고 앉아라. 그렇게 하면 실험에 참가한 사람들은 자신의 허리에 끈이 매인 것을 거북하게 느끼지 않을 것이다. 이렇게 빙 둘러앉아서 서로 이야기를 해도 좋고 다른 조그만 활동을 해도 좋다.

　이러한 상태에서, 9m 밖에 놓여 있는 전화의 벨이 울려 장남인 경대가 전화를 받으러 가는 경우를 생각해 봐라. 그때 다른 4명이 어떻게 되는가 살펴봐라. 나머지 네 사람은 모두 깜짝 놀라고, 자신이 끌리고 밀쳐지고 있다는 것을 느끼며 심지어 분노의 감정을 갖게 될 것이다. 이러한 자신의 감정을 인식하게 되면, 자신이 전에도 이와 같은 일을 경험해서 "경대야! 너는 왜 집안 식구들을 소란스럽게 만드니? 너는 왜 그리도 서두르니?"라고 말할 것이다. 전화를 건 사람이 경대의 친구일 경우, 통화는 최소한 10분 동안 진행될지도 모른다.

　경대가 친구와 통화하고 있는 동안 나머지 네 사람에게 어떤 일이 일어나고 있는가? 아마 어떤 사람은 자신이 불편하지 않도록 하기 위해 경대를 제자리로 끌어오려고 할 것이다. 가족들이 "경대야! 통화를 빨리 끝내고 제자리로 돌아와!"라고 말하면, 경대는 큰 소리로 "기다려 주세요!"라고 말하면서 숨을 헐떡거리며 더 큰 소리로 통화를 할 것이다.

　이러한 일을 대하면서 자신에게 어떤 감정이 일어나는가를 알아보아라. 이제 모두 자신의 자리로 되돌아간 다음, 어머니인 양희에 의해 벌어지는 장면을 보라. 15m 밖의 부엌에 어머니가 하던 요리가 있는데, 시간이 너무 지나 그 요리가 타고 있다. 어머니인 양희가 가스레인지를 향해 갑자기 달려갈 경우, 나머지 사람들에게 어떤 일이 일어나는가를 살펴보라.

어머니인 양희가 제자리로 돌아와 균형을 잡은 상태에서, 아버지인 지천이 앉아 있는 것이 피곤하고 지겨워서 일어나 산보를 하려고 하고 있다. 이때 지천은 자신이 자리를 뜨려고 하자마자 뒤에서 잡아당기고 있음을 느끼게 될 것이며, 나머지 사람들이 "아빠! 나머지 사람들을 내버려 두고 어떻게 혼자 산보를 할 수 있어요?"라고 하는 소리를 들을 것이다. 그리고 다른 사람들이 어떤 반응을 보이는가를 알아보아라. 그리고 아버지인 지천은 자기 자신과 가족들에 대해서 어떤 감정을 갖게 될 것인가?

다음 막내인 경아가 피곤해서 잠을 자려고 한다. 그래서 경아는 어머니인 양희에게 다가가 그녀의 무릎을 베개로 삼아 잠을 자려고 한다. 이런 경우 나머지 사람들이 보이는 반응을 알아보아라.

둘째인 경호는 형인 경대와 재미있게 지내고 싶어 형과 씨름을 시작하고 있다. 이때 나머지 사람들이 보이는 반응을 알아보아라.

이제 원상태로 돌아가 각자 안정된 상태를 유지하라. 그리고 이 사소한 놀이를 가장 극단적인 형태로 진행시켜 보라. 그래서 각자가 했던 행동을 동시에 실시하도록 하라. 즉 경대는 통화를 하러 가고, 양희는 요리를 하고 있는 가스레인지로 달려가고, 지천은 산보를 하러 가고, 경아는 졸음이 와서 어머니의 무릎을 베개 삼아 잠자러 가고, 경호는 경대와 씨름을 하도록 해 보라.

짐작건대, 식구들은 모두 서로 뒤엉켜서 분노와 욕구좌절을 경험했을 것이다. 어떤 사람은 바닥에서 서로 걸려 자빠지고, 요리는 계속 타고 있고, 전화벨은 여전히 울리고 있으며, 경희는 전화를 받으려고 계속 발버둥치는 경대와 장난할 것이며, 경아는 돌아서려는 양희의 발을 잡을 것이며, 지천은 기회조차 얻지 못할 것이다. 그래서 결국에는 아무래도 자신이 의도했던 바를 성취하지 못할 것은 뻔한 사실이다.[2]

자기 몸에 매인 끈이나 줄이 아니었다 할지라도, 사람들은 이 작은 실험을 통해서 자신이 가족구성원 중의 다른 사람들의 욕구, 행

---

2) *Ibid.*, pp.158 - 161.

동, 감정을 어떻게 느끼게 되는지를 알 수 있을 것이다. 사티르(Satir)는 가족구성원들을 연결하고 있는 이러한 '끈'이 '사랑 - 보살핌 - 위안 - 임무 등의 관계'를 의미한다고 말하고 있다. 그리고 자기 가족에 속해 있는 사람이 결국 가족 내의 다른 사람들을 어떻게 분열시키고, 긴장감을 갖게 하고, 또 어떤 방식으로 영향을 주는지를 이해하기는 그리 어려운 일이 아니다. 가정을 지원적이고 적극적인 체제로 만들고 보다 협동적인 가정으로 운영할 수 있는 대안들을 탐색하는 방법에는 여러 가지가 있다.

단순히 자신의 '끈'을 끌고, 잡아당기고 하는 대신에, 각각의 상황에서 자신이 느낀 것은 단도직입적이고, 명료하게, 직접적인 의사소통을 통해서 상대방에게 전달하도록 하라. 이렇게 되면, 사람들은 자신이 갖고 있는 끈을 '풀고' 서로 '자유롭게' 협력할 기회를 갖게 될 것이다. 이는 양측 모두에게 요구된다. 그렇지만 상대방이 자신에게 매인 끈을 놓지 않고, 어느 한 사람만 자신의 끈을 풀고서 개방적인 태도를 갖는 것은 바람직하지 못하다.

사람들이 어떻게 자신을 개방하고 또 타인을 개방시키느냐 하는 문제는 아주 중요하다. 아동기와 청년기 동안에 이러한 끈은 일시적으로 '풀어지고', 그래서 그들은 점차 자유로운 행동을 시도한다. 그러나 집을 떠나서 학교나 직장에 다니거나 또는 처음으로 독립적인 자유로운 몸이 되었을 경우, 그 끈이 어떻게 풀어지는가? 그 끈이 완전하게 단절되지는 않았는가? 이에 대해 잠시 생각해 보고, 자기 자신이 어떤 방식으로 끈을 '푸는지'에 관해 알아보라.

가족구성원 중 어떤 사람이 결혼을 해서 새로운 가족단위를 형성하기 위해 '떠나는' 경우 어떤 일이 일어나는가? 끈에 어떤 일이 생기는가를 생각해 보라. 비록 물리적인 끈이 풀려서 느슨하게 되었다고 할지라도, 거기에는 아마 아직도 어느 정도의 심리적인 끈은 여전히 남아 있을 것이다. 이러한 끈은 건전한 것인가, 아니면 건전하지 못한 것인가? 또 자신의 부모님들에게 질병, 사망, 이혼, 기타 '위기'가 발생하여 부모님들과의 끈이 다시 당겨짐으로써 자신의 종전 태도가 바뀌게 되는 경우가 있는가?

자기 자신과 가족 내의 다른 사람들을 연결하는 끈은 탄력을 가질 것이다. 그 끈이 빨랫줄보다 더 탄력적인 것일 경우 그 차이가 무엇인지를 생각해 보라. 그리고 탄력성의 차이로 인해서 생기는 효과는 무엇이겠는가? 이제 줄이나 끈이 아니라 파이프(pipes)에 의해 연결된 경우를 생각해 보라. 가까워질 수 없고 '일정한 먼 거리를 유지하면서 연결된' 경우에 생길 수 있는 효과는 어떤 것이겠는가?

---

1. 자신의 가족 내에서 자신으로 하여금 타인을 끌거나 잡아당기도록 하는 요인과 환경에는 어떤 것이 있는가?
2. 가족이 고립된 개인이 아니라 상호 연결된 부분들로 이루어진 일종의 체제라는 것을 실감하도록 도울 수 있는 방법에는 어떤 것이 있는가?
3. 빨랫줄, 고무줄, 파이프 등에 의한 연결 중에서 자신으로 하여금 가장 편한 감정을 갖도록 하는 연결은 어떤 끈에 의한 연결인가? 소집단을 만들어 이러한 실험에 대한 자신의 반응과 생각에 관해 토론해 보라.

Ⅱ. 본질적인 문제는 의사소통과 이해

의사소통과 이해라는 요소는 가족의 건전한 운영에 있어 일차적인 것이다. 사람들이 이해를 바란다면, 먼저 타인을 이해하여야 할 것이다. 이는 동반자적인 결혼관계에 있어서 특히 더 그렇다. 어떤 사람은 결혼관계가 '50 : 50의 비율'이라고 말한다. 즉 부부가 서로 동등하게 주고받는다는 말이다. 아마 이는 경우에 따라 맞는 말일 수도 있지만, 가장 성공적인 결혼의 경우에 있어서는 100 : 100의 비율이 더 적합한 것 같다. 왜냐하면, 부부는 동등한 공평(equal justice)보다는 최선의 결혼관계를 추구해야 하기 때문이다. 그리고 이는 때에 따라 한 사람이 100퍼센트를 모두 주고, 또 때에 따라 100퍼센트를 모두 받게 된다는 의미이다. 즉 비율은 고정된 것이 아니며, '부부간의 공평'을 가늠할 수 있는 척도는 없다. 또한 개인의 '권리'와 '욕구'에 관한 결정이 종종 부부의 욕구에 근거하여 정해져야 된다는 뜻은 특정한 시기에 따라 더 많아진다는 것을 뜻한다.

사람들이 자신의 욕구와 관련시켜 타인의 욕구를 고려하는 형태로 이해하는 경우는 아주 드문데, 이는 많은 부부들이 서로의 욕구 충족에 대한 공통관심사에 접근하지 못했기 때문이다. 그리고 이러한 형태의 이해는 서로 관계가 있는 공동의 것이 되어야 한다. 이는 또한 부부 중 어느 한 사람이 장기간에 걸쳐 주기만 한다고 할지라도 자발성과 사랑에 기초하고 있기 때문에 일방적인 것이 아니다. 이러한 생활을 하고 있는 부부는 균형 잡힌 일상적인 생활보다는 부부가 서로 장기간에 걸쳐 지원해 주는 관계를 형성하는 데 더 관심이 있을 것이다.

피오르(Anthony Fiore)와 스웬슨(Clifford Swenson)은 기능적인(functional) 부부는 역기능적(dysfunctional)인 부부보다 서로에게 더 많은 애정을 말로 표현하고, 자기 자신에 관한 사적인 사실들을 더 많이 알려 주며, 더 많은 심리적인 격려를 할 뿐만 아니라 시토에게 더 많은 도덕적인 지원을 한다는 사실을 발견했다(여기서 기능적, 역기능적이라 함은 만족스럽게 대처하고, 적응하여, 업무 수행하는 능력이나, 무능력을 말한다). 역기능적인 부부는 기능적인 부부와 마찬가지로 애정을 느낀다. 그렇지만 그들은 애정을 말로 표현하지도 않으며, 많은 사적인 사실들을 드러내지도 않고 격려와 지원을 하지도 않는다. 이들의 연구는 결혼상태에서 사랑의 표현에 대한 대비되는 두 부부 사이에 **기대 정도**의 차이는 없지만, 사랑의 **표현 정도**에는 의미 있는 차이가 있다는 것을 발견하였다.[3] 사랑하는 결혼관계와 건전한 가족을 '존중하고 육성하는' 데는 서로 간의 욕구에 대한 이해, 이에 대한 의사소통, 그리고 이에 필요한 사랑, 지원, 격려 등의 감정이 표현되어야 한다.

자신의 감정, 욕구, 타인의 행동에 대한 반응, 그리고 친밀한 관계에 포함되는 수많은 요인들을 포함하는 메시지를 명료하고 단도직입적으로 상호 전달을 하려면 어떻게 해야 하는가? 이미 앞에서 우리는 감정을 축적하고, 정서적인 '경품권'을 수집하고, 이러한 문제에 직면하여 그 문제를 다루기보다는 모아 두는 '자루(gunnysack)'로 인해서 생기는 역기능적인 경향성을 논의한 바 있다. 사람들은 종종 갈등이 '그릇되고', '나쁜' 것이며, 그래서 그러한 감정을 걸러 내는 어떤 여과장치가 있어야 한다는 전제 아래서 행동한다. 레서(L. Richard Lessor)는 이러한 경향성을 다음과 같이 적고 있다.

> 많은 결혼관계의 부부들은 자신들의 의사소통 통로를 운영하는 여과기를 갖는다. 그래서 부부가 함께 갖는 분노, 성냄, 기쁨, 관심, 금전으로 인

---

3) ANTHONY FIORE and CLIFFORD SWENSON, "Analysis of Love Relationships in Functional and Dysfunctional Marriages", *Psychological Reports*(June 1977), pp.707 – 714.

한 것을 포함한 예기치 않은 소식 등을 효과적으로 여과한다. 이러한 여과 장치를 명확히 이해할 수 있는 한 가지 사례가 있는데 이는 다음과 같다.

어느 날 귀여운 꼬마가 학교수업을 마치고 집에 돌아왔다. 그의 아버지는 그때 거실에 있는 안락의자에 앉아 고된 업무로 인한 피로를 풀고 있었다. 그는 맥주를 마시며 신문을 보고 있었다. 어머니는 집안의 자질구레한 일을 하고 있었으며, 누나는 텔레비전을 보고 있었다. 모든 것들이 다 정상적인 상황이었으나, 예외적으로 거실 중앙의 오른쪽 편에 인도산의 큰 코끼리가 앉아 있는 것이었다. 집안 식구 중 어느 누구도 그 코끼리가 어디에서 온지 몰랐고, 이에 관해 이야기도 하지 않고 있었으며, 그 코끼리를 집 밖으로 쫓아 버리려고도 하지 않았다. 즉 아무도 그 코끼리에 대해 관심을 두지 않고 있었다. 가족들은 '우리와 같이 행복한 가정의 거실에 큰 코끼리는 없다.'고 생각하면서, 그 코끼리가 존재하지 않는 것처럼 여기고 있었다.

이때에 여과기는 작동하고 있는 것이다. 이와 같은 상황이 발생하지 않을 것인가? 그리고 자신의 거실에 코끼리가 있고 이에 관한 이야기조차 없는 것이 불가능한 것인가?

그러면 가족구성원 중에서 어느 한 사람이 약물중독자(또는 알코올중독자, 정신병자, 간질환자, 암환자 또는 심장환자)일 경우에, 아무도 이에 관해 이야기를 하지 않는 것은 어떤 경우인가? 이혼, 사망 등으로 인해 가정이 파멸될 위기인데도 사람들이 모두 입을 다물고 있을 가능성은 없는가? 사람들은 "우리와 같이 행복한 가정에는 그러한 일이 있을 수 없다. 그래서 그러한 일에 관해 이야기를 하지 않는 것"이라고 말할 것이다.

이렇게 되면 여과기는 계속 작동하고 있는 것이다.

이미 때를 놓쳐 버릴 때까지 작동한다. 그래서 가족들이 위기에 대처하고, 싸우고, 희생되지 않도록 의사소통하지 못하게 된다.[4]

---

4) L. RICHARD LESSOR, *Love & Marriage and Trading Stamps*(Chicago: Argus Communications, 1971), pp.61 - 62.

[그림 14-2] 거실 안의 코끼리

1. 가족들에 의해 무의식적으로 설정된 한계영역이나 출입금지 영역에는 어떤 것이 있는가?
2. 회피하고, 돌아다니고, 그에 관해 이야기를 하지 말아야 할 '코끼리'에 해당하는 것에는 어떤 것이 있는가?
3. 코끼리로 인해 생길 수 있는 가능한 성과에는 어떤 것이 있는가?
4. 자기 집안에서 '코끼리'와 같은 존재가 없도록 할 수 있는 방안에는 어떤 것이 있는가?

Ⅲ. 파괴적 갈등과 건설적 갈등

　결혼관계에서 긴장과 갈등은 불가피하다. 결혼은 필경에는 '하나'가 되는 두 사람을 포함하지만, 개개인은 자기 자신의 욕구충족을 위해 분투하며, 결혼관계를 희생시키면서까지 자신의 욕구를 채우려 한다. 그래서 결혼한 당사자들은 종종 '자기에게 최선인 것'을 '부부 모두에게 최선인 것'보다 더 우선 시키고자 한다.

결혼한 당사자들은 다른 세상과 동떨어져 완전히 고립된 상태로 살지는 못한다. 오히려 그들은 일상생활, 직업, 지역사회, 그리고 배우자와 자녀들에 의한 압력과 요구의 영향을 받으며 살아간다.

모든 결혼과 가족단위는 사람과 사람의 관계를 규정하는 그 나름대로의 '규칙'을 갖는다. 그리고 그 규칙은 언어적인 것일 수도 있고 비언어적인 것일 수도 있다. 예를 들어, "자녀들은 평일에는 밤 9시까지, 토요일에는 밤 8시까지 집에 돌아와야 한다." "시간을 어기고 늦게 오면 호출을 당할 것이다." "문을 닫고 생활하는 사람은 사생활의 보장을 원하는 것이다." 등은 언어화된 규칙들의 예이다.

꼭 말로 하지 않아도 암시적으로 이해되는 비언어적인 규칙들도 있다. 예를 들어, "식사 도중에 '감정이 상하는'? 이야기를 해서는 안 된다." "어머니의 식사준비와 청소를 거들어 주면 많은 사랑을 받는다." "부모님들이 '그것을 긍정한다'고 말하는 것은 어떤 경우인가?" "어떤 사람이 부재중이라는 것을 어떻게 알 수 있는가?" 등은 모두 비언어적인 규칙의 예들이다.

잠시 시간을 갖고 자기 가족에서 통용되는 의사소통의 '규칙들'을 언어적인 것과 비언어적인 것으로 구분해 보라.

1. 대립적인 갈등해소(win-lose conflict)

대립적 갈등해소는 미성숙하고 안정되지 못한 부부들에게 악순환을 야기할 수 있다. 이들은 상대방의 관점을 고려하지 않으며,

그래서 모든 갈등은 한쪽의 완전한 승리와 상대방의 완전한 패배로 종결된다.

이러한 형태의 상황에서, 사람들은 제각기 '나는 옳고 당신은 그르다.'는 결정을 한다. 그리고 타인의 관점에 대해 타협이나 조절을 시도하지 않는다. 다음에 제시하는 병태와 오희가 살고 있는 아파트에서 오가는 대화를 들어 보라. 이들은 결혼을 한 지 6개월이 지났으며, 모두 직장에 다니고 있다.

> 병태: 오늘 신형 자동차를 구경했어. 판매부장이 말하는데, 지금이야말로 그 자동차를 구입하는 최적의 시기라는 거야.
> 오희: 당치도 않은 소리 그만하세요! 우리는 새 자동차를 살 만한 여유가 없다는 것을 당신도 잘 알잖아요. 당신은 얼마 전에 낚싯대도 새로 사지 않았어요? 입 다물고 가만히 계세요.
> 병태: 당신이 자동차에 대해 아는 게 뭐 있어요? 날보고 입을 다물라니. 당신이 전에 입었던 그 드레스를 구입할 때는 그렇게 약삭빠른 소리를 하지 않았소!
> 오희: 그건 내가 번 돈으로 사지 않았어요? 그리고 당신도 알다시피 나는 파티에 입고 갈 만한 드레스가 한 벌도 없었잖아요. 그것은 당신이 뚱딴지같이 자동차를 산다고 하는 것과는 차원이 달라요.
> 병태: 당신 정말 너무하는군! 당신이 원하는 옷을 모두 산 것은 사치가 아니오? 그런데 나는 내가 사고 싶었던 것을 거의 사지 않았소. 당신이 원하는 것을 살 때 쓴 돈이 어째서 당신의 돈이요? 우리가 나의 봉급에 관해 이야기할 때 그것은 우리의 돈이지 않았소?

이러한 형태의 논쟁에는 파괴성(destructiveness)이 내재되어 있는데, 입을 다물라든가 사치라는 말은 그 대표적인 예이다. 이들은 당신은 돈을 많이 쓰지만 나는 그렇지 않다고 함으로써 빗대어 말하고 있으며, 자신들이 하고 있는 논쟁의 근본적인 문제가 자동차,

옷, 돈, 예산 중에서 어느 것인지를 규정하지 못하고 있고, 낚싯대와 드레스 등의 지나간 문제들을 끌어들이고 있다. 그리고 이들은 상대방의 관점을 고려하지 않고 자기 생각만을 고집하고 있다.

[그림 14-3] 결혼에서의 갈등은 분열과 싸움을 야기할 수 있다.

불행하게도 이들 부부는 앞으로의 논쟁에서 지켜야 할 몇 가지 엄격한 기본적인 규칙을 세워야 할 것 같다. 왜냐하면, 이들은 상대방의 '사적인' 영역을 침범하는 편법을 쓰고 있으며, 자신들의 문제를 해결하기보다는 상대방을 공격하고 그의 기분을 상하게 하는 데 더 관심을 두고 있기 때문이다. 이러한 경우 논쟁에서 자신이 잘못한 것을 점수로 환산하는 것도 좋다. 즉 오희가 낚싯대를 들먹였기 때문에 1점을 얻었으며, 병태는 드레스 문제를 들먹여서 1점을 얻었다. 그리고 오희가 그 드레스를 남편회사에서 여는 파티에 입고 갈 것이라고 핑계를 대었기 때문에 다시 1점을 얻은 것으로 계산할 수 있을 것이다.

이러한 파괴적인 형태의 논쟁은 결혼관계의 부부에게서 흔히 있는 일이고, 이러한 논쟁을 하는 부부들은 아주 행복하지 못한 결혼생활이 예상되는 '혼자 잘난 생활태도'를 갖고 생활하게 될 것이다. 그래서 이들은 어느 정도의 개인적인 '승리감'을 만끽할 수 있을는지는 몰라도 문제를 해결하지는 못할 것이다.

여러분은 어떤 형태의 규칙을 통해서 갈등을 해결하겠는가? 바크 (George Bach) 박사는 두 가지 형태의 갈등해소 방안을 제시하고 있는데, 하나는 깨끗한(clean) 싸움이고 다른 하나는 치졸한(dirty) 싸움이다. 사람들은 어떤 사람이나 팀(team)이 승리하기 위해 '치졸한' 전술을 사용하는 운동경기를 보았을 경우, 대부분 '승리한' 사람이나 팀은 존경심의 상실, 상한 감정, 그리고 죄책감으로 인한 갈등 등의 아주 많은 대가를 치러야 되며, 다음 시합이 있을 때까지 그 감정이 누적되는 것을 기억할 것이다. 결혼이나 가족의 상황에서도 치졸한 싸움은 있을 수 있다.[5]

치졸한 갈등처리(dealing with the conflict): 다음의 몇 가지 방식은 갈등을 해결하기 위해 치졸한 싸움을 하는 사람들의 예이다.

감정의 푸대자루 소지자(gunny sacker)나 **정서적 경품권수집가**(stamp collector)는 '자루'가 꽉 찰 때까지 감정을 수집하고, 분노나 성냄을 처리하기보다는 감정을 축적하는 사람이다. 그리고 문제가 터지면 "그렇게 될 줄 알았지!" 또는 "일이 꼬이는 것은 당연하지!"라고 계속적인 비난을 하는 사람이다. 그래서 자신의 상한 감정과 적개심을 상대방에게 해소하게 된다.

연쇄반응자(chain reactor)는 현재 제기된 문제와 관계가 없는 것을

---

5) GEORGE R. BACH and PETER WYDEN, *The Intimate Enemy*(New York: Avon, 1968).

들추어내는 사람이다. 즉 전에 있었거나 해결되지 않은 채 남겨 두었던 다른 사람의 일을 들먹거림으로써 문제를 회피하거나 공격을 차츰 늘려 가는 사람이다.

빈정꾼(comedian)은 심각하게 싸우려고 하지 않으며, "당신이 미친개처럼 날뛰는 것이 아주 귀여웠어!"라고 말한다든지 해서 갈등을 피하고, 상대방을 조롱하며, 놀려 댄다.

순교자(martyr)는 상대방이 자신의 '고통'에 책임을 느끼기를 바라면서, 그 사람이 자기 잘못을 저절로 깨달아 행동을 변화시키기를 시도하는 사람이다. 그래서 순교자는 종종 "내가 없이 당신 혼자 계속 그런 식으로 해봐, 일이 잘될 거야. 나는 그냥 보고만 있을 테니까!"라고 말하면서 한숨을 짓는다.

사이비 정신과의사(armchair psychiatrist)는 다른 사람의 마음을 읽고서, 그 사람이 하고 있는 일을 왜 하는지를 짐작해서 말하고, 또 "당신이 정말로 의미하는 것은……이지?"라고 그 사람에게 묻는다.

분노촉진자(irritator)는 다른 사람을 은근히 귀찮게 하는 일을 해서 분노를 노출한다. 예를 들어, 식탁 위에 지저분한 접시를 그대로 두거나 설거지통에 처박아 놓는다든지, 침대 위에서 과자를 먹는다든지, 딱딱 소리를 내며 껌을 씹는다든지 또는 상대방을 성가시게 하는 행동을 하는 것은 이의 좋은 예이다.

배반자(traitor)는 이방인의 공격을 받도록 방관하며, 다른 사람들에 의해 자신의 동반자가 무시되고 침해를 받아도 방어해 주지 않는다.

거부자(withholder)는 다른 사람이 원하는 애정, 동료의식, 인정, 성적인 교제 또는 다른 사람을 기쁘게 해 줄 수 있는 모든 것들을 부정한다.

기피자(evader)는 싸우기를 거절하여 대결을 피한다. 대신에 일이나 잠에 '푹 빠져' 버리거나, 자리를 옮기거나 떠나는 방법들을 사용한다.

자존심 침해자(humiliator)는 다른 사람의 신상과 관련된 지식을 '반칙적으로' 사용한다. 민감한 반응을 야기하거나 '금지된 영역'의 권리를 침해함으로써, 그 사람은 이를 통해 다른 사람을 제압하게 된다.

1. 자신이 잘 알고 있는 또 다른 형태의 '치졸한 싸움'의 방법을 열거하고, 치졸한 싸움에 자신이 개입되었을 때의 느낌을 적어 보라.
2. 위에서 열거한 10가지 형태 중에서 가장 파괴적이라고 생각되는 5가지를 설정하여 나름대로 서열을 정해 보라. 자신의 서열을 타인의 서열과 비교해 보고 자신의 반응내용에 대해 토론해 보라.

2. 깨끗한 갈등해소 방법(clear - the - air conflict)

모든 부부들이 침착하게 그리고 상대방을 헐뜯거나, 욕하거나, 오해하지 않고 합리적으로 문제를 논의한다면, 세상은 틀림없이 살기 좋은 곳이 될 것이다. 그러나 때때로 실질적인 문제는 과거의 고통이나 불만 등이 제기되면서 초점이 흐려지기도 한다. 그래서 "그때의 일을 기억하시오." 또는 "그리고 또 이런 일도 있지 않았소." 하는 말이 지나간 일을 새로이 문제 삼기 위해 사용되기도 한다.

[그림 14-4] 치졸한 갈등 처리

　지성적이고 객관적이며 서로를 사랑하는 부부는 서로의 관점을 이해하고, 자신들의 문제를 합리적으로 논의할 수 있을 것이다. 그러나 이들도 인간이고 자신들의 정서와 관련되기 때문에, 때에 따라서는 합리성과 객관성을 잃고서 자신의 정서를 표현하기도 한다.

　자신의 감정과 갈등은 상대방에게 전달될 필요가 있다. 예를 들어, 분노는 어떤 일이 잘못되었다는 '단서'가 된다. 이러한 경우 당사자가 피상적인 '단서'에만 관심을 집중하면, 그는 다른 문제나 문제의 근원을 알 수 없게 된다. 그러나 분노는 종종 이차적인 정서로서 고통, 거절, 공포, 불신 등의 몇 가지 보다 '중요한' 감정을 위장한 것이라는 사실을 기억하라. 그리고 이러한 문제를 헤쳐 나가는 것은 의사소통의 좋은 연습이 되기도 한다. 왜냐하면, 감정이 잘못 전달되면 그 감정은 앞에서 언급한 '치졸한 싸움'과 같은 어떤 다른 방식으로 표현되기 때문이다.

　부부간의 갈등을 깨끗하게 해결할 수 있는 방안에는 어떤 깃이 있는가? 당사자들은 몇 가지 다음과 같은 기본적인 규칙을 설정할 필요가 있을 것이다.

(1) 공정하고 서로 동의할 만한 규칙을 가져라

갈등이 불가피하다고 생각되면, 자기 자신에게 "우리 모두는 공정하게 싸우길 원하는가?" 하고 자문해 보라. 만일 그렇지 않을 경우, 그 사람은 자신이 세력다툼에 몰두해 있는 것이다. 그러나 당사자가 공정한 규칙을 정말로 원한다면, 그는 그 규칙에 서로 동의하게 될 것이다. 그리고 공정한 규칙을 원한다면, 각자에게 '공정한' 것과 '불공정한' 것이 무엇이고, 과거의 실수나 인척 또는 상대방의 감정을 건드릴지도 모르는 '제한영역'에는 어떤 것이 있으며, 서로가 '치졸한 싸움'을 피하기로 동의하고 있는지 등에 관해 이야기를 나누어 보라.

(2) 시기, 외부인, 신체적 조건 등의 상식을 사용하라

충분한 시간적 여유가 없이 급히 일을 서두르게 되면, 사람들은 대개 욕구좌절만 경험하고 아무것도 달성할 수 없게 된다. 야구에서의 '치고 달리기'와 같이 일을 하게 되면, 거기에는 고달픈 감정만이 있게 될 뿐이다. 만일 자신이 자기도 모르는 사이에 이러한 상황에 처해 있다는 것을 알게 되었다면, 특정한 이후의 시간까지 의식적으로 당면한 문제를 미루고 나서, 시간이 경과한 다음에 다시 문제해결을 시도하여 문제를 해결토록 하라.

만일 자신이 주변의 다른 사람들과 불일치의 와중에 처한 적이 있는 사람은 그때 자신이 '외부인'이 된 것처럼 느껴졌을 것이다.

자기 자신의 싸움에 이웃, 자녀, 친구, 기타 죄 없는 외부 사람들을
관여시키는 것은 불편할 뿐만 아니라 비생산적이다. "자신이 피곤
하거나 배고플 때는 싸우지 말라."는 옛 속담은 아주 적절한 말이
다. 이러한 상황에서 싸우는 사람은 욕먹을 가능성이 더 크다는 것
을 명심하도록 하라. 즉 사람은 자신의 신체적 조건을 고려해야 한
다. 왜냐하면, 아프거나 마음이 편치 못한 사람은 사소한 일에 대
해서도 필요 이상으로 민감한 반응을 보이기 때문이다.

(3) 사람의 인성이 아닌 행동에 못 박아라

별명을 부르거나, 비꼬는 말을 하거나, 어떤 판단적 진술을 하기
보다는 자신을 괴롭히는 것이 무엇인지를 기술하도록 하라. 예를
들어, "당신은 분별없는 멍청이임에 틀림없어."라는 말보다는 "당
신이 늦을 것이라고 왜 미리 연락하지 않았어요? 나는 매우 걱정이
되었어요."라는 말을 하도록 하라. '나(I)'라는 메시지(앞에서 배운)
를 활용하는 것은 대부분의 경우에 있어 아주 효과적이다. 그리고
상대방의 어떤 행동이 자신을 곤란하게 만드는지에 대하여 생각해
보고 나서, 그 행동을 상대방에게 전달하도록 하라.

(4) 훌륭한 의사소통은 양방적이다

자신의 관점을 충분히 표현하도록 서로에게 허용하여야 한다. 그
리고 판단이 아니라 감정을 진술하도록 하라. 특히 두 명의 당사자
가 상대방이 한 말을 미리 판단하지 말고 그의 말을 개방적인 태도
로 경청하는 것은 아주 중요하다. 만일 자신이 판단적인 태도를 갖
고 양자가 접하고 있는 갈등에 접근하게 되면, 그는 상대편 사람이

자신을 변명하려 한다는 생각을 갖게 되어 결국에는 옳지 않은 판단이나 가정을 하게 된다. 그리고 "때때로 나는 소외되었다고 느껴져."라고 하는 말은 "당신은 나에게 아주 관심이 없단 말이야."라는 말보다 더 좋은 감정표현이 된다.

(5) 자신이 이해한 대로 상대방의 관점을 다시 진술해 줘라

자신이 사용하는 말의 의미를 두 사람 모두가 분명히 이해하도록 하라. 그리고 자신이 한 말과 자신이 의미하는 것이 종종 다를 수 있다는 것을 명심하라. 또한 자신이 말한 것에 대한 상대방의 반응에 신중히 대처하라. 왜냐하면, 그러한 반응은 서로 오가는 의미를 반영하기 때문이다. 이러한 태도는 당사자로 하여금 문제를 규정하고 상대방의 관점이나 느낌을 이해하도록 도와줄 것이다.

(6) 문제를 규정하라

실질적인 문제에 들어가기 전에 몇 가지 예비적인 측면의 문제를 해결도록 하라. 처음의 관점은 연막과 같은 것이며, 실질적인 문제는 "내가 당신을 옳게 이해했나? 당신은 내가 사냥을 가기보다는 주말에 내가 당신과 함께 도심지를 빠져나가 시골에 가고 싶다는 말이지?"라고 상대방의 관점을 재진술함으로써 표면으로 부각될 수 있다. 이와 같이 두 명의 당사자가 실질적인 문제를 설정하기 위하여 정직과 사랑과 이해를 갖는 태도는 중요하다.

(7) 문제점에 충실하라

때때로 사람들은 "당신은 내 생일을 잊었지, 그렇지 않아?" 하고 결코 완전히 치료될 수 없는 몇 가지 '지나가 버린' 상처 입은 감정을 문제 삼는 경향이 있다. 그리고 이러한 측면적인 문제는 대개 실질적인 문제의 초점을 흐리게 하며, 당면한 문제가 해결되기 바로 전까지 그 힘을 발휘한다. 이러한 경우 측면적인 문제를 해결하기 위한 최선의 방법은 "당신의 생일을 잊은 것 미안하게 생각해요. 그러나 그 문제는 이 문제와 무관하다고 생각해요. 그 문제에 대해서는 나중에 이야기하도록 해요."라고 말하는 것이다.

(8) 약점을 공격하지 말라

다른 사람과 친밀한 관계를 유지하며 살다 보면, 사람들은 곧 그 사람의 비난받기 쉬운 약점을 알게 된다. 자신이 상대방으로 인해 감정이 상하게 되면, 그 사람은 상대방의 약점을 알기 때문에 역으로 그 상대방의 감정을 건드리거나 공격적인 행동을 할 가능성이 많다. 그러나 이러한 유혹을 참아라. 앙심을 갖고 상대방의 감정을 상하게 하는 사람은 나중에 반드시 후회를 할 것이다. 왜냐하면, 일단 자신의 입으로 한 말은 다시 거두어들일 수 없기 때문이다. "내가 그렇게 말한 것을 미안하게 생각해요."라고 아무리 여러 번 되뇐다 할지라도, 만일 그 사람이 상대방의 약점을 찔렀을 경우 그 상처받은 감정은 쉽게 망각되지 않을 것이다. 인간의 말은 파괴하는 힘을 갖고 있으며, 불가능한 일은 아니라 하더라도 그 파괴된 관계를 원상복구시키기는 아주 어렵다.

(9) 타협에 인색하지 말라

어떤 사람은 타협을 대단히 강조하지만, 실제로는 자기 나름대로 보복의 기회를 노린다. 타협은 다른 사람에게 양보하려는 자발성을 토대로 하며, '희생의 대가로 나오는 휴전'이 아니다. 만일, 두 명의 당사자가 '타협'을 하면서도 '내가 옳다'는 감정을 계속 갖게 된다면, 그 결과는 일시적인 휴전, 아니면 훗날 새로운 탄약이 마련되었을 때 또 다른 전투가 시작될 것이다. 그리고 이들이 자발적인 태도를 갖고 타협을 하려고 한다면, 상호 수용과 점증하는 상호 존경이 최선의 해결책일 것이다.

(10) 좀 더 참겠다는 각오를 하라

인간관계에서 좀 더 참아야 하는 경우는 많이 있다. 그리고 성공적인 결혼을 영위해 나가는 과정에서 참아야 될 일은 아주 많다. 참아야 될 사람은 남편일 수도 있고 때에 따라서는 부인일 수도 있다. 부부가 서로 참겠다는 각오를 했을 경우, 거기에는 자신들의 결혼관계를 최고의 행복한 수준으로 높여 주는 공동의 삶이 있을 뿐이다.[6]

만일 사람들이 가족 내의 갈등에 대해 누가 잘못했고 또 가장 잘못했는지에 비중을 두기보다는 "어떻게 하면 우리가 이 문제를 해결할 수 있는가?" 하는 관점에서 접근한다면, 그 갈등은 보다 건설적으로 해결될 수 있을 것이다.

---

6) PAUL H. LANDIS, *Making the Most of Marriage*, 4th ed.(Englewood Cliffs, N.J.: Prentice-Hall, Inc., 1970), p.421.

1. 앞에서 열거한 10가지 '깨끗한' 갈등해소 방안을 자신에게 중요하다고 생각되는 순서대로 서열을 정해 보라. 소집단 내의 다른 사람들과 자신이 정한 서열을 비교해 보고, 이에 대해 토론해 보라. 그러고 나서 집단적인 합의가 된 서열을 정해 보라. 합의된 서열을 벽에 적어 놓고 나서 전체 학급 구성원들과 함께 토론해 보라.
2. 이러한 규칙들을 부부관계 외의 일반적인 가족생활에 적용하고자 할 때, 여러분은 그 규칙을 어떻게 변화시키겠는가? 소집단 내에서 가족들이 갈등상황에 처할 경우에 건설적으로 '순리적인' 방식에 의해 그 문제를 해결하도록 도울 수 있다고 생각되는 일련의 지침을 설정해 보라.
3. 2번의 연습문제에 관한 자신의 '규칙들'에 영향을 주는 요인에는 어떤 것이 있는가? 자신이 설정한 규칙들이 앞에서 열거한 부부간의 깨끗한 10가지 갈등해소 방안과 유사점이 있는가? 부모와 자식을 포함한 가족 내의 갈등에 있어 당신은 '심판자'의 역할을 어떻게 수행하겠는가? 그리고 가족 내의 갈등에 있어 힘(power)의 역할은 무엇인가? 또한 힘의 역할은 무엇으로 되어야 하겠는가?

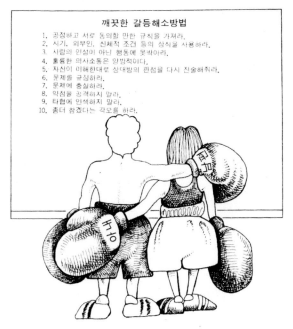

깨끗한 갈등해소방법
1. 공정하고 서로 동의할 만한 규칙을 가져라.
2. 시기, 외부인, 신체적 조건 등의 상식을 사용하라.
3. 사람의 인상이 아닌 행동에 못박아라.
4. 훌륭한 의사소통은 양방적이다.
5. 자신이 이해한대로 상대방의 관심을 다시 진술해취라.
6. 문제를 규칙하라.
7. 문제에 충실하라.
8. 악섬을 공격하지 말라.
9. 타협에 인색하지 말라.
10. 좀더 참겠다는 각오를 하라.

[그림 14-5] 깨끗한 갈등처리 방법

　새로운 행동유형이 '가치 있는 것'이 되기 위해서는 그 행동유형
이 과거보다 더 보상적이 될 필요가 있다. 인내를 갖고 새로운 행
동유형을 좋은 것으로 느끼도록 서로를 강화해 줘라. 그리고 만일
자신이 옛날의 행동유형으로 빠져든다고 느껴지면, "나를 도와줘요
― 내가 자꾸 옛날의 낡은 행동을 하려 하고 있어요. 우리 다시 시
작하도록 해요."라고 상대방에게 말하라. 그러고 나서 자기 자신에
게 "나는 전보다 상태가 좋아지고 있어요. ― 내가 이번에 얼마나
빨리 나 자신을 조절하는지 보세요."라고 말하라. 이렇게 하면 여
러분은 다음번엔 보다 빨리 자신을 조절할 수 있게 될 것이다.

　이상적인 결혼관계가 반드시 부부간에 갈등이 없는 것을 말하는
것은 아니다. 결혼생활에서의 갈등은 아주 생기 있고 생명력이 있

으며 재미있는 부부간의 생활과 자신들의 문제해결 과정에서 생기는 것이다. 그리고 어떤 부부들은 논쟁을 통해 서로 만족스럽게 문제를 해결하고 나서 더 친밀한 감정을 느끼기도 한다. 또한 갈등의 해소는 부부를 더 가깝게 맺어 주고 그들의 결합을 견고하게 해 주는 역할도 한다.

Ⅳ. 성공적인 결혼이란?

'성공적인' 결혼에 대한 정의는 주로 자기 자신의 기대에 따라 달라질 것이다. 어떤 사람들은 '성공적인' 결혼을 주어진 기간 동안 부부가 함께 살 수 있는 것이라고 하지만, 대부분의 사람들은 이와 같은 편협한 정의에 동의하지 않을 것이다. 사람들은 나름대로 '성공적인' 결혼이라고 정의할 만한 여러 가지 범주를 들을 수 있겠지만, 아주 기본적인 것으로 생각되는 몇 가지 기준을 제시하면 다음과 같다.

결혼한 부부들은 서로가 계속해서 성장하고 '완성된' 부부가 될 수 있도록 도와주고, 그래서 부부 모두가 가능한 한 최선의 모습을 갖추게 된다. 즉 '자아실현적' 결혼에 있어, 부부 모두는 서로가 필요로 하는 도움을 얻기 위하여 상호 의존관계에 있다는 사실을 안다.

결혼한 부부들은 자기 자신의 욕구는 물론 상대방의 욕구에 대해서도 민감한 반응을 보인다. 그래서 이들은 온정과 협동과 사람을 통해서 이러한 욕구를 충족시키려고 노력한다.

상대방의 성에 대한 성실한 이해를 바탕으로 해서, 결혼한 부부들은 건전한 성관계를 형성한다. 그리고 이러한 성관계가 부부 모두에게 중요한 것이지만, 그렇다고 해서 성관계가 지속적인 사랑과 성장을 위한 유일한 기초가 되는 것은 아니다.

결혼한 부부들은 건전한 '싸움'의 관계를 개발한다. 그래서 이들은 자신들에게 갈등문제가 생기면 이를 이기주의나 자존심 손상에 의해서가 아니라 서로 수용할 만한 해결방안으로 갈등을 해소시키는 순리적인 방법을 통해 해결한다. 부부는 자신이 상대방에 대한 상대적인 힘, 즉 말이나 행동으로 상대방을 제압하는 힘이 있는 것을 알고 있지만, 해로운 방식으로 그러한 힘을 사용하지 않는다.

결혼한 부부들은 일종의 생활방식이 된 자신들의 결혼에 서로 큰 비중을 둔다. 이들은 서로 공통관심사를 갖고 있지만, 상대방이 혼자만의 시간을 통해 자신의 사적인 생활을 할 수 있는 공간이나 시간이 필요하다는 것도 인식한다.

이상의 기준들이 상당히 높은 수준의 것으로 보이기 쉽다. 그래서 주변 사람들을 보아도 이러한 기준들을 모두 만족스럽게 충족시키는 결혼은 그리 많지 않다. 처음 결혼생활을 시작하는 대부분의 젊은 부부들은 자신들의 결혼을 이상적이고, 서로가 결혼생활에 큰 비중을 두며, 두터운 사랑의 관계에 있다고 생각할 것이다. 자신의 결혼이 정말 이상적이라고 확언할 수 있는가? 대부분 그렇지 못할 것이다. 세상에 그 누구도 자신들의 결혼이 성공적이라고 확언할 수는 없을 것이다. 그렇지만 부부가 정직하고, 또 사랑이 담긴 의사소통 체제를 갖고 있고 결혼에 대한 기대와 가능한 갈등의 원천과 예상되는 적응 등에 대하여 적절한 지식을 갖는다면, 이들의 결혼이 보통 사람들보다 성공적일 가능성은 훨씬 더 많아진다.

결혼은 우연히 성공하는 것도 아니고 우연히 실패하는 것도 아니다. 결혼 성패는 본인들이 만드는 것이다. 사람들은 변화하는 환경과 시간과 성격, 그리고 모든 인간관계와 상호작용, 이에 영향을 주는 모든 다른 요인들을 고려하여 자신의 생활을 영위하고 또 조절해 나간다. 결혼이란 것은 부부가 함께 가질 수 있는 감각적으로 가장 만족스러운 경험이 될 수 있는 반면에 가장 파괴적인 경험도 될 수 있다.

V. 요 약

가족생활을 통해서 감정을 경험하게 된다. 가족은 혈연, 합법적인 결혼 또는 양자결연 등에 기초를 둔 관계성이다. 가족은 또한 지위, 역할, 혈족관계, 명칭, 그리고 관련된 행동 등으로 구성된 체제이다. 모든 가족체제의 구성요소들 사이에는 상호 연결성이 있다. 체제 내에서 구성요소들의 이동, 행동, 행위 등은 체제 내의 다른 부분들에 영향을 준다. 의사소통과 이해는 가족단위의 건전한 기능에 있어 일차적인 것들이다. 때때로 사람들은 의사소통 체제가 단절되는 경우 '거실의 코끼리' 상황에 빠져들고 만다. 갈등은 불가피하며, 가족구성원들은 갈등을 파괴적으로 다루기보다는 건설적으로 다루는 방법을 배워야 한다. 치졸한 싸움에는 ① 정서적 경품권수집가, ② 연쇄반응자, ③ 빈정꾼, ④ 순교자, ⑤ 사이비 정신과 의사, ⑥ 분노촉진자, ⑦ 배반자, ⑧ 거부자, ⑨ 기피자, 그리고 ⑩ 자존심 침해자 등이 하는 싸움이 포함된다. 깨끗한 갈등해소에는 ① 공정하고 서로 동의할 만한 규칙을 가져라, ② 시기, 외부인, 신체적 조건 등의 상식을 사용하라, ③ 사람의 인성이 아닌 행동에 못 박아라, ④ 훌륭한 의사소통은 양방적이다, ⑤ 자신이 이해한 대로 상대방의 관점을 다시 진술해 줘라, ⑥ 문제를 규정하라, ⑦ 문제에 충실하라, ⑧ 약점을 공격하지 말라, ⑨ 타협에 인색하지 말라, ⑩ 좀 더 참겠다는 각오를 하라는 등의 방안이 있다.

연습문제

1. 건전한 문제해결 방식으로 가족체제 내에 존재할 수도 있는 구전되거나 비언어화된 '규칙들'에는 어떤 것이 있는가?

2. 가정이나 결혼생활에서 말이 아닌 다른 의사소통 방법으로 어떤 것이 있는가? 자기 가족에게 찾아볼 수 있는 몇 가지 비언어적인 메시지를 열거해 보라.

3. 앞에서 논의했던 '치졸한 싸움' 방법 중에서 사용한 바 있는 것은 어떤 것인가? 무엇이 자신으로 하여금 그러한 방법을 사용하도록 자극했다고 생각하는가? 그리고 그 결과는 어떠했는가?

4. 소집단을 만든 다음, '거실의 코끼리'와 같은 형태의 상황을 몇 가지 열거해 보라. 자신이 열거한 내용을 벽에 걸어 놓아라. 열거한 내용에 관해 토론을 한 후에, 자신이 '거실의 코끼리' 같은 상황에 처해 있을 경우에 어떻게 행동하겠는지에 관해 토론해 보라.

5. 소집단을 만든 다음, 자기 집에서 실제로 적용되고 있는 언어적 규칙과 비언어적 규칙에 대하여 비교해 보라.

6. 자신이 결혼을 하고 또 독립해서 가정을 갖게 된 후에, 부모

님과의 '끈이' 계속 연결되어 있다는 것을 어떻게 해서 느끼게 될 것인가? 소집단을 만든 다음, 자신을 부모와 다시 연결시켜 주는 몇 가지 위기나 심리적인 계기에는 어떤 것이 있는지를 알아보라.

7. 자신이 결혼한 지 얼마 되지 않았다고 상상해 보라. 이러한 상황에서 배우자의 부모님이 여러분을 재정적으로 '도와주길' 원하지만, 여러분은 거기에 어떤 부수적인 '조건'이 있을 것이라고 생각하여 주저하고 있다. 여러분은 이 제안을 수락할 것인가, 거절할 것인가? 만일 수락한다면, 여러분은 그 부수적인 '조건'에 어떻게 대처하겠는가? 만일 거절한다면, 배우자의 부모님의 기분이 상하지 않게 여러분이 거절할 방법에는 어떤 것이 있는가?

8. 소집단을 만든 다음, '순리적인 갈등해소'에서 열거한 내용을 살펴보라. 그리고 나서 문제를 규정하고, 문제에 충실하고, 약점을 공격하지 않는 것이 왜 어려운지를 알아보라. 앞에서 열거한 10가지 방법 중에서 자신이 가장 어렵게 생각하는 것은 무엇인가? 집단 내에서 자신의 반응을 다른 사람의 것과 비교해 보라.

제15장 인생의 마지막과 인간관계

그녀는 움직이지 않고 의자에 앉아 그날 자신이 피할 수 없었던, 싸늘하고 쓰라렸던 사실들을 이해하기 위해 안간힘을 쓰고 있었다. 무감각과 허탈감, 그리고 공포와 절망 사이의 갈등은 싸늘한 얼음장같이 그녀를 감싸고 있었다. 친구들과 친척들이 도착하여 그녀를 동정하고 위로하기 시작했다. 어떤 사람들은 말을 잊은 채 분주하게 커피와 과자를 준비하였다. 그리고 다른 사람들은 고개를 숙인 채 조용히 눈물을 흘리고 있는 그녀를 조심스럽게 바라보며 앉아 있었다.

얼마 후, 사람들이 말문을 열면서 "전혀 예상치 못했어, 난 지금 도저히 믿을 수가 없어! 악몽과 같은 일이야, 내가 잠을 깨었더라면 일이 이렇게 되지는 않았을 텐데, 일이 이렇게 될지 그 누가 알았겠어, 며칠 전만 해도 그가 집에 돌아온 얘기를 했는데 이게 뭐야! 일이 어찌 이럴 수가 있어? 젊은 사람이 왜 이래? 하느님, 앞으로 나는 어떻게 해야 되나요?"라고 두서없이 말했다. 그리고 그들의 말은 속삭임으로 바뀌었으며, "우리가 해야 될 일에 대해서 이야기를 했지만 죽음에 대해서는 전혀 이야기했던 바가 없었지."라고 말하면서 그녀의 주변에 더 많은 사람들이 모여들었다.

사람들의 표현이나 주변 환경은 약간씩 변하겠지만, 이와 같은 장면은 매일 수많은 사람들에게서 일어날 수 있다. 그리고 사람들이 모든 인간관계의 최종적인 종점으로 생각하는 죽음은 자신의 죽음이든 자신과 친밀한 사람의 죽음이든 간에 인간이 삶의 어떤 시점에서 접하게 될 실제적인 사실이다.

이런 점에서 이 책은 죽음과 임종, 의미 있는 관계의 상실 등의 주제로 인간관계의 마지막 장을 끝맺는 것이 적합하다고 생각된다. 본 장에서는 이와 관련해 ① 죽음과 임종에 대한 현시대의 관점, ② 죽을병에 직면했을 때의 태도인식, ③ 상실에 따른 슬픈 감정의 변화 등을 살펴보고, 마지막으로 ④ 죽음이나 인간관계의 상실에 접한 사람들을 돕는 데 있어서 '타인'의 역할을 알아본다.

임종은 모든 사람이 접하는 과정이며, 동시에 사람이 태어나는 날부터 시작되는 과정인 것이다. 그리고 이러한 관점에서 죽음을 보려고 한다면, 사람들은 보다 더 현실적이고, 개방적이며, 적극적인 인식의 방향에서 삶에 대처할 수 있게 될 것이다.

I. 죽음과 임종에 대한 현대인의 태도

죽음과 임종의 문제는 아주 복잡하고 개인적인 수준에서 이를 논하기는 대개 어려운 일이기도 하다. 최근 몇 년에 걸쳐 이 문제에 대한 관심이 급격하게 증가하고 있다. 이에 잡지나 다른 책들이 관련된 특집을 다루고 있으며, 대학에서는 죽음과 임종을 연구하는 죽음학(thanatology)의 강좌가 설치되고 있다. 그리고 사람들은 이 어려운 문제에 대한 자기 자신의 태도에 관해 더 많은 것을 알고자 노력하고 있다.

문제는 죽음이라기보다는 죽음에 이르는 과정이다. 사람들은 지적으로 죽음이란 사실을 수용할 수 있다. 즉 죽음은 피할 수 없는 것이며, 사람들은 모두 이러한 점을 안다. 그렇지만 경험적으로 사람들은 현상태에서 죽음이 당신이나 자신의 문제가 아닌 다른 어떤 사람의 문제로 느끼는 경향이 있다. 어떤 사람이 죽음에 대한 논의를 원했을 경우, 죽음에 대한 최초의 가장 일반적인 반응은 부정과 회피, 그리고 죽음은 노인들에게나 해당되며 자신들과는 아직 별로 관계가 없다는 식의 감정이다.

죽음과 긴밀한 관계가 있는 직업을 가졌거나 죽음을 연구해 온 사람들은 이러한 부정의 방어기제에 몇 가지 근거가 있다고 말한다. 많은 사람들이 내세에 대한 몇 가지 종교적인 신조나 신념을 잊고 살아왔으며, 그래서 사람들은 죽음을 자신의 심중에서 추방하려 시도하는 하나의 중요한 최종적인 것으로 생각한다. 또한 사람들은 물질주의적인 사회의 풍요와 성공에 얽매여 자신이 원하는 생활을 할 수 없다고 생각할 경우에 혼란상태에 빠지게 되는 경향이 있다.

의학이 크게 발전하면서 사람들은 현실적으로 더 오랫동안 건강한 삶을 누릴 수 있게 되었다. 이러한 의학의 발전은 또한 무한정으로 죽음을 떨쳐 버릴 수 있다는 희망과, '특별한' 생명 지연책 또는 생명유지의 장치를 사용함으로써 야기되는 고통의 윤리적인 문제를 수반하게 되었다.

사람들이 아주 높게 평가하는 '청춘예찬(youth cult)'은 또 따른 부정의 요인을 안겨 주기도 한다. 왜냐하면 사람들은 노화(aging)와 임종을 싫어하는 것으로 보이기 때문이다. 텔레비전이나 잡지의 광고를 살펴보라! 즐거운 시간을 보내고 재미있는, 생활을 즐기는 사람이 어떤 사람들로 묘사되었는가? 젊은이가 아닌가! 노인들을 상대로 광고하는 상품에는 어떤 것이 있는가? 변비약, 틀이(齒), 요통치료제 등과 같은 것이 아닌가! 젊다는 것은 건강하고 생명력이 있다는 것을 뜻한다.

죽음과 관련한 자신의 경험에서, 사람들은 대개 '지금은 아니야', '나중에', '앞으로 있게 될', '준비태세를 갖춘 후에', '일을 끝마친 뒤에' 등과 같이 지연하고자 하는 태도를 갖는다. 전에는 죽음이 가족, 특히 확대가족과 3세대 가족에서 상당한 부분을 차지하고 있는 일상적인 경험이었다. 죽을병에 걸린 경우 대개 임종하게 될 사람은 병원에 가지 않고 가정에서 간호를 받는다. 오늘날의 경우에 있어서는 오히려 집에 더 머무르는 경향이 있다. 그리고 가족과 친구들은 나이에 관계없이 죽음의 불가피성에 승복하며, 대체로 죽음을 생각하며 지낸다.

닐(Neale)은 다음과 같이 적고 있다.

죽어 가고 있는 사람은 가족이 있을 것이다. 많은 사람들이 문병을 올 것이며, 죽음에 임박한 순간 자녀와 친구를 포함한 가족들이 함께할 것이다. 이들은 죽어 가는 사람에게서 유언을 듣고 또 마지막 말을 건네줄 것이다. 그러고 나서 이들은 죽어 가는 사람이 숨을 거두고, 몸이 이완되며, 피부색이 변하는 것을 관찰할 것이다. 가족구성원들은 장례식 준비를 하게 될 것이다. 그리고 많은 지역사회의 주민들이 이 장례식에 참석할 것이며, 작은 마을에서는 그의 죽음을 애도하여 조종을 울릴 것이다. 인간의 죽음은 모든 지역사회 사람으로 하여금 균형을 잃게 하며, 조화를 이루려는 시도는 장례식으로 시작된다. 시체를 돌보고, 이를 무덤까지 옮겨 매장하는 일을 하는 사람들은 바로 지역사회의 주민들이다. 그리고 마을에서의 이러한 최종적인 위기로 해서 사람들은 서로 친밀하게 된다. 또한 죽음에 대한 인식에서 도피하는 쉬운 길은 없다.[1]

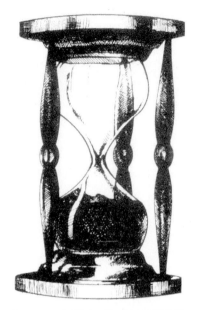

[그림 15-1] 죽음은 모든 사람이 접하게 될
하나의 최종적인 현실이다.

죽음에 대한 공포의 증가, 정서적 문제의 증가, 죽음과 임종의 문제에 대한 이해와 대처에 관련된 더 많은 욕구를 야기한 지난 몇 년간에 걸쳐 많은 변화가 일어났다. 많은 사람들에게 있어서 죽음 은 나쁜 행동, 깜짝 놀랄 만한 사건, 사고나 죽을병과 같은 외부요 인에 기인한 어떤 일들과 관련되어 왔다. 오늘날 임종은 종종 더 소름 끼치고, 고독하며 기계적이고, 비인간적인 것으로 되었다. 즉 모든 사람들이 알고 있는 바와 같이 이러한 사실은 때때로 '언제

1) ROBERT E. NEALE, *The Art of Dying*(New York: Harper & Row, Publishers, Inc., 1973), pp.1-2.

죽느냐?' 또는 "죽을 '권리'를 가진 사람은 누구인가?"를 결정하는 것을 어렵게 만든다.

오늘날 사람들은 종종 지속적이고 부정적인 심리를 가지고, 죽음을 슬퍼한다. 그래서 사람들은 죽음을 잠자는 것으로 보고, 환자를 '보호하기' 위해 자녀들을 친척집으로 보내며, 병원에서 부모나 조부모가 임종하는 것을 자기 자녀로 하여금 보지 못하게 하며, 환자나 가족들에게 죽을병에 관한 '진실'을 말해야 하는지에 대한 여러 가지 종류의 논쟁이 있어 왔다.

사람들은 종종 죽음의 '불공평성'에 대해 이야기하는데, 죽은 사람의 나이가 적을 경우 특히 더욱 그렇다. 예를 들어, 학교에서 귀가하던 도중에 젊은 학생이 자동차 사고로 죽었을 경우나 어린이가 빨리 길을 건너가려다 지나가는 트럭에 치어 죽었을 경우, 젊은 어머니가 뇌종양으로 죽었을 경우나 심장병의 발작으로 거리에서 쓰러져 죽는 경우, 그리고 아버지와 자식이 함께 사냥하는 도중에 이들 중에서 한 사람이 우발적인 총격에 의해 죽게 되는 경우 등은 죽음의 불공평성 문제가 제기되는 대표적인 예이다. 이러한 경우 사람들은 임종에 있어 가장 '공평하고 옳은' 방식이 건강하게 살다가 나이를 먹은 뒤에 죽는 것으로 여겨서 고개를 내저으며 못 믿어 한다.

미래는 어떠한가? 이와 관련된 우리 사회의 점증하는 수를 부정할 수는 없다. 즉 인구, 자동차, 기술 등이 계속 증가하고 있다. 사람의 수가 증가해도 과학과 의학의 진보로 계속 살아남는다. 그리고 이러한 현상은 확실히 바람직한 것이다. 그렇지만 새로운 진보는 환자, 의사, 위기를 경험하고 있는 가족구성원들, 그리고 위기를 겪고 있는 동안 다른 사람들을 도와주는 친구들 모두에게 새로운 문제를 제기해 준다.

법적·도덕적·사회적·윤리적·심리적 형태를 포함한 많은 문제들이 우리 자신과 앞으로의 세대들에게 제기될 것이다. 그러면 우리는 그러한 점증하는 어려운 결정들을 어떻게 내릴 것인가? 그러한 결정들을 컴퓨터에 맡겨 버릴 것인가? 그리고 이와 관련된 결정은 또 누가 해야 하는가?

우리는 옛날로 되돌아갈 수도 없고 또 돌아가자고 제안할 수도 없다. 그러나 근대화되고 도시화되었으며 기술적으로 진보한 사람들은 복잡한 자기 자신의 삶과 불가피한 죽음에 대한 기대를 다룰 수 있다. 그리고 사람들은 과거의 더 단순한 삶, 자연적인 삶, 자연적인 과정으로서의 삶과 죽음에 대한 수용 등에 관한 몇 가지 긍정적인 태도를 배우고, 그래서 자기 자신의 죽음을 삶의 부분적인 과정으로 이야기하고, 다루며, 인식하는 것을 떨쳐 버릴 수 없을 것이다.

죽음과 관련하여 자신이 경험한 것에는 무엇이 있는가?
1. 여러분은 미라로 보존된 시체를 본 적이 있는가?
2. 여러분은 스스로 생각하기에 자신이 죽을 수도 있었다고 생각되는 경험을 한 적이 있는가?
3. 자신의 가족이나 친한 친구가 죽은 것을 본 적이 있는가?
4. 자신의 어린 시절을 돌이켜 보고, 그 당시 자신이 생각했던 죽음의 문제에 관해 이야기를 나누어 보라.

Ⅱ. 죽을병에 직면했을 때의 태도인식

죽음에 대한 인식은 죽음에 대한 부정과 밀접하게 관련된다. 사람들은 부정의 기술에 정통해 있다. 죽음을 묘사하기 위하여 사용되는 말들을 생각해 보라. 유명한 신문은 '죽음'이란 용어의 사용을 허용하지 않는 장기적인 방침을 정해 놓고 있다. 그래서 전형적인 생명보험 판매대리인은 아마 "당신이 내일 죽게 된다면 당신의 가족을 어떻게 돌볼 것인가?"라고 말하지 않고, 이보다는 "당신이 어제 죽었다면 당신의 가족을 어떻게 돌볼 것인가?"라고 말할 것이다. 이러한 차이는 전혀 불가능한 일에 약간의 가능성을 제공해 줄 수 있을 것이다.

사람들은 종종 사람이 죽었다는 사실을 부정하기 위해 완곡어법을 쓴다. 그래서 어떤 사람이 죽었다고 말하기보다는 '세상을 떠났다', '숨을 거두었다', '돌아가셨다'라고 말한다. '생명통계 양식(vital statics form)'은 사망증명서가 되며, 무덤과 공동묘지는 '사전에 요구되는 묘지에 대한 투자'로 표현된다. 인간의 언어와 행동은 가혹함과 죽음의 실제를 부정하려고 시도한다.

사람들이 자신의 죽음을 인식할 수 있게 되는 문제에 관해 잠시 생각해 보도록 하자. 그래저(Glasser)와 스트라우스(Strauss)는 네 가지 '인식의 상황(awareness contexts)'을 제안했는데, 이를 통해 사람들은 자기 자신과 자신의 죽음에 포함되는 불안의 정도에 관해 더 많은 것을 배울 수 있도록 자신의 태도를 고찰할 수 있을 것이다. 이러한 인식의 상황은 죽을병에 걸린 환자의 인식 정도를 묘사하는 데 사용되어 왔다.[2]

첫 번째 상황은 '인식의 폐쇄(closed awareness)'이다. 이러한 상황에서 환자는 자신의 병이 죽을병이라는 사실을 알지 못한다.

---

2) BARNEY GLASER and ANSELM L. STRAUSS, *Awareness of Dying*(Chicago: Aldine Publishing Company, 1965).

그리고 담당 의사나 가족들은 환자로 하여금 실제의 진단을 알지도 못하고 또 이에 대해 의심하지 못하도록 하는 결정을 내린다.

두 번째 상황은 '의심의 인식(suspicion awareness)'이다. 여기서 환자는 진짜 상황을 모르는 것도 아니고 완전히 아는 것도 아닌 어중간한 상태에 있게 된다. 즉 환자는 의심을 갖고 있으며, 이러한 병을 앓게 되면 죽게 된다는 사실을 알고 있으나, 정말로 죽게 될 것이라고 확신하지는 않는다.

세 번째 상황은 '서로 모르는 체하는 의례적인 연극(ritual drama of mutual pretense)'의 인식이다. 이러한 상황에서 환자와 그 밖의 사람들 모두는 환자가 죽어 가고 있다는 사실을 알면서도, 서로 환자가 죽지 않을 것처럼 행동한다. 여기에는 대개 대규모의 소품(props)이 있게 된다. 예를 들어, 얼굴표정은 가면이 되고, 대화는 당사자들의 외모와 행동을 대변해 주게 된다.

네 번째의 마지막 상황은 '개방적 인식(open awareness)'이다. 환자와 그 밖의 사람들이 환자가 곧 죽을 것이라는 사실을 알고, 양자가 모두 그 사실을 인정한다. 이것은 앞에서 언급한 세 가지 다른 인식에 의해 제기되는 몇 가지 문제점을 제거해 준다. 그러나 여기에서 고려해야 할 두 가지 문제가 있다. 하나는 '내가 언제 죽게 될 것인가?' 하는 시간요인의 문제이고, 다른 하나는 '내가 어떻게 죽게 될 것인가' 참을 수 없는 심한 고통을 받으며 죽게 되는 것은 아닌가, 죽으면서 이성을 잃지 않을까, 마지막 임종하기 전에 혼수상태나 식물인간의 상태에 빠지는 것은 아닌가 하는 방법요인의 문제이다.

개방적 인식은 가족들의 노고를 감소시키고, 임종의 문제와 관련하여 만족을 안겨 줄 수 있다. 또한 환자로 하여금 가족의 앞날을 위한 중요한 업무계획을 완성하고 또 나머지 가족에게 적절한 당부의 말을 할 수 있도록 허용해 준다.

죽어 가는 환자가 자신이 죽어 가고 있다는 사실을 주변 사람들에 의해 전해 듣지 못하고 죽는 경우는 오늘날 아주 드물다. 그러나 만일 그러한 경우가 있다면, 이는 대개 가족들이 그 사실을 수용하려 들지 않거나, 아니면 그러한 사실을 수용함으로써 가족들에게 생기는 불안과 환자에게 생기는 문제 때문일 것이다. 대부분의 연구자들은 임종하는 환자는 대개 자신이 죽어 간다는 사실을 알아채며, 일단 환자가 죽음이란 사실을 수용하게 되면 그는 대개 자신이 편하게 대할 수 있는 사람들과 죽음의 문제에 관해 대화를 나누길 원한다. 그리고 환자가 죽음이란 사실을 개인적으로 수용한 후에 절박한 죽음에 나머지 가족들이 적응하도록 돕는 것은 그리 드문 일이 아니다.

시카고 대학교의 빌링스(Billings) 병원에 근무하고 있는 큐블러 - 로스(Elisabeth Kübler - Ross)와 그의 연구실에 참여하는 학생들은 환자의 측면에서 죽음과 임종의 문제를 일종의 과정으로 다루기 시작했다. 서로 모른 체하고, 의심하고, 환자를 '설득하는' 대신에, 이들은 '죽을병에 걸린 환자가 자신의 절박한 죽음에 대해 어떻게 느끼는가? 진료진과 가족, 그리고 환자를 보살피는 다른 사람들이 환자로 하여금 자신의 감정, 공포, 그리고 다른 관심사를 처리할 수 있도록 돕는 방법에는 어떤 것이 있는가?' 하는 문제를 고찰하기 시작했다. 「죽음과 임종(On Death and Dying)」이란 자신의 책에서, 그녀는 상실의 문제를 다루는 데 있어서 감정의 깊이를 죽을병에 걸린 환자의 관점에서 다섯 가지 단계로 나누어 설명하고 있다. 다섯 가지 단계에는 ① 부정, ② 분노, ③ 타협, ④ 우울, 그리고 ⑤ 수용이 포함된다.3)

(1) 부정(denial)

죽음에 대한 최초의 반응은 거의 "아니야, 내가 그렇게 될 수는 없어!"이다. 부정은 거의 모든 환자들에 의해 자신들이 처음 죽을 병에 걸린 것을 알고 또 죽음에 직면했을 때뿐만 아니라 그 후에까지도 부분적으로 사용된다. 부정은 또한 예기치 않았던 충격적인 소식을 완화시켜 주는 역할을 하고, 환자로 하여금 자기 자신의 생각을 수집하고, 또 시간을 갖고서 덜 급진적인 다른 방어수단을 강구하도록 하는 역할을 한다. 큐블러 - 로스(Kübler - Ross)는 환자가 원하는 경우 발병 초기에 환자와 같이 죽음과 임종의 문제에 관해 대화를 나눌 것을 권장한다. 그리고 더 건전하고 튼튼한 사람은 이러한 경우에 더 잘 대처하며, 절박한 것이 아니라 아직 시간적인 여유를 갖고 다가오는 죽음을 덜 두려워한다. 부정은 대개 일시적인 방어수단이며 곧바로 부분적 수용으로 대치된다. 시간이 흐름에 따라 부정의 욕구는 오락가락하며, 신중하고 지각력이 있거나 '환자를 돌보는 사람'은 이러한 사실을 인식하고, 환자로 하여금 모순됨을 인식하게 하지 않고서 필요한 방어수단을 갖도록 해 준다.

(2) 분노(anger)

"아니야, 사실일 리가 없어, 나는 아니야!"라고 최초의 반응을 보이는 경우에, 여기에는 분노, 격노, 질투, 원한 등의 감정이 수반되게 된다. 그리고 그다음에 논리적으로 따라오는 질문은 "왜 하필이면 내가? 이것이 다른 어떤 사람의 경우일 수는 없는가?"이다. 분

---

3) ELISABETH KüBLER - ROSS, *On Death and Dying*(New York: Macmillan Inc., 1969), pp.39 - 137.

노는 무작위로 시간에 구애됨이 없이 모든 방향으로 대치되고 환경에 투사되어, 환자는 "돌팔이 의사 같으니라고! 왜 더 빨리 발견하지 못한 거야? 하루 종일 당신은 어디에 있었어 — 당신이 즐겁게 놀고 있는 동안 나는 당신을 기다리며 계속해서 침대에 누워 있었단 말이야! 당장 내 곁을 떠나 — 당신은 나에게 도움을 줄 수가 없어!" 등과 같은 말을 하게 된다. 여기서 환자가 갖는 일반적인 감정은 "어떻게 이런 일이 나에게 일어날 수 있을까?"이다.

이 단계는 다른 사람들이 자신을 환자의 처지에서 생각하지 않거나 환자의 분노가 생긴 근원지를 이해하지 못하는 경우 가장 다루기 힘든 단계 중의 하나가 될 것이다. 그리고 환자 주변의 '다른 사람들'이 환자의 분노가 분노의 대상과 전혀 무관하며, 각자가 개인적으로 조심해야 한다는 것을 깨닫는 것은 중요하다. 인간은 누구나 다 자신의 인생활동이 머지않아 끝나고, 꿈이 산산이 부서지고, 계획이 무너지며, 미래에 대한 자신의 기대가 실현될 수 없다는 것을 알게 되면 분노의 감정이 일기 마련이다. 이러한 기간의 길이와 정도가 다양하다고 할지라도, 존경과 이해와 관심을 받고 있는 환자는 머지않아 자신의 목소리와 분노의 감정이 가라앉는 것을 알게 될 것이다. 그래서 그들은 자신이 아직도 가치 있는 인간이며, 다른 사람들의 보살핌을 받고 있으며, 가능한 한 최고 수준에서 자신의 직분을 수행하게 될 것을 알게 될 것이다.

(3) 타협(bargaining)

타협은 잘 알려지지 않았지만, 짧은 기간만이라도 환자에게 도움을 준다. 만일 환자가 부정과 분노의 단계에서는 슬픈 사실에 대처할 수 없었을지라도, 그러한 불가피한 사건을 연기할 수 있다는 자위적인 생각을 할 수도 있을 것이다. 이는 어린이가 "내가 숙제를 다 하면 텔레비전을 봐도 돼요?" 또는 "내가 이 일을 하고서 자동차를 사용해도 돼요?"라고 자신이 원하는 바를 위해 부모와 협상하는 것과 같다.

죽을병을 앓고 있는 환자는 과거의 경험에 의해서 자신의 선행이 보상을 받고, 그래서 자신의 특별한 소망이 보장받을 수 있는 기회가 있다고 생각하기 때문에 협상을 한다. 협상의 대상은 의사, 가족, 신 등이며, 그 방법은 언어적인 것이나 추론적인 것일 수 있다. 큐블러-로스(Kübler-Ross)는 자기 아들의 결혼식에 참석할 충분한 시간을 갖기 위해 '타협한' 환자를 예로 들고 있다. 의사가 자신에게 강한 고통을 잊게 해 주면, 그녀는 모범적인 환자가 되겠다고 했다. 결혼식이 끝나 그녀가 병원에 되돌아왔을 때, 그녀는 의사에게 "의사 선생님, 제게 자식이 한 명 늘어난 것을 기억해 주세요!"라고 말했다.[4] 타협은 실제로 연기를 위한 시도로서, 사람에 따라서 타협은 스스로 정한 마감시간(deadline)이 될 수도 있고 어떤 일을 완성하기 위한 시간이 될 수도 있다.

(4) 우울(depression)

우울은 환자가 더 이상 자신의 병을 부정할 수 없고, 입원하게 되어, 기력이 급격히 감소될 때 나타나는 증상이다. 분노와 격노의 감정은 큰 상심의 감정으로 대치된다. 그리고 사람들은 다가올 슬픔을 이 세상을 하직하는 준비로서 견디어 내야 한다는 사실을 종

---

4) *Ibid.,* p.83.

종 망각하는 경향이 있다. 슬픔을 겪는 사람들에 대한 인간의 최초 반응은 대개 "오! 그렇게 슬픈 표정을 하지 말아요, 참 좋은 날씨예요, 쾌청한 밖을 보아요, 당신이 미소만 짓는다면 세상은 더 좋게 보일 거예요."라고 말하면서 그들은 격려하려 시도하는 것이다.

그러나 환자는 더 이상 웃으려 하지 않을 것이다. 사람들이 다른 사람들에게 세상일을 냉혹하고 희망이 없는 것으로 보지 말라고 말하는 경우, 이는 그 사람 자신이 갖고 있는 욕구와 이제는 더 이상 상대방을 가까이해 줄 수 없다는 무능력의 표현이다. 이는 또한 상대방의 우울한 감정에 **용기를 주는** 것이 아니며, 오히려 환자가 사랑하고 있는 모든 일과 사람들을 잊도록 준비하라는 것을 말해 주는 것이다. 만일 사람들이 환자로 하여금 자신의 슬픈 감정을 토로하도록 **허용을 해 주면**, 환자의 최종적인 수용의 문제는 훨씬 더 용이할 것이며, 우울의 단계가 있는 동안 환자로 하여금 슬픈 표정을 하지 말라고 말하지 않고 함께 생활해 주는 사람에게 환자는 아주 감사한 마음을 가지게 될 것이다. 우울의 감정에 빠진 환자는 조용히 앉아 함께 시간을 보내면서 자신을 돌봐 주며 비언어적인 상호작용을 나눌 수 있는 어떤 사람을 필요로 하는 침묵의 시간을 원한다. 즉 조용히 함께 앉아 머리와 손을 어루만지면서 서로의 생각을 표현할 수 있게 되는 감정상태를 환자는 원한다.

(5) 수용(acceptance)

자신의 고뇌와 불안을 해결한 사람만이 이 마지막 단계에 도달할 수 있다. 이 단계에서 환자는 나머지 다른 단계를 극복하도록 도움을 받게 되며, 살아 움직이는 건강한 사람들에 대한 질투, 지금 당장 죽지 않아도 되는 사람들에 대한 분노, 많은 의미 있는 사람과 공간을 당장 잃게 됨을 슬퍼하는 등의 감정을 표현할 수 있게 된다. 그래서 환자는 상당한 정도의 기대를 한 상태에서 죽음을 맞이할 수 있게 된다.

수용이 행복한 단계로 착각되어서는 안 된다. 수용은 종종 고통이 멈추고 투병이 끝나 거의 감정이 결여된 상태이다. 이 단계는 또한 환자가 포기한 일종의 체념상태와 혼동되어서도 안 된다. 오히려 수용은 환자가 '허용', '승낙'의 감정을 갖고 심지어 임종에 대한 편한 마음을 갖게 되는 쪽으로 감정이 흐르는 것으로 이해되어야 한다.

이 단계에서 종종 가족들이 환자보다 오히려 더 많은 도움, 이해, 지원 등을 필요로 한다. 이 시점에서 의사소통의 방법은 비언어적이며, 말로 위로하려 하기보다는 사람의 곁에 있는 것이 더 중요하다. 충분한 시간이 있을 경우 환자는 자신이 해 온 사업을 마지막으로 정리하며 평온한 감정상태로 들어가게 된다.

모든 사람이 이러한 순서대로 다섯 가지의 단계를 밟게 되는 것은 아니며, 또한 반드시 이러한 단계를 따라야 하는 것도 아니다. 환자에 따라서는 처음 단계에서 나머지 어떤 단계로든 이동하기도 하며, 전후의 규칙성이 없이 이동하기도 한다. 여기서 기억해야 할 중요한 것은 다섯 단계 그 자체나 순서가 아니며, 각 단계별로 환자가 갖게 되는 욕구라는 점이다.

어떤 의미에서 임종은 당사자가 경험하는 것이지만, 여기에는 가족, 진료진, 친구 등의 다른 사람들도 관련된다. 환자가 죽고 난 후에도 살아가게 될 관심 있는 '다른 사람들'은 환자의 욕구를 우선적으로 생각해 주고, 말하려고 할 경우 말벗이 되어 주고, 진실한 감정을 표현하도록 허용해 주고, 감정을 부정하지 않고 또 달래 주며, 다가온 슬픔의 상태에 처해 있을 때 도움을 줌으로써 죽을병에 걸린 환자를 도울 수 있다.

---

1. 자신이 죽을병을 앓고 있는 경우에 자신이 설정하게 될 것같이 생각되는 인식의 상황은 어떤 것인가.
   _____인식의 폐쇄_____의례적인 연극의 인식
   _____의심의 인식_____개방적 인식
   자신이 설정하기를 원하는 인식의 맥락은 어떤 것인가.
2. 여기서 진술되었던 많은 정서들이 사랑하는 관계의 상실, 직업의 상실, 지위의 상실, 우정의 상실, 자존심의 상실 등과 같은 다른 종류의 상실을 경험했을 때에도 마찬가지로 느껴지겠는가? 여러분은 이와 같은 자신이 했던 경험을 기억할 수 있는가? 여러분은 그 경험에 관해 다른 사람과 이야기를 나누어 보았는가? 어떻게 느껴졌는가? 다른 사람들도 여러분과 유사한 감정을 가졌었는가? 어떻게 해서 여러분은 그러한 느낌을 갖게 되었고, 왜 그러한 느낌을 갖게 되었는가?

Ⅲ. 가족을 잃은 슬픔의 위로

환자가 죽어 그와의 관계가 끝나게 되면, 그 가족들은 상실감이 개개인의 세계와 존재에 스며드는 것같이 느낀다. 카바나프(Robert Kabanaugh)는 「죽음에 임해서(Facing Death)」라는 자신의 책에서 슬픔을 겪는 과정에서 알아낼 수 있는 일곱 가지의 국면 또는 단계를 열거했는데, 여기에는 ① 충격, ② 혼란, ③ 경박한 정서, ④ 죄의식, ⑤ 상실과 고독감, ⑥ 구원, ⑦ 회복 등이 포함된다.[5]

이러한 단계가 독특한 정서적 상태의 것이라 할지라도, 이들은 중복되고 서로 얽히며 순서와 강도에 있어 변화가 있다. 또한 어떤 단계는 생략되며, 나머지 다른 단계는 단지 짧은 시간 동안만 지속된다. 카바나프(Kabanaugh)는 이와 관련해 다음과 같이 말하고 있다.

> 분노와 같은 고도로 누적된 감정은 종종 정서적 상태라 하기보다는 섬광과 같이 스쳐 가는 감정이다. 그리고 슬픔과 같은 유연한 정서는 오랜 시간이 지난 후에도 지속적으로 남아 있을 수 있다.
> 지나친 약물복용 후의 회복과 같이 과거로의 복귀는 흔히 슬픔을 유발하는 원동력이 된다. 몇 달이 지나고 몇 년이 흘러도 이따금 그리고 반복적으로 슬픔의 어떤 단계는 분명하게 밝혀진 원인과 밝혀지지 않은 원인 모두에 의해서 다시 되살아나게 될 것이다.[6]

예를 들어, 성탄절과 같은 명절, 자신의 생일과 같은 축하일 또는 절친한 친구가 아주 실감나게 갑자기 기억에 되살아날 수도 있는데, 이러한 경우 기억의 상실은 단지 어제 있었던 일같이 보인다.

첫 번째 단계인 **충격(shock)**은 논리적으로 당연하다. 즉 사람들은 다른 어떤 사람의 죽음, 비극적인 사건 어떤 '비현실적인' 일의 발생에 대한 소식으로 인해 충격의 감정을 경험한다. 인간의 모든 방어기제는 자신을 보호하기 위해 작용하는 것이다. 그리고 사람들은 자기 자신이 들었으면서도 거절을 하고, 알면서도 부정하고, 분노의 상태에 있으면서도 다른 사람을 편안케 하고자 하는 갈등상태에 있음을 알게 된다. 이 기간 동안 모든 새로운 발언들이 현실을 초점에 두고, 불신에 대한 똑같은 물음과 진술들이 반복된다.

---

5) ROBERT E. KAVANAUGH, *Facing Death*(Baltimore: Penguin Books, Inc., 1974), pp.107 - 124.

6) *Ibid.*, p.108.

슬픔에 잠긴 사람이 일관성이 없고 혼란된 반응을 보이면서, 두 번째 단계인 **혼란**(disorganization)의 단계로 접어들게 된다. 그리고 이 시기에 보다 더 객관적인 타인, 즉 신뢰받고 다른 사람을 보살펴 줄 수 있는 사람이 가까이에 있는 것은 특히 중요하다. 만일 자신이 죽음과 상실에 관련된 경험을 하였다면, 자신을 보살펴 줄 사람이 있다는 사실이 얼마나 중요한지를 깨달았을 것이다. 비록 그 사람이 적절하게 말을 구사하지 못한다고 할지라도, 이 기간 동안에 있게 되는 신체적인 접촉과 믿음은 세상의 어떤 말보다도 더 중요할 수 있다.

세 번째 단계인 **경박한 정서**(volatile emotions)의 표출은 어렵고 혼란된 경험이 될 수 있다. 그러나 슬픔에 잠긴 사람은 무력감, 상심, 그리고 욕구좌절과 같은 자신의 보다 일차적인 감정을 드러내고자 한다. 카바나프(Kabanaugh)는 이와 관련하여 다음과 같이 적고 있다.

> 자신의 경박한 정서에 휩싸여 슬픔에 잠긴 사람의 자연적인 반응은 "나는 그런 식의 감정에 빠져서는 안 돼! 내가 왜 그런 일을 말해야 돼? 내가 나 자신을 잃고 있는 것이 아닐까?" 하고 수치심에서 자신의 감정을 부정하고 숨기려 하는 태도이다. 만일 이러한 반항적인 감정이 표현되지 않는다면, 그 당사자는 속이 북받쳐 오름을 느끼고 결국에는 슬픔으로 인한 모든 가능한 성장이 방해받게 될 것이다. 몇 년이 지난 후에도 슬픔에 잠긴 사람은 자신의 분노와 격노의 감정에서 아직 벗어나지 못하고, 그러한 분노와 증오로 해서 그 사람은 솔직한 감정의 개방적 표현과 억지로 어리석게 보이지 않으려는 의도 사이에서 갈등하게 된다. 의사들이 해소되지 못한 슬픔의 탓이라 진단하는 편두통과 궤양, 대장염과 같은 신체적인 징후의 상당수는 바로 이러한 원인에 기인한다. 그 누구도 표현되지 못한 슬픔을 치료하기 위한 의학적인 비용의 정도를 측정할 수 없다.[7]

카바나프(Kabanaugh)는 이어서 모든 사람이 다 경박한 정서를 유사한 방식으로 표현하고자 원하는 것은 아니며, 많은 사람들은 효과적이고 치료될 수 있도록 자신의 분노와 분함을 서서히 표면화시키고 이를 해소시켜 나간다고 말하였다.

슬픔에 빠진 사람의 생활양식을 이해할 수 있는 절친한 친구가 그 사람이 필요로 하는 감정의 표현을 들어 주고 허용해 줌으로써 세상에서 최고의 약이 될 수 있는 것은 바로 이 때문이다.

죄의식(guilt)은 종종 불시의 죽음을 예방하고 지연시키기 위한 다른 기회를 얻고자 하는 사람들의 바람에 의해 생기는 것이다. 그래서 슬픔에 빠진 사람은 '~하기만 했더라면', '아마, 내가 ~하기만 했더라면' 등과 같은 말을 되뇌게 된다. 종종 위로는 죽은 후에 잠깐 동안만 필요한 것으로 생각하여 다른 사람들이 중지한 후 몇 개월 동안 **상실감**과 **고독감**(loss and loneliness)은 생생하게 일어난다. 그렇지만 사실상 현실은 슬픔에 잠긴 사람을 1톤의 벽돌 무게로 짓누르는 고독감과 외로움 속으로 빠져들게 한다. 슬픔과 우울은 이 단계에서 자연스런 일부분이며, 동정이 감정의 주류를 이룬다. 그래서 마음이 공허한 진공상태로 빠져드는데, 무엇인가에 의해 공허를 채워야 할 필요를 느낀다.

이 기간 동안에 상실한 사람의 기억은 믿음이 없는 사람이 믿음을 가지게 되고, 보통 사람이 별난 사람으로 되는 등 부분적으로 왜곡되게 된다. 왜냐하면, 슬픔에 잠긴 사람의 심정은 점증하는 공허감을 채우기 위해 별난 기억과 신앙을 필요로 하기 때문이다. 성급한 결혼과 재혼 또는 연애사건 등은 유혹적인 위협이 될 수 있으며, 죽은 사람의 자리를 메우기 위해 양자를 입양하거나 새 아기를

---

7) *Ibid.*, p.113.

갖는 것은 의심할 여지없이 옳은 것으로 보인다. 그리고 이 기간 동안에 새로운 독립과 견고한 관계의 수립은 근본적인 것이며, 원상복귀는 가능한 것 같지 않다.

반어적인 것 같지만 **구원**(relief)의 감정은 아주 다루기 힘든 감정이다. 이는 특히 오랫동안 병으로 고생한 사람이 죽었을 경우에 더욱 그렇다.

> 구원의 감정은 자신이 잃어버린 사랑에 대한 어떤 비난을 의미하지 않는다. 이는 오히려 더 깊은 사랑에 대한 자신의 욕구, 어떤 사람이나 일과 더 좋은 관계를 추구하려는 바람, 영원에 대한 추구, 종교를 가진 사람들이 신(God)적인 것으로 여기는 최고의 완전한 사랑이 반영되는 것이다. 그리고 구원은 선천적으로 타고난 청교도적인 윤리의 새로운 표현이다. 즉 거기에는 어딘가에 보다 충만한 사랑이 있으며, 사람들은 그것을 추구하기 위하여 도덕적으로 자유로워지게 된다.[8]

카바나프(Kabanaugh)는 이러한 시점에서 슬픔에 잠긴 사람은 다른 무엇보다도 자신의 말을 들어 주고, 자신의 생각을 표현할 수 있도록 허용해 주며, 처음에 가장 비참한 인간의 생각으로 보인 것을 묵인해 줄 수 있는 어떤 사람과, 사랑했던 사람의 죽음에 대한 구원을 필요로 한다고 말하고 있다.

대부분의 슬픔에 잠긴 사람들은 자신을 보살펴 주는 다른 사람들의 도움과 허용으로 맨 마지막 단계인 **회복**(reestablishment)에 들어서게 된다. 그리고 이 시점에서 격려와 허용을 제공해 주는 친구들은 특히 더 중요하다. 또한 새로운 친구와 새로운 관계로 해서 인생은 새로이 시작될 수 있다.

---

8) *Ibid.*, p.113.

오랜 기간에 걸친 죽음의 과정과 갑작스런 죽음, 특히 불시의 비극적인 죽음을 비교할 경우에 슬픔의 과정에는 차이가 있을 것이다. 오랫동안 병을 앓은 후에 사람이 죽었을 경우, 주변 사람들이 느끼는 슬픔의 기간은 그 사람들이 임종의 과정을 오래 지켜보면서 많은 슬픔을 해소했기 때문에 더 짧다. 그러나 갑작스럽게 사람이 죽었을 경우, 주변 사람들이 심적인 평안과 평정의 상태에 이르기까지는 대부분의 사람들이 인식하는 것보다도 더 오랜 시간이 걸릴 것이다.

---

1. 많은 사람들은 이러한 단계와 반응을 최근에 이혼을 했거나 의미 있는 인간관계의 단절을 겪은 사람들이 경험한 것들과 비교하고 있다. 이와 관련하여 자신이 열거할 수 있는 유사점과 차이점에는 어떤 것이 있는가? 소집단을 만들어 자신의 반응을 타인의 것과 비교해 보라.
2. '구원'의 감정을 다루는 데 포함되는 몇 가지 어려움에는 어떤 것이 있는가? 그리고 이러한 정서를 다루는 데 있어 '다른 사람들'은 어떻게 도움을 주는가?
3. 어떤 사람들은 어느 한 단계에 '고착하는' 경향이 있다. 이러한 단계에는 어떤 것이 있는가? 또 여기에 영향을 주는 요인에는 어떤 것이 있는가? 다른 어떤 사람으로 하여금 어떤 단계에 '고착하지 않도록' 여러분은 어떻게 돕겠는가?

Ⅳ. 의미 있는 타인의 역할

앞의 내용을 통해서 우리는 슬픔에 잠긴 사람이 그 슬픔을 극복하도록 돕는 데 보살핌과 의미 있는 타인이 중요하다는 것을 알 수 있다. 죽음과 비극이 친구에게 닥쳤을 때 우리는 '이방인'이 되지만, 이러한 것들이 자기 가족이나 절친한 친구에게 닥쳤을 경우 우리는 종종 난처해지고, 어떻게 해야 할지 그리고 무슨 말을 해야 할지도 알지 못하게 된다. 정말로 사람들은 어떤 말과 행동을 해야 할지 망설이게 된다. 상실을 경험한 대부분의 사람들은 주변에 자신의 손을 잡아 줄 사람이 전혀 없는 것보다는 자신이 어떤 사람을 필요로 하는 경우에 비록 무슨 말을 해야 할지 알지는 못하지만 자신의 손을 잡아 줄 전율하는 차가운 손을 더 바란다고 공통된 생각을 한다. 신체적인 접촉과 곁에 있는 타인의 존재는 결국 단순한 천 마디 말보다 훨씬 더 값어치 있다. 타인이 여러분을 필요로 하는 경우 무슨 말과 행동을 해야 할지를 전혀 걱정 말고 같이 거기에 있어만 줘라. 그리고 슬픔에 잠긴 사람의 말을 들어 줘라. 이는 죽을병에 걸려 임종하는 사람이나 갑작스런 죽음으로 인하여 슬퍼하는 사람에게도 해당된다. 슬픔에 잠긴 사람은 다른 사람과 말하고, 감정을 나누고, 울적한 정서를 표출하고, 울려 주는 반향판(sounding board)을 공유하길 바라며, 이를 통해 그는 수용과 회복의 감정에 들어서기도 한다. 그리고 이야기를 들려주고, 추억을 공유하고, 상심한 마음을 표현하고, 기쁨을 열거하며, 의심사항은 들추어내고, 질문을 해야 할 필요가 있다. 슬픔에 잠긴 사람에게 의미 있는 타인은 연장된 고립 또는 인식과 성장 사이의 차이를 구별할 수 있게 된다.

1. 죽음과 상실을 경험하고 있는 사람을 만나러 자신이 갈 것인지 말 것인지 어떻게 결정할 것인가?
   슬픔에 잠긴 사람을 위로하기 위해 자신이 할 수 있는 말과 행동에는 어떤 것이 있는지에 관해 토론해 보라.
2. 만일 자신이 결혼했다면, 배우자가 죽었을 경우 자신이 직면하게 될 몇 가지 어려운 적응문제에는 어떤 것이 있을 수 있겠는가?
3. 자신이 겪은 상실과 관련된 장면을 회상한 경험이 있는가? 이러한 회상은 어떤 문제를 가져왔으며, 여러분은 그것을 어떻게 다루었는가?

V. 개인적인 의식의 형성

죽음과 인간관계의 상실을 다룬다는 것은 긴장감을 갖게 하며, 그것에 관해 이야기하는 것조차도 긴장감을 일으킨다. 그렇지만 사람들의 개인적인 태도를 이야기하고, 사람들이 정신적인 상처를 맛보기 전에 감정을 명료화하는 것은 인간이 할 수 있는 최선의 예방책 중의 하나가 된다.

자기 자신의 삶과 죽음에 대한 긍정적인 의식을 수립하는 데 도움이 되는 몇 가지 기본적인 것들이 있다. 첫째, 자신에게 가장 중요하다고 생각되는 사람에게 자신의 감정과 태도를 털어놓을 필요가 있다. 그리고 그들에게 장례식, 매장, 화장, 유산의 처분, 기타 문제에 대해서 자신이 어떻게 느끼고 있는지를 말해 줄 필요가 있다. 이러한 것들이 자신에게 소름 끼치는 것으로 느껴지는가? 만일 그렇다면, 자신에게 '무엇이 나로 하여금 이러한 것들에 대해 좋지 않은 감정을 갖게 하는가?' 하고 자문해 보라. 죽음의 문제에 대해 이야기하는 것은 소름 끼치는 일이 아니다. 오히려 이로 인해 새로운 감정과 친밀감을 가질 수 있을 것이다.

사람이 임종하게 되는 경우, 여기에는 아주 신속한 몇 가지 결정이 따라야 한다. 사람들이 죽음이 임박하기 전에 장례식, 관, 화장, 기타 문제에 대해 사전에 상의하게 되면, 이에 관한 결정은 더 쉬워질 것이다.

둘째, 미리 의논해 둬야 하는 몇 가지의 아주 실제적인 문제가 있다. 만일 자신이 결혼을 했을 경우, 자신의 배우자가 보험, 저당, 특별한 계산서에 관한 문제가 있는 경우에는 이들을 위한 유언이나 생활대책을 준비해야 할 것이다. 그리고 "그러나 우리는 아주 젊어." 또는 "그러나 우리는 유언을 보증할 만한 것이 없어."라고 말하는 것은 두 가지 일상적인 부정의 사례들이다.

셋째, 오랫동안 질병을 앓았을 경우 특별한 생명지연책의 강구에 대해 어떤 특별한 감정을 가졌는가? 그리고 친밀한 다른 사람과 이러한 감정에 관해 의논해 보았는가?

넷째, 자신의 삶을 과정으로, 그리고 임종의 과정을 생활의 한 부분으로 생각할 수 있는가? '나도 또한 죽게 될 거야, 내일 죽을지도 몰라.'에 대한 전반적인 개념을 인식하는 경우에 한해서만, 사람들은 더 완전한 삶을 살게 될 것이다. 이 말은 사람이 죽기를 **바라야 한다**는 의미가 아니라, 자신의 마지막 날을 의식하면서 살아야 한다는 것을 의미한다. 이러한 의식을 갖게 되는 경우, 사람들은 자신을 괴롭히는 몇 가지 일, 몇 가지 사소한 자극, 그리고 매일 접하게 되는 몇 가지 '위기'를 감당해 낼 수 있을 것이다. 같이 자취하고 있는 친구가 계속해서 부엌을 지저분하게 해 놓고 밖에 나갔다는 사실 때문에 여러분은 계속 화나게 될 것이다. 이러한 경우 여러분은 왜 친구와 마주 앉아 이에 대해 질책을 하지 않았는가? 조직에서 자신의 상사가 자리를 비워 여러분이 계속 괴롭게 된다면, 이에 대하여 방관하기보다는 여러분은 그 상황을 개선하기 위해 무엇을 하였는가?

새로운 의식을 갖게 되었다고 해서 괴로운 일이 반드시 해결되는 것은 아니다. 그러나 이러한 의식으로 인해서 사람들은 자신의 남편이나 부인이 쓰레기를 치우지 않았을 경우에도 이를 아주 심각한 문제로 보지는 않을 것이다.

마지막으로 타인이 여러분을 필요로 하는 경우에 아주 사려 깊게 귀를 기울일 수 있는 사람이 되라. 그 자리에서 그에 대하여 사랑과 관심을 보여 주고, 여러분의 정서를 표현하고 그의 말을 들어 주고 또다시 들어 주기를 결코 두려워하지 말라. 편지와 카드를 그에게 보내고, 여기에 여러분의 생각과 개인적인 메시지를 담아라. 그리고 여러분의 깊은 마음에서 우러나오는 감정을 전해 줘라. 이는 여러분이 생각한 것보다도 더 많은 의미를 줄 것이다. 또한 죽음과 인간관계의 상실을 다루는 방법에 정해진 해답이나 '방침'이 있지 않다는 것을 명심하라. 시간이 지난다고 해서 문제가 해결되는 것은 아니다. 그러나 여러분을 보살피고 있는 사람들의 도움에 의해 시간이 지나면서 의식과 성장의 정도는 점차 늘어날 것이다.

VI. 요 약

죽음과 임종의 문제는 종종 아주 복잡하고 개인적인 수준에서 이를 논하기는 어려운 일이기도 하다. 자기 자신의 태도, 의학의 발전, 청춘예찬, 죽음이란 현실을 부정하려는 경향성 등은 모두 죽음의 문제에 대한 불안을 높이는 요인들이다. 그래저(Glaser)와 스트라우스(Strauss)는 자기 자신의 죽음과 관련된 네 가지 의식 상황을 제안했는데, 여기에는 ① 인식의 폐쇄, ② 의심의 인식, ③ 서로 모르는 체하는 의례적인 연극의 인식, ④ 개방적 인식이 포함된다. 큐블러-로스(Elisabeth Kübler-Ross)는 상실의 문제를 다루는데 있어서의 죽을병에 걸린 환자의 관점에서 감정의 깊이를 다섯가지 단계로 나누어 설명하고 있는데, 여기에는 ① 부정, ② 분노, ③ 타협, ④ 우울, 그리고 ⑤ 수용이 포함된다. 가족의 상실에 따른 감정의 변화를 카바나프(Kabanaugh)는 일곱 가지 국면 또는 단계로 열거하고 있는데 여기에는 ① 충격, ② 혼란, ③ 경박한 정서, ④ 죄의식, ⑤ 상실감과 고독감, ⑥ 구원, ⑦ 회복이 포함된다. 이러한 단계의 순서가 반드시 절대적으로 고정된 것은 아니지만, 슬픔을 겪는 기간에 상당히 적용될 수 있는 것이다. 의미 있는 타인은 슬픔을 겪고 있는 사람에게 아주 중요한 것이다. 즉 자신을 보살펴 주는 사람이 곁에 있어 주는 것만으로도 단순한 천 마디 말보다 훨씬 더 많은 것을 전달해 준다. 사람들은 각자 자기 자신의 삶과 임종에 대한 개인적인 인식을 가질 필요가 있다. 그리고 이러한 인식 형성의 기본적인 내용에는, ① 자신의 감정과 태도를 자발적으로 털어놓는 것이 중요하다. ② 실제적인 문제가 상의되어야 한다. ③ 자신이 특별한 감정과 소망을 가졌을 경우에 이러한 욕구를 자기와 친한 사람에게 전달할 필요가 있다. ④ 삶을 과정으로, 임종을 삶의 한 부분으로 생각하게 되면, 사람들은 삶과 죽음을 자연적인 과정으로 수용할 수 있다. ⑤ 마지막으로, 타인이 여러분을 필요로 하는 경우에 사려 깊게 이에 귀를 기울이는 것은 자신과 상대방 모두에게 가장 긍정적인 경험이 될 수 있다는 다섯 가지가 포함된다.

연습문제

1. '나의 죽음'이란 제목으로 짧은 글을 지어 보라. 적은 내용이 '옳은' 것인가 하는 문제에 대해 걱정하지 말고 자기 자신의 죽음에 대하여 혼자 생각하는 바를 적도록 하라.
2. 연로했거나 병든 부모님을 어린이가 봉양할 책임이 있다고 생각하는가? 그렇다 ____ 아니다 ____, 이에 대한 이유는 ____.
3. 전 세계 사람들의 매장 방식, 장례식, 애도방식 등에 있어서의 차이점과 자기 고향 사람들의 하위문화에 따른 차이점을 조사하여 토론해 보자.
4. 다음의 질문에 답하고 나서 자신의 반응내용에 관해 한두 명의 다른 사람들과 의견을 교환해 보라. 여기에는 '옳고 그른' 답이 없다.

   내가 제일 두려워하고 있는 치명적인 질병은?
   a. 심장병
   b. 암
   c. 신장병
   d. 불가항력적인 전염병
   e. 기타(구체적으로) _____

   자신이 느끼기에 치명적인 병에 걸린 사람을 살아나도록 어떻게 노력할 것인가? 선택한 내용에 서열을 매겨 보라.

    a. 가능한 모든 노력

    b. 환자의 연령, 신체적 조건, 정신적 조건, 그리고 고통의 정도에 적절한 노력

    c. 적절하게 보살펴 준 후에 환자가 자연스럽게 죽도록 해야 한다.

    d. 고도의 인공적 수단을 다 동원하여 살도록 할 필요가 없다.

환자가 자신의 '죽을 권리'를 결정하는 데 있어 환자에게 어느 정도 통제를 가해야 하는가?

_____완전한 통제, _____부분적인 통제, _____무통제

환자가 의사소통을 할 수 없고 인공적인 수단에 의해 '생명을 유지하고' 있다면, 계속적으로 환자의 생명을 유지시키는 문제에 대한 결정을 누가 해야 하는가?

_____의사　　　　　　　　　　_____최근친자

_____후견인　　　　　　　　　　_____기타(구체적으로)

자신의 가장 친밀한 인간관계를 위해서 여러분은 어떤 죽음을 택하겠는가?

_____상대방보다 먼저 죽는다.

_____상대방보다 나중에 죽는다.

5. 다음에 제시한 '유언장(living will)'에 대한 당신의 반응은 무엇인가.

나의 가족, 주치의, 변호사
그리고 모두에게 주는 글

　죽음은 탄생, 성장, 성숙, 늙음과 같이 현실적인 것으로 인생에 있어서의 필연적인 사실이다. 내가 나의 미래에 대한 결정을 더 이상 할 수 없는 시간이 오면, 다음의 내용은 나의 소망과 지시가 되길 바란다. 그러나 지금의 나는 맑은 정신을 갖고 있다.

　극도의 육체적·정신적 무기력으로 회복의 가능성을 기대할 수 없는 상황으로 접어드는 시기가 오면, 나는 임종하고자 하며, 약물, 인공적 수단 또는 '지나친 치료'로 생명을 지탱하길 원하지 않는다. 그렇지만 나는 약물이 나의 남은 생명을 단축시킨다고 할지라도 고통을 덜어 줄 수 있다면 사용해 주기 바란다.

　이러한 진술내용은 본인의 신중한 고려와 본인의 강한 확신과 신념에 따라 결정한 것이다. 나는 여기에 제시한 소망과 지시가 법이 허용하는 범위 내에서 실행되기를 원한다. 그리고 이러한 소망과 지시가 법적으로 이루어질 수 없다면, 내가 이러한 유언을 밝혔었던 사람들이 대신해서 도덕적으로 규약을 지킬 의무가 있는 사람으로 생각해 주길 바란다.

서명_____

날짜_____
증인_____
증인_____
이 유언장의 부본을 받아야 할 사람_____
　　　　　　　　　　　　　_____
　　　　　　　　　　　　　_____
　　　　　　　　　　　　　_____
　　　　　　　　　　　　　_____

[그림 15-2] 유언장의 예시

용어해설

가치(value): 개인을 위해서 바람직하고 쓸모 있는 것으로 표현되
는 어떤 생각이나 관념, 완전가치(FULL VALUE)는 가치명료화
이론가들이 설정한 모든 준거를 충족시킨다.

가치체제(value system): 자신의 삶에 대한 개인적인 청사진이나
지침으로 자기 자신의 가치에 기초한다.

갈등(conflict): 투쟁, 충돌, 논쟁, 불일치 등과 같은 싸움의 연장
또는 여러 대안들 중에서 선택을 해야만 하는 상태.

감정의 푸대자루(gunnysacking): 감정문제에 직면해서 의사소통을
하거나 다루기보다는 감정을 축적하고 정서적 경품권을 수집
하는 것.

감정이입(empathy): 다른 사람과 '감정을 함께하고', 정서적인 문
제가 발생한 상황에서 상대방의 감정상태를 지각하는 능력.

감정전이(displacement): 자신의 감정을 유발시킨 일차적 대상에
대한 정서를 다른 대상에게 해소하는 방법으로, 자신의 분노
를 야기한 사람이나 대상에게 해소하는 것이 아니라 주변의
죄 없는 사람이나 대상에게 해소하는 경우가 해당된다.

개방적 인식(open awareness): 환자가 죽을병에 걸려 있다는 것과

얼마 안 가서 죽게 되리라는 것을 환자 자신, 진료진, 가족 모두가 알고 있는 상태.

객관화(objectivity): 사람들로 하여금 자신의 생각과 감정을 알도록 하여 보다 객관적인 평가를 하도록 하는 대처기술.

거리감(distancing): 홀(E. Hall)에 의해 제안된 개념으로, 여기에는 (1) 친밀한 거리, (2) 사적인 거리, (3) 사회적인 거리, (4) 공적인 거리 등 네 가지 종류가 있다.

견해(opinion): 신념에 의해 형성된 태도, 확신을 하기에는 불충분한 기반을 갖고 있는 판단.

결속(bonding): 의미 있는 사람을 사이에서의 신뢰로운 관계 설정.

경박한 정서(volatile emotion): 슬픔의 과정에서 이 단계는 종종 무력감, 상심, 욕구좌절과 같은 몇 가지 보다 일차적인 감정의 표현을 포함한다.

계발된 능력(ability): 자신의 유전된 능력에 기초하여 개발된 기술과 적성.

고정관념(stereotype): 사물, 인간, 상황을 유목화하는 데 있어 편견적인 태도에 기초하여 지나치게 단순화시킨 일반화.

공간과 영역(space and territory): 사람들이 자신의 사적인 영역으로 생각하는 개인적인 '경계선'을 갖고 있다는 개념으로, 이는 또한 거리감으로 알려져 있다.

공격적 행동(aggressive behavior): 타인의 권리를 침해하거나 또는 고려하지 않는 반면 자신의 권리를 옹호하려는 형태의 행동.

공포(fear): 두려워하고 있는 감정이나 조건, 긴박한 위험에 처했을 경우의 감정.

구원(relief): 슬픔의 과정에서 이 단계는 임종한 사람을 위해 더 깊은 욕구나 더 좋은 어떤 것에 대한 추구를 반영한다.

균형감(equilibrium): 대등한 균형의 상태.

근심(distress): 너무 많은 긴장인자로 인한 '과중한 부담'이 있거나 끊임없는 재적응과 순응을 필요로 하는 경우와 같이 재적응을 요구하는 강도가 유해한 정도에 이를 경우 이에 대한 반응.

금욕(abstinence): 환경과 상황에 관계없이 결혼 전의 성교는 남녀 모두에게 나쁜 것이라는 성에 대한 태도.

기능적인(functional): 만족스러운 수준으로 대처하고, 적응하며 일을 수행하는 능력을 갖춘 상태.

기쁨(joy): 현존하거나 기대된 이익으로 인한 기쁜 정서, 반가움, 환희, 의기양양함.

긴장(stress): 신체에 가해지는 어떤 요구에 대한 신체의 비구체적인 반응으로 사람에게 파괴적이고 심란한 영향을 준다.

긴장인자(stressor): 긴장을 야기하는 우발적인 사건.

'나'라는 메시지('I' messages): 사람들로 하여금 자신의 감정상태를 명명 또는 기술하고, 그러한 감정을 유발하게 한 상대방 사람의 행동을 기술하고, 그러한 행동이 자신에게 미치는 영향을 기술하도록 하는 의사소통의 기법.

논리적 분석(logical analysis): 행동계획을 수립하기 전에 사실과 설명 자료를 수집한 다음 문제에 대한 세밀하고 체계적인 분석을 하는 대처기술.

농담(playfulness): 곤란한 상황에서 긴박감을 덜어 주기 위해 적절한 유머(humor)감각을 구사하는 대처기술.

단기적인 목적(short‒term goals): 최종목적이나 장기목적을 달성하는 데 있어 단계적이고 보다 쉽사리 성취할 수 있는 목적.

대처기술(coping skills): 보상, 억제, 객관화, 논리적인 분석, 집중, 감정이입, 농담, 모호함의 인정 등과 같이 긴장, 불안, 욕구좌절에 대처하기 위해 사용하는 인간의 의식적인 사고에 기초한 결정.

동료집단(peer group): 같은 연령, 지위, 태도를 가지고 있는 사람들 중에서 대등한 서열, 위치, 생각을 소지한 사람들.

맞벌이 부부가정(dual – career family): 남편과 부인이 모두 집 밖의 직장에 다니고 있는 가족관계.

모호성의 감내(tolerance of ambiguity): 지나친 긴장을 포함한 애매모호한 감정에 의해 상황이 복잡하게 되었을 경우라 할지라도 사람들로 하여금 직분을 다하도록 해 주는 대처기술.

바람을 담은 '나'라는 메시지(assertive 'I' messages): 자신의 감정상태와 그러한 감정이 갖는 영향을 기술하고, 상대방의 행동변화를 위한 제언을 제시하는 진술문.

방어기제(defense mechanisms): 자신의 자아개념과 자존심 보호를 목적으로 한 무의식적이고 기계적인 반응, 예로는 합리화, 퇴행, 투사, 백일몽, 부정, 치환, 억압, 책임전가, 고정 등이 있다.

백일몽(daydreaming): 깨어 있는 동안에 빠져들게 되는 사상이나 환상, 이는 자신이 직면한 불유쾌한 문제나 상황을 잊기 위해 때때로 사용한다.

보상(compensation): 현실적이거나 가상적인 자신의 약점이나 열등감과 몇 가지 개인적인 특성들을 보다 긍정적인 특성이나 속성으로 바꾸려는 형태의 행동.

부분가치(partial value): 일관되게 행동으로 옮겨지지 못하는 바람,

견해, 관심, 희망, 열망, 신념, 사고 등과 같이 가치명료화의 7가지 기준을 모두 충족시키지 못하는 가치.

부정(denial): (1) 문제가 있다는 것을 알려고 하지 않는 것과 같이 불유쾌한 현실을 인정하지 않으려는 시도. (2) 큐블러 – 로스 (E.Kübler – Ross)가 규정한 바에 의하면 이는 대부분의 죽을 병에 걸린 환자들이 거치게 되는 첫 단계이다.

분노(anger): (1) 복수심, 적개심, 불쾌감, 울분, 격분 등과 같이 현실적이거나 가상적인 잘못을 저지른 사람에 대한 적대적인 정서. (2) 큐블러 – 로스(Kübler – Ross)가 규정한 바에 의하면 이는 죽을병에 걸린 환자들이 거치게 되는 두 번째 단계이다.

불안(anxiety): 위험과 불행을 알게 됨에 의해 야기되는 강력한 근심감.

불참과 고립(uninvolvement or isolation): 사람들이 어떤 일에 관련되는 것을 거절함으로써 갈등상황에서 벗어나고 정서적으로 갈등을 피하려는 방법.

비언어적 의사소통(nonverbal communication): 얼굴표정, 신체언어, 침묵, 몸짓, 접촉, 거리감, 기타 비언어적 수단과 같은 언어적 수단 이외의 다른 방법을 통해 메시지를 전달하는 것.

사랑(love): 온정감. 개인적인 애정. 타인에 대한 강하고 열정적인 애정. 프롬(Fromn)은 이러한 사랑을 대등한 사랑(우애와 같은 사랑), 무조건적인 사랑(모성애와 같은 사랑), 이성 간의 사랑, 자신에 대한 사랑, 신에 대한 사랑 등과 같이 다섯 가지로 구분하고 있다.

사회화(socialization): 특정 문학의 전형적인 사람들이 지니고 있는 특성을 획득하는 과정 또는 사람들의 사회적 기대에 대한 학습.

상실감과 고독감(loss and loneliness): 슬픔의 과정에서 이는 종종 다른 덜 의미 있는 타인이 위로를 중지하거나 죽음이란 현실이 마침내 도래했을 경우에 일차적인 슬픔에 접한 사람에게 아주 생생하게 일어나는 감정이다.

상호보완의식(complementariness): 결혼관계에서 이는 독립과 결합의 합성체이다. 즉 개인은 나름대로 독립적이고, 온전하며, 독특한 존재이지만, 한편으로는 상대방과 결합의 관계를 통해 보다 더 완전해지려고 한다.

생리적 욕구(physiological needs): 음식, 물, 수면, 호흡에 필요한 공기, 운동, 성 등과 같은 인간의 생존에 필요한 가장 기초적이고 기본적인 욕구로서 생존의 욕구라고 한다.

생활양식(lifestyle): 인간의 가치체제와 목적을 반영하는 생활방식.

성(gender): 남성과 성으로 사람을 분류하는 것.

성(sexuality): 자신이 남성 또는 여성이라는 의식과 관련된 태도, 감정, 성격, 행동의 총칭.

성격(personality): 개인의 신체적·정신적·정서적·사회적인 특성들의 총체. 인간이 되고 변화, 성장하는 문제와 관련된 질적인 문제. 자신의 생활환경에서의 전체적인 모습. 인간의 개인적인 존재성.

성역할(sex roles): 어느 한 가지 성을 가진 사람들이 실행하거나 이행하도록 요청받고 있는 사회적으로나 문화적으로 규정된 기대. 대부분의 사람들이 남자와 여자가 어떻게 행동하고 처신해야 한다고 생각하는 방식.

소속과 사랑의 욕구(belongingness need): 타인에게 사랑받고, 같이 어울리고, 수용되고자 하는 욕구. 이 욕구는 대개 안전과 생존의 욕구가 충족된 후에 중요한 욕구로 등장한다.

수용(acceptance): 큐블러 - 로스(E.Kübler - Ross)가 규정한 바에 의하면 이는 죽을병에 걸린 환자가 자신의 죽음에 대한 감정과 불안을 이겨 내면서 도달하게 되는 최종적인 단계이다.

신혼단계(preparental stage): 결혼 후 자녀를 두지 않은 상태에서 남편과 부인이 단둘이서 가족을 형성하고 있는 기간.

아류언어(subvocals): 신음, 한숨, 비명, 투덜거림 등과 같이 단어가 아니지만 의미를 전달하는 비언어적인 음성.

안전의 욕구(safety need): 위험으로부터 자신을 보호하고 해로운 일에서 벗어나고자 하는 욕구. 심리적인 수준에 이 욕구는 직장을 찾고 또 근무하는 등의 안전과 안정에 관련된다.

애정이 없어도 가능(permissible without affection): 애정의 정도, 안정성, 헌신의 존재 여부에 관계없이 육체적인 매력과 서로의 동의가 있는 경우라면 결혼 전의 남녀 간의 성교는 두 사람 모두에게 상관없다는 성에 대한 태도.

애정이 있다면 가능(permissible with affection): 두 남녀 사이에 약혼, 사랑, 강한 애정, 헌신이 있어 안정된 관계가 지속되는 조건이라면 결혼 전 남녀 간의 성교는 남녀 모두에게 괜찮다는 성에 대한 태도.

양성(androgyny): 각 개인 속에 내재된 전형적인 남성다움과 여성다움의 특성들 중에서 최상의 것들을 통합한 개념으로, 사람들이 끈질긴 동시에 감수성이 있으며, 강력한 동시에 순종적이며, 논리적인 동시에 직관적인 양 측면 모두를 갖추게 되는 것을 말한다.

억압(repression): 사람들이 수용할 수 없거나 금기로 생각하고 있는 감정, 사고, 바람 등을 무의식적으로 감추려 하는 방어기제.

억제(suppression): 자신이 갖고 있는 생각이나 감정을 의식적으로 자제하거나 참도록 하는 대처기술.

엑스 이론(theory X): 대부분의 작업자들은 천성적으로 일을 싫어하기 때문에 조직목표의 성취를 위해서는 강압, 통제, 지시, 위협을 받아야 하며, 사람들은 제시를 받을 필요가 있고, 책임지기를 싫어하며, 야망이라는 것이 아주 적고, 무엇보다도 안정을 원한다는 입장의 경영이론.

역기능적(dysfunctional): 만족스럽게 대처하고, 적응하며, 일을 수행할 능력을 갖추지 못한 상태.

역할(roles): (1) 다양한 사회적 상황에 의해 표준화된 '허용되는' 행동유형 또는 사람들이 어떤 지위와 관련시켜 기대하는 행동유형. (2) 가족체제에서 역할은 '생활비 조달자', '요리자', '생활비 지출자'와 같이 어떤 단위 내의 어떤 지위에 딸린 행동을 말한다.

오류(fallacy): 오도되었거나 거짓된 관념이나 신념.

와이 이론(theory Y): 일과 노력의 경주는 자연적인 것으로 외적인 통제나 처벌은 작업자의 노력을 이끌어 내는 유일한 수단이 되지 못하며, 작업자들은 목표에 대한 매진을 통해 보상을 얻고, 책임감을 수락하여 책임을 지려 하고, 창의성, 상상력, 재주 등과 같은 잠재력은 대부분의 작업자들이 다 지니고 있으며 단지 공업사회에서 부분적으로 활용되고 있을 뿐이라는 경영이론.

완곡어법(euphemism): 공격적인 말 대신에 비공격적인 말을 사용하는 어법.

욕구위계(hierarchy of needs): 순서대로 욕구를 배열한 것으로, 이 욕구에는 생리적 욕구, 안전의 욕구, 소속과 사랑의 욕구, 존경의 욕구, 자아실현의 욕구가 포함된다.

욕구좌절(frustration): 자신이 원하는 어떤 목적을 충족시킬 수 없게 되는 경험.

우울(depression): 큐블러 - 로스(E.Kübler - Ross)가 규정한 바에 의하면 우울은 죽을병에 걸린 환자가 거치게 되는 네 번째 단계로서, 환자가 더 이상 자신의 병을 부정할 수 없을 때 느끼는 감정이다.

유전(heredity): 자신의 부모에 의해 자신에게 전달되는 발생학적인 특성.

유전된 능력(capacity): 인간의 유전된 잠재력과 가능성.

유지목적(maintenance goals): 안정, 균형, 보호를 제공해 주는 목적.

윤리학(ethics): 더 나은 생활에 대한 보상적인 인간의 경험에서 나오는 도덕적 윤리.

의미론(semantics): 의미와 단어의 의미 변화를 연구하는 학문.

의미 있는 타인(significant others): 부모, 형제, 선생님, 기타 존경스럽거나 권위 있는 인물 등과 같이 자신의 삶에 있어 중요하고 영향력이 있는 사람.

의사소통(communication): 생명체들 간에 감정, 태도, 사실, 신념, 관념들을 전달하는 양방적인 과정.

의심의 인식(suspicion awareness): 죽을병에 걸린 환자가 진짜 상황을 모르는 것도 아니고 아는 것도 아닌 어중간한 상태에 처해서 하는 인식.

이력서(resum): 직장을 구하고자 하는 경우에 사용되는 자신의 교육, 훈련, 경력, 그리고 다른 자격 등을 요약하여 제시하는 서식.

이중기준(double standard): 결혼 전의 성교는 남자에게는 있을 수 있지만 여자에게는 있을 수도 없고 나쁜 것이라는 성에 대한 태도.

인간관계(human relations): 증가된 자아인식, 타인과의 상호작용, 감정을 효과적으로 전달하는 능력에 기초하여 타인과 상호작용을 하는 과정. 사람들로 하여금 생산적으로 함께 일하고 효과적으로 함께 배우도록 허용해 주는 기술.

인식의 폐쇄(closed awareness): 환자가 자신의 병이 죽을병이라는 것을 알지 못하고, 의사와 가족이 이러한 정보를 환자가 알지 못하도록 하는 상황.

인지적(cognitive): 인간의 사고, 추리, 의사결정에 관련된 측면.

자아개념(self-concept/self-image): 자신의 존재성에 대한 인식과 자기 자신에 대한 관점.

자아실현의 욕구(self-actualization need): 자아를 충족시키고자 하는 욕구. 어떤 사람이 될 수 있는 최대한의 사람으로 되고자 하는 욕구.

자아의 개방(self-disclosure): 자신을 다른 사람에게 알리고, 자신의 감정, 사고, 신념, 가치, 미래의 꿈 등과 같이 사적이고 자신만이 알고 있는 것을 다른 사람에게 알려 주려고 하는 행동.

장기적인 목적(long-term goals): 단기적인 목적의 성취를 통해 시간적인 여유를 두고서 앞으로 성취하려고 설정한 목적.

적응(adjustment): 환경에 조절해 나가는 과정. 주어진 목적이나 상황에 알맞도록 하는 데 필요한 변화를 만들어 가는 과정.

정서(emotions): 공포, 기쁨, 적개심 등과 같이 사람들이 경험하는 깊이 있고 진지한 감정.

정서적 경품권 수집(collecting emotional trading stamps): 자신의 내면적인 감정을 전달하거나 처리하기보다는 이를 수집하고 축적하려 하는 것을 말하는 의사교류 분석의 개념.

정의적(affective): 인간의 감정과 감각에 해당되는 측면.

존경(respect): 타인을 귀중하고 긍정적인 관점에서 보는 것.

존경의 욕구(esteem need): 자신을 쓸모 있는 사람으로 느끼고자 하는 욕구로 이는 지위, 신망, 명성, 직함 등에 의해 건전한 자아상을 갖게 되면서 만족된다.

죄의식(guilt): 슬픔의 과정에서 이 단계는 종종 말하거나, 행동하거나, 표현되지 않은 것에 대한 개인의 감정을 포함하며, '이차적 기회'를 위한 자신의 바람을 나타내기도 한다.

죽음학(thanatology): 죽음과 임종을 연구하는 학문.

중지수렴(brainstorming): 효과성에 대한 판단을 함이 없이 가능한 범위 내에서 많은 아이디어를 만들어 내는 기법.

지위(postitions): 가족체제에서 지위는 '어머니', '아내', '아버지', '장녀' 등과 같은 혈족관계나 그 명칭을 말한다.

집중(concentration): 긴장과 불안에 처해서도 혼란된 사고나 감정을 극복하고 문제에 전심전력하는 대처기술.

차별(discrimination): 편견과 고정관념에 기초한 행위.

참조체제(from of reference): 개인의 과거경험, 그러한 경험에 대한 개인의 해석, 자신에 대한 개인의 가정 등의 총체.

책임전가(scapegoating): 자신의 잘못, 현실적이거나 가상적인 열등감, 실직, 기타 사태로 인해 다른 사람이나 집단이 책망을 받게 되는 과정.

청년문화(youth culture): 독립적인 집단으로서의 청년들에게 있는 특징적인 가치, 활동, 태도, 특성 등에 대한 총칭.

체제(system): 한 가지 궁극적인 목적을 성취하기 위해 함께 작용하며 전체를 형성하는 개개 부분들의 집단.

충격(shock): 슬픔 감정의 변화에 있어 첫 단계로, 이 단계에서 사람들은 죽음의 현실을 믿으려 하는 반면에 다른 한편으로는 자신의 감정을 보호하기 위해 이를 현실로 받아들이지 않는다.

카이네시스(Kinesis): 의사소통을 연구하는 과학 또는 학문.

타협(bargaining): 큐블러 – 로스(E. Kübler – Ross)가 규정한 바에 의하면 타협은 죽을병에 걸린 환자가 겪게 되는 세 번째 단계의 감정으로, 이 단계에서 환자는 시간을 벌고 지연시키기 위해 협상을 시도하며, 어떤 환자는 죽음에 대한 준비를 끝낸다.

태도(attitude): 평상시에 자신의 행위나 행동에 영향을 주는 관념의 군(群)이나 학습된 성향.

통찰(insight): 죠해리(Johari) 창에서 새로운 정보가 '미지적' 부분에서 '공개적' 부분으로 이동하는 것을 말하는데 이러한 과정은 양자가 모두 전에 알지 못했던 정보를 '아하'나 '번쩍' 하는 순간과 같은 경험으로 갑자기 알게 되었을 경우에 일어난다.

퇴행(regression): 시기적으로 어렸을 때의 덜 적응된 형태인 미성숙하고 부적절한 행동으로 복귀하려는 기제.

투사(projection): 자기 자신에게 실제적으로 있는 속성을 타인에게 돌리려는 경향성으로, 자신의 잘못을 타인에게 돌리려는 행동이다.

편견(prejudice): 호의적이건 비호의적이건 간에 편견은 미리 예상하고 있는 견해, 감정, 태도로서 충분한 조사나 지식이 없이 형성된 것이다.

편모 편부의 가족(single – parent family): 집에 아버지나 어머니 중에서 어느 한 분이 안 계신 형태의 가족단위.

피드백(feedback): 다른 사람에게 자신의 지각과 정보를 전달하는 과정 또는 메시지에 대한 이해를 명료화하는 과정.

합리화(rationalization): 무의식적인 행동을 정당화하려는 과정. 자신의 행동을 위한 수용될 수 있는 이유를 무의식적으로 아는 것. 비논리적인 사고.

항상성(homeostasis): 신체가 정상적인 혈압을 유지하고 세균이나 전염균에 저항하는 것과 같이 안정성에 관련된 어떠한 내적인 조건을 유지하려고 노력하는 개념.

핵가족(nuclear family): 전에 세 세대가 함께 모여 사는 가족과 비교되는 오늘날의 부모와 자식 두 세대가 함께 사는 가족형태.

혼란(disorganization): 슬픔을 겪는 과정에서 이는 충격 다음에 오는 것으로 접촉이 없거나 안절부절못한 상태의 반응을 보인다.

혼합가족(blended families): 재혼한 부모가 그전에 낳았던 자녀를 새로운 가족단위로 데리고 와서 함께 사는 형태의 가족.

화장(cremation): 사체를 불로 소각시켜 처리하는 방법.

환경(environment): 인간을 둘러싼 전반적인 주변의 일, 조건, 영향력 등.

회복(reestablishment): 슬픔의 과정 중에서 마지막 단계인 회복은 슬픔에 잠긴 사람들이 어느 정도의 시간이 흐른 다음에 접하게 되는 감정으로, 이들은 새로운 친구와 관계의 설정으로 새로운 삶을 시작하게 된다.

찾아보기

비언어적 의사소통 ; 132, 152, 154, 499
비이성적 ; 27
비인간화 ; 230
빈정꾼 ; 450, 462

(ㅅ)

사고방식 ; 226, 397
사랑 ; 37, 89, 100, 107, 108, 110, 111, 113, 219, 381~383, 392, 404, 411, 424, 499
사랑의 기술 ; 107, 418
사망증명서 ; 472
사업상의 비밀 ; 334
사회적 구조 ; 179
사회화 ; 39, 40, 42, 122, 267, 354, 368, 499
상공회의소 ; 306
상실감 ; 480, 483, 490, 500
상호 관계성 ; 395
상호 수용 ; 52, 419, 457
상호 연대성 ; 238
상호 의존 ; 33, 36, 390
상호 의존성 ; 34, 53, 332, 333, 346, 385
상호 이익 ; 327, 328, 346, 382
상호 존경 ; 457
상호 존중 ; 166, 395
상호작용 ; 34, 53, 78, 150, 156, 189, 239, 355, 462, 478, 504
새로운 도덕성 ; 359
생리적 욕구 ; 92, 214, 215, 244, 500, 503
생명지연책 ; 488
생활수준 ; 229, 231, 245
생활양식 ; 227, 229, 232, 245, 335, 382, 483, 500

서류심사 ; 310
선의 기회 ; 24
선입견 ; 141, 161, 170, 204
성격 ; 37~40, 43~45, 47, 53, 86, 168, 392, 500
성경험 ; 360
성공잠재력 ; 327
성공적인 결혼 ; 402, 407, 442, 457, 460
성냄 ; 338, 350, 399, 435, 443, 449
성선설 ; 24
성악설 ; 24
성에 대한 태도 ; 356, 358, 362, 373, 390, 402, 404, 497, 501, 504
성역할 ; 354, 356, 362~364, 366, 371, 373, 374, 500
성욕 ; 215, 386
성의 차이 ; 364, 367
성의 확인 ; 354, 368, 373
성장 ; 38, 46, 53, 86, 109, 222, 236, 272, 344, 364, 422, 489
성장사 ; 320
성적 적응 ; 418, 419
성적인 관계 ; 360, 419
성적인 교제 ; 358~360, 450
성적인 욕구 ; 386, 404
성적인 정체성 ; 356
성적인 친교 ; 361
성취감 ; 118, 220, 292, 417
세대차 ; 22
소비생활 ; 396
소비습관 ; 397, 413
소속과 사랑의 욕구 ; 214, 218, 219, 223, 244, 500, 503
소유의식 ; 61, 139, 289, 300, 301
수용 ; 46~48, 52, 60, 78, 106, 147, 165, 166, 173, 214, 222, 243, 343, 354, 382, 433, 478, 479, 501

투명한 자아 ; 68
투사 ; 191, 192, 209, 339, 476,
506

(ㅍ)

파괴적 ; 24, 95, 105, 106, 236, 353,
449, 462, 497
파괴적 갈등 ; 445
편견형 ; 255
편모 ; 234, 256, 380
편부 ; 234, 256, 380, 425
폐쇄체제 ; 268
포괄적 ; 37
피드백 ; 62, 69, 70, 72, 73, 76,
87, 135, 136, 138, 162, 173

(ㅎ)

하위문화 ; 40, 491
학습 ; 37, 38, 53, 254, 272, 369,
432

학습된 성향 ; 254, 336, 506
합리성 ; 27, 452
합리화 ; 117, 190, 191, 209, 507
항상성 ; 224, 507
핵가족 ; 233, 234, 507
행동규칙 ; 268, 436
협동 ; 33, 160, 329, 332, 440
협동적 팀 ; 332
형성의 과정 ; 43, 54
호미노이드(hominoid) ; 25
혼란 ; 178, 249, 290, 356, 360,
400, 467, 482, 505, 507
혼합가족 ; 234, 507
환경 ; 23, 27, 30, 39, 40, 54, 168,
232, 336, 367, 400, 466, 507
황금 경품권 ; 118
회복 ; 387, 426, 480, 481, 486, 493,
507
회사에 대한 충성심 ; 333, 334, 346
회사의 안전문제 ; 334
효과적인 피드백 ; 136, 138, 139, 168
훈련내용 ; 304

주삼환

▌약력

서울교육대학교, 서울대학교교육대학원 교육행정전공 석사
미국미네소타대학교대학원 교육행정전공 박사
서울시내 초등교사로 약 15년간 근무, 충남대학교 교수, 한국교육행정학회장 역임
미국 오하이오주립대학 객원교수, 한국대학교육협의회 파견교수
인문사회연구회 이사 역임
현) 충남대학교 명예교수

▌저서 및 역서

『학업성취 향상 수업전략』(공역 시그마프레스, 2010)
『교육행정윤리』(공역 시그마프레스, 2010)
『불가능의 성취』(학지사, 2010)
『미국의 최우수학교, 블루리본 스쿨』(학지사, 2009, 공저)
『리더십 패러독스』(공역 시그마프레스, 2009)
『한국대학행정』(시그마프레스, 2007, 2008문화체육관광부 우수도서)
『도덕적리더십』(역, T. J. Sergiovanni 저, 시그마프레스, 2008)
『교육행정사례연구』(학지사, 2007, 공저)
『교육행정철학』(학지사, 2007, 공저)
『장학의 이론과 기법』(학지사, 2006)
『미국의 교장』(학지사, 2005)
『학교경영의 이론과 실제』(학지사, 2006, 공저)
『교육행정 및 교육경영 4판』(학지사, 2009, 공저)

위 외에 한국학술정보(www.kstudy.com) 주삼환 교육행정 및 장학 시리즈 도서 35권

교양인간관계론

초판인쇄 | 2010년 4월 30일
초판발행 | 2010년 4월 30일

옮 긴 이 | 주삼환
지 은 이 | 앤 엘리슨
펴 낸 이 | 채종준
펴 낸 곳 | 한국학술정보㈜
주   소 | 경기도 파주시 교하읍 문발리 파주출판문화정보산업단지 513-5
전   화 | 031) 908-3181(대표)
팩   스 | 031) 908-3189
홈페이지 | http://www.kstudy.com
E-mail | 출판사업부 publish@kstudy.com
등   록 | 제일산-115호(2000. 6. 19)

ISBN   978-89-268-1005-7 93370 (Paper Book)
        978-89-268-1006-4 98370 (e-book)

이 책은 한국학술정보(주)와 저작자의 지적 재산으로서 무단 전재와 복제를 금합니다.
책에 대한 더 나은 생각, 끊임없는 고민, 독자를 생각하는 마음으로 보다 좋은 책을 만들어갑니다.